中国古典文学读本丛书

水浒传

下

施耐庵　罗贯中　著

人民文学出版社

第五十一回

插翅虎枷打白秀英　美髯公误失小衙内

诗曰：

龙虎山中走煞罡，英雄豪杰起多方。
魁罡飞入山东界，挺挺黄金架海梁。
幼读经书明礼义，长为吏道志轩昂。
名扬四海称时雨，岁岁朝阳集凤凰。
运蹇时乖遭迭配，如龙失水困泥冈。
曾将玄女天书受，漫向梁山水浒藏。
报冤率众临曾市，挟恨兴兵破祝庄。
谈笑西陲屯甲胄，等闲东府列刀枪。
两赢童贯排天阵，三败高俅在水乡。
施功紫塞辽兵退，报国清溪方腊亡。
行道合天呼保义，高名留得万年扬。

话说梁山泊聚义厅上，晁盖、宋江并众头领与扑天雕李应陪话，敲牛宰马，做庆喜筵席，犒赏三军，并众大小喽啰筵宴，置备礼物酬谢。孙立、孙新、解珍、解宝、邹渊、邹润、乐和、顾大嫂俱各拨房安顿。次日，又作席面，会请众头领作主张。宋江唤王矮虎来说道：“我当初在清风山时，许下你一头亲事，悬悬挂在心中，不曾完得此愿。今日我父亲有个女儿，招你为婿。”宋江自去请出宋太公来，引着一丈青扈三娘到筵前。宋江亲自与他陪话，说道:"我这兄弟王英,虽有武艺,不及贤妹。是我当初曾许下他一头亲事,一向未曾成得。今日贤妹你认我父亲了,众头领都是媒人,今朝是个良辰吉日,贤妹与王英结为夫妇。"一丈青见宋江义气深重,推却不得,两口儿只得拜谢了。晁盖等众人皆喜,都称贺宋公明真乃有德有义之士。当日尽皆筵宴,饮酒庆贺。

　　正饮宴间,只见朱贵酒店里使人上山来报道:"林子前大路上一伙客人经过,小喽啰出去拦截,数内一个称是郓城县都头雷横。朱头领邀请住了,见在店里饮分例酒食,先使小校报知。"晁盖、宋江听了大喜,随即与同军师吴用三个下山迎接。朱贵早把船送至金沙滩上岸,宋江见了,慌忙下拜道:"久别尊颜,常切云树之思。今日缘何经过贱处?"雷横连忙答礼道:"小弟蒙本县差遣,往东昌府公干,回来经过路口,小喽啰拦讨买路钱,小弟提起贱名,因此朱贵坚意留住。"宋江道:"天与之幸!"请到大寨,教众头领都相见了,置酒管待。一连住了五日,每日与宋江闲话。晁盖动问朱仝消息,雷横答道:"朱仝见今参做本县当牢节级,新任知县好生欣喜。"宋江宛曲把话来说雷横上山入伙,雷横推辞:"老母年高,不能相从。待小弟送母终年之后,却来相投。"雷横当下拜辞了下山,宋江等再三苦留不住。众头领各以金帛相赠,宋江、晁盖自不必说。雷横得了一大包金银下山,众头领都送至路口作别,把船渡过大路,自回郓城县去了,不在话下。

　　且说晁盖、宋江回至大寨聚义厅上,起请军师吴学究定议山寨职事。吴用已与宋公明商议已定,次日会合众头领听号令。先拨外面守店头领。宋江道:"孙新、顾大嫂原是开酒店之家,着令夫妇二人替回童威、童猛别用。再令时迁去帮助石勇,乐和去帮助朱贵,郑天寿去帮助李立。东南西北四座店内,卖酒卖肉,招接四方入伙好汉,每店内设两个头领。一丈青、王矮虎后山下

寨,监督马匹。金沙滩小寨,童威、童猛弟兄两个守把。鸭嘴滩
小寨,邹渊、邹润叔侄两个守把。山前大路,黄信、燕顺部领马军
下寨守护。解珍、解宝守把山前第一关。杜迁、宋万守把宛子城
第二关。刘唐、穆弘守把大寨口第三关。阮家三雄守把山南水
寨。孟康仍前监造战船。李应、杜兴、蒋敬总管山寨钱粮金帛。
陶宗旺、薛永监筑梁山泊内城垣雁台。侯健专管监造衣袍、铠
甲、旌旗、战袄。朱富、宋清提调筵宴。穆春、李云监造屋宇寨
栅。萧让、金大坚掌管一应宾客书信公文。裴宣专管军政司,赏
功罚罪。其馀吕方、郭盛、孙立、欧鹏、马麟、邓飞、杨林、白胜,分
调大寨八面安歇。晁盖、宋江、吴用居于山顶寨内。花荣、秦明
居于山左寨内。林冲、戴宗居于山右寨内。李俊、李逵居于山
前。张横、张顺居于山后。杨雄、石秀守护聚义厅两侧。"一班头
领分拨已定,每日轮流一位头领做筵席庆贺。山寨体统,甚是齐
整。有诗为证:

　　　　巍巍高寨水中央,列职分头任所长。

　　　　从此山东遭扰攘,难禁地煞与天罡。

　　再说雷横离了梁山泊,背了包裹,提了朴刀,取路回到郓城
县。到家参见老母,更换些衣服,赍了回文,径投县里来,拜见了
知县,回了话,销缴公文批帖,且自归家暂歇。依旧每日县中书
画卯酉,听候差使。因一日行到县衙东首,只听得背后有人叫
道:"都头几时回来?"雷横回过脸来看时,却是本县一个帮闲的
李小二。雷横答道:"我却才前日来家。"李小二道:"都头出去了
许多时,不知此处近日有个东京新来打踅① 的行院,色艺双绝,

---

① 打踅(xué)——走江湖、跑码头。

叫做白秀英。那妮子来参都头,却值公差出外不在。如今见在勾栏里,说唱诸般品调。每日有那一般打散①,或有戏舞,或有吹弹,或有歌唱,赚得那人山人海价看。都头如何不去睃一睃?端的是好个粉头。"

雷横听了,又遇心闲,便和那李小二径到勾栏里来看,只见门首挂着许多金字帐额,旗杆吊着等身靠背。入到里面,便去青龙②头上第一位坐了。看戏台上却做笑乐院本③。那李小二人丛里撇了雷横,自出外面赶碗头脑④去了。院本下来,只见一个老儿裹着磕脑儿头巾,穿着一领茶褐罗衫,系一条皂绦,拿把扇子,上来开呵道:"老汉是东京人氏白玉乔的便是。如今年迈,只凭女儿秀英歌舞吹弹,普天下伏侍看官。"锣声响处,那白秀英早上戏台,参拜四方,拈起锣棒,如撒豆般点动,拍下一声界方,念了四句七言诗,便说道:"今日秀英招牌上明写着这场话本⑤,是一段风流酝藉的格范,唤做'豫章城双渐赶苏卿'。"说了开话⑥又唱,唱了又说,合棚价众人喝采不绝。雷横坐在上面,看那妇人时,果然是色艺双绝。但见:

> 罗衣叠雪,宝髻堆云。樱桃口杏脸桃腮,杨柳腰兰心蕙性。歌喉宛转,声如枝上莺啼;舞态蹁跹,影似花间凤转。腔依古调,音出天然。舞回明月坠秦楼,歌遏行云

---

① 打散——犹如现在的曲艺、杂技之类,就是文中戏舞、吹弹、歌唱等的总称。
② 青龙——这里是指左边。古时行军以画有鸟兽的旗帜来表示方位:前朱雀(鸟),后玄武(龟),左青龙,右白虎。青龙本是东方星宿名,故以青龙旗表示东方;古时以东为左,故又以青龙指左边。
③ 笑乐院本——正戏以前的玩笑趣剧。
④ 赶碗头脑——古人有一种泡酒,名叫头脑酒;赶碗头脑,意思说找碗酒吃。
⑤ 话本——说唱故事的脚本。
⑥ 开话——开场白。

遮楚馆。高低紧慢，按宫商吐雪喷珠；轻重疾徐，依格范铿金戛玉。笛吹紫竹篇篇锦，板拍红牙字字新。

那白秀英唱到务头①，这白玉乔按喝道："虽无买马博金艺，要动聪明鉴事人。看官喝采道是过去了，我儿且回一回，下来便是衬交鼓儿的院本。"白秀英拿起盘子指着道："财门上起，利地上住，吉地上过，旺地上行。手到面前，休教空过。"白玉乔道："我儿且走一遭，看官都待赏你。"白秀英托着盘子，先到雷横面前。雷横便去身边袋里摸时，不想并无一文。雷横道："今日忘了，不曾带得些出来，明日一发赏你。"白秀英笑道："头醋不酽彻底薄。官人坐当其位，可出个标首②。"雷横通红了面皮道："我一时不曾带得出来，非是我舍不得。"白秀英道："官人既是来听唱，如何不记得带钱出来？"雷横道："我赏你三五两银子也不打紧，却恨今日忘记带来。"白秀英道："官人今日见一文也无，提甚三五两银子。正是教俺望梅止渴，画饼充饥。"白玉乔叫道："我儿，你自没眼。不看城里人村里人，只顾问他讨甚么。且过去自问晓事的恩官告个标首。"雷横道："我怎地不是晓事的？"白玉乔道："你若省得这子弟门庭③　时，狗头上生角。"众人齐和起来。雷横大怒，便骂道："这忤奴怎敢辱我！"白玉乔道："便骂你这三家村使牛的，打甚么紧！"有认得的喝道："使不得！这个是本县雷都头。"白玉乔道："只怕是驴筋头。"雷横那里忍耐得住，从坐椅上直跳下戏台来，揪住白玉乔，一拳一脚，便打得唇绽齿落。众人见打得凶，都来解拆开了，又劝雷横自回去了。勾栏里人一

---

①　务头——说唱到重要的关口，或是唱腔和故事情节最精彩的地方。

②　标首——领头出的赏钱。又叫"标手钱"。

③　子弟门庭——风流子弟玩的门道。

哄尽散了。

原来这白秀英却和那新任知县旧在东京两个来往，今日特地在郓城县开勾栏。那娼妓见父亲被雷横打了，又带重伤，叫一乘轿子，径到知县衙内诉告："雷横殴打父亲，搅散勾栏，意在欺骗奴家。"知县听了，大怒道："快写状来！"这个唤做枕边灵。便教白玉乔写了状子，验了伤痕，指定证见。本处县里有人都和雷横好的，替他去知县处打关节。怎当那婆娘守定在衙内，撒娇撒痴，不由知县不行，立等知县差人把雷横捉拿到官，当厅责打，取了招状，将具枷来枷了，押出去号令示众。那婆娘要逞好手，又去知县行说了，定要把雷横号令在勾栏门首。第二日那婆娘再去做场，知县却教把雷横号令在勾栏门首。这一班禁子人等，都是和雷横一般的公人，如何肯掤扒① 他。这婆娘寻思一会："既是出名奈何了他，只是一怪。"走出勾栏门，去茶坊里坐下，叫禁子过去，发话道："你们都和他有首尾，却放他自在。知县相公教你们掤扒他，你倒做人情！少刻我对知县说了，看道奈何得你们也不！"禁子道："娘子不必发怒，我们自去掤扒他便了。"白秀英道："恁地时，我自将钱赏你。"禁子们只得来对雷横说道："兄长，没奈何且胡乱掤一掤。"把雷横掤扒在街上。

人闹里，却好雷横的母亲正来送饭，看见儿子吃他掤扒在那里，便哭起来，骂那禁子们道："你众人也和我儿一般在衙门里出入的人，钱财直这般好使？谁保的常没事！"禁子答道："我那老娘，听我说，我们却也要容情，怎禁被原告人监定在这里要掤，我们也没做道理处。不时便要去和知县说，苦害我们，因此上做不的面皮。"那婆婆道："几曾见原告人自监着被告号令的道理。"禁

---

① 掤（bēng）扒——剥去衣服，捆绑起来。

子们又低低道："老娘，他和知县来往得好，一句话便送了我们，因此两难。"那婆婆一面自去解索，一头口里骂道："这个贼贱人直恁的倚势！我且解了这索子，看他如今怎的！"白秀英却在茶房里听得，走将过来，便道："你那老婢子却才道甚么？"那婆婆那里有好气，便指着骂道："你这千人骑、万人压、乱人入的贱母狗！做甚么倒骂我！"白秀英听得，柳眉倒竖，星眼圆睁，大骂道："老咬虫，吃贫婆！贱人怎敢骂我！"婆婆道："我骂你待怎的！你须不是郓城县知县。"白秀英大怒，抢向前只一掌，把那婆婆打个踉跄。那婆婆却待挣扎，白秀英再赶入去，老大耳光子只顾打。这雷横是个大孝的人，见了母亲吃打，一时怒从心发，扯起枷来，望着白秀英脑盖上打将下来。那一枷梢打个正着，劈开了脑盖，扑地倒了。众人看时，那白秀英打得脑浆迸流，眼珠突出，动掸不得，情知死了。有诗为证：

> 玉貌花颜俏粉头，当场歌舞擅风流。
>
> 只因窘辱雷横母，裂脑横尸一命休。

众人见打死了白秀英，就押带了雷横，一发来县里首告，见知县备诉前事。知县随即差人押雷横下来，会集相官，拘唤里正邻佑人等，对尸检验已了，都押回县来。雷横一面都招承了，并无难意。他娘自保领回家听候。禁子都监下了。把雷横枷了，下在牢里。当牢节级却是美髯公朱仝，见发下雷横来，也没做奈何处，只得安排些酒食管待，教小牢子打扫一间净房，安顿了雷横。少间，她娘来牢里送饭，哭着哀告朱仝道："老身年纪六旬之上，眼睁地只看着这个孩儿。望烦节级哥哥可看日常间弟兄面上，可怜见我这个孩儿，看觑看觑。"朱仝道："老娘自请放心归去。今后饭食不必来送，小人自管待他。倘有方便处，可以救之。"雷横娘道："哥哥救得孩儿，却是重生父母。若孩儿有些好歹,老身性命也便休了!"朱仝道:"小人专记在心,老娘不必挂念。"那婆婆拜谢去了。朱仝寻思了一日,没做道理救他处。朱仝自央人去知县处打关节,上下替他使用人情。那知县虽然爱朱仝,只是恨这雷横打死了他表子白秀英,也容不得他说了,又怎奈白玉乔那厮,催并叠成文案,要知县断教雷横偿命。因在牢里六十日限满断结,解上济州,主案押司抱了文卷先行,却教朱仝解送雷横。

朱仝引了十数个小牢子,监押雷横,离了郓城县。约行了十数里地,见个酒店,朱仝道:"我等众人就此吃两碗酒去。"众人都到店里吃酒。朱仝独自带过雷横,只做水火①,乘后面僻净处开了枷,放了雷横,分付道:"贤弟自回,快去家里取了老母,星夜去别处逃难。这里我自替你吃官司。"雷横道:"小弟走了自不妨,必须要连累了哥哥,恐怕罪犯深重。"朱仝道:"兄弟,你不知。知县怪你打死了他表子,把这文案却做死了,解到州里,必是要你偿命。我放了你,我须不该死罪。况兼我又无父母挂念,家私尽可赔偿。你顾前程万里自去。"雷横拜谢了,便从后门小路奔回家里,收拾了细软包裹,引了老母,星夜自投梁山泊入伙去了,不在话下。

却说朱仝拿着空枷,摔在草里,却出来对众小牢子说道:"吃雷横走了,却是怎地好?"众人道:"我们赶快去他家里捉!"朱仝故意延迟了半日,料着雷横去得远了,却引众人来县里出首。朱仝告道:"小人自不小心,路上被雷横走了,在逃无获,情愿甘罪无辞。"知县本爱朱仝,有心将就出脱他,被白玉乔要赴上司陈告

---

① 水火——犹如现在说解手。后文第六十九回的"水火之处",就是厕所。

朱全故意脱放雷横,知县只得把朱全所犯情由申将济州去。朱全家中自着人去上州里使钱透了,却解朱全到济州来。当厅审录明白,断了二十脊杖,刺配沧州牢城。朱全只得带上行枷,两个防送公人领了文案,押送朱全上路。家间人自有送衣服盘缠,先赏发了两个公人。当下离了郓城县,迤逦望沧州横海郡来,于路无话。

到得沧州,入进城中,投州衙里来,正值知府升厅。两个公人押朱全在厅阶下,呈上公文。知府看了,见朱全一表非俗,貌如重枣,美髯过腹,知府先有八分欢喜,便教:"这个犯人休发下牢城营里,只留在本府听候使唤。"当下除了行枷,便与了回文,两个公人相辞了自回。

只说朱全自在府中,每日只在厅前伺候呼唤。那沧州府里押番、虞候、门子、承局、节级、牢子,都送了些人情,又见朱全和气,因此上都欢喜他。忽一日,本官知府正在厅上坐堂,朱全在阶侍立。知府唤朱全上厅问道:"你缘何放了雷横,自遭配在这里?"朱全禀道:"小人怎敢故放了雷横,只是一时间不小心,被他走了。"知府道:"你如何得此重罪?"朱全道:"被原告人执定要小人如此招做故放,以此问得重了。"知府道:"雷横为何打死了那娼妓?"朱全却把雷横上项的事备细说了一遍。知府道:"你敢见他孝道,为义气上放了他?"朱全道:"小人怎敢欺公罔上。"正问之间,只见屏风背后转出一个小衙内来,方年四岁,生得端严美貌,乃是知府亲子,知府爱惜如金似玉。那小衙内见了朱全,径走过来便要他抱。朱全只得抱起小衙内在怀里。那小衙内双手扯住朱全长髯,说道:"我只要这胡子抱。"知府道:"孩儿快放了手,休要啰唣。"小衙内又道:"我只要这胡子抱,和我去耍。"朱全禀道:"小人抱衙内去府前闲走,耍一回了来。"知府道:"孩儿既是要你抱,你和他去耍一回子来。"朱仝抱了小衙内,出府衙前来,买些细糖果子与他吃,转了一遭,再抱入府里来。知府看见,问衙内道:"孩儿那里去来?"小衙内道:"这胡子和我街上看耍,又买糖和果子请我吃。"知府说道:"你那里得钱买物事与孩儿吃?"朱仝禀道:"微表小人孝顺之心,何足挂齿。"知府教取酒来与朱仝吃。府里侍婢捧着银瓶果盒,筛酒连与朱仝吃了三大赏锺。知府道:"早晚孩儿要你耍时,你可自行去抱他耍去。"朱仝道:"恩相台旨,怎敢有违。"自此为始,每日来和小衙内上街闲耍。朱仝囊箧又有,只要本官见喜,小衙内面上抵自赔费。

时过半月之后,便是七月十五日盂兰盆大斋之日,年例各处点放河灯,修设好事。当日天晚,堂里侍婢奶子叫道:"朱都头,小衙内今夜要去看河灯,夫人分付,你可抱他去看一看。"朱仝道:"小人抱去。"那小衙内穿一领绿纱衫儿,头上角儿拴两条珠子头须,从里面走出来。朱仝驮在肩头上,转出府衙内前来,望地藏寺里去看点放河灯。那时恰才是初更时分,但见:

> 钟声杳霭,幡影招摇。炉中焚百和名香,盘内贮诸般素食。僧持金杵,诵真言荐拔幽魂;人列银钱,挂孝服超升滞魄。合堂功德,画阴司八难三涂;绕寺庄严,列地狱四生六道。杨柳枝头分净水,莲花池内放明灯。

当时朱仝肩背着小衙内,绕寺看了一遭,却来水陆堂放生池边看放河灯。那小衙内爬在栏干上,看了笑耍。只见背后有人拽朱仝袖子道:"哥哥借一步说话。"朱仝回头看时,却是雷横,吃了一惊,便道:"小衙内且下来,坐在这里,我去买糖来与你吃,切不要走动。"小衙内道:"你快来,我要去桥上看河灯。"朱仝道:"我便来也。"转身却与雷横说话。

朱仝道:"贤弟因何到此?"雷横扯朱仝到静处,拜道:"自从

哥哥救了性命,和老母无处归着,只得上梁山泊投奔了宋公明入
伙。小弟说哥哥恩德,宋公明亦然思想哥哥旧日放他的恩念,晁
天王和众头领皆感激不浅,因此特地教吴军师同兄弟前来相
探。"朱仝道:"吴先生见在何处?"背后转过吴学究道:"吴用在
此。"言罢便拜。朱仝慌忙答礼道:"多时不见,先生一向安乐?"
吴学究道:"山寨里众头领多多拜意,今番教吴用和雷都头特来
相请足下上山,同聚大义。到此多日了,不敢相见。今夜伺候得
着,望仁兄便那尊步,同赴山寨,以满晁、宋二公之意。"朱仝听
罢,半晌答应不得,便道:"先生差矣。这话休题,恐被外人听了
不好。雷横兄弟他自犯了该死的罪,我因义气放了他,上山入
伙,出身不得。我亦为他配在这里。天可怜见,一年半载挣扎还
乡,复为良民。我却如何肯做这等的事!你二位便可请回,休在
此间,惹口面①　不好。"雷横道:"哥哥在此,无非只是在人之下,
伏侍他人,非大丈夫男子汉的勾当。不是小弟裹合上山,端的
晁、宋二公仰望哥哥久矣,休得迟延自误。"朱仝道:"兄弟,你是
甚么言语! 你不想我为你母老家寒上放了你去,今日你倒来陷
我为不义。"吴学究道:"既然都头不肯去时,我们自告退,相辞了
去休。"朱仝道:"说我贱名,上复众位头领。"一同出来。

　　朱仝回来,不见了小衙内,叫起苦来,两头没路去寻。雷横
扯住朱仝:"哥哥休寻,多管是我带来的两个伴当听得哥哥不肯
去,因此倒抱了小衙内去了,我们一处去寻。"朱仝道:"兄弟,不
是耍处。这个小衙内是知府相公的性命,分付在我身上。"雷横
道:"哥哥且跟我来。"朱仝帮住雷横、吴用,三个离了地藏寺,径
出城外。朱仝心慌,便问道:"你的伴当抱小衙内在那里?"雷横

────────────

　　①　惹口面——引起口舌、招惹是非的意思。

道:"哥哥且走到我下处,包还你小衙内。"朱仝道:"迟了时,恐知府相公见怪。"吴用道:"我那带来的两个伴当是个没分晓的,以定直抱到我们的下处去了。"朱仝道:"你那伴当姓甚名谁?"雷横答道:"我也不认得,只听闻叫做黑旋风李逵。"朱仝失惊道:"莫不是江州杀人的李逵么?"吴用道:"便是此人。"朱仝跌脚叫苦,慌忙便赶。离城走下到二十里,只见李逵在前面叫道:"我在这里。"朱仝抢近前来问道:"小衙内放在那里?"李逵唱个喏道:"拜揖节级哥哥,小衙内有在这里。"朱仝道:"你好好的抱出小衙内还我。"李逵指着头上道:"小衙内头须儿却在我头上。"朱仝看了,又问:"小衙内正在何处?"李逵道:"被我把些麻药抹在口里,直驮出城来,如今睡在林子里,你自请去看。"朱仝乘着月色明朗,径抢入林子里寻时,只见小衙内倒在地上。朱仝便把手去扶时,只见头劈做两半个,已死在那里。有诗为证:

> 远从萧寺看花灯,偶遇雷横便请行。
>
> 只为坚心悭入伙,更将婴孺劈天灵。

当时朱仝心下大怒,奔出林子来,早不见了三个人。四下里望时,只见黑旋风远远地拍着双斧叫道:"来,来,来!和你斗二三十合。"朱仝性起,奋不顾身,拽扎起布衫,大踏步赶将来。李逵回身便走,背后朱仝赶来。这李逵却是穿山度岭惯走的人,朱仝如何赶得上,先自喘做一块。李逵却在前面,又叫:"来,来,来!和你并个你死我活。"朱仝恨不得一口气吞了他,只是赶他不上。赶来赶去,天色渐明。李逵在前面,急赶急走,慢赶慢行,不赶不走,看看赶入一个大庄院里去了。朱仝看了道:"那厮既有下落,我和他干休不得!"朱仝直赶入庄院内厅前去,见里面两边都插着许多军器。朱仝道:"想必也是个官宦之家。"立住了脚,高声叫道:"庄里有人么?"只见屏风背后转出一人来。那人是谁？正是：

> 累代金枝玉叶，先朝凤子龙孙。丹书铁券护家门，万里招贤名振。待客一团和气，挥金满面阳春。能文会武孟尝君，小旋风聪明柴进。

出来的正是小旋风柴进，问道："兀是谁？"朱仝见那人人物轩昂，资质秀丽，慌忙施礼，答道："小人是郓城县当牢节级朱仝，犯罪刺配到此。昨晚因和知府的小衙内出来看放河灯，被黑旋风杀害小衙内，见今走在贵庄，望烦添力捉拿送官。"柴进道："既是美髯公，且请坐。"朱仝道："小人不敢拜问官人高姓？"柴进答道："小生姓柴名进，小旋风便是。"朱仝道："久闻大名。"连忙下拜，又道："不期今日得识尊颜。"柴进说道："美髯公亦久闻名，且请后堂说话。"

朱仝随着柴进直到里面。朱仝道："黑旋风那厮如何却敢径入贵庄躲避？"柴进道："容复：小可平生专爱结识江湖上好汉，为是家间祖上有陈桥让位之功，先朝曾敕赐丹书铁券，但有做下不是的人，停藏在家，无人敢搜。近间有个爱友，和足下亦是旧交，目今见在梁山泊做头领，名唤及时雨宋公明，写一封密书，令吴学究、雷横、黑旋风俱在敝庄安歇，礼请足下上山，同聚大义。因见足下推阻不从，故意教李逵杀害了小衙内，先绝了足下归路，只得上山坐把交椅。吴先生、雷兄，如何不出来陪话？"只见吴用、雷横从侧首阁子里出来，望着朱仝便拜，说道："兄长，望乞恕罪！皆是宋公明哥哥将令分付如此。若到山寨，自有分晓。"朱仝道："是则是你们弟兄好情意，只是忒毒些个！"柴进一力相劝。朱仝道："我去则去，只教我见黑旋风面罢。"柴进道："李大哥，你快出来陪话。"李逵也从侧首出来，唱个大喏。朱仝见了，心头一把无明业火高三千丈，按纳不下，起身抢近前来，要和李逵性命相搏。柴进、雷横、吴用三个苦死劝住。朱仝道："若要我上山时,依得我一件事,我便去。"吴用道："休说一件事,遮莫几十件也都依你。愿闻那一件事?"

　　不争朱仝说出这件事来,有分教:大闹高唐州,惹动梁山泊。直教招贤国戚遭刑法,好客皇亲丧土坑。毕竟朱仝对柴进等说出甚么事来,且听下回分解。

第五十二回

李逵打死殷天锡　柴进失陷高唐州

诗曰：

> 缚虎擒龙不偶然，必须妙算出机先。
>
> 只知悻悻全无畏，讵意冥冥却有天。
>
> 非分功名真晓露，白来财物等浮烟。
>
> 到头挠扰为身累，辜负日高花影眠。

话说当下朱仝对众人说道："若要我上山时，你只杀了黑旋风，与我出了这口气，我便罢。"李逵听了大怒道："教你咬我鸟！晁、宋二位哥哥将令，干我屁事！"朱仝怒发，又要和李逵厮并，三个又劝住了。朱仝道："若有黑旋风时，我死也不上山去！"柴进道："恁地也却容易，我自有个道理，只留下李大哥在我这里便了。你们三个自上山去，以满晁、宋二公之意。"朱仝道："如今做下这件事了，知府必然行移文书去郓城县追捉，拿我家小，如之奈何？"吴学究道："足下放心，此时多敢宋公明已都取宝眷在山上了。"朱仝方才有些放心。柴进置酒相待，就当日送行。三个临晚辞了柴大官人便行，柴进叫庄客备三骑马，送出关外。临别时，吴用又分付李逵道："你且小心，只在大官人庄上住几时，切不可胡乱惹事累人。待半年三个月，等他性定，却来取你还山。多管也来请柴大官人入伙。"三个自上马去了。

不说柴进和李逵回庄，且只说朱仝随吴用、雷横来梁山泊入

伙。行了一程,出离沧州地界,庄客自骑了马回去,三个取路投
梁山泊来。于路无话,早到朱贵酒店里,先使人上山寨报知。晁
盖、宋江引了大小头目,打鼓吹笛,直到金沙滩迎接。一行人都
相见了,各人乘马回到山上大寨前下了马,都到聚义厅上,叙说
旧话。朱仝道:"小弟今蒙呼唤到山,沧州知府必然行移文书去
郓城县捉我老小,如之奈何?"宋江大笑道:"我教长兄放心,尊嫂
并令郎已取到这里多日了。"朱仝又问道:"见在何处?"宋江道:
"奉养在家父宋太公歇处,兄长请自己去问慰便了。"朱仝大喜。
宋江着人引朱仝直到宋太公歇所,见了一家老小并一应细软行
李。妻子说道:"近日有人赍书来说,你已在山寨入伙了,因此收
拾,星夜到此。"朱仝出来拜谢了众人。宋江便请朱仝、雷横山顶
下寨,一面且做筵席,连日庆贺新头领,不在话下。

　　却说沧州知府至晚不见朱仝抱小衙内回来,差人四散去寻
了半夜。次日,有人见杀死在林子里,报与知府知道。府尹听了
大怒,亲自到林子里看了,痛哭不已,备办棺木烧化。次日升厅,
便行移公文,诸处缉捕,捉拿朱仝正身。郓城县已自申报朱仝妻
子挈家在逃,不知去向。行开各州县,出给赏钱捕获,不在话下。

　　只说李逵在柴进庄上,住了一月之间,忽一日见一个人赍一
封书急急奔庄上来。柴大官人却好迎着,接书看了,大惊道:"既
是如此,我只得去走一遭。"李逵便问道:"大官人,有甚紧事?"柴
进道:"我有个叔叔柴皇城,见在高唐州居住。今被本州知府高
廉的老婆兄弟殷天锡那厮来要占花园,呕了一口气,卧病在床,
早晚性命不保。必有遗嘱的言语分付,特来唤我。想叔叔无儿
无女,必须亲身去走一遭。"李逵道:"既是大官人去时,我也跟大
官人去走一遭如何?"柴进道:"大哥肯去时,就同走一遭。"柴进

即便收拾行李,选了十数匹好马,带了几个庄客。次日五更起来,柴进、李逵并从人都上了马,离了庄院,望高唐州来。在路不免饥餐渴饮,夜宿晓行。来到高唐州,入城直至柴皇城宅前下马,留李逵和从人在外面厅房内。柴进自径入卧房里来,看视那叔叔柴皇城时,但见:

> 面如金纸,体似枯柴。悠悠无七魄三魂,细细只一丝两气。牙关紧急,连朝水米不沾唇;心膈膨脖,尽日药丸难下腹。隐隐耳虚闻磬响,昏昏眼暗觉萤飞。六脉微沉,东岳判官催使去;一灵缥缈,西方佛子唤同行。丧门吊客已临身,扁鹊卢医难下手。

柴进看了柴皇城,自坐在叔叔卧榻前,放声恸哭。皇城的继室出来劝柴进道:"大官人鞍马风尘不易,初到此间,且省烦恼。"柴进施礼罢,便问事情。继室答道:"此间新任知府高廉,兼管本州兵马,是东京高太尉的叔伯兄弟,倚仗他哥哥势要,在这里无所不为。带将一个妻舅殷天锡来,人尽称他做殷直阁。那厮年纪却小,又倚仗他姐夫高廉的权势,在此间横行害人。有那等献勤的卖科①,对他说我家宅后有个花园水亭,盖造的好。那厮带将许多诈奸不及的三二十人,径入家里,来宅子后看了,便要发遣我们出去,他要来住。皇城对他说道:'我家是金枝玉叶,有先朝丹书铁券在门,诸人不许欺侮。你如何敢夺占我的住宅?赶我老小那里去?'那厮不容所言,定要我们出屋。皇城去扯他,反被这厮推抢殴打,因此受这口气,一卧不起,饮食不吃,服药无效,眼见得上天远,入地近。今日得大官人来家做个主张,便有些山高水低,也更不忧。"柴进答道:"尊婶放心,只顾请好医士调

---

① 卖科——卖弄,讨好。

治叔叔。但有门户①,小侄自使人回沧州家里去取丹书铁券来,和他理会。便告到官府、今上御前,也不怕他。"继室道:"皇城干事全不济事,还是大官人理论得是。"

柴进看视了叔叔一回,却出来和李逵并带来人从说知备细。李逵听了,跳将起来说道:"这厮好无道理!我有大斧在这里,教他吃我几斧,却再商量。"柴进道:"李大哥,你且息怒,没来由和他粗卤做甚么?他虽是倚势欺人,我家放着有护持圣旨。这里和他理论不得,须是京师也有大似他的,放着明明的条例,和他打官司。"李逵道:"条例,条例!若还依得,天下不乱了!我只是前打后商量。那厮若还去告,和那鸟官一发都砍了。"柴进笑道:"可知朱仝要和你厮并,见面不得。这里是禁城之内,如何比得你山寨里横行。"李逵道:"禁城便怎地!江州无军马,偏我不曾杀人?"柴进道:"等我看了头势,用着大哥时,那时相央。无事只在房里请坐。"

正说之间,里面侍妾慌忙来请大官人看视皇城。柴进入到里面卧榻前,只见皇城阁着两眼泪,对柴进说道:"贤侄志气轩昂,不辱祖宗。我今日被殷天锡殴死,你可看骨肉之面,亲赍书往京师拦驾告状,与我报仇。九泉之下,也感贤侄亲意。保重,保重!再不多嘱!"言罢,便放了命。柴进痛哭了一场。继室恐怕昏晕,劝住柴进道:"大官人,烦恼有日,且请商量后事。"柴进道:"誓书在我家里,不曾带得来,星夜教人去取,须用将往东京告状。叔叔尊灵,且安排棺椁盛殓,成了孝服,却再商量。"柴进教依官制备办内棺外椁,依礼铺设灵位,一门穿了重孝,大小举哀。李逵在外面听得堂里哭泣,自己磨拳擦掌价气,问从人,都

---

① 门户——这里是官司的意思。

不肯说。宅里请僧修设好事功果。

　　至第三日，只见这殷天锡骑着一匹撺行的马，将引闲汉三二十人，手执弹弓、川弩、吹筒、气球、拈竿、乐器，城外游玩了一遭，带五七分酒，佯醉假颠，径来到柴皇城宅前，勒住马，叫里面管家的人出来说话。柴进听得说，挂着一身孝服，慌忙出来答应。那殷天锡在马上问道："你是他家甚么人？"柴进答道："小可是柴皇城亲侄柴进。"殷天锡道："我前日分付道，教他家搬出屋去，如何不依我言语？"柴进道："便是叔叔卧病，不敢移动。夜来已自身故，待断七了搬出去。"殷天锡道："放屁！我只限你三日，便要出屋！三日外不搬，先把你这厮枷号起，先吃我一百讯棍！"柴进道："直阁休恁相欺！我家也是龙子龙孙，放着先朝丹书铁券，谁敢不敬？"殷天锡喝道："你将出来我看！"柴进道："见在沧州家里，已使人去取来。"殷天锡大怒道："这厮正是胡说！便有誓书铁券，我也不怕！左右，与我打这厮！"众人却待动手，原来黑旋风李逵在门缝里都看见，听得喝打柴进，便拽开房门，大吼一声，直抢到马边，早把殷天锡揪下马来，一拳打翻。那二三十人却待抢他，被李逵手起，早打倒五六个，一哄都走了。李逵拿殷天锡提起来，拳头脚尖一发上，柴进那里劝得住。看那殷天锡时，呜呼哀哉，伏惟尚飨。有诗为证：

　　　　惨刻侵谋倚横豪，岂知天宪竟难逃。

　　　　李逵猛恶无人敌，不见阎罗不肯饶。

　　李逵将殷天锡打死在地，柴进只叫得苦，便教李逵且去后堂商议。柴进道："眼见得便有人到这里，你安身不得了。官司我自支吾，你快走回梁山泊去。"李逵道："我便走了，须连累你。"柴进道："我自有誓书铁券护身，你便快走，事不宜迟。"李逵取了双斧，带了盘缠，出后门自投梁山泊去了。

不多时，只见二百馀人，各执刀杖枪棒，果来围住柴皇城家。柴进见来捉人，便出来说道："我同你们府里分诉去。"众人先缚了柴进，便入家里搜捉行凶黑大汉，不见，只把柴进绑到州衙内，当厅跪下。知府高廉听得打死了他的舅子殷天锡，正在厅上咬牙切齿忿恨，只待拿人来。早把柴进驱翻在厅前阶下，高廉喝道："你怎敢打死了我殷天锡！"柴进告道："小人是柴世宗嫡派子孙，家门有先朝太祖誓书铁券，见在沧州居住。为是叔叔柴皇城病重，特来看视，不幸身故，见今停丧在家。殷直阁将带三二十人到家，定要赶逐出屋，不容柴进分说，喝令众人殴打，被庄客李大救护，一时行凶打死。"高廉喝道："李大见在那里？"柴进道："心慌逃走了。"高廉道："他是个庄客，不得你的言语，如何敢打死人！你又故纵他走了，却来瞒昧官府。你这厮，不打如何肯招！牢子下手，加力与我打这厮！"柴进叫道："庄客李大救主，误打死人，非干我事。放着先朝太祖誓书，如何便下刑法打我？"高廉道："誓书有在那里？"柴进道："已使人回沧州去取来也。"高廉大怒，喝道："这厮正是抗拒官府！左右，腕头加力，好生痛打！"众人下手，把柴进打得皮开肉绽，鲜血迸流，只得招做"使令庄客李大打死殷天锡"。取面二十五斤死囚枷钉了，发下牢里监收。殷天锡尸首检验了，自把棺木殡葬，不在话下。

这殷夫人要与兄弟报仇，教丈夫高廉抄扎了柴皇城家私，监禁下人口，占住了房屋园院。柴进自在牢中受苦。

却说李逵连夜逃回梁山泊，到得寨里，来见众头领。朱仝一见李逵，怒从心上起，恶向胆边生，掣条朴刀，径奔李逵。黑旋风拔出双斧，便斗朱仝。晁盖、宋江并众头领一发向前劝住。宋江与朱仝陪话道："前者杀了小衙内，不干李逵之事，却是军师吴学究因请兄长不肯上山,一时定的计策。今日既到山寨,便休记心,只顾同心协助,共兴大义,休教外人耻笑。"便叫李逵兄弟与朱仝陪话。李逵睁着怪眼,叫将起来,说道:"他直恁般做得起!我也多曾在山寨出气力,他又不曾有半点之功,却怎地倒教我陪话!"宋江道:"兄弟,却是你杀了小衙内。虽是军师严令,论齿序,他也是你哥哥。且看我面,与他伏个礼,我却是拜你便了。"李逵吃宋江央及不过,便道:"我不是怕你,为是哥哥逼我,没奈何了,与你陪话。"李逵吃宋江逼住了,只得撇了双斧,拜了朱仝两拜,朱仝方才消了这口气。山寨里晁头领且教安排筵席,与他两个和解。

李逵说:"柴大官人因去高唐州看亲叔叔柴皇城病症,却被本州高知府妻舅殷天锡要夺屋宇花园,殴骂柴进,吃我打死了殷天锡那厮。"宋江听罢,失惊道:"你自走了,须连累柴大官人吃官司。"吴学究道:"兄长休惊。等戴宗回山,便有分晓。"李逵问道:"戴宗哥哥那里去了?"吴用道:"我怕你在柴大官人庄上惹事不好,特地教他来唤你回山。他到那里不见你时,必去高唐州寻你。"

说言未绝,只见小校来报:"戴院长回来了。"宋江便去迎接,到来堂上坐下,便问柴大官人一事。戴宗答道:"去到柴大官人庄上,已知同李逵投高唐州去了。径奔那里去打听,只见满城人传说殷天锡因争柴皇城庄屋,被一个黑大汉打死了,见今负累了柴大官人陷于缧绁,下在牢里。柴皇城一家人口家私尽都抄扎了。柴大官人性命早晚不保。"晁盖道:"这个黑厮又做出来了,但到处便惹口面。"李逵道:"柴皇城被他打伤呕气死了,又来占他房屋,又喝教打柴大官人,便是活佛也忍不得!"

晁盖道:"柴大官人自来与山寨有恩,今日他有危难,如何不下山去救他。我亲自去走一遭。"宋江道："哥哥是山寨之主,如何使得轻动。小可和柴大官人旧来有恩,情愿替哥哥下山。"吴学究道："高唐州城地虽小,人物稠穰,军广粮多,不可轻敌。烦请林冲、花荣、秦明、李俊、吕方、郭盛、孙立、欧鹏、杨林、邓飞、马麟、白胜十二个头领,部引马步军兵五千作前队先锋。中军主帅宋公明、吴用,并朱仝、雷横、戴宗、李逵、张横、张顺、杨雄、石秀十个头领,部引马步军兵三千策应。"共该二十二位头领,辞了晁盖等众人。前部已离山寨,中军主将宋江、吴用督并人马,望高唐州进发。端的好整齐,但见:

> 绣旗飘号带,画角间铜锣。三股叉、五股叉,灿灿秋霜;点钢枪、芦叶枪,纷纷瑞雪。蛮牌遮路,强弓硬弩当先;火炮随车,大戟长戈拥后。鞍上将似南山猛虎,人人好斗偏争;坐下马如北海苍龙,骑骑能冲敢战。端的枪刀流水急,果然人马撮风行。

梁山泊前军已到高唐州地界,亦有军卒报知高廉。高廉听了,冷笑道："你这伙草贼在梁山泊窝藏,我兀自要来剿捕你,今日你倒来就缚,此是天教我成功。左右快传下号令,整点军马,出城迎敌,着那众百姓上城守护。"这高知府上马管军,下马管民,文武两全。一声号令下去,那帐前都统、监军、统领、统制、提辖军职一应官员,各各部领军马,就教场里点视已罢,诸将便摆布出城迎敌。高廉手下有三百梯己军士,号为飞天神兵,一个个都是山东、河北、江西、湖南、两淮、两浙选来的精壮好汉。那三百飞天神兵怎生结束?但见:

> 头披乱发,脑后撒一把烟云;身挂葫芦,背上藏千条火焰。黄抹额齐分八卦,豹皮裈尽按四方。熟铜面具似金装,镤铁滚刀如扫帚。掩心铠甲,前后竖两面青铜;

照眼旌旗,左右列千层黑雾。疑是天蓬离斗府,正如月孛下云衢。

那知府高廉引了三百神兵,披甲背剑,上马出到城外,把部下军官周回列成阵势,却将三百神兵列在中军,摇旗呐喊,擂鼓鸣金,只等敌军到来。却说林冲、花荣、秦明引领五千人马到来,两军相迎,旗鼓相望,各把强弓硬弩射住阵脚。两军中吹动画角,发起擂鼓。花荣、秦明带同十个头领,都到阵前,把马勒住。头领林冲横丈八蛇矛,跃马出阵,厉声高叫:"高唐州纳命的出来!"高廉把马一纵,引着三十馀个军官,都出到门旗下,勒住马,指着林冲骂道:"你这伙不知死的叛贼,怎敢直犯俺的城池!"林冲喝道:"你这个害民的强盗!我早晚杀到京师,把你那厮欺君贼臣高俅碎尸万段,方是愿足!"高廉大怒,回头问道:"谁人出马先捉此贼去?"军官队里转出一个统制官,姓于名直,拍马轮刀竟出阵前。林冲见了,径奔于直。两个战不到五合,于直被林冲心窝里一蛇矛刺着,翻筋斗撷下马去。高廉见了大惊:"再有谁人出马报仇?"军官队里又转出一个统制官,姓温,双名文宝,使一条长枪,骑一匹黄骠马,銮铃响,珂珮鸣,早出到阵前,四只马蹄荡起征尘,直奔林冲。秦明见了,大叫:"哥哥稍歇,看我立斩此贼。"林冲勒住马,收了点钢矛,让秦明战温文宝。两个约斗十合之上,秦明放个门户,让他枪搠进来,手起棍落,把温文宝削去半个天灵,死于马下,那匹马跑回本阵去了。两阵军相对,齐呐声喊。

高廉见连折二将,便去背上掣出那口太阿宝剑来,口中念念有词,喝声道:"疾!"只见高廉队中卷起一道黑气。那道气散至半空里,飞砂走石,撼地摇天,刮起怪风,径扫过对阵来。林冲、花荣等众将对面不能相顾,惊得那坐下马乱撺咆哮,众人回身便走。高廉把剑一挥，指点那三百神兵从阵里杀将出来，背后官军协助，一掩过来。赶得林冲等军马星落云散，七断八续，呼兄唤弟，觅子寻爷，五千军兵，折了一千馀人，直退回五十里下寨。高廉见人马退去，也收了本部军兵，入高唐州城里安下。

却说宋江中军人马到来，林冲等接着，具说前事。宋江、吴用听了大惊。与军师道："是何神术，如此利害？"吴学究道："想是妖法。若能回风返火，便可破敌。"宋江听罢，打开天书看时，第三卷上有回风返火破阵之法。宋江大喜，用心记了咒语并秘诀，整点人马，五更造饭吃了，摇旗操鼓，杀奔城下来。

有人报入城中，高廉再点了得胜人马并三百神兵，开放城门，布下吊桥，出来摆成阵势。宋江带剑纵马出阵前，望见高廉军中一簇皂旗。吴学究道："那阵内皂旗，便是神师计的军兵。但恐又使此法，如何迎敌？"宋江道："军师放心，我自有破阵之法。诸军众将勿得惊疑，只顾向前杀去。"高廉分付大小将校："不要与他强敌挑斗，但见牌响，一齐并力擒获宋江，我自有重赏。"两军喊声起处，高廉马鞍轿上挂着那面聚兽铜牌，上有龙章凤篆，手里拿着宝剑，出阵前。宋江指着高廉骂道："昨夜我不曾到，兄弟们误折一阵。今日我必要把你诛尽杀绝！"高廉喝道："你这伙反贼，快早早下马受缚，省得我腥手污脚！"言罢，把剑一挥，口中念念有词，喝声道："疾！"黑气起处，早卷起怪风来。宋江不等那风到，口中也念念有词，左手捏诀，右手把剑一指，喝声道："疾！"那阵风不望宋江阵里来，倒望高廉神兵队里去了。宋江却待招呼人马，杀将过去。高廉见回了风，急取铜牌，把剑敲动，向那神兵队里卷一阵黄砂，就中军走出一群猛兽。但见：

狻猊舞爪，狮子摇头。闪金狮豸逞威雄，奋锦貔貅施勇

猛。豺狼作对,吐獠牙直奔雄兵;虎豹成群,张巨口来
啮劣马。带刺野猪冲阵入,卷毛恶犬撞人来。如龙大
蟒扑天飞,吞象顽蛇钻地落。

高廉铜牌响处,一群怪兽毒虫,直冲过来。宋江阵里众多人
马惊呆了。宋江撇了剑,拨回马先走,众头领簇拥着尽都逃命。
大小军校,你我不能相顾,夺路而走。高廉在后面把剑一挥,神
兵在前,官军在后,一齐掩杀将来。宋江人马,大败亏输。高廉
赶杀二十馀里,鸣金收军,城中去了。

宋江来到土坡下,收住人马,扎下寨栅。虽是损折了些军
卒,却喜众头领都有。屯住军马,便与军师吴用商议道:"今番打
高唐州,连折了两阵,无计可破神兵,如之奈何?"吴学究道:"若
是这厮会使神师计,他必然今夜要来劫寨,可先用计提备。此处
只可屯扎些少军马,我等去旧寨内驻扎。"宋江传令:"只留下杨
林、白胜看寨,其馀人马,退去旧寨内将息。"

且说杨林、白胜引人离寨半里草坡内埋伏,等到一更时分,
但见:

云生四野,雾涨八方。摇天撼地起狂风,倒海翻江飞急
雨。雷公忿怒,倒骑火兽逞神威;电母生嗔,乱掣金蛇
施圣力。大树和根拔去,深波彻底卷干。若非灌口斩
蛟龙,疑是泗州降水母。

当夜风雷大作。杨林、白胜引着三百馀人,伏在草里看时,
只见高廉步走,引领三百神兵,吹风唿哨杀入寨里来,见是空寨,
回身便走。杨林、白胜呐声喊,高廉只怕中了计,四散便走,三百
神兵各自奔逃。杨林、白胜乱放弩箭,只顾射去,一箭正中高廉
左背。众军四散,冒雨赶杀。高廉引领了神兵,去得远了。杨
林、白胜人少,不敢深入。少刻雨过云收,复见一天星斗。月光

之下,草坡前搠翻射死拿得神兵二十馀人,解赴宋公明寨内,具说雷雨风云之事。宋江、吴用见说,大惊道:"此间只隔得五里远近,却又无雨无风。"众人议道:"正是妖法。只在本处,离地只有三四十丈,云雨气味,是左近水泊中摄将来的。"杨林说:"高廉也自披发仗剑,杀入寨中,身上中了我一弩箭,回城中去了。为是人少,不敢去追。"宋江分赏杨林、白胜,把拿来的中伤神兵斩了。分拨众头领下了七八个寨栅,围绕大寨,提备再来劫寨。一面使人回山寨取军马协助。

且说高廉自中了箭,回到城中养病,令军士:"守护城池,晓夜提备,且休与他厮杀。待我箭疮平复起来,捉宋江未迟。"

却说宋江见折了人马,心中忧闷,和军师吴用商量道:"只这个高廉尚且破不得,倘或别添他处军马,并力来劫,如之奈何?"吴学究道:"我想要破高廉妖法,只除非依我如此如此。若不去请个人来,柴大官人性命也是难救,高唐州城子永不能得。"宋江又问道:"军师,这个人是谁?"

吴学究说出这个人来,有分教:翩翩鹤驾,请出这个神仙;霭霭云程,来破几年妖法。正是:要除起雾兴云法,须请通天彻地人。毕竟军师吴学究当下要请谁,且听下回分解。

第五十三回

戴宗智取公孙胜　李逵斧劈罗真人

诗曰：

　　　堪叹人心毒似蛇，谁知天眼转如车。

　　　去年妄取东邻物，今日还归北舍家。

　　　无义钱财汤泼雪，倘来田地水推沙。

　　　若将奸狡为生计，恰似朝霞与暮霞。

话说当下吴学究对宋公明说道："要破此法，只除非快教人去蓟州寻取公孙胜来，便可破得高廉。"宋江道："前番戴宗去了几时，全然打听不着，却那里去寻？"吴用道："只说蓟州，有管下多少县治、镇市、乡村，他须不曾寻得到。我想公孙胜他是个清高的人，必然在个名山洞府，大川真境居住。今番教戴宗可去绕蓟州管下县治名山仙境去处，寻觅一遭，不愁不见他。"宋江听罢，随即教请戴院长商议，可往蓟州寻取公孙胜。戴宗道："小可愿往，只是得一个做伴的去方好。"吴用道："你作起神行法来，谁人赶得你上？"戴宗道："若是同伴的人，我也把甲马拴在他腿上，教他也走得许多路程。"李逵便道："我与戴院长做伴走一遭。"戴宗道："你若要跟我去，须要一路上吃素，都听我的言语。"李逵道："这个有甚难处，我都依你便了。"宋江、吴用分付道："路上小心在意，休要惹事。若得见了，早早回来。"李逵道："我打死了殷天锡，却教柴大官人吃官司，我如何不要救他！今番并不敢惹事了。"二人同行。有诗为证：

> 飞步神行说戴宗，李逵同伴去如风。若还寻着公孙胜，
> 要使高廉永绝踪。　　豪杰士，黑旋风。一时赤手逞英
> 雄。谁知一路经行处，惹祸招灾顷刻中。

话说戴宗、李逵各藏了暗器，拴缚了包裹，两个拜了宋江并
众人，离了高唐州，取路投蓟州来。走了三十馀里，李逵立住脚
道："大哥，买碗酒吃了走也好。"戴宗道："你要跟我作神行法，须
要只吃素酒，且向前面去。"李逵答道："便吃些肉也打甚么紧？"
戴宗道："你又来了。今日已晚，且寻客店宿了，明日早行。"两个
又走了三十馀里，天色昏黑，寻着一个客店歇了，烧起火来做饭，
沽一角酒来吃。李逵搬一碗素饭并一碗菜汤，来房里与戴宗吃。
戴宗道："你如何不吃饭？"李逵应道："我且未要吃饭哩。"戴宗寻
思道："这厮必然瞒着我背地里吃荤。"戴宗自把素饭吃了，却悄
悄地来后面张时，见李逵讨两角酒，一盘牛肉，在那里自吃。戴
宗道："我说甚么！且不要道破他，明日小小的耍他耍便了。"戴
宗自去房里睡了。李逵吃了一回酒肉，恐怕戴宗说他，自暗暗的
来房里睡了。到五更时分，戴宗起来，叫李逵打火做些素饭吃
了，各分行李在背上，算还了房宿钱，离了客店。行不到二里多
路，戴宗说道："我们昨日不曾使神行法，今日须要赶程途，你先
把包裹拴得牢了，我与你作法，行八百里便住。"戴宗取四个甲
马，去李逵两只腿上也缚了，分付道："你前面酒食店里等我。"戴
宗念念有词，吹口气在李逵腿上，李逵拽开脚步，浑如驾云的一
般，飞也似去了。戴宗笑道："且着他忍一日饿！"戴宗也自拴上
甲马，随后赶来。

李逵不省得这法，只道和他走路一般。只听耳朵边风雨之

声,两边房屋树木一似连排价倒了的,脚底下如云催雾趱。李逵怕将起来,几遍待要住脚,两条腿那里收拾得住,这脚却似有人在下面推的相似,脚不点地,只管得走去了。看见酒肉饭店,又不能勾入去买吃。李逵只得叫:"爷爷,且住一住!"走的甚是神捷。有诗为证:

> 李逵禀性实凶顽,酒肉堆盘似虎餐。
>
> 只为一时贪口腹,足行千里不能安。

李逵看看走到红日平西,肚里又饥又渴,越不能勾住脚,惊得一身臭汗,气喘做一团。戴宗从背后赶来,叫道:"李大,怎的不买些点心吃了去?"李逵应道:"哥哥,救我一救! 饿杀铁牛也!"戴宗怀里摸出几个炊饼来自吃。李逵叫道:"我不能勾住脚买吃,你与两个充饥。"戴宗道:"兄弟,你走上来与你吃。"李逵伸着手,只隔一丈来远近,只赶不上。李逵叫道:"好哥哥,等我一等!"戴宗道:"便是今日有些蹺蹊,我的两条腿也不能勾住。"李逵道:"阿也! 我的这鸟脚,不由我半分,自这般走了去,只好把大斧砍了那下半截下来!"戴宗道:"只除是恁的般方好,不然直走到明年正月初一日,也不能住。"李逵道:"好哥哥,休使道儿耍我! 砍了腿下来,你却笑我!"戴宗道:"你敢是昨夜不依我,今日连我也走不得住。你自走去。"李逵叫道:"好爷爷! 你饶我住一住!"戴宗道:"我的这法第一不许吃荤并吃牛肉,若还吃了一块牛肉,只要走十万里方才得住。"李逵道:"却是苦也! 我昨夜不合瞒着哥哥,真个偷买几斤牛肉吃了。正是怎么好!"戴宗道:"怪得今日连我的这腿也收不住,只用去天尽头走一遭了,慢慢地却得三五年方才回得来。"李逵听罢,叫起撞天屈①来。戴宗

---

① 撞天屈——天大的冤屈。撞天,冲天。

笑道:"你从今已后只依得我一件事,我便罢得这法。"李逵道:
"老爹,我今都依你便了。"戴宗道:"你如今敢再瞒我吃荤么?"李
逵道:"今后但吃时,舌头上生碗来大疔疮! 我见哥哥要吃素,铁
牛却吃不得,因此上瞒着哥哥。今后并不敢了。"戴宗道:"既是
恁的,饶你这一遍。"退后一步,把衣袖去李逵腿上只一拂,喝声:
"住!"李逵却似钉住了的一般,两只脚立定地下,那移不动。其
法甚是灵。有诗为证:

戴宗神术极专精,十步攒为两步行。

可惜李逵多勇健,云车风驾莫支撑。

戴宗道:"我先去,你且慢慢的来。"李逵正待抬脚,那里移得
动,拽也拽不起,一似生铁铸就了的。李逵大叫道:"又是苦也!
晚夕怎地得去?"便叫道:"哥哥,救我一救!"戴宗转回头来,笑
道:"你今番依我说么?"李逵道:"你是我亲爷,却是不敢违了你
的言语。"戴宗道:"你今番却要依我。"便把手绾了李逵,喝声:
"起!"两个轻轻地走了去。李逵道:"哥哥可怜见铁牛,早歇了
罢!"前面到一个客店,两个且来投宿。戴宗、李逵入到房里,去
腿上都卸下甲马来,取出几陌纸钱烧送了。问李逵道:"今番却
如何?"李逵道:"这两条腿方才是我的了。"戴宗道:"谁着你夜来
私买酒肉吃!"李逵道:"为是你不许我吃荤,偷了些吃,也吃你要
得我勾了!"

戴宗叫李逵安排些素酒素饭吃了,烧汤洗了脚,上床歇了。
睡到五更,起来洗漱罢,吃了饭,还了房钱,两个又上路。行不到
三里多路,戴宗取出甲马道:"兄弟,今日与你只缚两个,教你慢
行些。"李逵道:"我不要缚了。"戴宗道:"你既依我言语,我和你
干大事,如何肯弄你? 你若不依我,教你一似夜来,只钉住在这
里,只等我去蓟州寻见了公孙胜,回来放你。"李逵慌忙叫道:"我

依,我依!"戴宗与李逵当日各只缚两个甲马,作起神行法,扶着李逵,两个一同走。原来戴宗的法,要行便行,要住便住。李逵从此那里敢违他言语,于路上只是买些素酒素饭,吃了便行。李逵方才放心。有诗为证:

　　　　戴宗术法久通神,去住迟延总在心。

　　　　从此李逵方畏服,二人交谊断黄金。

　　话休絮烦。两个用神行法,不旬日,迤逦来蓟州城外客店里歇了。次日,两个入城来,戴宗扮做主人,李逵扮做仆者。绕城中寻了一日,并无一个认得公孙胜的,两个自回店里歇了。次日,又去城中小街狭巷寻了一日,绝无消耗。李逵心焦,骂道:"这个乞丐道人却鸟躲在那里! 我若见时,脑揪将去见哥哥!"戴宗瞅道:"你又来了! 若不听我的言语,我又教你吃苦!"李逵笑道:"我自这般说耍。"戴宗又埋怨了一回,李逵不敢回话。两个又来店里歇了。次日早起,都去城外近村镇市寻觅。戴宗但见老人,便施礼拜问公孙胜先生家在那里居住,并无一人认得。戴宗也问过数十处。

　　当日晌午时分,两个走得肚饥,路傍边见一个素面店,两个直入来买些点心吃。只见里面都坐满,没一个空处,戴宗、李逵立在当路。过卖问道:"客官要吃面时,和这老人合坐一坐。"戴宗见个老丈独自一个占着一副大座头,便与他施礼,唱个喏,两个对面坐了。李逵坐在戴宗肩下,分付过卖造四个壮面来。戴宗道:"我吃一个,你吃三个不少么?"李逵道:"不济事,一发做六个来,我都包办!"过卖见了也笑。等了半日,不见把面来,李逵却见都搬入里面去了,心中已有五分焦躁。只见过卖却搬一个热面放在合坐老人面前,那老人也不谦让,拿起面来便吃。那分面却热,老儿低着头,伏桌儿吃。李逵性急,见不搬面来,叫一声:"过卖!"骂道:"却教老爷等了这半日!"把那桌子只一拍,溅那老人一脸热汁,那分面都泼翻了。老儿焦躁,便来揪住李逵喝道:"你是何道理打翻我面!"李逵捻起拳头,要打老儿,戴宗慌忙喝住。老人不肯罢休。有四句诗单说李逵,诗曰:

> 李逵平昔性刚凶,欺负年高一老翁。
>
> 面汁溅来盈脸上,怒中说出指挥功。

戴宗与他陪话道:"丈丈休和他一般见识,小可陪丈丈一分面。"那老人道:"客官不知,老汉路远,早要吃了面回去听讲长生不死之法,迟时误了程途。"戴宗问道:"丈丈何处人氏?却听谁人讲说长生不死之法?"老儿答道:"老汉是本处蓟州管下九宫县二仙山下人氏。因来这城中买些好香,回去听山上罗真人讲说长生不死之法。"戴宗寻思道:"莫不公孙胜也在那里?"便问老人道:"丈丈,贵村曾有个公孙胜么?"老人道:"客官问别人定不知,多有人不认的他,老汉和他是邻舍。他只有个老母在堂。这个先生一向云游在外,比时唤做公孙一清。如今出姓,都只叫他清道人,不叫做公孙胜。此是俗名,无人认得。"戴宗道:"正是踏破铁鞋无觅处,得来全不费工夫!"戴宗又拜问丈丈道:"九宫县二仙山离此间多少路?清道人在家么?"老人道:"二仙山只离本县四十五里便是。清道人他是罗真人上首徒弟,他本师如何放他离左右。"戴宗听了大喜,连忙催趱面来吃,和那老儿一同吃了,算还面钱,同出店肆,问了路途。戴宗道:"丈丈先行,小可买些香纸,也便来也。"老人作别去了。

戴宗、李逵回到客店里,取了行李包裹,再拴上甲马,离了客店,两个取路投九宫县二仙山来。戴宗使起神行法,四十五里片时到了。二人来到县前,问二仙山时,有人指道:"离县投东,只有五里便是。"两个又离了县治,投东而行,果然行不到五里,早

望见那座仙山,委实秀丽。但见:

> 青山削翠,碧岫堆云。两崖分虎踞龙蟠,四面有猿啼鹤
> 唤。朝看云封山顶,暮观日挂林梢。流水潺湲,涧内声
> 声鸣玉珮;飞泉瀑布,洞中隐隐奏瑶琴。若非道侣修
> 行,定有仙翁炼药。

当下戴宗、李逵来到二仙山下,见个樵夫,戴宗与他施礼说
道:"借问此间清道人家在何处居住?"樵夫指道:"只过这个山
嘴,门外有条小石桥的便是。"两个抹过山嘴来,见有十数间草
房,一周遭矮墙,墙外一座小小石桥。两个来到桥边,见一个村
姑提一篮新果子出来。戴宗施礼问道:"娘子从清道人家出来,
清道人在家么?"村姑答道:"在屋后炼丹。"戴宗心中暗喜。有诗
为证:

> 半空苍翠拥芙蓉,天地风光迥不同。
>
> 十里青松栖野鹤,一溪流水泛春红。
>
> 疏烟白鸟长空外,玉殿琼楼罨画中。
>
> 欲识真仙高隐处,便从林下觅形踪。

戴宗、李逵两个立在门前,戴宗分付李逵道:"你且去树背后
躲一躲,待我自入去见了他,却来叫你。"戴宗自入到里面看时,
一带三间草房,门上悬挂一个芦帘。戴宗咳嗽了一声,只见一个
婆婆从里面出来。戴宗看那婆婆,但见:

> 苍然古貌,鹤发酡颜。眼昏似秋月笼烟,眉白如晓霜映
> 日。青裙素服,依稀紫府元君;布袄荆钗,仿佛骊山老
> 姥。形如天上翔云鹤,貌似山中傲雪松。

戴宗当下施礼道:"告禀老娘,小可欲求清道人相见一面。"
婆婆问道:"官人高姓?"戴宗道:"小可姓戴名宗,从山东到此。"
婆婆道:"孩儿出外云游,不曾还家。"戴宗道:"小可是旧时相识,

要说一句紧要的话,求见一面。"婆婆道:"不在家里。有甚话说,留下在此不妨,待回家自来相见。"戴宗道:"小可再来。"就辞了婆婆,却来门外对李逵道:"今番须用着你。方才他娘说道不在家里,如今你可去请他。他若说不在时,你便打将起来。却不得伤犯他老母,我来喝住你便罢。"

李逵先去包裹里取出双斧,插在两胯下,入的门里,叫一声:"着个出来!"婆婆慌忙迎着问道:"是谁?"见了李逵睁着双眼,先有八分怕他,问道:"哥哥有甚话说?"李逵道:"我是梁山泊黑旋风,奉着哥哥将令,教我来请公孙胜。你教他出来,佛眼相看;若还不肯出来,放一把鸟火,把你家当都烧做白地。莫言不是,早早出来!"婆婆道:"好汉莫要恁地。我这里不是公孙胜家,自唤做清道人。"李逵道:"你只叫他出来,我自认得他鸟脸!"婆婆道:"出外云游未归。"李逵拔出大斧,先砍翻一堵壁。婆婆向前拦住,李逵道:"你不叫你儿子出来,我只杀了你!"拿起斧来便砍,把那婆婆惊倒在地。只见公孙胜从里面走将出来,叫道:"不得无礼!"有诗为证:

> 李逵巨斧白如霜,惊得婆婆命欲亡。
>
> 幸得戴宗来救护,公孙方肯出中堂。

戴宗便来喝道:"铁牛如何吓倒老母!"戴宗连忙扶起。李逵撇了大斧,便唱个喏道:"阿哥休怪,不恁地你不肯出来。"公孙胜先扶娘入去了,却出来拜请戴宗、李逵,邀进一间静室坐下,问道:"亏二位寻得到此。"戴宗道:"自从师父下山之后,小可先来蓟州寻了一遍,并无打听处,只纠合得一伙弟兄上山。今次宋公明哥哥因去高唐州救柴大官人,致被知府高廉两三阵用妖法赢了,无计奈何,只得叫小可和李逵径来寻请足下。绕遍蓟州,并无寻处,偶因素面店中,得个此间老丈指引到此。却见村姑说足下在家烧炼丹药,老母只是推却,因此使李逵激出师父来。这个太莽了些,望乞恕罪。哥哥在高唐州界上度日如年,请师父便可行程,以见始终成全大义之美。"公孙胜道:"贫道幼年飘荡江湖,多与好汉们相聚。自从梁山泊分别回乡,非是昧心,一者母亲年老无人奉侍,二乃本师罗真人留在座前听教。恐怕山寨有人寻来,故意改名清道人,隐居在此。"戴宗道:"今者宋公明正在危急之际,师父慈悲,只得去走一遭。"公孙胜道:"干碍老母无人养赡,本师罗真人如何肯放,其实去不得了。"戴宗再拜恳告。公孙胜扶起戴宗,说道:"再容商议。"公孙胜留戴宗、李逵在净室里坐定,出来叫个庄客安排些素酒素食相待。三个吃了一回,戴宗又苦苦哀告公孙胜道:"若是师父不肯去时,宋公明必被高廉捉了。山寨大义,从此休矣!"公孙胜道:"且容我去禀问本师真人,若肯容许时,便一同去。"戴宗道:"只今便去启问本师。"公孙胜道:"且宽心住一宵,明日早去。"戴宗道:"哥哥在彼一日,如度一年,烦请师父同往一遭。"

公孙胜便起身引了戴宗、李逵离了家里,取路上二仙山来。此时已是秋残冬初时分,日短夜长,容易得晚,来到半山腰,却早红轮西坠。松阴里面一条小路,直到罗真人观前,见有朱红牌额上写三个金字,书着"紫虚观"。三人来到观前,看那二仙山时,果然是好座仙境。但见:

> 青松郁郁,翠柏森森。一群白鹤听经,数个青衣碾药。青梧翠竹,洞门深锁碧窗寒;白雪黄芽,石室云封丹灶暖。野鹿衔花穿径去,山猿擎果引雏来。时闻道士谈经,每见仙翁论法。虚皇坛畔,天风吹下步虚声;礼斗殿中,鸾背忽来环珮韵。只此便为真紫府,更于何处觅蓬莱。

　　三人就着衣亭上，整顿衣服，从廊下入来，径投殿后松鹤轩里去。两个童子看见公孙胜领人入来，报知罗真人；传法旨，教请三人入来。当下公孙胜引着戴宗、李逵到松鹤轩内，正值真人朝真①才罢，坐在云床上养性。公孙胜向前行礼起居②，躬身侍立。戴宗、李逵看那罗真人时，端的有神游八极之表。但见：

> 星冠攒玉叶，鹤氅缕金霞。神清似长江皓月，貌古似泰华乔松。踏魁罡朱履步丹霄，歌步虚琅函浮瑞气。长髯广颊，修行到无漏之天；碧眼方瞳，服食造长生之境。三岛十洲骑凤往，洞天福地抱琴游。高餐沆瀣，静品鸾笙。正是：三更步月鸾声远，万里乘云鹤背高。都仙太史临凡世，广惠真人住世间。

　　戴宗当下见了，慌忙下拜，李逵只管着眼看。罗真人问公孙胜道："此二位何来？"公孙胜道："便是昔日弟子曾告我师，山东义友是也。今为高唐州知府高廉显逞异术，有兄宋江特令二弟来此呼唤。弟子未敢擅便，故来禀问我师。"罗真人道："吾弟子既脱火坑，学炼长生，何得再慕此境？自宜慎重，不可妄为。"戴宗再拜道："容乞暂请公孙先生下山，破了高廉，便送还山。"罗真人道："二位不知，此非出家人闲管之事，汝等自下山去商议。"公孙胜只得引了二人，离了松鹤轩，连晚下山来。

　　李逵问道："那老仙先生说甚么？"戴宗道："你偏不听得？"李逵道："便是不省得这般鸟则声。"戴宗道："便是他的师父说道，教他休去。"李逵听了，叫起来道："教我两个走了许多路程，千难

---

　　① 朝真——道士拜神。
　　② 起居——请安、问好的意思。

万难寻见了,却放出这个屁来！莫要引老爷性发,一只手捻碎你这道冠儿,一只手提住腰胯,把那老贼倒直撞下山去！"戴宗瞅着道:"你又要钉住了脚?"李逵道:"不敢,不敢！说一声儿耍。"

三个再到公孙胜家里,当夜安排些晚饭吃了。公孙胜道:"且权宿一宵,明日再去恳告本师。若肯时,便去。"戴宗至夜,叫了安置,两个收拾行李,都来净室里睡了。两个睡到三更左侧,李逵悄悄地爬将起来,听得戴宗鼾鼾的睡着,自己寻思道:"却不是干鸟气么！你原是山寨里人,却来问甚么鸟师父！明朝那厮又不肯,却不误了哥哥的大事！我忍不得了,只是杀了那个老贼道,教他没问处,只得和我去。"李逵要害真人。有诗为证:

　　　　欲请公孙去解围,真人不肯着他为。

　　　　李逵夜奋英雄力,斧到应教性命危。

李逵当时摸了两把板斧,悄悄地开了房门,乘着星月明朗,一步步摸上山来。到得紫虚观前,却见两扇大门关了。旁边篱墙苦不甚高,李逵腾地跳将过去,开了大门,一步步摸入里面来。直至松鹤轩前,只听隔窗有人看诵玉枢宝经之声。李逵爬上来舔破窗纸张时,见罗真人独自一个坐在云床上,面前桌儿上烧着一炉名香,点起两枝画烛,朗朗诵经。李逵道:"这贼道却不是当死！"一趌,趌过门边来,把手只一推,呀地两扇亮槅齐开。李逵抢将入去,提起斧头,便望罗真人脑门上劈将下来,砍倒在云床上,流出白血来。李逵看了,笑道:"眼见的这贼道是童男子身,颐养得元阳真气,不曾走泻,正没半点的红。"李逵再仔细看时,连那道冠儿劈做两半,一颗头直砍到项下。李逵道:"今番且除了一害,不烦恼公孙胜不去。"便转身出了松鹤轩,从侧首廊下奔将出来。只见一个青衣童子拦住李逵,喝道:"你杀了我本师,待走那里去！"李逵道:"你这个小贼道,也吃我一斧！"手起斧落,把头早砍下台基边去。二人都被李逵砍了。有诗为证：

> 李逵双斧白如霜，劈倒真人命已亡。

> 料得精魂归碧落，一心暗地喜非常。

且说李逵笑道："只好撒开！"径取路出了观门，飞也似奔下山来。到得公孙胜家里，闪入来，闭上了门，净室里听戴宗时，兀自未觉，李逵依然原又去睡了。直到天明，公孙胜起来，安排早饭，相待两个吃了。戴宗道："再请先生同引我二人上山恳告真人。"李逵听了，暗暗地冷笑。三个依原旧路，再上山来。入到紫虚观里松鹤轩中，见两个童子，公孙胜问道："真人何在？"道童答道："真人坐在云床上养性。"李逵听说，吃了一惊，把舌头伸将出来，半日缩不入去。三个揭起帘子入来看时，见罗真人坐在云床上中间。李逵暗暗想道："昨夜莫非是错杀了？"罗真人便道："汝等三人又来何干？"戴宗道："特来哀告我师慈悲，救取众人免难。"罗真人道："这黑大汉是谁？"戴宗答道："是小可义弟，姓李名逵。"真人笑道："本待不教公孙胜去，看他的面上，教他去走一遭。"戴宗拜谢。李逵自暗暗寻思道："那厮知道我要杀他，却又鸟说！"

只见罗真人道："我教你三人片时便到高唐州如何？"三个谢了。戴宗寻思："这罗真人又强似我的神行法。"真人唤道童取三个手帕来。戴宗道："上告我师，却是怎生教我们便能勾到高唐州？"罗真人便起身："都跟我来。"三个人随出观门外石岩上来。先取一个红手帕铺在石上，道："吾弟子可登。"公孙胜双脚踏在上面，罗真人把袖一拂，喝声道："起！"那手帕化做一片红云，载了公孙胜，冉冉腾空便起，离山约有二十馀丈。罗真人喝声："住！"那片红云不动。却铺下一个青手帕，教戴宗踏上，喝声："起！"那手帕却化作一片青云，载了戴宗，起在半空里去了。那两片青红二云，如芦席大，起在天上转，李逵看得呆了。罗真人却把一个白手帕，铺在石上，唤李逵踏上。李逵笑道："却不是耍！若跌下来，好个大疙瘩！"罗真人道："你见二人么？"李逵立在手帕上，罗真人喝一声："起！"那手帕化做一片白云，飞将起去。李逵叫道："阿也！我的不稳，放我下来！"罗真人把右手一招，那青红二云，平平坠将下来。戴宗拜谢，侍立在面前。公孙胜侍立在左手。李逵在上面叫道："我也要撒尿撒屎，你不着我下来，我劈头便撒下来也！"罗真人问道："我等自是出家人，不曾恼犯了你，你因何夜来越墙而过，入来把斧劈我？若是我无道德，已被杀了。又杀了我一个道童。"李逵道："不是我，你敢错认了！"罗真人笑道："虽然只是砍了我两个葫芦，其心不善，且教你吃些磨难。"把手一招，喝声："去！"一阵恶风，把李逵吹入云端里。只见两个黄巾力士押着，李逵耳边只听得风雨之声，不觉径到蓟州地界，唬得魂不着体，手脚摇战。忽听得刮剌剌地响一声，却从蓟州府厅屋上骨碌碌滚将下来。

当日正值府尹马士弘坐衙，厅前立着许多公吏人等，看见半天里落下一个黑大汉来，众皆吃惊。有诗为证：

李逵唬得大痴呆，忽向云端落下来。

官吏见来俱丧胆，只疑妖怪降庭阶。

话说马知府见了，叫道："且拿这厮过来。"当下十数个牢子狱卒，把李逵驱至当面。马府尹喝道："你这厮是那里妖人？如何从半天里吊将下来？"李逵吃跌得头破额裂，半晌说不出话来。马知府道："必然是个妖人！"教去取些法物来。牢子、节级将李逵捆翻，驱下厅前草地里。一个虞候掇一盆狗血，劈头一淋；又一个提一桶尿粪来，望李逵头上直浇到脚底下。李逵口里、耳朵里都是尿屎。李逵叫道:"我不是妖人,我是跟罗真人的伴当。"原来蓟州人都知道罗真人是个现世的活神仙,因此不肯下手伤他,再驱李逵到厅前。早有吏人禀道:"这蓟州罗真人是天下有名的得道活神仙,若是他的从者,不可加刑。"马府尹笑道:"我读千卷之书,每闻今古之事,未见神仙有如此徒弟,即系妖人。牢子,与我加力打那厮!"众人只得拿翻李逵,打得一佛出世,二佛涅槃。马知府喝道:"你那厮快招了妖人,便不打你!"李逵只得招做"妖人李二"。取一面大枷钉了,押下大牢里去。李逵来到死囚狱里,说道:"我是直日神将,如何枷了我?好歹教你这蓟州一城人都死!"那押牢节级、禁子,都知罗真人道德清高,谁不钦服,都来问道:"你这个端的是甚么人?"李逵道:"我是罗真人亲随直日神将,因一时有失,恶了真人,把我撇在此间,教我受些苦难,三两日必来取我。你们若不把些酒食来将息我时,我教你们众人全家都死!"那节级、牢子见了他说,倒都怕他,只得买酒买肉请他吃。李逵见他们害怕,越说起风话来。牢里众人越怕了,又将热水来与他洗浴了,换些干净衣裳。李逵道:"若还缺了我酒食,我便飞了去,教你们受苦!"牢里禁子只得倒陪告他。李逵陷在蓟州牢里不提。

且说罗真人把上项的事,一一说与戴宗。戴宗只是苦苦哀告,求救李逵。罗真人留住戴宗在观里宿歇,动问山寨里事务。戴宗诉说晁天王、宋公明仗义疏财,专只替天行道,誓不损害忠臣烈士、孝子贤孙、义夫节妇,许多好处。罗真人听罢甚喜。一住五日,戴宗每日磕头礼拜,求告真人,乞救李逵。罗真人道:"这等人只可驱除了罢,休带回去。"戴宗告道:"真人不知,这李逵虽然愚蠢,不省理法,也有些小好处。第一,耿直,分毫不肯苟取于人。第二,不会阿谄于人,虽死其忠不改。第三,并无淫欲邪心、贪财背义,敢勇当先。因此宋公明甚是爱他。不争没了这个人,回去教小可难见兄长宋公明之面。"罗真人笑道:"贫道已知这人是上界天杀星之数,为是下土众生作业太重,故罚他下来杀戮。吾亦安肯逆天,坏了此人,只是磨他一会。我叫取来还你。"戴宗拜谢。罗真人叫一声:"力士何在?"就鹤轩前起一阵风,风过处,一尊黄巾力士出现。但见:

> 面如红玉,须似皂绒。仿佛有一丈身材,纵横有千斤气力。黄巾侧畔,金环耀日喷霞光;绣袄中间,铁甲铺霜吞月影。常在坛前护法,每来世上降魔。脚穿抹绿雕踢靴,手执宣花金蘸斧。

那个黄巾力士上告:"我师有何法旨?"罗真人道:"先差你押去蓟州的那人,罪业已满。你还去蓟州牢里取他回来,速去速回。"力士声喏去了。约有半个时辰,从虚空里把李逵撇将下来。戴宗连忙扶住李逵,问道:"兄弟这两日在那里?"李逵看了罗真人,只管磕头拜说道:"铁牛不敢了也!"罗真人道:"你从今以后,可以戒性,竭力扶持宋公明,休生歹心。"李逵再拜道:"敢不遵依真人言语!"戴宗道:"你正去那里走了这几日?"李逵道:"自那日一阵风,直刮我去蓟州府里,从厅屋脊上直滚下来,被他府里众人拿住。那个马知府道我是妖人,捉翻我捆了,却教牢子狱卒把狗血和尿屎淋我一头一身,打得我两腿肉烂,把我枷了,下在大牢里去。众人问我是何神从天上落下来,只吃我说道罗真人的亲随直日神将,因有些过失,罚受此苦,过三二日,必来取我。虽是吃了一顿棍棒,却也诈得些酒肉噇。那厮们惧怕真人,却与我洗浴,换了一身衣裳。方才正在亭心里诈酒肉吃,只见半空里跳下这个黄巾力士,把枷锁开了,喝我闭眼,一似睡梦中,直扶到这里。"公孙胜道："师父似这般的黄巾力士有一千馀员,都是本师真人的伴当。"李逵听了,叫道："活佛,你何不早说,免教我做了这般不是!"只顾下拜。戴宗也再拜恳告道："小可端的来的多日了,高唐州军马甚急,望乞师父慈悲,放公孙先生同弟子去救哥哥宋公明,破了高廉,便送还山。"罗真人道："我本不教他去,今为汝大义为重,权教他去走一遭。我有片言,汝当记取。"公孙胜向前跪听真人指教。

只因罗真人说了那几句话,传授秘诀,有分教:额角有光,日中无影。炼丹在石屋云房,飞步去蓬莱阆苑。正是:满还济世安邦愿,来作乘鸾跨凤人。毕竟罗真人说教公孙胜怎地下山,且听下回分解。

第 五 十 四 回

入云龙斗法破高廉　黑旋风探穴救柴进

诗曰：

> 奉辞伐罪号天兵，主将须将正道行。
> 自谓魔君能破敌，岂知正法更专精。
> 行仁柴进还存命，无德高廉早丧生。
> 试把兴亡重检点，西风搔首不胜情。

话说当下罗真人道："弟子，你往日学的法术，却与高廉的一般。吾今传授与汝五雷天罡正法，依此而行，可救宋江，保国安民，替天行道。休被人欲所缚，误了大事，专精从前学道之心。你的老母，我自使人早晚看视，勿得忧念。汝应上界天闲星，以此容汝去助宋公明。吾有八个字，汝当记取，休得临期有误。"罗真人说那八个字，道是："逢幽而止，遇汴而还。"公孙胜拜受了诀法，便和戴宗、李逵三人拜辞了罗真人，别了众道伴下山。归到家中，收拾了道衣，宝剑二口，并铁冠，如意等物了当，拜辞了老母，离山上路。

行过了三四十里路程，戴宗道："小可先去报知哥哥，先生和李逵大路上来，却得再来相接。"公孙胜道："正好。贤弟先往报知，吾亦趱行来也。"戴宗分付李逵道："于路小心伏侍先生，但有些差池，教你受苦！"李逵答道："他和罗真人一般的法术，我如何敢轻慢了他！"戴宗拴上甲马，作起神行法来，预先去了。

却说公孙胜和李逵两个离了二仙山九宫县,取大路而行,到晚寻店安歇。李逵惧怕罗真人法术,十分小心扶侍公孙胜,那里敢使性。两个行了三日,来到一个去处,地名唤做武冈镇,只见街市人烟辏集。公孙胜道:"这两日于路走的困倦,买碗素酒素面吃了行。"李逵道:"也好。"却见驿道旁边一个小酒店,两个入来店里坐下。公孙胜坐了上首,李逵解了腰包,下首坐了。叫过卖一面打酒,就安排些素馔来与二人吃。公孙胜道:"你这里有甚素点心卖?"过卖道:"我店里只卖酒肉,没有素点心。市口人家有枣糕卖。"李逵道:"我去买些来。"便去包内取了铜钱,径投市镇上来,买了一包枣糕。

欲待回来,只听得路旁侧首有人喝采道:"好气力!"李逵看时,一伙人围定一个大汉,把铁瓜锤在那里使,众人看了喝采他。李逵看那大汉时,七尺以上身材,面皮有麻,鼻子上一条大路。李逵看那铁锤时,约有三十来斤。那汉使的发了,一瓜锤正打在压街石上,把那石头打做粉碎,众人喝采。李逵忍不住,便把枣糕揣在怀中,便来拿那铁锤。那汉喝道:"你是甚么鸟人,敢来拿我的锤!"李逵道:"你使的甚么鸟好,教众人喝采?看了倒污眼!你看老爷使一回教众人看。"那汉道:"我借与你,你若使不动时,且吃我一顿脖子拳了去!"李逵接过瓜锤,如弄弹丸一般,使了一回,轻轻放下,面又不红,心头不跳,口内不喘。那汉看了,倒身便拜,说道:"愿求哥哥大名。"李逵道:"你家在那里住?"那汉道:"只在前面便是。"引了李逵到一个所在,见一把锁锁着门。那汉把钥匙开了门,请李逵到里面坐地。

李逵看他屋里都是铁砧、铁锤、火炉、钳、凿家火,寻思道:"这人必是个打铁匠人,山寨里正用得着,何不叫他也去入伙?"李逵又道:"汉子,你通个姓名,教我知道。"那汉道:"小人姓汤名隆。父亲原是延安府知寨官来,因为打铁上遭际老种经略相公,帐前叙用。近年父亲在任亡故,小人贪赌,流落在江湖上,因此权在此间打铁度日。入骨好使枪棒,为是自家浑身有麻点,人都叫小人做金钱豹子。敢问哥哥高姓大名?"李逵道:"我便是梁山泊好汉黑旋风李逵。"汤隆听了,再拜道:"多闻哥哥威名,谁想今日偶然得遇。"李逵道:"你在这里几时得发迹! 不如跟我上梁山泊入伙,教你也做个头领。"汤隆道:"若得哥哥不弃,肯带携兄弟时,愿随鞭镫。"就拜李逵为兄。有四句诗单题着汤隆好处:

> 铜筋铁骨身躯健,炉冶钳锤每用功。
>
> 原是延安知寨后,金钱豹子是汤隆。

当时李逵认汤隆为弟。汤隆道:"我又无家人伴当,同哥哥去市镇上吃三杯淡酒,表结拜之意。今晚歇一夜,明日早行。"李逵道:"我有个师父在前面酒店里,等我买枣糕去吃了便行。担阁不得,只可如今便行。"汤隆道:"如何这般要紧?"李逵道:"你不知,宋公明哥哥见今在高唐州界首厮杀,只等我这师父到来救应。"汤隆道:"这个师父是谁?"李逵道:"你且休问,快收拾了去。"汤隆急急拴了包裹盘缠银两,戴上毡笠儿,跨了口腰刀,提条朴刀,弃了家中破房旧屋、粗重家火,跟了李逵,直到酒店里来见公孙胜。

公孙胜埋怨道:"李逵,你如何去了许多时! 再来迟些,我依前回去了。"李逵不敢做声回话,引过汤隆拜了公孙胜,备说结义一事。公孙胜见说他是打铁出身,心中也喜。李逵取出枣糕,叫过卖将去整理。三个一同饮了几杯酒,吃了枣糕,算还了酒钱。李逵、汤隆各背上包裹,与公孙胜离了武冈镇,迤逦望高唐州来。

三个于路三停中走了二停多路,那日早却好迎着戴宗来接。公孙胜见了大喜,连忙问道:"近日相战如何?"戴宗道:"高廉那厮近日箭疮平复,每日领兵来搦战。哥哥坚守不敢出敌,只等先生到来。"公孙胜道:"这个容易。"李逵引着汤隆,拜见戴宗,说了备细,四人一处奔高唐州来。离寨五里远,早有吕方、郭盛引一百馀骑军马迎接着。四人都上了马,一同到寨,宋江、吴用等出寨迎接。各施礼罢,摆了接风酒,叙问间阔之情,请入中军帐内,众头领亦来作庆。李逵引过汤隆来参见宋江、吴用,并众头领等,讲礼已罢,寨中且做庆贺筵席。

次日,中军帐上宋江、吴用、公孙胜商议破高廉一事。公孙胜道:"主将传令,且着拔寨都起,看敌军如何,贫道自有区处。"当日宋江传令,各寨一齐引军起身,直抵高唐州城壕,下寨已定。次日早五更造饭,军人都披挂衣甲。宋公明、吴学究、公孙胜三骑马直到军前,摇旗擂鼓,呐喊筛锣,杀到城下来。

再说知府高廉在城中箭疮已痊,隔夜小军来报知宋江军马又到,早晨都披挂了衣甲,便开了城门,放下吊桥,将引三百神兵并大小将校出城迎敌。两军渐近,旗鼓相望,各摆开阵势。两阵里花腔鼍鼓擂,杂彩绣旗摇。宋江阵门开处,分十骑马来雁翅般摆开在两边。左手下五将:花荣、秦明、朱仝、欧鹏、吕方;右手下五将是林冲、孙立、邓飞、马麟、郭盛。中间三骑马上,为头是主将宋公明。怎生打扮?

> 头顶茜红巾,腰系狮蛮带。锦征袍大红贴背,水银盔彩
> 凤飞檐。抹绿靴斜踏宝镫,黄金甲光动龙鳞。描金钿
> 随定紫丝鞭,锦鞍鞯稳称桃花马。

左边那骑马上,坐着的便是梁山泊掌握兵权军师吴学究。怎生打扮?

> 五明扇齐攒白羽,九纶巾巧簇乌纱。素罗袍香皂沿边,
> 碧玉环丝绦束定。凫舄稳踏葵花镫,银鞍不离紫丝缰。

　　两条铜链挂腰间，一骑青骢出战场。

右边那骑马上，坐着的便是梁山泊掌握行兵布阵副军师公孙胜。怎生打扮？

> 星冠耀日，神剑飞霜。九霞衣服绣春云，六甲风雷藏宝
> 诀。腰间系杂色短须绦，背上悬松文古定剑。穿一双
> 云头点翠皂朝靴，骑一匹分鬃昂首黄花马。名标蕊笈
> 玄功著，身列仙班道行高。

　　三个总军主将，三骑马出到阵前。看对阵金鼓齐鸣，门旗开
处，也有二三十个军官簇拥着高唐州知府高廉出在阵前，立马于
门旗下。怎生结束？但见：

> 束发冠珍珠镶嵌，绛红袍锦绣攒成。连环铠甲耀黄金，
> 双翅银盔飞彩凤。足穿云缝吊墩靴，腰系狮蛮金鞓带。
> 手内剑横三尺水，阵前马跨一条龙。

　　那知府高廉出到阵前，厉声高叫，喝骂道："你那水洼草贼，
既有心要来厮杀，定要分个胜败，见个输赢，走的不是好汉！"宋
江听罢，问一声："谁人出马立斩此贼？"小李广花荣挺枪跃马，直
至垓心。高廉见了，喝问道："谁与我直取此贼去？"那统制官队
里转出一员上将，唤做薛元辉，使两口双刀，骑一匹劣马，飞出垓
心，来战花荣。两个在阵前斗了数合，花荣拨回马望本阵便走。
薛元辉不知是计，纵马舞刀，尽力来赶。花荣略带住了马，拈弓
取箭，扭转身躯，只一箭，把薛元辉头重脚轻射下马去。两军齐
呐声喊。

　　高廉在马上见了，大怒，急去马鞍前鞒取下那面聚兽铜牌，
把剑去击。那里敲得三下，只见神兵队里，卷起一阵黄砂来，罩
的天昏地暗，日色无光。喊声起处，豺狼虎豹怪兽毒虫，就这黄
砂内卷将出来。众军恰待都走，公孙胜在马上早掣出那一把松

文古定剑来，指着敌军，口中念念有词，喝声道："疾！"只见一道金光射去，那伙怪兽毒虫，都就黄砂中乱纷纷坠于阵前。众军人看时，却都是白纸剪的虎豹走兽，黄砂尽皆荡散不起。宋江看了，鞭梢一指，大小三军一齐掩杀过去。但见人亡马倒，旗鼓交横。高廉急把神兵退走入城。宋江军马赶到城下，城上急拽起吊桥，闭上城门，擂木炮石，如雨般打将下来。宋江叫且鸣金，收聚军马下寨，整点人数，各获大胜。回帐称谢公孙先生神功道德，随即赏劳三军。

次日，分兵四面围城，尽力攻打。公孙胜对宋江、吴用道："昨夜虽是杀败敌军大半，眼见得那三百神兵退入城中去了。若是今日攻击得紧，那厮今夜必来偷营劫寨。今晚可收军一处，直至夜深，分去四面埋伏。这里虚扎寨栅，夜间教众将只听霹雳响，看寨中火起，一齐进兵。"传令已了，当日攻城至未牌时分，都收四面军兵还寨，却在营中大吹大擂饮酒。看看天色渐晚，众头领暗暗分拨开去，四面埋伏已定。

却说宋江、吴用、公孙胜、花荣、秦明、吕方、郭盛上土坡等候。是夜，高廉果然点起三百神兵，背上各带铁葫芦，于内藏着硫黄焰硝、烟火药料，各人俱执钩刀铁扫帚，口内都衔芦哨。二更前后，大开城门，放下吊桥，高廉当先，驱领神兵前进，背后却带三千馀骑奔杀前来。离寨渐近，高廉在马上作起妖法，却早黑气冲天，狂风大作，飞砂走石，播土扬尘。三百神兵各取火种，去那葫芦口上点着，一声芦哨齐响，黑气中间，火光罩身，大刀阔斧滚入寨里来。高埠处，公孙胜仗剑作法，就空寨中平地上刮刺刺起个霹雳。三百神兵急待退步，只见那空寨中火起，光焰乱飞，上下通红，无路可出。四面伏兵齐赶，围定寨栅，黑处偏见，三百神兵不曾走得一个，都被杀在寨里。高廉急引了三十馀骑，奔走回城。背后一枝军马追赶将来，乃是豹子头林冲。看看赶上，急叫得放下吊桥，高廉只带得八九骑入城，其馀尽被林冲和人连马生擒活捉了去。高廉进到城中，尽点百姓上城守护。高廉军马神兵，被宋江、林冲杀个尽绝。有诗为证：

　　虎略龙韬说宋江，高廉神术更无双。

　　一时杀戮无噍类，不日开门就纳降。

　　次日，宋江又引军马四面围城甚急。高廉寻思："我数年学得术法，不想今日被他破了，似此如之奈何？"只得使人去邻近州府求救，急急修书二封，教去东昌、寇州："二处离此不远，这两个知府都是我哥哥抬举的人，教星夜起兵来接应。"差了两个帐前统制官，赍擎书信，放开西门，杀将出来，投西夺路去了。众将却待去追赶，吴用传令："且放他去，可以将计就计。"宋江问道："军师如何作用？"吴学究道："城中兵微将寡，所以他去求救。我这里可使两枝人马，诈作救应军兵，于路混战，高廉必然开门助战。乘势一面取城，把高廉引入小路，必然擒获。"宋江听了大喜，令戴宗回梁山泊另取两枝军马，分作两路而来。

　　且说高廉每夜在城中空阔处堆积柴草，竟天价放火为号，城上只望救兵到来。过了数日，守城军兵望见宋江阵中不战自乱，急忙报知。高廉听了，连忙披挂上城瞻望，只见两路人马，战尘蔽日，喊杀连天，冲奔前来，四面围城军马，四散奔走。高廉知是两路救军到了，尽点在城军马，大开城门，分投掩杀出去。

　　且说高廉撞到宋江阵前，看见宋江引着花荣、秦明，三骑马望小路而走。高廉引了人马，急去追赶。急听得山坡后连珠炮响，心中疑惑，便收转人马回来。两边锣响，左手下吕方，右手下郭盛，各引五百人马冲将出来。高廉急夺路走时，部下军马折其大半，奔走脱得垓心时，望见城上已都是梁山泊旗号。举眼再看，无一处是救应军马，只得引着些败卒残兵，投山僻小路而走。行不到十里之外，山背后撞出一彪人马，当先拥出病尉迟孙立，拦住去路，厉声高叫：“我等你多时，好好下马受缚！”高廉引军便回，背后早有一彪人马截住去路，当先马上却是美髯公朱仝。两头夹攻将来，四面截了去路，高廉便弃了坐下马，便走上山。四下里步军一齐赶上山去。高廉慌忙口中念念有词，喝声道：“起！”驾一片黑云，冉冉腾空，直上山顶。只见山坡边转出公孙胜来，见了，便把剑在马上望空作用，口中也念念有词，喝声道：“疾！”将剑望空一指，只见高廉从云中倒撞下来。侧首抢过插翅虎雷横，一朴刀把高廉挥做两段。可怜半世英雄汉，化作南柯梦里人。有诗为证：

> 五马诸侯贵匪轻，自将妖术弄魔兵。
>
> 到头难敌公孙胜，致使阴陵一命倾。

且说雷横提了首级，都下山来，先使人去飞报主帅。宋江已知杀了高廉，收军进高唐州城内，先传下将令：“休得伤害百姓。”一面出榜安民，秋毫无犯；且去大牢中救出柴大官人来。那时当牢节级、押狱禁子已都走了，止有三五十个罪囚，尽数开了枷锁释放。数中只不见柴大官人一个，宋江心中忧闷。寻到一处监房内，却监着柴皇城一家老小；又一座牢内，监着沧州提捉到柴进一家老小，同监在彼。为是连日厮杀，未曾取问发落，只是没寻柴大官人处。吴学究教唤集高唐州押狱禁子跟问时，数内有一个禀道：“小人是当牢节级蔺仁。前日蒙知府高廉所委，专一牢固监守柴进，不得有失。又分付道：‘但有凶吉，你可便下手。’三日之前，知府高廉要取柴进出来施刑。小人为见本人是个好男子，不忍下手，只推道本人病至八分，不必下手。后又催并得紧，小人回称柴进已死。因是连日厮杀，知府不闲，却差人下来看视。小人恐见罪责,昨日引柴进去后面枯井边,开了枷锁,推放里面躲避,如今不知存亡。"

宋江听了,慌忙着蔺仁引入。直到后牢枯井边望时,见里面黑洞洞地,不知多少深浅。上面叫时,那得人应。把索子放下去探时,约有八九丈深。宋江道:"柴大官人眼见得多是没了!"宋江垂泪。吴学究道:"主帅且休烦恼,谁人敢下去探看一遭,便见有无。"说犹未了,转过黑旋风李逵来,大叫道:"等我下去!"宋江道:"正好。当初也是你送了他,今日正宜报本。"李逵笑道:"我下去不怕,你们莫要割断了绳索。"吴学究道:"你却也忒奸猾!"且取一个大篾箩,把索子抓了,接长索头,扎起一个架子,把索抓在上面。李逵脱得赤条条的,手拿两把板斧,坐在箩里,却放下井里去,索上缚两个铜铃。渐渐放到底下,李逵却从箩里爬将出来,去井底下摸时,摸着一堆,却是骸骨。李逵道:"爷娘,甚鸟东西在这里!"又去这边摸时,底下湿漉漉的,没下脚处。李逵把双斧拔放箩里,两手去摸底下,四边却宽。一摸摸着一个人,做一堆儿墩在水坑里。李逵叫一声:"柴大官人!"那里见动。把手去摸时,只觉口内微微声唤。李逵道:"谢天地,恁的时还有救性!"随即爬在箩里,摇动铜铃,众人扯将上来。

李逵说下面的事,宋江道:"你可再下去,先把柴大官人放在箩里,先发上来,却再放箩下来取你。"李逵道:"哥哥不知,我去蓟州着了两道儿,今番休撞第三遍!"宋江笑道:"我如何肯弄你!你快下去。"李逵只得再坐箩里,又下井去。到得底下,李逵爬将出箩去,却把柴大官人抱在箩里,摇动索上铜铃。上面听得,早扯起来到上面,众人看了大喜。宋江见柴进头破额裂,两腿皮肉打烂,眼目略开又闭。宋江心中甚是凄惨,叫请医士调治。李逵却在井底下发喊大叫。宋江听得,急叫把箩放将下去,取他上来。李逵到得上面,发作道:"你们也不是好人!便不把箩放下去救我。"宋江道:"我们只顾看顾柴大官人,因此忘了你,休怪。"宋江就令众人把柴进扛扶上车睡了,先把两家老小并夺转许多家财,共有二十馀辆车子,叫李逵、雷横先护送上梁山泊去。却把高廉一家老小良贱三四十口,处斩于市。再把应有家私并府库财帛、仓廒粮米,尽数装载上山。

大小将校,离了高唐州,得胜回梁山泊,所过州县,秋毫无犯。鞭敲金镫响,齐唱凯歌回。在路已经数日,回到大寨。柴进扶病起来,称谢晁、宋二公并众头领。晁盖教请柴大官人就山顶宋公明歇所,另建一所房子,与柴进并家眷安歇。晁盖、宋江等众皆大喜。自高唐州回来,又添得柴进、汤隆两个头领,且作庆贺筵席,不在话下。

再说东昌、寇州两处,已知高唐州杀了高廉,失陷了城池,只得写表,差人申奏朝廷。又有高唐州逃难官员,都到京师说知真实。高太尉听了,知道杀死他兄弟高廉。次日五更,在待漏院中,专等景阳钟响,百官各具公服,直临丹墀,伺候朝见,道君皇帝设朝。正是:

> 鸡鸣紫陌曙光寒,莺啭皇州春色阑。
>
> 金阙晓钟开万户,玉阶仙仗列千官。
>
> 花迎剑佩星初落,柳拂旌旗露未干。
>
> 独有凤凰池上客,阳春一曲和皆难。

当日五更三点,道君皇帝升殿。净鞭三下响,文武两班齐。天子驾坐,殿头官喝道:"有事出班启奏,无事卷帘退朝。"高太尉出班奏曰:"今有济州梁山泊贼首晁盖、宋江,累造大恶,打劫城池,抢掳仓廒,聚集凶徒恶党。见在济州杀害官军,闹了江州、无为军,今又将高唐州官民杀戮一空,仓廒库藏,尽被掳去。此是心腹大患,若不早行诛戮剿除,他日养成贼势,甚于北边强虏敌国。微臣不胜惶惧,伏乞我皇圣断。"天子闻奏大惊,随即降下圣旨,就委高太尉选将调兵,前去剿捕,务要扫清水泊,杀绝种类。高太尉又奏道:"量此草寇,不必兴举大兵。臣保一人,可去收复。"天子道:"卿若举用,必无差错。即令起行,飞捷报功,加官赐赏,高迁任用。"高太尉奏道:"此人乃开国之初,河东名将呼延赞嫡派子孙,单名呼个灼字。使两条铜鞭,有万夫不当之勇。见受汝宁郡都统制,手下多有精兵勇将。臣举保此人,可以征剿梁山泊。可授兵马指挥使,领马步精锐军士,克日扫清山寨,班师还朝。"天子准奏,降下圣旨:着枢密院即便差人赍敕前往汝宁州星夜宣取。当日朝罢,高太尉就于帅府着枢密院拨一员军官,赍擎圣旨,前去宣取。当日起行,限时定日,要呼延灼赴京听命。

却说呼延灼在汝宁州统军司坐衙,听得门人报道:"有圣旨特来宣取将军赴京,有委用的事。"呼延灼与本州官员出郭迎接到统军司。开读已罢,设筵管待使臣。火急收拾了头盔衣甲,鞍马器械,带引三四十从人,一同使命①,离了汝宁州,星夜赴京。于路无话,早到京师城内殿司府前下马,来见高太尉。

当日高俅正在殿帅府坐衙,门吏报道:"汝宁州宣到呼延灼,见在门外。"高太尉大喜,叫唤进来参见了。看那呼延灼一表非俗,正是:

> 开国功臣后裔,先朝良将玄孙。家传鞭法最通神,英武惯经战阵。仗剑能探虎穴,弯弓解射雕群。将军出世定乾坤,呼延灼威名大振。

---

① 使命——使臣、使者。

　　当下高太尉问慰已毕,与了赏赐。次日早朝,引见道君皇帝。徽宗天子看了呼延灼一表非俗,喜动天颜,就赐踢雪乌骓一匹。那马浑身墨锭似黑,四蹄雪练价白,因此名为踢雪乌骓马,日行千里。圣旨赐与呼延灼骑坐。呼延灼就谢恩已罢,随高太尉再到殿帅府,商议起军剿捕梁山泊一事。呼延灼禀复:"恩相,小人观探梁山泊兵多将广,武艺高强,不可轻敌小觑。小人乞保二将为先锋,同提军马到彼,必获大功。若是误举,甘当重罪。"高太尉听罢大喜,问道:"将军所保谁人,可为前部先锋?"

　　不争呼延灼举保此二将,有分教:宛子城重添羽翼,梁山泊大破官军。且教功名未上凌烟阁,身体先登聚义厅。毕竟呼延灼对高太尉保出谁来,且听下回分解。

第五十五回

高太尉大兴三路兵　呼延灼摆布连环马

诗曰：

幼辞父母去乡邦，铁马金戈入战场。

截发为绳穿断甲，扯旗作带裹金疮。

腹饥惯把人心食，口渴曾将虏血尝。

四海太平无事业，青铜愁见鬓如霜。

话说这八句诗，专道武将不容易得做。自古道：一将功成万骨枯！诚有此言也。且说高太尉问呼延灼道："将军所保何人，可为先锋？"呼延灼禀道："小人举保陈州团练使，姓韩名滔，原是东京人氏，曾应过武举出身，使一条枣木槊，人呼为百胜将军。此人可为正先锋。又有一人，乃是颍州团练使，姓彭名玘，亦是东京人氏，乃累代将门之子，使一口三尖两刃刀，武艺出众，人呼为天目将军。此人可为副先锋。"高太尉听了，大喜道："若是韩、彭二将为先锋，何愁狂寇哉！"当日高太尉就殿帅府押了两道牒文，着枢密院差人星夜往陈、颍二州调取韩滔、彭玘，火速赴京。不旬日之间，二将已到京师，径来殿帅府参见了太尉并呼延灼。

次日，高太尉带领众人，都往御教场中，敷演武艺。看军了当，却来殿帅府，会同枢密院官，计议军机重事。高太尉问道："你等三路，总有多少人马？"呼延灼答道："三路军马计有五千，连步军数及一万。"高太尉道："你三人亲自回州，拣选精锐马军

三千,步军五千,约会起程,收剿梁山泊。"呼延灼禀道:"此三路
马步军兵,都是训练精熟之士,人强马壮,不必殿帅忧虑。但恐
衣甲未全,只怕误了日期,取罪不便,乞恩相宽限。"高太尉道:
"既是如此说时,你三人可就京师甲仗库内,不拘数目,任意选拣
衣甲盔刀,关领前去,务要军马整齐,好与对敌。出师之日,我自
差官来点视。"呼延灼领了钧旨,带人往甲仗库关支。呼延灼选
讫铁甲三千副,熟皮马甲五千副,铜铁头盔三千顶,长枪二千根,
衮刀一千把,弓箭不计其数,火炮、铁炮五百馀架,都装载上车。
临辞之日,高太尉又拨与战马三千匹。三个将军各赏了金银段
匹,三军尽关了粮赏。呼延灼与韩滔、彭玘都与了必胜军状,辞
别了高太尉并枢密院等官,三人上马,都投汝宁州来,于路无话。

　　到得本州,呼延灼便道:"韩滔、彭玘各往陈、颍二州,起军前
来汝宁会合。"不勾半月之上,三路兵马都已完足。呼延灼便把
京师关到衣甲盔刀,旗枪鞍马,并打造连环铁铠军器等物,分俵
三军已了,伺候出军。高太尉差到殿帅府两员军官,前来点视。
犒赏三军已罢,呼延灼摆布三路兵马出城。端的是:

　　　　鞍上人披铁铠,坐下马带铜铃。旌旗红展一天霞,刀剑
　　　　白铺千里雪。弓弯鹊画,飞鱼袋半露龙梢;箭插雕翎,
　　　　狮子壶紧拴豹尾。人顶深盔垂护项,微漏双睛;马披重
　　　　甲带朱缨,单悬四足。开路人兵,齐担大斧;合后军将,
　　　　尽拈长枪。惯战儿郎,个个英雄如子路;能征士卒,人
　　　　人斗胆似姜维。数千甲马离州城,三个将军来水泊。

当下起军,摆布兵马出城。前军开路韩滔,中军主将呼延灼,后
军催督彭玘,马步三军人等,浩浩杀奔梁山泊来。

　　却说梁山泊远探报马径到大寨,报知此事。聚义厅上,当中

晁盖、宋江,上首军师吴用,下首法师公孙胜,并众头领,各与柴进贺喜,终日筵宴。听知报道汝宁州双鞭呼延灼引着军马到来征进,众皆商议迎敌之策。吴用便道:"我闻此人祖乃开国功臣河东名将呼延赞之后,嫡派子孙。此人武艺精熟,使两条铜鞭,人不可近。必用能征敢战之将,先以力敌,后用智擒。"说言未了,黑旋风李逵便道:"我与你去捉这厮!"宋江道:"你如何去得?我自有调度。可请霹雳火秦明打头阵,豹子头林冲打第二阵,小李广花荣打第三阵,一丈青扈三娘打第四阵,病尉迟孙立打第五阵。将前面五阵一队队战罢,如纺车般转作后军。我亲自带引十个弟兄,引大队人马押后。左军五将:朱仝、雷横、穆弘、黄信、吕方;右军五将:杨雄、石秀、欧鹏、马麟、郭盛。水路中,可请李俊、张横、张顺、阮家三弟兄驾船接应。却叫李逵与杨林引步军分作两路,埋伏救应。"宋江调拨已定,前军秦明早引人马下山,向平川旷野之处,列成阵势。此时虽是冬天,却喜和暖。等候了一日,早望见官军到来。先锋队里百胜将韩滔领兵扎下寨栅,当晚不战。

次日天晓,两军对阵。三通画角鸣处,聒天般擂起战鼓来。宋江队里,门旗下捧出霹雳火秦明,出到阵前,马上横着狼牙棍。望对阵门旗开处,先锋韩滔出马。怎生模样?有八句诗为证。但见:

> 韬略传家远,胸襟志气高。
> 解横枣木槊,爱着锦征袍。
> 平地能擒虎,遥空惯射雕。
> 陈州团练使,百胜将韩滔。

先锋将韩滔横槊勒马,大骂秦明道:"天兵到此,不思早早投降,还自敢抗拒,不是讨死!我直把你水泊填平,梁山踏碎,生擒

活捉你这伙反贼,解京碎尸万段,吾之愿也!"秦明又是性急的
人,那里听了,也不打话,便拍马舞起狼牙棍,直取韩滔。韩滔挺
槊跃马,来战秦明。怎见得这对厮杀?但见:

> 纵两匹龙媒驰骤,使二般兵器逢迎。往来不让毫厘,上
> 下岂饶分寸。狼牙棍起,望中只向顶门敲;铁杆槊来,
> 错里不离心坎刺。正是:好手中间施好手,红心里面夺
> 红心。

　　当下秦明、韩滔两个斗到二十馀合,韩滔力怯,只待要走。
背后中军主将呼延灼已到,见韩滔战秦明不下,便从中军舞起双
鞭,纵坐下那匹御赐踢雪乌骓,咆哮嘶喊,来到阵前。秦明见了,
欲待来战呼延灼,第二拨豹子头林冲已到阵前,便叫:"秦统制少
歇,看我战三百合却理会!"林冲挺起蛇矛,直奔呼延灼。秦明自
把军马从左边趱向山坡后去。这里呼延灼自战林冲。两个正是
对手,枪来鞭去花一团,鞭去枪来锦一簇。两个斗到五十合之
上,不分胜败。第三拨小李广花荣军到,阵门下大叫道:"林将军
少歇,看我擒捉这厮!"林冲拨转马便走。呼延灼因见林冲武艺
高强,也回本阵。林冲自把本部军马一转,转过山坡后去,让花
荣挺枪出马。呼延灼后军也到,天目将彭玘便来出马。怎见得
彭玘英雄?有八句诗为证:

> 两眼露光芒,声雄性气刚。
> 刀横三尺雪,甲耀九秋霜。
> 舍命临边塞,争先出战场。
> 人称天目将,彭玘最高强。

　　当下合后将彭玘横着那三尖两刃四窍八环刀,骤着五明千
里黄花马,出阵大骂花荣道:"反国逆贼,何足为道!与吾并个输
赢!"花荣大怒,也不答话,便与彭玘交马。两个战二十馀合,呼

延灼见彭玘力怯，纵马舞鞭，直奔花荣。斗不到三合，第四拨一丈青扈三娘人马已到，大叫："花将军少歇，看我捉这厮！"花荣也引军望右边踅转山坡下去了。彭玘来战一丈青未定，第五拨病尉迟孙立军马早到，勒马于阵前摆着，看这扈三娘去战彭玘。两个正在征尘影里，杀气阴中，一个使大杆刀，一个使双刀。两个斗到二十馀合，一丈青把双刀分开，回马便走。彭玘要逞功劳，纵马赶来。一丈青便把双刀挂在马鞍鞯上，袍底下取出红绵套索，上有二十四个金钩，等彭玘马来得近，扭过身躯，把套索望空一撒，看得亲切，彭玘措手不及，早拖下马来。孙立喝教众军一发向前，把彭玘捉了。呼延灼看见大怒，忿力向前来救，一丈青便拍马来迎敌。呼延灼恨不得一口水吞了那一丈青。两个斗到十合之上，急切赢不得一丈青，呼延灼心中想道："这个泼妇人在我手里斗了许多合，倒恁地了得！"心忙意急，卖个破绽，放他入来，却把双鞭只一盖，盖将下来，那双刀却在怀里。提起右手铜鞭，望一丈青顶门上打下来。却被一丈青眼明手快，早把刀只一隔，右手那口刀望上直飞起来，却好那一鞭打将下来，正在刀口上，铮地一声响，火光进散，一丈青回马望本阵便走。呼延灼纵马赶来，病尉迟孙立见了，便挺枪纵马，向前迎住厮杀。背后宋江却好引十对良将都到，列成阵势。一丈青自引了人马，也投山坡下去了。

　　宋江见活捉拿得天目将彭玘，心中甚喜，且来阵前看孙立与呼延灼交战。孙立也把枪带住，手腕上绰起那条竹节钢鞭，来迎呼延灼。两个都使钢鞭，却更一般打扮：病尉迟孙立是交角铁幞头，大红罗抹额，百花点翠皂罗袍，乌油戗金甲，骑一匹乌骓马，使一条竹节虎眼鞭，赛过尉迟恭；这呼延灼却是冲天角铁幞头，销金黄罗抹额，七星打钉皂罗袍，乌油对嵌铠甲，骑一匹御赐踢雪乌骓,使两条水磨八棱铜鞭,左手的重十二斤,右手重十三斤。两个在阵前左盘右旋,斗到三十馀合,不分胜败。宋江看了,喝采不已。

官军阵里,韩滔见说折了彭玘,便去后军队里尽起军马,一发向前厮杀。宋江只怕冲将过来,便把鞭梢一指,十个头领引了大小军士,掩杀过去;背后四路军兵,分作两路夹攻拢来。呼延灼见了,急收转本部军马,各敌个住。为何不能全胜?却被呼延灼阵里都是连环马,官军马带马甲,人披铁铠,马带甲只露得四蹄悬地,人挂甲只露着一双眼睛。宋江阵上虽有甲马,只是红缨面具,铜铃雉尾而已。这里射将箭去,那里甲都护住了。那三千马军各有弓箭,对面射来,因此不敢近前。宋江急叫鸣金收军,呼延灼也退二十馀里下寨。

宋江收军,退到山西下寨,屯住军马,且叫左右群刀手簇拥彭玘过来。宋江望见,便起身喝退军士,亲解其缚,扶入帐中,分宾而坐。宋江便拜。彭玘连忙答礼拜道:"小子被擒之人,理合就死,何故将军以宾礼待之?"宋江道:"某等众人无处容身,暂占水泊,权时避难,造恶甚多。今者朝廷差遣将军前来收捕,本合延颈就缚,但恐不能存命,因此负罪交锋,误犯虎威,敢乞恕罪!"彭玘答道:"素知将军仗义行仁,扶危济困,不想果然如此义气。倘蒙存留微命,当以捐躯保奏。"宋江道:"某等众弟兄也只待圣主宽恩,赦宥重罪,忘生保国,万死不辞!"宋江当日就将天目将彭玘使人送上大寨,交与晁天王相见,留在寨里。这里自一面犒赏三军并众头领,计议军情。有诗为证:

> 英风凛凛扈三娘,套索双刀不可当。
>
> 活捉先锋彭玘至,梁山水泊愈增光。

再说呼延灼收军下寨,自和韩滔商议如何取胜梁山水泊。

韩滔道:"今日这厮们见俺催军近前,他便慌忙掩击过来。明日尽数驱马军向前,必获大胜。"呼延灼道:"我已如此安排下了,只要和你商量相通。"随即传下将令,教三千匹马军做一排摆着,每三十匹一连,却把铁环连锁;但遇敌军,远用箭射,近则使枪直冲入去;三千连环马军分作一百队锁定。五千步军在后策应。"明日休得挑战,我和你押后掠阵。但若交锋,分将三面冲将过去。"计策商量已定,次日天晓出战。

却说宋江次日把军马分作五队在前,后军十将簇拥,两路伏兵分于左右。秦明当先,搦呼延灼出马交战,只见对阵但知呐喊,并不交锋。为头五军,都一字儿摆在阵前,中是秦明,左是林冲、一丈青,右是花荣与孙立。在后随即宋江引十将也到,重重叠叠,摆着人马。看对阵时,约有一千步军,只是擂鼓发喊,并无一人出马交锋。宋江看了,心中疑惑,暗传号令,教后军且退,却纵马直到花荣队里窥望。猛听对阵里连珠炮响,一千步军忽然分作两下,放出三队连环马军,直冲将来;两边把弓箭乱射,中间尽是长枪。宋江看了大惊,急令众军把弓箭施放,那里抵敌得住。每一队三十匹马一齐跑发,不容你不向前走。那连环马军漫山遍野,横冲直撞将来。前面五队军马望见,便乱撺了,策立不定。后面大队人马拦当不住,各自逃生。宋江飞马慌忙便走,十将拥护而行。背后早有一队连环马军追将来,却得伏兵李逵、杨林引人从芦苇中杀出来,救得宋江。逃至水边,却有李俊、张横、张顺、三阮六个水军头领摆下战船接应。宋江急急上船,便传将令,教分头去救应众头领下船。那连环马直赶到水边,乱箭射来,船上却有傍牌遮护,不能损伤。慌忙把船棹到鸭嘴滩头,尽行上岸。就水寨里整点人马,折其大半。却喜众头领都全,虽然折了些马匹,都救得性命。少刻,只见石勇、时迁、孙新、顾大嫂都逃命上山,却说:"步军冲杀前来,把店屋平拆了去。我等若无号船接应,尽被擒捉。"宋江一一亲自抚慰。计点众头领时,中箭者六人:林冲、雷横、李逵、石秀、孙新、黄信。小喽啰中伤带箭者,不计其数。

晁盖闻知,与同吴用、公孙胜下山来动问。宋江眉头不展,面带忧容。吴用劝道:"哥哥休忧。胜败乃兵家常事,何必挂心。别生良策,可破连环军马。"晁盖便传号令,分付水军牢固寨栅船只,保守滩头,晓夜提备。请宋公明上山安歇。宋江不肯上山,只就鸭嘴滩寨内驻扎,只教带伤头领上山养病。

却说呼延灼大获全胜,回到本寨,开放连环马,都次第前来请功。杀死者不计其数,生擒的五百馀人,夺得战马三百馀匹。随即差人前去京师报捷,一面犒赏三军。

却说高太尉正在殿帅府坐衙,门人报道:"呼延灼收捕梁山泊得胜,差人报捷。"心中大喜。次日早朝,越班奏闻天子。徽宗甚喜,敕赏黄封御酒十瓶,锦袍一领,差官一员,赍钱十万贯前去行营赏军。高太尉领了圣旨,回到殿帅府,随即差官赍捧前去。

却说呼延灼闻知有天使至,与韩滔出二十里外迎接。接到寨中,谢恩受赏已毕,置酒管待天使;一面令韩先锋俵钱赏军,且将捉到五百馀人囚在寨中,待拿得贼首,一并解赴京师,示众施行。天使问道:"彭团练如何失陷?"呼延灼道:"为因贪捉宋江,深入重地,致被擒捉。今次群贼必不敢再来。小可分兵攻打,务要肃清山寨,扫尽水洼,擒获众贼,拆毁巢穴。但恨四面是水,无路可进。遥观寨栅,只除非得火炮飞打,以碎贼巢。随军纵有能战者,奈缘无路可施展也。久闻东京有个炮手凌振,名号轰天雷,此人善造火炮,能去十四五里远近,石炮落处,天崩地陷,山倒石裂。若得此人，可以攻打贼巢。更兼他深通武艺，弓马熟闲。若得天使回京，于太尉前言知此事，可以急急差遣到来，克日可取贼巢。"使命应允，次日起程，于路无话。回到京师，来见高太尉，备说呼延灼求索炮手凌振，要建大功。高太尉听罢，传下钧旨，教唤甲仗库副使炮手凌振那人来。原来凌振祖贯燕陵人也，是宋朝盛世第一个炮手，人都呼他是轰天雷。更兼武艺精熟。曾有四句诗赞凌振的好处：

　　　　火炮落时城郭碎，烟云散处鬼神愁。

　　　　轰天雷起驰风炮，凌振名闻四百州。

当下凌振来参见了高太尉，就受了行军统领官文凭，便教收拾鞍马军器起身。

　　且说凌振把应有用的烟火药料，就将做下的诸色火炮，并一应的炮石、炮架，装载上车，带了随身衣甲盔刀行李等件，并三四十个军汉，离了东京，取路投梁山泊来。到得行营，先来参见主将呼延灼，次见先锋韩滔，备问水寨远近路程。山寨险峻去处，安排三等炮石攻打：第一是风火炮，第二是金轮炮，第三是子母炮。先令军健振起炮架，直去水边竖起，准备放炮。

　　却说宋江正在鸭嘴滩上小寨内，和军师吴学究商议破阵之法，无计可施。有探细人来报道："东京新差一个炮手，唤做轰天雷凌振，即目于水边竖起架子，安排施放火炮，攻打寨栅。"吴学究道："这个不妨。我山寨四面都是水泊，港汊甚多，宛子城离水又远，纵有飞天火炮，如何能勾打得到城边？且弃了鸭嘴滩小寨，看他怎地设法施放，却做商议。"

　　当日宋江弃了小寨，便都起身且上关来。晁盖、公孙胜接到聚义厅上，问道："似此如何破敌？"动问未绝，早听得山下炮响，一连放了三个火炮，两个打在水里，一个直打到鸭嘴滩边小寨上。宋江见说,心中展转忧闷,众头领尽皆失色。吴学究道:"若得一人诱引凌振到水边,先捉了此人,方可商议破敌之法。"晁盖道:"可着李俊、张横、张顺、三阮六人棹船,如此行事;岸上朱仝、雷横,如此接应。"

　　且说六个水军头领得了将令,分作两队:李俊和张横先带了四十五个会水的火家,棹两只快船,从芦苇深处探路过去;背后张顺、三阮棹四十馀只小船接应。再说李俊、张横上到对岸,便去炮架子边呐声喊,把炮架推翻。军士慌忙报与凌振知道,凌振便带了风火二炮,上马拿枪,引了一千馀人赶将来。李俊、张横领人便走。凌振追至芦苇滩边,看见一字儿摆着四十馀只小船,船上共有百十馀个水军。李俊、张横早跳在船上,故意不把船开。凌振人马赶到泊边,看见李俊、张横并众水军呐声喊,都跳下水里去了。凌振人马已到,便来抢船,朱仝、雷横却在对岸呐喊擂鼓。凌振夺得许多船只,叫军健尽数上船,便杀过去。船行才到波心之中,只见岸上朱仝、雷横鸣起锣来,水底下早钻起三四百水军,尽把船尾楔子①拔了,水都滚入船里来。外边就势扳翻船,军健都撞在水里。凌振急待回船,船尾舵橹已自被拽下水底去了。两边却钻上两个头领来,把船只一扳,仰合转来,凌振却被合下水里去。水底下却是阮小二,一把抱住,直拖到对岸来。岸上早有头领接着,便把索子绑了,先解上山来。水中生擒二百馀人,一半水中淹死,些少逃得性命回去。呼延灼得知,急领马军赶将来时,船都已过鸭嘴滩去了。箭又射不着,人都不见了,只忍得气。呼延灼恨了半晌,只得引了人马回去。有诗为证:

---

　　① 楔子——这里指船尾上装置的类似塞子之类的东西。

凌振素称神炮手,金轮子母一窝风。

如何失却惊天手,反被生擒水泊中。

且说众头领捉得轰天雷凌振,解上山寨,先使人报知。宋江便同满寨头领下第二关迎接。见了凌振,连忙亲解其缚,便埋怨众人道:"我教你们礼请统领上山,如何恁的无礼!"凌振拜谢不杀之恩。宋江便与他把盏已了,自执其手,相请上山。到大寨,见了彭玘已做了头领,凌振闭口无言。彭玘劝道:"晁、宋二头领替天行道,招纳豪杰,专等招安,与国家出力。既然我等到此,只得从命。"宋江却又陪话,再三枚举。凌振答道:"小可在此趋侍不妨,争奈老母妻子都在京师,倘或有人知觉,必遭诛戮,如之奈何?"宋江道:"但请放心,限日取还统领。"凌振谢道:"若得头领如此周全,死而瞑目。"晁盖道:"且教做筵席庆贺。"

次日,厅上大聚会。众头领饮酒之间,宋江与众又商议破连环马之策。正无良法,只见金钱豹子汤隆起身道:"小子不材,愿献一计。除是得这般军器,和我一个哥哥,可以破得连环甲马。"吴学究便问道:"贤弟,你且说用何等军器?你那个令亲哥哥是谁?"

汤隆不慌不忙,叉手向前,说出这般军器和那个人来。有分教:四五个头领直往京师,三千馀马军尽遭毒手。正是:计就玉京擒獬豸,谋成金阙捉狻猊。毕竟汤隆对众说出那般军器,甚么人来,且听下回分解。

第五十六回

吴用使时迁盗甲　汤隆赚徐宁上山

诗曰：

雁翎铠甲人稀见，寝室高悬未易图。

寅夜便施掏摸手，潜行不畏虎狼徒。

河倾斗落三更后，烛灭灯残半夜初。

神物窃来如拾芥，前身只恐是钱驴。

　　话说当时汤隆对众头领说道："小可是祖代打造军器为生，先父因此艺上遭际老种经略相公，得做延安知寨。先朝曾用这连环甲马取胜，欲破阵时，须用钩镰枪可破。汤隆祖传已有画样在此，若要打造便可下手。汤隆虽是会打，却不会使。若要会使的人，只除非是我那个姑舅哥哥。他在东京，见做金枪班教师。这钩镰枪法，只有他一个教头，他家祖传习学，不教外人。或是马上，或是步行，都有法则，端的使动神出鬼没。"说言未了，林冲问道："莫不是见做金枪班教师徐宁？"汤隆应道："正是此人。"林冲道："你不说起，我也忘了。这徐宁的金枪法、钩镰枪法，端的是天下独步。在京师时，多与我相会，较量武艺，彼此相敬相爱。只是如何能勾得他上山来？"汤隆道："徐宁先祖留下一件宝贝，世上无对，乃是镇家之宝。汤隆比时曾随先父知寨往东京视探姑姑时，多曾见来，是一副雁翎砌就圈金甲。这一副甲，披在身

740

上,又轻又稳,刀剑箭矢急不能透,人都唤做赛唐猊①。多有贵
公子要求一见,造次不肯与人看。这副甲是他的性命,用一个皮
匣子盛着,直挂在卧房中梁上。若是先对付得他这副甲来时,不
由他不到这里。"吴用道:"若是如此,何难之有。放着有高手弟
兄在此,今次却用着鼓上蚤时迁去走一遭。"时迁随即应道:"只
怕无有此一物在彼,若端的有时,好歹定要取了来。"汤隆道:"你
若盗的甲来,我便包办赚他上山。"宋江问道:"你如何去赚他上
山?"汤隆去宋江耳边低低说了数句,宋江笑道:"此计大妙!"

　　吴学究道:"再用得三个人,同上东京走一遭:一个到京收买
烟火药料并炮内用的药材,两个去取凌统领家老小。"彭玘见了,
便起身禀宋江道:"若得一人到颍州取得小弟家眷上山,实拜成
全之德。"宋江便道:"团练放心,便请二位修书,小可自教人去。"
便唤杨林,可将金银书信,带领伴当前往颍州取彭玘将军老小;
薛永扮作使枪棒卖药的,往东京取凌统领老小;李云扮作客商,
同往东京收买烟火药料等物。乐和随汤隆同行,又帮薛永往来
作伴。一面先送时迁下山去了。次后且叫汤隆打起一把钩镰枪
做样,却叫雷横提调监督。原来雷横祖上也是打铁出身。

　　再说汤隆打起钩镰枪样子,教山寨里打军器的照着样子打
造,自有雷横提督,不在话下。

　　大寨做个送路筵席,当下杨林、薛永、李云、乐和、汤隆辞别
下山去了。次日又送戴宗下山,往来探听事情。这段话一时难
尽。

　　这里且说时迁离了梁山泊,身边藏了暗器、诸般行头,在路

---

① 唐猊(ni)——古代传说中的一种猛兽,用它的皮来制甲,非常坚厚。后来
便用来作为良甲的代称。也写作"唐夷"。

迤逦来到东京,投个客店安下了。次日,趱进城来,寻问金枪班教师徐宁家。有人指点道:"入得班门里,靠东第五家黑角子门便是。"时迁转入班门里,先看了前门;次后趱来相了后门,见是一带高墙,墙里望见两间小巧楼屋,侧手却是一根戗柱。时迁看了一回,又去街坊问道:"徐教师在家里么?"人应道:"敢在内里随直未归。"时迁又问道:"不知几时归?"人应道:"直到晚方归来,五更便去内里随班。"时迁叫了"相扰",且回客店里来,取了行头,藏在身边,分付店小二道:"我今夜多敢是不归,照管房中。"小二道:"但放心自去干事,并不差池。"

再说时迁入到城里,买了些晚饭吃了,却趱到金枪班徐宁家左右看时,没一个好安身去处。看看天色黑了,时迁拽入班门里面。是夜,寒冬天色,却无月光。时迁看见土地庙后一株大柏树,便把两只腿夹定,一节节扒将上去树头顶,骑马儿坐在枝柯上。悄悄望时,只见徐宁归来,望家里去了。又见班里两个人提着灯笼出来关门,把一把锁锁了,各自归家去了。早听得谯楼禁鼓,却转初更。但见:

> 角韵才闻三弄,钟声早转初更。云寒星斗无光,露散霜花渐白。六街三市,但闻喝号提铃;万户千家,各自关门闭户。对青灯学子攻经史,秉画烛佳人上绣床。

这时迁见班里静悄悄地,却从树上溜将下来,趱到徐宁后门边,从墙上下来,不费半点气力,扒将过去,看里面时,却是个小小院子。时迁伏在厨房外张时,见厨房下灯明,两个丫嬛兀自收拾未了。时迁却从戗柱上盘到博风板① 边,伏做一块儿。张那

---

① 博风板——就是封檐板,封闭檐口的木板。博风,应作"搏风",本指屋翼,屋檐角端向上的那一部分。

楼上时,见那金枪手徐宁和娘子正对坐炉边向火,怀里抱着一个六七岁孩儿。时迁看那卧房里时,见梁上果然有个大皮匣拴在上面。卧房门口挂着一副弓箭、一口腰刀,衣架上挂着各色衣服。徐宁口里叫道:"梅香,你来与我折了衣服。"下面一个丫嬛上来,就侧手春台上先折了一领紫绣圆领,又折一领官绿衬里袄子,并下面五色花绣踢串,一个护项彩色锦帕,一条红绿结子,并手帕一包。另用一个小黄帕儿,包着一条双獭尾荔枝金带,也放在包袱内,把来安在烘笼上。时迁都看在眼里。

　　约至二更以后,徐宁收拾上床。娘子问道:"明日随直① 也不?"徐宁道:"明日正是天子驾幸龙符宫,须用早起五更去伺候。"娘子听了,便分付梅香道:"官人明日要起五更出去随班,你们四更起来烧汤,安排点心。"时迁自忖道:"眼见得梁上那个皮匣子,便是盛甲在里面。我若趁半夜下手便好,倘若闹将起来,明日出不得城,却不误了大事!且捱到五更里下手不迟。"听得徐宁夫妻两口儿上床睡了,两个丫嬛在房门外打铺,房里桌上却点着碗灯。那五个人都睡着了。两个梅香一日伏侍到晚,精神困倦,亦皆睡了。时迁溜下来,去身边取个芦管儿,就窗棂眼里只一吹,把那碗灯早吹灭了。

　　看看伏到四更左侧,徐宁觉来,便唤丫嬛起来烧汤。那两个使女从睡梦里起来,看房里没了灯,叫道:"阿呀,今夜却没了灯!"徐宁道:"你不去后面讨灯,等几时。"那个梅香开楼门下胡梯响,时迁听得,却从柱上只一溜,来到后门边黑影里伏了。听得丫嬛正开后门出来,便去开墙门,时迁却潜入厨房里,贴身在

---

① 随直——班直是宋时最接近皇帝的卫兵之一种;随直,就是班直随班执行警卫任务。

厨桌下。梅香讨了灯火入来看时,又去关门,却来灶前烧火。这个女使也起来生炭火上楼去。多时汤滚,捧面汤上去,徐宁洗漱了,叫盪些热酒上来。丫嬛安排肉食炊饼上去,徐宁吃罢,叫把饭与外面当直的吃。时迁听得徐宁下楼,叫伴当吃了饭,背着包袱,拕了金枪出门。两个梅香点着灯送徐宁出去,时迁却从厨桌下出来,便上楼去,从橱子边直蹅到梁上,却把身躯伏了。两个丫嬛又关闭了门户,吹灭了灯火,上楼来,脱了衣裳,倒头便睡。

时迁听那两个梅香睡着了,在梁上把那芦管儿指灯一吹,那灯又早灭了。时迁却从梁上轻轻解了皮匣,正要下来,徐宁的娘子觉来,听得响,叫梅香道:"梁上甚么响?"时迁做老鼠叫,丫嬛道:"娘子不听得是老鼠叫?因厮打,这般响。"时迁就便学老鼠厮打,溜将下来,悄悄地开了楼门,款款地背着皮匣,下得胡梯,从里面直开到外门。来到班门口,已自有那随班的人出门,四更便开了锁。时迁得了皮匣,从人队里趁闹出去了。有诗为证:

> 狗盗鸡鸣出在齐,时迁妙术更多奇。
>
> 雁翎金甲逡巡得,钩引徐宁大解危。

且说时迁奔出城外,到客店门前,此时天色未晓。敲开店门,去房里取出行李,拴束做一担儿挑了,计算还了房钱,出离店肆,投东便走。行到四十里外,方才去食店里打火做些饭吃,只见一个人也撞将入来。时迁看时,不是别人,却是神行太保戴宗。见时迁已得了物,两个暗暗说了几句话,戴宗道:"我先将甲投山寨去,你与汤隆慢慢地来。"时迁打开皮匣,取出那副雁翎锁子甲来,做一包袱包了。戴宗拴在身上,出了店门,作起神行法,自投梁山泊去了。

时迁却把空皮匣子明明的拴在担子上,吃了饭食,还了打火钱,挑上担儿,出店门便走。到二十里路上,撞见汤隆,两个便入酒店里商量。汤隆道:"你只依我从这条路去,但过路上酒店、饭店、客店,门上若见有白粉圈儿,你便可就在那店里买酒买肉吃。客店之中,就便安歇,特地把这皮匣子放在他眼睛头。离此间一程外等我。"时迁依计去了。汤隆慢慢地吃了一回酒,却投东京城里来。

且说徐宁家里,天明两个丫嬛起来,只见楼门也开了,下面中门大门都不关,慌忙家里看时,一应物件都有。两个丫嬛上楼来对娘子说道:"不知怎地门户都开了,却不曾失了物件。"娘子便道:"五更里听得梁上响,你说是老鼠厮打,你且看那皮匣子没甚么事?"两个丫嬛看了,只叫得苦:"皮匣子不知那里去了!"那娘子听了,慌忙起来道:"快央人去龙符宫里报与官人知道,教他早来跟寻!"丫嬛急急寻人去龙符宫报徐宁,连连央了三替人,都回来说道:"金枪班直随驾内苑去了,外面都是亲军护御守把,谁人能勾入去?直须等他自归。"徐宁妻子并两个丫嬛如热鏊子上蚂蚁,走投无路,不茶不饭,慌做一团。

徐宁直到黄昏时候,方才卸了衣袍服色,着当直的背了,将着金枪,径回家来。到得班门口,邻舍说道:"娘子在家失盗,等候得观察不见回来。"徐宁吃了一惊,慌忙奔到家里。两个丫嬛迎门道:"官人五更出去,却被贼人闪将入来,单单只把梁上那个皮匣子盗将去了!"徐宁听罢,只叫那连声的苦,从丹田底下直滚出口角来。娘子道:"这贼正不知几时闪在屋里?"徐宁道:"别的都不打紧,这副雁翎甲乃是祖宗留传四代之宝,不曾有失。花儿王太尉曾还我三万贯钱,我不曾舍得卖与他,恐怕久后军前阵后要用。生怕有些差池,因此拴在梁上。多少人要看我的,只推没了。今次声张起来,枉惹他人耻笑。今却失去,如之奈何?"徐宁一夜睡不着,思量道:"不知是甚么人盗了去?也是曾知我这副甲的人。"娘子想道:"敢是夜来灭了灯时,那贼已躲在家里了。必然是有人爱你的,将钱问你买不得,因此使这个高手贼来盗了去。你可央人慢慢缉访出来,别作商议,且不要打草惊蛇。"徐宁听了,到天明起来,在家里纳闷。怎见得徐宁纳闷?正是:

> 凤落荒坡,尽脱浑身羽翼;龙居浅水,失却颔下明珠。
> 蜀王春恨啼红,宋玉悲秋怨绿。吕虔亡所佩之刀,雷焕
> 失丰城之剑。好似蛟龙缺云雨,犹如舟楫少波涛。奇
> 谋勾引来山寨,大展擒王铁马蹄。

当日金枪手徐宁正在家中纳闷,早饭时分,只听得有人扣门。当直的出来问了姓名,入去报道:"有个延安府汤知寨儿子汤隆,特来拜望哥哥。"徐宁听罢,教请汤隆进客位里相见。汤隆见了徐宁,纳头拜下,说道:"哥哥一向安乐!"徐宁答道:"闻知舅舅归天去了,一者官身羁绊,二乃路途遥远,不能前来吊问。并不知兄弟信息,一向正在何处?今次自何而来?"汤隆道:"言之不尽。自从父亲亡故之后,时乖命蹇,一向流落江湖。今从山东径来京师,探望兄长。"徐宁道:"兄弟少坐。"便叫安排酒食相待。汤隆去包袱内取出两锭蒜条金,重二十两,送与徐宁,说道:"先父临终之日,留下这些东西,教寄与哥哥做遗念。为因无心腹之人,不曾捎来。今次兄弟特地到京师纳还哥哥。"徐宁道:"感承舅舅如此挂念。我又不曾有半分孝顺之心,怎地报答?"汤隆道:"哥哥休恁地说。先父在日之时,只是想念哥哥这一身武艺,只恨山遥水远,不能勾相见一面,因此留这些物与哥哥做遗念。"徐宁谢了汤隆,交收过了,且安排酒来管待。

汤隆和徐宁饮酒中间,见徐宁眉头不展,面带忧容。汤隆起身道:"哥哥如何尊颜有些不喜?心中必有忧疑不决之事。"徐宁叹口气道:"兄弟不知,一言难尽。夜来家间被盗!"汤隆道:"不

知失去了何物?"徐宁道:"单单只盗去了先祖留下那副雁翎锁子甲,又唤做赛唐猊。昨夜失了这件东西,以此心下不乐。"汤隆道:"哥哥那副甲,兄弟也曾见来,端的无比,先父常常称赞不尽。却是放在何处来,被盗了去?"徐宁道:"我把一个皮匣子盛着,拴缚在卧房中梁上,正不知贼人甚么时候入来盗了去。"汤隆问道:"却是甚等样皮匣子盛着?"徐宁道:"我是个红羊皮匣子盛着,里面又用香绵裹住。"汤隆假意失惊道:"红羊皮匣子? 不是上面有白线刺着绿云头如意、中间有狮子滚绣球的?"徐宁道:"兄弟,你那里见来?"汤隆道:"小弟夜来离城四十里,在一个村店里沽些酒吃,见个鲜眼睛黑瘦汉子担儿上挑着。我见了,心中也自暗忖道:'这个皮匣子却是盛甚么东西的?'临出门时,我问道:'你这皮匣子作何用?'那汉子应道:'原是盛甲的,如今胡乱放些衣服。'必是这个人了。我见那厮却是闪朒了腿的,一步步捱着了走。何不我们追赶他去?"徐宁道:"若是赶得着时,却不是天赐其便!"汤隆道:"既是如此,不要担阁,便赶去罢。"

　　徐宁听了,急急换了麻鞋,带了腰刀,提条朴刀,便和汤隆两个出了东郭门,拽开脚步,迤逦赶来。前面见有白圈壁上酒店里,汤隆道:"我们且吃碗酒了赶,就这里问一声。"汤隆入得门坐下,便问道:"主人家,借问一问:曾有个鲜眼黑瘦汉子挑个红羊皮匣子过去么?"店主人道:"昨夜晚是有这般一个人,挑着个红羊皮匣子过去了。一似腿上吃跌了的,一步一捱走。"汤隆道:"哥哥你听,却何如?"徐宁听了,做声不得。有诗为证:

　　　　汤隆诡计赚徐宁,便把黄金表至情。

　　　　诱引同归忠义寨,共施威武破雄兵。

　　且说两个人连忙还了酒钱,出门便去。前面又见一个客店,壁上有那白圈,汤隆立住了脚,说道:"哥哥,兄弟走不动了,和哥哥且就这客店里歇了,明日早去赶。"徐宁道:"我却是官身,倘或点名不到,官司必然见责,如之奈何?"汤隆道:"这个不用兄长忧心,嫂嫂必自推个事故。"当晚又在客店里问时,店小二答道:"昨夜有一个鲜眼黑瘦汉子,在我店里歇了一夜,直睡到今日小日中,方才去了。口里只问山东路程。"汤隆道:"恁地可以赶了。明日起个四更,定是赶着,拿住那厮,便有下落。"当夜两个歇了。次日起个四更,离了客店,两个又迤逦赶来。汤隆但见壁上有白粉圈儿,便做买酒买食,吃了问路,处处皆说得一般。徐宁心中急切要那副甲,只顾跟随着汤隆赶了去。

　　看看天色又晚了,望见前面一所古庙,庙前树下,时迁放着担儿在那里坐地。汤隆看见叫道:"好了,前面树下那个,不是哥哥盛甲的匣子?"徐宁见了,抢向前来,一把揪住时迁,喝道:"你这厮好大胆!如何盗了我这副甲来?"时迁道:"住,住,不要叫!是我盗了你这副甲来,你如今却是要怎地?"徐宁喝道:"畜生无礼,倒问我要怎地!"时迁道:"你且看匣子里有甲也无。"汤隆便把匣子打开看时,里面却是空的。徐宁道:"你这厮把我这副甲那里去了?"时迁道:"你听我说。小人姓张,排行第一,泰安州人氏。本州有个财主,要结识老种经略相公,知道你家有这副雁翎锁子甲,不肯货卖,特地使我同一个李三两人来你家偷盗,许俺们一万贯。不想我在你家柱子上跌下来,闪肭了腿,因此走不动。先教李三把甲拿了去,只留得空匣在此。你若要奈何我时,我到官司,只是拚着命,就打死我也不招,休想我指出别人来。若还肯饶我官司时,我和你去讨这副甲还你。不知尊意如何?"徐宁踌躇了半晌,决断不下。汤隆便道:"哥哥,不怕他飞了去,只和他去讨甲。若无甲时,须有本处官司告理。"徐宁道:"兄弟也说的是。"三个厮赶着,又投客店里来歇了。徐宁、汤隆监住时迁一处宿歇。原来时迁故把些绢帛扎缚了腿,只做闪肭了脚,徐宁见他又走不动,因此十分中只有五分防他。三个又歇了一夜,次日早起来再行。时迁一路买酒买肉陪告,又行了一日。次日,徐宁在路上心焦起来,不知毕竟有甲也无。有诗为证:

　　　宝铠悬梁夜已偷,谩将空匣作缘由。

　　　徐宁不解牢笼计,相趁相随到水头。

　　三人正走之间,只见路旁边三四个头口,拽出一辆空车子,背后一个人驾车;旁边一个客人,看着汤隆,纳头便拜。汤隆问道:"兄弟因何到此?"那人答道:"郑州做了买卖,要回泰安州去。"汤隆道:"最好。我三个要搭车子,也要到泰安州去走一遭。"那人道:"莫说三个搭车,再多些也不计较。"汤隆大喜,叫与徐宁相见。徐宁问道:"此人是谁?"汤隆答道:"我去年在泰安州烧香,结识得这个兄弟,姓李名荣,是个有义气的人。"徐宁道:"既然如此,这张一又走不动,都上车子坐地,只叫车客驾车了行。"四个人坐在车子上,徐宁问时迁道:"你且说与我那个财主姓名。"时迁吃逼不过,三回五次推托,只得胡乱说道:"他是有名的郭大官人。"徐宁却问李荣道:"你那泰安州曾有个郭大官人么?"李荣答道:"我那本州郭大官人,是个上户财主,专好结识官宦来往,门下养着多少闲人。"徐宁听罢,心中想道:"既有主坐,必不碍事。"又见李荣一路上说些枪棒,唱几个曲儿,不觉的又过了一日。

　　话休絮烦。看看到梁山泊只有两程多路,只见李荣叫车客把葫芦去沽些酒来,买些肉来,就车子上吃三杯。李荣把出一个瓢来,先倾一瓢来劝徐宁,徐宁一饮而尽。李荣再叫倾酒,车客假做手脱,把这一葫芦酒都倾翻在地下。李荣喝骂车客再去沽些,只见徐宁口角流涎,扑地倒在车子上了。李荣是谁?却是铁叫子乐和。三个从车上跳将下来,赶着车子,直送到旱地忽律朱贵酒店里。众人就把徐宁扛扶下船,都到金沙滩上岸。宋江已有人报知,和众头领下山接着。

徐宁此时麻药已醒,众人又用解药解了。徐宁开眼见了众人,吃了一惊,便问汤隆道:"兄弟,你如何赚我来到这里?"汤隆道:"哥哥听我说。小弟今次闻知宋公明招接四方豪杰,因此上在武冈镇拜黑旋风李逵做哥哥,投托大寨入伙。今被呼延灼用连环甲马冲阵,无计可破。是小弟献此钩镰枪法,只除是哥哥会使。因此定这条计,使时迁先来盗了你的甲,却教小弟赚哥哥上路,后使乐和假做李荣,过山时下了蒙汗药,请哥哥上山来坐把交椅。"徐宁道:"都是兄弟送了我也!"宋江执杯向前陪告道:"见今宋江暂居水泊,专待朝廷招安,尽忠竭力报国,非敢贪财好杀,行不仁不义之事。万望观察怜此真情,一同替天行道。"林冲也来把盏陪话道:"小弟亦在此间多说兄长清德,休要推却。"徐宁道:"汤隆兄弟,你却赚我到此,家中妻子必被官司擒捉,如之奈何?"宋江道:"这个不妨,观察放心,只在小可身上,早晚便取宝眷到此完聚。"有诗为证:

> 钩镰枪法古今稀,解破连环铁马蹄。
> 不是徐宁施妙手,梁山怎得解重围?

晁盖、吴用、公孙胜都来与徐宁陪话,安排筵席作庆。一面选拣精壮小喽啰学使钩镰枪法,一面使戴宗和汤隆星夜往东京搬取徐宁老小。

话休絮繁。旬日之间,杨林自颍州取到彭圯老小,薛永自东京取到凌振老小,李云收买到五车烟火药料回寨。更过数日,戴宗、汤隆取到徐宁老小上山。徐宁见了妻子到来,吃了一惊,问是如何便得到这里。妻子答道:"自你转背,官司点名不到,我使了些金银首饰,只推道患病在床,因此不来叫唤。忽见汤叔叔赍着雁翎甲来说道:'甲便夺得来了,哥哥只是于路染病,将次死在客店里,叫嫂嫂和孩儿便来看视。'把我赚上车子。我又不知路径,迤逦来到这里。"徐宁道:"兄弟,好却好了,只可惜将我这副甲陷在家里了。"汤隆笑道:"我教哥哥欢喜,打发嫂嫂上车之后,我便复翻身去赚了这甲,诱了这两个丫嬛,收拾了家中应有细软,做一担儿挑在这里。"徐宁道:"怎地时,我们不能勾回东京去了。"汤隆道:"我又教哥哥再知一件事来:在半路上撞见一伙客人,我把哥哥的雁翎甲穿了,搽画了脸,说哥哥名姓,劫了那伙客人的财物。这早晚,东京已自遍行文书捉拿哥哥。"徐宁道:"兄弟,你也害得我不浅!"晁盖、宋江都来陪话道:"若不是如此,观察如何肯在这里住。"随即拨定房屋与徐宁安顿老小。众头领且商议破连环马军之法。

此时雷横监造钩镰枪已都完备,宋江、吴用等启请徐宁教众军健学使钩镰枪法。徐宁道:"小弟今当尽情剖露,训练众军头目,拣选身材长壮之士。"众头领都在聚义厅上看徐宁选军,说那个钩镰枪法。

不争山寨之人学了这件武艺,有分教:三千甲马,斗时脑裂蹄崩;一个英雄,见后魂飞魄丧。正是:撺掇天罡来聚会,招摇地煞共相逢。毕竟金枪徐宁怎地敷演钩镰枪法,且听下回分解。

第五十七回

徐宁教使钩镰枪　宋江大破连环马

诗曰：

> 人生切莫恃英雄，术业精粗自不同。
>
> 猛虎尚然逢恶兽，毒蛇犹自怕蜈蚣。
>
> 七擒孟获奇诸葛，两困云长羡吕蒙。
>
> 珍重宋江真智士，呼延顷刻入囊中。

话说晁盖、宋江、吴用、公孙胜与众头领就聚义厅上启请徐宁教使钩镰枪法。众人看徐宁时，果然一表好人物：六尺五六长身体，团团的一个白脸，三牙细黑髭髯，十分腰细膀阔。曾有一篇《西江月》，单道着徐宁模样：

> 臂健开弓有准，身轻上马如飞。弯弯两道卧蚕眉，凤翥鸾翔子弟。　　战铠细穿柳叶，乌巾斜带花枝。常随宝驾侍丹墀，神手徐宁无对。

当下徐宁选军已罢，便下聚义厅来，拿起一把钩镰枪自使一回，众人见了喝采。徐宁便教众军道："但凡马上使这般军器，就腰胯里做步上来，上中七路，三钩四拨，一挪一分，共使九个变法。若是步行使这钩镰枪，亦最得用。先使八步四拨，荡开门户，十二步一变，十六步大转身，分钩、镰、挪、缴；二十四步，那上攒下，钩东拨西；三十六步，浑身盖护，夺硬斗强。此是钩镰枪正法。"就一路路敷演，教众头领看。众军汉见了徐宁使钩镰枪，都喜欢。就当日为始,将选拣精锐壮健之人,晓夜习学。又教步军藏林伏草,钩蹄拽腿,下面三路暗法。不到半月之间,教成山寨五七百人。宋江并众头领看了大喜,准备破敌。有诗为证:

四拨三钩通七路,共分九变合神机。

二十四步那前后,一十六翻大转围。

破锐摧坚如拉朽,搴旗斩将有神威。

闻风已落高俅胆,此法今无古亦稀。

却说呼延灼自从折了彭玘、凌振,每日只把马军来水边搦战。山寨中只教水军头领牢守各处滩头,水底钉了暗桩。呼延灼虽是在山西、山北两路出哨,决不能勾到山寨边。梁山泊却叫凌振制造了诸般火炮,尽皆完备,克日定时下山对敌。学使钩镰枪军士已都学成本事。宋江道:“不才浅见,未知合众位心意否?”吴用道:“愿闻其略。”宋江道:“明日并不用一骑马军,众头领都是步战。孙吴兵法却利于山林沮泽。却将步军下山,分作十队诱敌,但见军马冲掩将来,都望芦苇荆棘林中乱走。却先把钩镰枪军士埋伏在彼,每十个会使钩镰枪的,间着十个挠钩手。但见马到,一搅钩翻,便把挠钩搭将入去捉了。平川窄路也如此埋伏。此法如何?”吴学究道:“正如此藏兵捉将。”徐宁道:“钩镰枪并挠钩,正是此法。”

宋江当日分拨十队步军人马:刘唐、杜迁引一队,穆弘、穆春引一队,杨雄、陶宗旺引一队,朱仝、邓飞引一队,解珍、解宝引一队,邹渊、邹润引一队,一丈青、王矮虎引一队,薛永、马麟引一队,燕顺、郑天寿引一队,杨林、李云引一队。这十队步军先行下山,诱引敌军。再差李俊、张横、张顺、三阮、童威、童猛、孟康九个水军头领,乘驾战船接应。再叫花荣、秦明、李应、柴进、孙立、欧鹏六个头领,乘马引军,只在山边搦战。凌振、杜兴专放号炮。却叫徐宁、汤隆总行招引使钩镰枪军士。中军宋江、吴用、公孙胜、戴宗、吕方、郭盛,总制军马,指挥号令。其馀头领俱各守寨。宋江分拨已定,是夜三更,先载使钩镰枪军士过渡,四面去分头埋伏已定。四更,却渡十队步军过去。凌振、杜兴载过风火炮架上高埠去处,竖起炮架,阁上火炮。徐宁、汤隆各执号带渡水。平明时分,宋江守中军人马,隔水擂鼓,呐喊摇旗。

呼延灼正在中军帐内,听得探子报知,传令便差先锋韩滔先来出哨,随即锁上连环甲马。呼延灼全身披挂,骑了踢雪乌骓马,仗着双鞭,大驱军马杀奔梁山泊来。隔水望见宋江引着许多军马,呼延灼教摆开马军。先锋韩滔来与呼延灼商议道:"正南上一队步军,不知是何处来的?"呼延灼道:"休问他何处军,只顾把连环马冲将去。"韩滔引着五百马军飞哨出去。又见东南上一队军兵起来,却欲分兵去哨,只见西南上又有起一队旗号,招飐呐喊。韩滔再引军回来,对呼延灼道:"南边三队贼兵,都是梁山泊旗号。"呼延灼道:"这厮许多时不出来厮杀,必有计策。"说犹未了,只听得北边一声炮响。呼延灼骂道:"这炮必是凌振从贼,教他施放。"众人平南一望,只见北边又拥起三队旗号。呼延灼道:"此必是贼人奸计。我和你把人马分为两路,我去杀北边人马,你去杀南边人马。"正欲分兵之际,只见西边又是四路人马起来,呼延灼心慌。又听的正北上连珠炮响,一带直接到土坡上;那一个母炮周回① 接着四十九个子炮,名为子母炮,响处风威大作。呼延灼军兵不战自乱,急和韩滔各引马步军兵四下冲突。这十队步军,东赶东走,西赶西走,呼延灼看了大怒,引兵望北冲

---

① 周回——同"周围"。

将来。宋江军兵尽投芦苇中乱走，呼延灼大驱连环马，卷地而来。那甲马一齐跑发，收勒不住，尽望败苇折芦之中、枯草荒林之内跑了去。只听里面嗙哨响处，钩镰枪一齐举手，先钩倒两边马脚，中间的甲马便自咆哮起来。那挠钩手军士一齐搭住，芦苇中只顾缚人。呼延灼见中了钩镰枪计，便勒马回南边去赶韩滔。背后风火炮当头打将下来。这边那边，漫山遍野，都是步军追赶着。韩滔、呼延灼部领的连环甲马，乱滚滚都撷入荒草芦苇之中，尽被捉了。二将情知中了计策，纵马去四面跟寻马军，夺路奔走时，更兼那几条路上麻林般摆着梁山泊旗号，不敢投那几条路走，一直便望西北上来。行不到五六里路，早拥出一队强人，当先两个好汉拦路，一个是没遮拦穆弘，一个是小遮拦穆春，拈两条朴刀，大喝道："败将休走！"呼延灼忿怒，舞起双鞭，纵马直取穆弘、穆春。略斗四五合，穆春便走，呼延灼只怕中了计，不来追赶，望正北大路而走。山坡下又转出一队强人，当先两个好汉拦路，一个是两头蛇解珍，一个双尾蝎解宝，各挺钢叉，直奔前来。呼延灼舞起双鞭，来战两个。斗不到五七合，解珍、解宝拔步便走，呼延灼赶不过半里多路，两边钻出二十四把钩镰枪，着地卷将来。呼延灼无心恋战，拨转马头望东北上大路便走，又撞着王矮虎、一丈青夫妻二人截住去路。呼延灼见路径不平，四下兼有荆棘遮拦，拍马舞鞭，杀开条路直冲过去。王矮虎、一丈青赶了一直，赶不上，自回山听令。呼延灼自投东北上去了。杀的大败亏输，雨零星散。有诗为证：

十路军兵振地来，将军难免剥床灾。

连环铁骑如烟散，喜得孤身出九垓。

话分两头。且说宋江鸣金收军回山，各请功赏。三千连环甲马，有停半被钩镰枪拨倒，伤损了马蹄，剥去皮甲，把来做菜马① 食;二停多好马,牵上山去喂养,作坐马。带甲军士,都被生擒上山。五千步军,被三面围得紧急,有望中军躲的,都被钩镰枪拖翻捉了;望水边逃命的,尽被水军头领围裹上船去,拽过滩头,拘捉上山。先前被拿去的马匹并捉去军士,尽行复夺回寨。把呼延灼寨栅尽数拆来,水边泊内,搭盖小寨。再造两处做眼酒店房屋等项,仍前着孙新、顾大嫂、石勇、时迁两处开店。刘唐、杜迁拿得韩滔,把来绑缚解到山寨。宋江见了,亲解其缚,请上厅来,以礼陪话,相待筵宴,令彭玘、凌振说他入伙。韩滔也是七十二煞之数,自然义气相投,就梁山泊做了头领。宋江便教修书,使人往陈州搬取韩滔老小来山寨中完聚。宋江喜得破了连环马,又得了许多军马、衣甲、盔刀添助,每日做筵席庆喜,仍旧调拨各路守把,提防官兵,不在话下。

却说呼延灼折了许多官军人马,不敢回京,独自一个骑着那匹踢雪乌骓马,把衣甲拴在马上,于路逃难。却无盘缠,解下束腰金带,卖来盘缠。在路寻思道:"不想今日闪得我有家难奔,有国难投。却是去投谁好?"猛然想起:"青州慕容知府旧与我有一面相识,何不去那里投奔他,却打慕容贵妃的关节,那时再引军来报仇未迟。"

在路行了二日,当晚又饥又渴,见路旁一个村酒店,呼延灼下马,把马拴在门前树上,入来店内,把鞭子放在桌上,坐下了,叫酒保取酒肉来吃。酒保道:"小人这里只卖酒。要肉时,村里却才杀羊,若要,小人去回买。"呼延灼把腰里料袋解下来,取出些金带倒换的碎银两,把与酒保道:"你可回一脚羊肉与我煮了,

---

① 菜马——专供食用的马。

就对付草料喂养我这匹马。今夜只就你这里宿一宵,明日自投青州府里去。"酒保道:"官人,此间宿不妨,只是没好床帐。"呼延灼道:"我是出军的人,但有歇处便罢。"酒保拿了银子自去买羊肉。呼延灼把马背上捎的衣甲取将下来,松了肚带,坐在门前。等了半晌,只见酒保提一脚羊肉归来,呼延灼便叫煮了,回三斤面来打饼,打两角酒来。酒保一面煮肉打饼,一面烧脚汤与呼延灼洗了脚,便把马牵放屋后小屋下。酒保一面切草煮料,呼延灼先讨热酒吃了一回。少刻肉熟,呼延灼叫酒保,也与他些酒肉吃了,分付道:"我是朝廷军官,为因收捕梁山泊失利,待往青州投慕容知府。你好生与我喂养这匹马,是今上御赐的,名为踢雪乌骓马。明日我重重赏你。"酒保道:"感承相公,却有一件事教相公得知。离此间不远有座山,唤做桃花山。山上有一伙强人,为头的是打虎将李忠,第二个是小霸王周通,聚集着五七百小喽啰,打家劫舍,如常来搅扰村坊。官司累次着仰捕盗官军来收捕他不得,相公夜间须用小心省睡。"呼延灼说道:"我有万夫不当之勇,便道那厮们全伙都来,也待怎生!只与我好生喂养这匹马。"吃了一回酒肉饼子,酒保就店里打了一铺,安排呼延灼睡了。一者呼延灼连日心闷,二乃又多了几杯酒,就和衣而卧,一觉直睡到三更方醒,只听得屋后酒保在那里叫屈起来。呼延灼听得,连忙跳将起来,提了双鞭,走去屋后问道:"你如何叫屈?"酒保道:"小人起来上草,只见篱笆推翻,被人将相公的马偷将去了。远远地望见三四里火把尚明,一定是那里去了。"有诗为证:

　　舟横瀚海摧残舵,车入深山坏却辕。

　　不日呼延须入伙,降魔殿里有因缘。

　　且说呼延灼道:"那里正是何处?"酒保道:"眼见得那条路上,正是桃花山小喽啰偷得去了。"呼延灼吃了一惊,便叫酒保引路,就田塍上赶了二三里,火把看看不见,正不知投那里去了。呼延灼说道:"若无了御赐的马,却怎地是好?"酒保道:"相公明日须去州里告了,差官军来剿捕,方才能勾这匹马。"呼延灼闷闷不已,坐到天明,早叫酒保挑了衣甲,径投青州来。

到城里时,天色已晚了,不敢见官,且在客店里歇了一夜。次日天晓,径到府堂阶下,参拜了慕容知府。知府大惊,问道:"闻知将军收捕梁山泊草寇,如何却到此间?"呼延灼只得把上项诉说了一遍。慕容知府听了道:"虽是将军折了许多人马,此非慢功之罪,中了贼人奸计,亦无奈何。下官所辖地面多被草寇侵害,将军到此,可先扫清桃花山,夺取那匹御赐的马,却收伏二龙山、白虎山,未为晚矣。一发剿捕了时,下官自当一力保奏,再教将军引兵复仇如何?"呼延灼再拜道:"深谢恩相主监①!若蒙如此复仇,誓当效死报德。"慕容知府教请呼延灼去客房里暂歇,一面更衣宿食。那挑甲酒保,自叫他回去了。

一住三日,呼延灼急欲要这匹御赐马,又来禀复知府,便教点军。慕容知府传点马步军二千,借与呼延灼,又与了一匹青鬃马。呼延灼谢了恩相,披挂上马,带领军兵前来报仇,径往桃花山进发。

且说桃花山上打虎将李忠与小霸王周通,自得了这匹踢雪乌骓马,每日在山上庆喜饮酒。当日有伏路小喽啰报道:"青州军马来也!"小霸王周通起身道:"哥哥守寨,兄弟去退官军。"便点起一百小喽啰,绰枪上马,下山来迎敌官军。却说呼延灼引起二千军马,来到山前,摆开阵势。呼延灼当先出马,厉声高叫:"强贼早来受缚!"小霸王周通将小喽啰一字摆开,便挺枪出马。

---

① 主监——照顾。

怎生打扮？有诗为证：

　　　　身着团花宫锦服，手持走水绿沉枪。

　　　　面阔体强身似虎，尽道周通小霸王。

　　当下呼延灼见了周通，便纵马向前来战，周通也跃马来迎。二马相交，斗不到六七合，周通气力不加，拨转马头往山上便走。呼延灼赶了一直，怕有计策，急下山来扎住寨栅，等候再战。

　　却说周通回寨里，见李忠诉说："呼延灼武艺高强，遮拦不住，只得且退山上。倘或他赶到寨前来，如之奈何？"李忠道："我闻二龙山宝珠寺，花和尚鲁智深在彼，多有人伴，更兼有个甚么青面兽杨志，又新有个行者武松，都有万夫不当之勇。不如写一封书，使小喽啰去那里求救。若解得危难，拚得投托他大寨，月终纳他些进奉也好。"周通道："小弟也多知他那里豪杰，只恐那和尚记当初之事，不肯来救。"李忠笑道："他那时又打了你，又得了我们许多金银酒器去，如何倒有见怪之心？他是个直性的好人，使人到彼，必然亲引军来救应。"周通道："哥哥也说得是。"就写了一封书，差两个了事的小喽啰，从后山路将下去，取路投二龙山来。行了两日，早到山下，那里小喽啰问了备细来情。

　　且说宝珠寺里大殿上坐着三个头领：为首是花和尚鲁智深，第二是青面兽杨志，第三是行者二郎武松。前面山门下坐着四个小头领：一个是金眼彪施恩，原是孟州牢城施管营的儿子，为因武松杀了张都监一家人口，官司着落他家追捉凶身，以此连夜挈家逃走在江湖上；后来父母俱亡，打听得武松在二龙山，连夜投奔入伙。一个是操刀鬼曹正，原是同鲁智深、杨志收夺宝珠寺，杀了邓龙，后来入伙。一个是菜园子张青，一个是母夜叉孙二娘，这是夫妻两个，原是孟州道十字坡卖人肉馒头的，亦来投奔入伙。曹正听得说桃花山有书，先来问了详细，直去殿上禀复三个大头领知道。智深便道:"洒家当初离五台山时,到一个桃花村投宿,好生打了那周通撮鸟一顿。李忠那厮却来,认得洒家,却请去上山吃了一日酒,结识洒家为兄,留俺做个寨主。俺见这厮们悭吝,被俺卷了若干金银器撒开他。如今来求救,且看他说甚么。放那小喽啰上关来。"曹正去不多时,把那小喽啰引到殿下,唱了喏,说道:"青州慕容知府近日收得个征进梁山泊失利的双鞭呼延灼,如今慕容知府先教扫荡俺这里桃花山、二龙山、白虎山几座山寨,却借军与他收捕梁山泊复仇。俺的头领今欲启请大头领将军下山相救,明朝无事了时,情愿来纳进奉。"杨志道:"俺们各守山寨,保护山头,本不去救应的是。洒家一者怕坏了江湖上豪杰,二者恐那厮得了桃花山便小觑了洒家这里。可留下张青、孙二娘、施恩、曹正看守寨栅,俺三个亲自走一遭。"随即点起五百小喽啰,六十馀骑军马,各带了衣甲军器,下山径往桃花山来。

却说李忠知二龙山消息,自引了三百小喽啰下山策应。呼延灼闻知,急引所部军马拦路列阵,舞鞭出马,来与李忠相持。怎见李忠模样?有诗为证:

> 头尖骨脸似蛇形,枪棒林中独擅名。
>
> 打虎将军心胆大,李忠祖是霸陵生。

原来李忠祖贯濠州定远人氏,家中祖传靠使枪棒为生,人见他身材壮健,因此呼他做打虎将。当时下山来与呼延灼交战,李忠如何敌得呼延灼过,斗了十合之上,见不是头,拨开军器便走。呼延灼见他本事低微,纵马赶上山来。小霸王周通正在半山里看见,便飞下鹅卵石来。呼延灼慌忙回马下山来,只见官军迭头①呐喊。呼延灼便问道:"为何呐喊?"后军答道:"远望见一

---

① 迭头——连续不断。

彪军马飞奔而来。"呼延灼听了,便来后军队里看时,见尘头起处,当头一个胖大和尚,骑一匹白马。那人是谁?正是:

> 自从落发闹禅林,万里曾将壮士寻。臂负千斤扛鼎力,
> 天生一片杀人心。欺佛祖,喝观音,戒刀禅杖冷森森。
> 不看经卷花和尚,酒肉沙门鲁智深。

鲁智深在马上大喝道:"那个是梁山泊杀败的撮鸟,敢来俺这里唬吓人?"呼延灼道:"先杀你这个秃驴,豁我心中怒气!"鲁智深轮动铁禅杖,呼延灼舞起双鞭,二马相交,两边呐喊,斗四五十合,不分胜败。呼延灼暗暗喝采道:"这个和尚倒怎地了得!"两边鸣金,各自收军暂歇。呼延灼少停,再纵马出阵,大叫:"贼和尚,再出来!与你定个输赢,见个胜败!"鲁智深却待正要出马,侧首恼犯了这个英雄,叫道:"大哥少歇,看洒家去捉这厮。"那人舞刀出马。来战呼延灼的是谁?正是:

> 曾向京师为制使,花石纲累受艰难。虹霓气逼斗牛寒。
> 刀能安宇宙,弓可定尘寰。虎体狼腰猿臂健,跨龙驹稳
> 坐雕鞍。英雄声价满梁山。人称青面兽,杨志是军班。

当时杨志出马来与呼延灼交锋,两个斗到四十馀合,不分胜败。呼延灼见杨志手段高强,寻思道:"怎地那里走出这两个来?好生了得,不是绿林中手段。"杨志也见呼延灼武艺高强,卖个破绽,拨回马跑回本阵。呼延灼也勒转马头,不来追赶。两边各自收军。鲁智深便和杨志商议道:"俺们初到此处,不宜逼近下寨,且退二十里,明日却再来厮杀。"带领小喽啰,自过附近山岗下寨去了。

却说呼延灼在帐中纳闷,心内想道:"指望到此势如劈竹,便拿了这伙草寇,怎知却又逢着这般对手。我直如此命薄!"正没

摆布处,只见慕容知府使人来唤道:"叫将军且领兵回来,保守城中。今有白虎山强人孔明、孔亮,引人马来青州借粮,怕府库有失,特令来请将军回城守备。"呼延灼听了,就这机会,带领军马,连夜回青州去了。

次日,鲁智深与杨志、武松又引了小喽啰摇旗呐喊,直到山下来,看时,一个军马也无了,倒吃了一惊。山上李忠、周通引人下来,拜请三位头领上到山寨里,杀牛宰马,筵席相待,一面使人下山,探听前路消息。

且说呼延灼引军回到城下,却见了一彪军马正来到城边,为头的乃是白虎山下孔太公儿子毛头星孔明、独火星孔亮。两个因和本乡一个财主争竞,把他一门良贱尽都杀了,聚集起五七百人,占住白虎山,打家劫舍。因为青州城里有他的叔叔孔宾,被慕容知府捉下,监在牢里,孔明、孔亮特地点起山寨小喽啰来打青州,要救叔叔孔宾,正迎着呼延灼军马。两边撞着,敌住厮杀,呼延灼便出马到阵前。慕容知府在城楼上观看,见孔明当先挺枪出马。怎生模样?有诗为证:

> 白虎山中间气生,学成武艺敢相争。
>
> 性刚智勇身形异,绰号毛头是孔明。

当时孔明便挺枪出马,直取呼延灼。两马相交,斗到二十馀合,呼延灼要在知府面前显本事,又值孔明武艺不精,只办得架隔遮拦,斗到间深里,被呼延灼就马上把孔明活捉了去。孔亮只得引了小喽啰便走。慕容知府在敌楼上指着,叫呼延灼引军去赶,官兵一掩,活捉得百十馀人。孔亮大败,四散奔走,至晚寻个古庙安歇。

却说呼延灼活捉得孔明,解入城中,来见慕容知府。知府大喜，叫把孔明大枷钉下牢里，和孔宾一处监收。一面赏劳三军，一面管待呼延灼，备问桃花山消息。呼延灼道："本待是瓮中捉鳖，手到拿来，无端又被一伙强人前来救应。数内一个和尚，一个青脸大汉，二次交锋，各无胜败。这两个武艺不比寻常，不是绿林中手段，因此未曾拿得。"慕容知府道："这个和尚便是延安府老种经略帐前军官提辖鲁达，今次落发为僧，唤做花和尚鲁智深。这一个青脸大汉亦是东京殿帅府制使官，唤做青面兽杨志。再有一个行者，唤做武松，原是景阳冈打虎的武都头，也如此武艺高强。这三个占住二龙山，打家劫舍，累次抵敌官军，杀了三五个捕盗官，直至如今，未曾捉得。"呼延灼道："我见这厮们武艺精熟，原来却是杨制使和鲁提辖，名不虚传。恩相放心，呼延灼已见他们本事了，只在早晚，一个个活捉了解官。"知府大喜，设筵管待已了，且请客房内歇，不在话下。

却说孔亮引领败残人马，正行之间，猛可里树林中撞出一彪军马，当先一筹好汉。怎生打扮？有《西江月》为证：

> 直裰冷披黑雾，戒箍光射秋霜。额前剪发拂眉长，脑后护头齐项。　顶骨数珠灿白，杂绒绦结微黄。钢刀两口迸寒光，行者武松形像。

孔亮见了是武松，慌忙滚鞍下马，便拜道："壮士无恙！"武松连忙答礼，扶起问道："闻知足下弟兄们占住白虎山聚义，几次要来拜望，一者不得下山，二乃路途不顺，以此难得相见。今日何事到此？"孔亮把救叔叔孔宾陷兄之事，告诉了一遍。武松道："足下休慌。我有六七个弟兄，见在二龙山聚义。今为桃花山李忠、周通被青州官军攻击得紧，来我山寨求救。鲁、杨二头领引了孩儿们先来与呼延灼交战，两个厮并了他一日，呼延灼夜间去了。山寨中留我弟兄三个筵宴,把这匹御赐马送与我们。今我部领头队人马回山,他二位随后便到。我叫他去打青州,救你叔兄如何?"孔亮拜谢武松。等了半晌,只见鲁智深、杨志两个并马都到。武松引孔亮拜见二位,备说:"那时我与宋江在他庄上相会,多有相扰。今日俺们可以义气为重,聚集三山人马,攻打青州,杀了慕容知府,擒获呼延灼,各取府库钱粮,以供山寨之用,如何?"鲁智深道:"洒家也是这般思想。便使人去桃花山报知,叫李忠、周通引孩儿们来,俺三处一同去打青州。"杨志便道:"青州城池坚固,人马强壮,又有呼延灼那厮英勇。不是俺自灭威风,若要攻打青州时,只除非依我一言,指日可得。"武松道:"哥哥,愿闻其略。"

　　那杨志言无数句,话不一席,有分教:青州百姓,家家瓦裂烟飞;水浒英雄,个个摩拳擦掌。直教同声相应归山寨,一气相随聚水滨。毕竟杨志对武松说出怎地打青州,且听下回分解。

第五十八回

三山聚义打青州　众虎同心归水泊

诗曰：

一事参差百事难，一人辛苦众人安。

英雄天地彰名誉，鹰隼云霄振羽翰。

孔亮弟兄容易救，青州城郭等闲看。

牢笼又得呼延灼，联辔同归大将坛。

当有武松引孔亮拜告鲁智深、杨志，求救哥哥孔明并叔叔孔宾，鲁智深便要聚集三山人马，前去攻打。杨志便道："若要打青州，须用大队军马方可打得。俺知梁山泊宋公明大名，江湖上都唤他做及时雨宋江，更兼呼延灼是他那里仇人。俺们弟兄和孔家弟兄的人马，都并做一处，洒家这里再等桃花山人马齐备，一面且去攻打青州。孔亮兄弟，你可亲身星夜去梁山泊，请下宋公明来并力攻城，此为上计。亦且宋三郎与你至厚。你们弟兄心下如何？"鲁智深道："正是如此。我只见今日也有人说宋三郎好，明日也有人说宋三郎好，可惜洒家不曾相会。众人说他的名字，聒的洒家耳朵也聋了，想必其人是个真男子，以致天下闻名。前番和花知寨在清风山时，洒家有心要去和他厮会，及至洒家去时，又听得说道去了，以此无缘不得相见。罢了，孔亮兄弟，你要救你哥哥时，快亲自去那里告请他们。洒家等先在这里和那撮鸟们厮杀。"孔亮交付小喽啰与了鲁智深，只带一个伴当，扮做客商,星夜投梁山泊来。

且说鲁智深、杨志、武松三人去山寨里,唤将施恩、曹正再带一二百人下山来相助。桃花山李忠、周通得了消息,便带本山人马,尽数起点,只留三五十个小喽啰看守寨栅,其馀都带下山来青州城下聚集,一同攻打城池,不在话下。

却说孔亮自离了青州,迤逦来到梁山泊边催命判官李立酒店里买酒吃问路。李立见他两个来得面生,便请坐地,问道:"客人从那里来?"孔亮道:"从青州来。"李立问道:"客人要去梁山泊寻谁?"孔亮答道:"有个相识在山上,特来寻他。"李立道:"山上寨中都是大王住处,你如何去得?"孔亮道:"便是要寻宋大王。"李立道:"既是来寻宋头领,我这里有分例。"便叫火家快去安排分例酒来相待。孔亮道:"素不相识,如何见款?"李立道:"客官不知,但是来寻山寨头领,必然是社火中人故旧交友,岂敢有失祗应。便当去报。"孔亮道:"小人便是白虎山前庄户孔亮的便是。"李立道:"曾听得宋公明哥哥说大名来,今日且请上山。"二人饮罢分例酒,随即开窗,就水亭上放了一枝响箭,见对港芦苇深处,早有小喽啰棹过船来,到水亭下。李立便请孔亮下了船,一同摇到金沙滩上岸,却上关来。孔亮看见三关雄壮,枪刀剑戟如林,心下想道:"听得说梁山泊兴旺,不想做下这等大事业!"已有小喽啰先去报知,宋江慌忙下来迎接。孔亮见了,连忙下拜。宋江问道:"贤弟缘何到此?"孔亮拜罢,放声大哭。宋江道:"贤弟心中有何危厄不决之难,但请尽说不妨。便当不避水火,力为救解,与汝相助。贤弟且请起来。"孔亮道:"自从师父离别之后,老父亡化。哥哥孔明与本乡上户争些闲气起来,杀了他一家老小。官司来捕捉得紧,因此反上白虎山,聚得五七百人,打家劫舍。青州城里却有叔父孔宾,被慕容知府捉了,重枷钉在狱中。

因此我弟兄两个去打城子,指望救取叔叔孔宾。谁想去到城下,正撞了一个使双鞭的呼延灼,哥哥与他交锋,致被他捉了,解送青州,下在牢里,存亡未保。小弟又被他追杀一阵。次日,正撞着武松,说起师父大名来,见在梁山泊做头领。他便引我去拜见同伴的,一个是花和尚鲁智深,一个是青面兽杨志。他二人一见如故,便商议救兄一事。他道:'我请鲁、杨二头领并桃花山李忠、周通,聚集三山人马攻打青州。你可连夜快去梁山泊内,告你师父宋公明来救你叔兄两个。'以此今日一径到此。万望师父觑先父之面,垂救性命,生死不敢有忘。"宋江道:"此是易为之事,你且放心。先来拜见晁头领,共同商议。"

宋江便引孔亮参见晁盖、吴用、公孙胜并众头领,备说呼延灼走在青州,投奔慕容知府,今来捉了孔明,以此孔亮来到,恳告求救。晁盖道:"既然他两处好汉尚兀自仗义行仁救叔,今者三郎和他至爱交友,如何不去!三郎贤弟,你连次下山多遍,今番权且守寨,愚兄替你走一遭。"宋江道:"哥哥是山寨之主,不可轻动。这个是兄弟的事,既是他远来相投,哥哥若自去,恐他弟兄们心下不安。小可情愿请几位弟兄同走一遭。"说言未了,厅上厅下一齐都道:"愿效犬马之劳,跟随同去。"宋江大喜。有诗为证:

　　孔明行事太匆忙,轻引喽啰犯犬羊。

　　赖有宋江豪侠在,便将军马救危亡。

当日设筵管待孔亮。饮筵中间,宋江唤铁面孔目裴宣定拨下山人数,分作五军起行。前军便差花荣、秦明、燕顺、王矮虎开路作先锋,第二队便差穆弘、杨雄、解珍、解宝,中军便是主将宋江、吴用、吕方、郭盛,第四队便是朱仝、柴进、李俊、张横,后军便差孙立、杨林、欧鹏、凌振催军作合后。梁山泊点起五军,共计二

十个头领,马步军兵三千人马。其馀头领,自与晁盖守把寨栅。当下宋江别了晁盖,自同孔亮下山来。梁山人马分作五军起发。正是:

> 初离水泊,浑如海内纵蛟龙;乍出梁山,却似风中奔虎豹。五军并进,前后列二十辈英雄;一阵同行,首尾分三千名士卒。绣彩旗如云似雾,朴刀枪灿雪铺霜。鸾铃响,战马奔驰;画鼓振,征夫踊跃。卷地黄尘霭霭,漫天土雨蒙蒙。宝纛旗中,簇拥着多智足谋吴学究;碧油幢下,端坐定替天行道宋公明。过去鬼神皆拱手,回来民庶尽歌谣。

话说宋江引了梁山泊二十个头领,三千人马,分作五军前进,于路无事。所过州县,秋毫无犯。已到青州,孔亮先到鲁智深等军中报知,众好汉安排迎接。宋江中军到了,武松引鲁智深、杨志、李忠、周通、施恩、曹正都来相见了。宋江让鲁智深坐地。鲁智深道:"久闻阿哥大名,无缘不曾拜会,今日且喜相认得阿哥。"宋江答道:"不才何足道哉。江湖上义士甚称吾师清德,今日得识慈颜,平生甚幸!"杨志也起身再拜道:"杨志旧日经过梁山泊,多蒙山寨重意相留,为是洒家愚迷,不曾肯住。今日幸得义士壮观山寨,此是天下第一好事!"宋江答道:"制使威名播于江湖,只恨宋江相会太晚!"鲁智深便令左右置酒管待,一一都相见了。

次日,宋江问青州一节,胜败如何。杨志道:"自从孔亮去了,前后也交锋三五次,各无输赢。如今青州只凭呼延灼一个,若是拿得此人,觑此城子,如汤泼雪。"吴学究笑道:"此人不可力敌,可用智擒。"宋江道:"用何智可获此人?"吴学究道:"只除如此如此。"宋江大喜道:"此计大妙!"当日分拨了人马,次早起军,前到青州城下，四面尽着军马围住，擂鼓摇旗，呐喊搦战。城里慕容知府见报，慌忙教请呼延灼商议："今次群贼又去报知梁山泊宋江到来，似此如之奈何？"呼延灼道："恩相放心。群贼到来，先失地利。这厮们只好在水泊里张狂，今却擅离巢穴，一个来，捉一个，那厮们如何施展得？请知府上城看呼延灼厮杀。"

呼延灼连忙披挂衣甲上马，叫开城门，放下吊桥，引了一千人马，近城摆开。宋江阵中一将出马。那人手搦狼牙棍，厉声高骂知府："滥官害民贼徒！把我全家诛戮，今日正好报仇雪恨！"慕容知府认得秦明，便骂道："你这厮是朝廷命官，国家不曾负你，缘何敢造反？若拿住你时，碎尸万段！可先下手拿这贼！"呼延灼听了，舞起双鞭，纵马直取秦明。秦明也出马，舞动狼牙大棍来迎呼延灼。二将交马，正是对手。有《西江月》为证：

> 鞭舞两条龙尾，棍横一串狼牙。三军看得眼睛花，二将
> 纵横交马。　　　使棍的闻名寰海，使鞭的声播天涯。
> 龙驹虎将乱交加，这厮杀堪描堪画。

秦明与呼延灼厮杀，正是对手。两个斗到四五十合，不分胜败。慕容知府见斗得多时，恐怕呼延灼有失，慌忙鸣金，收军入城。秦明也不追赶，退回本阵。宋江教众头领军校且退十五里下寨。

却说呼延灼回到城中，下马来见慕容知府，说道："小将正要拿那秦明，恩相如何收军？"知府道："我见你斗了许多合，但恐劳困，因此收军暂歇。秦明那厮，原是我这里统制，与花荣一同背反，这厮亦不可轻敌。"呼延灼道："恩相放心，小将必要擒此背义之贼。适间和他斗时，棍法已自乱了。来日教恩相看我立斩此贼。"知府道："既是将军如此英雄，来日若临敌之时，可杀开条路，送三个人出去。一个教他去往东京求救，两个教他去邻近府

州会合起兵,相助剿捕。"呼延灼道:"恩相高见极明。"当日知府
写了求救文书,选了三个军官,都发放了当。

只说呼延灼回到歇处,卸了衣甲暂歇。天色未明,只听的军
校来报道:"城北门外土坡上有三骑私自在那里看城。中间一个
穿红袍骑白马的;两边两个,只认得右边的是小李广花荣,左边
那个道装打扮。"呼延灼道:"那个穿红的眼见是宋江了,道装的
必是军师吴用。你们且休惊动了他,便点一百马军,跟我捉这三
个。"呼延灼连忙披挂上马,提了双鞭,带领一百馀骑马军,悄悄
地开了北门,放下吊桥,引军赶上坡来。宋江、吴用、花荣三个只
顾呆了脸看城。呼延灼拍马上坡,三个勒转马头,慢地走去。呼
延灼奋力赶到前面几株枯树边厢,宋江、吴用、花荣三个齐齐的
勒住马。呼延灼方才赶到枯树边,只听得呐声喊,呼延灼正踏着
陷坑,人马都跌将下坑去了。两边走出五六十个挠钩手,先把呼
延灼钩将起来,绑缚了拿去,后面牵着那匹马。这许多赶来的马
军,却被花荣拈弓搭箭,射倒当头五七个,后面的勒转马,一哄都
走了。

宋江回到寨里坐,左右群刀手却把呼延灼推将过来。宋江
见了,连忙起身,喝叫快解了绳索,亲自扶呼延灼上帐坐定,宋江
拜见。呼延灼慌忙跪下道:"义士何故如此?"宋江道:"小可宋
江,怎敢背负朝廷。盖为官吏污滥,威逼得紧,误犯大罪,因此权
借水泊里随时避难,只待朝廷赦罪招安。不想起动将军,致劳神
力,实慕将军虎威。今者误有冒犯,切乞恕罪。"呼延灼道:"呼延
灼被擒之人,万死尚轻,义士何故重礼陪话?"宋江道:"量宋江怎
敢坏得将军性命。皇天可表寸心。"只是恳告哀求。呼延灼道:
"兄长尊意,莫非教呼延灼往东京告请招安,到山赦罪?"宋江道:
"将军如何去得!高太尉那厮是个心地匾窄之徒,忘人大恩,记

人小过。将军折了许多军马钱粮,他如何不见你罪责? 如今韩滔、彭玘、凌振已都在敝山入伙,倘蒙将军不弃山寨微贱,宋江情愿让位与将军。等朝廷见用,受了招安,那时尽忠报国,未为晚矣。"呼延灼沉思了半晌,一者是天罡之数,自然义气相投;二者见宋江礼貌甚恭,叹了一口气,跪下在地道:"非是呼延灼不忠于国,实慕兄长义气过人,不容呼延灼不依,愿随鞭镫。事既如此,决无还理。"有诗为证:

　　　亲受泥书讨不庭,虚张声势役生灵。

　　　如何世禄英雄士,握手同归聚义厅?

　　宋江大喜,请呼延灼和众头领相见了,叫问李忠、周通讨这匹踢雪乌骓马还将军骑坐。众人再商议救孔明之计,吴用道:"只除教呼延灼将军赚开城门,唾手可得。更兼绝了呼延指挥念头。"宋江听了,来与呼延灼陪话道:"非是宋江贪劫城池,实因孔明叔侄陷在缧绁之中,非将军赚开城门,必不可得。"呼延灼答道:"小将既蒙兄长收录,理当效力。"当晚点起秦明、花荣、孙立、燕顺、吕方、郭盛、解珍、解宝、欧鹏、王英十个头领,都扮作军士衣服模样,跟了呼延灼,共是十一骑军马,来到城边,直至濠堑上,大叫:"城上开门! 我逃得性命回来!"城上人听得是呼延灼声音,慌忙报与慕容知府。此时知府为折了呼延灼,正纳闷间,听得报说呼延灼逃得回来,心中欢喜,连忙上马,奔到城上。望见呼延灼有十数骑马跟着,又不见面颜,只认得呼延灼声音。知府问道:"将军如何走得回来?"呼延灼道:"我被那厮的陷马捉了我到寨里,却有原跟我的头目,暗地盗这匹马与我骑,就跟我来了。"知府只听得呼延灼说了,便叫军士开了城门,放下吊桥。十个头领跟到城门里,迎着知府,早被秦明一棍,把慕容知府打下马来。解珍、解宝便放起火来。欧鹏、王矮虎奔上城,把军士杀散。宋江大队人马见城上火起,一齐拥将入来。宋江急急传令,休教残害百姓,且收仓库钱粮。就大牢里救出孔明并他叔叔孔宾一家老小。便教救灭了火。把慕容知府一家老幼尽皆斩首,抄扎家私,分俵众军。天明,计点在城百姓被火烧之家,给散粮米救济。把府库金帛,仓廒米粮,装载五六百车,又得了二百馀匹好马。就青州府里做个庆喜筵席,请三山头领同归大寨。有诗为证:

呼延逃难不胜羞,忘却君恩事寇仇。

因是天罡并地煞,故为乡导破青州。

且说李忠、周通使人回桃花山,尽数收拾人马钱粮下山,放火烧毁寨栅。鲁智深也使施恩、曹正回二龙山,与张青、孙二娘收拾人马钱粮,也烧了宝珠寺寨栅。数日之间,三山人马都皆完备。宋江领了大队人马,班师回山。先叫花荣、秦明、呼延灼、朱仝四将开路,所过州县,分毫不扰。乡村百姓,扶老挈幼,烧香罗拜迎接。数日之间,已到梁山泊边,众多水军头领具舟迎接。晁盖引领山寨马步头领,都在金沙滩迎接,直至大寨,向聚义厅上列位坐定。大排筵席,庆贺新到山寨头领:呼延灼、鲁智深、杨志、武松、施恩、曹正、张青、孙二娘、李忠、周通、孔明、孔亮,共十二位新上山头领。坐间林冲说起相谢鲁智深相救一事,鲁智深动问道:"洒家自与教头沧州别后,曾知阿嫂信息否?"林冲答道:"小可自火并王伦之后,使人回家搬取老小,已知拙妇被高太尉逆子所逼,随即自缢而死;妻父亦为忧疑,染病而亡。"杨志举起旧日王伦手内上山相会之事,众人皆道:"此皆注定,非偶然也。"晁盖说起黄泥冈劫取生辰纲一事,众皆大笑。次日轮流做筵席,不在话下。

且说宋江见山寨又添了许多人马,如何不喜,便叫汤隆做铁匠总管,提督打造诸般军器,并铁叶连环等甲;侯健管做旌旗袍服总管,添造三才九曜四斗五方二十八宿等旗,飞龙飞虎飞熊飞豹旗,黄钺白旄,朱缨皂盖;山边四面筑起墩台;重造西路、南路二处酒店,招接往来上山好汉,一就探听飞报军情。山西路酒店今令张青、孙二娘夫妻——二人原是酒家——前去看守;山南路酒店仍令孙新、顾大嫂夫妻看守;山东路酒店依旧朱贵、乐和;山北路酒店还是李立、时迁看守。三关之人,添造寨栅,分调头领看守。部领已定,各宜遵守,不许违误。有诗为证:

> 天将摧锋已受降,许多军马更精强。
>
> 凭陵欲作恢宏计,须仗公明作主张。

数月之后,忽一日花和尚鲁智深来对宋公明说道:"智深有个相识,李忠兄弟也曾认的,唤做九纹龙史进。见在华州华阴县少华山上,和那一个神机军师朱武,又有一个跳涧虎陈达,一个白花蛇杨春,四个在那里聚义。洒家常常思念他。昔日在瓦罐寺救助洒家恩念,不曾有忘。今洒家要去那里探望他一遭,就取他四个同来入伙,未知尊意如何?"宋江道:"我也曾闻得史进大名,若得吾师去请他来最好。然是如此,不可独自去,可烦武松兄弟相伴走一遭。他是行者,一般出家人,正好同行。"武松应道:"我和师父去。"当日便收拾腰包行李搭头笠,只做禅和子打扮,武松妆做随侍行者。两个相辞了众头领下山,过了金沙滩,晓行夜住,不止一日,来到华州华阴县界,径投少华山来。

且说宋江自鲁智深、武松去后,一时容他下山,常自放心不下,便唤神行太保戴宗,随后跟来,探听消息。

再说鲁智深、武松两个来到少华山下,伏路小喽啰出来拦住,问道:"你两个出家人那里来?"武松便答道:"这山上有史大官人么?"小喽啰说道:"既是要寻史大王的,且在这里少等。我上山报知头领,便下来迎接。"武松道:"你只说鲁智深到来相探。"小喽啰去不多时,只见神机军师朱武并跳涧虎陈达、白花蛇杨春,三个下山来接鲁智深、武松,却不见有史进。鲁智深便问道:"史大官人在那里?却如何不见他?"朱武近前上复道:"吾师不是延安府鲁提辖么?"鲁智深道:"洒家便是。这行者便是景阳冈打虎都头武松。"三个慌忙剪拂道:"闻名久矣!听知二位在二龙山扎寨,今日缘何到此?"鲁智深道:"俺们如今不在二龙山了,投托梁山泊宋公明大寨入伙。今者特来寻史大官人。"朱武道:"既是二位到此,且请到山寨中,容小可备细告诉。"鲁智深道:"有话便说,待一待谁鸟奈烦!"武松道:"师父是个性急的人,有话便说何妨。"

朱武道:"小人等三个在此山寨,自从史大官人上山之后,好生兴旺。近日史大官人下山,正撞见一个画匠,原是北京大名府人氏,姓王名义,因许下西岳华山金天圣帝庙内装画影壁,前去还愿。因为带将一个女儿,名唤玉娇枝同行。却被本州贺太守,原是蔡太师门人,那厮为官贪滥,非理害民,一日因来庙里行香,不想正见了玉娇枝有些颜色,累次着人来说,要娶他为妾。王义不从,太守将他女儿强夺了去为妾,又把王义刺配远恶军州。路经这里过,正撞见史大官人,告说这件事。史大官人把王义救在山上,将两个防送公人杀了。直去府里要刺贺太守,被人知觉,倒吃拿了,见监在牢里。又要聚起军马,扫荡山寨。我等正在这里进退无路,无计可施,端的是苦!"有诗为证:

花颜云鬓玉娇枝,太守行香忽见之。

不畏宪章强夺取,黄童白叟亦相嗤。

鲁智深听了道:"这撮鸟敢如此无礼,倒怎么利害。洒家与你结果了那厮!"朱武道:"且请二位到寨里商议。"一行五个头领,都到少华山寨中坐下,便叫王义见鲁智深、武松,诉说贺太守贪酷害民,强占良家女子。朱武等一面杀牛宰马,管待鲁智深、武松。饮筵间,鲁智深道:"贺太守那厮好没道理! 我明日与你去州里打死那厮罢。"武松道:"哥哥不得造次! 我和你星夜回梁山泊去报知,请宋公明领大队人马来打华州,方可救得史大官人。"鲁智深叫道:"等俺们去山寨里叫得人来,史家兄弟性命不知那里去了!"武松道:"便杀太守,也怎地救得史大官人?"武松却断然不肯放鲁智深去。朱武又劝道:"吾师且息怒! 武都头也论得是。"鲁智深焦躁起来,便道:"都是你这般慢性的人,以此送了俺史家兄弟! 你也休去梁山泊报知,看洒家去如何!"众人那里劝得住,当晚又谏不从。明早,起个四更,提了禅杖,带了戒刀,径奔华州去了。武松道:"不听我说,此去必然有失。"朱武随即差两个精细的小喽啰前去打听消息。

却说鲁智深奔到华州城里,路傍借问州衙在那里,人指道:"只过州桥,投东便是。"鲁智深却好来到浮桥上,只见人都道:"和尚且躲一躲,太守相公过来!"鲁智深道:"俺正要寻他,却好正撞在洒家手里,那厮多敢是当死!"贺太守头踏①一对对摆将过来。看见太守那乘轿子,却是暖轿,轿窗两边各有十个虞候簇拥着,人人手执鞭枪铁链,守护两边。鲁智深看了寻思道:"不好打那撮鸟。若打不着,倒吃他笑!"贺太守却在轿窗眼里看见了鲁智深欲进不进。过了渭桥,到府中下了轿,便叫两个虞候分付道:"你与我去请桥上那个胖大和尚到府里赴斋。"虞候领了言语,来到桥上,对鲁智深说道:"太守相公请你赴斋。"鲁智深想

---

① 头踏——官出行时,走在前面的仪仗队。

道:"这厮正合当死在洒家手里!俺却才正要打他,只怕打不着,让他过去了。俺要寻他,他却来请洒家!"鲁智深便随了虞候径到府里。太守已自分付下了,一见鲁智深进到厅前,太守叫放了禅杖,去了戒刀,请后堂赴斋。鲁智深初时不肯,众人说道:"你是出家人,好不晓事!府堂深处,如何许你带刀杖入去?"鲁智深想道:"只俺两个拳头也打碎了那厮脑袋!"廊下放了禅杖、戒刀,跟虞候入来。

贺太守正在后堂坐定,把手一招,喝声:"捉下这秃贼!"两边壁衣内走出三四十个做公的来,横拖倒拽,捉了鲁智深。你便是那吒太子,怎逃出地网天罗;火首金刚,难脱龙潭虎窟!正是:飞蛾投火身倾丧,蝙蝠遭竿命必伤。毕竟鲁智深被贺太守拿下性命如何,且听下回分解。

第五十九回

吴用赚金铃吊挂　宋江闹西岳华山

诗曰：

　　　堪叹梁山智术优，舍身捐命报冤仇。

　　　神机运处良平惧，妙算行时鬼魅愁。

　　　平地已疏英士狱，青山先斩佞臣头。

　　　可怜天使真尸位，坐阅危亡自不羞。

　　话说贺太守把鲁智深赚到后堂内，喝声："拿下！"众多做公的把鲁智深捉住，却似皂雕追紫燕，犹如猛虎啖羊羔。众做公的把鲁智深簇拥到厅阶下，贺太守喝道："你这秃驴从那里来？"鲁智深应道："洒家有甚罪犯？"太守道："你只实说，谁教你来刺我？"鲁智深道："俺是出家人，你却如何问俺这话？"太守喝道："恰才见你这秃驴意欲要把禅杖打我轿子，却又思量不敢下手。你这秃驴好好招了！"鲁智深道："洒家又不曾杀你，你如何拿住洒家，妄指平人？"太守喝骂："几曾见出家人自称'洒家'？这秃驴必是个关西五路打家劫舍的强贼，来与史进那厮报仇，不打如何肯招。左右，好生加力打那秃驴！"鲁智深大叫道："不要打伤老爷！我说与你：俺是梁山泊好汉花和尚鲁智深。我死倒不打紧，洒家的哥哥宋公明得知，下山来时，你这颗驴头趁早儿都砍了送去。"贺太守听了大怒，把鲁智深拷打了一回，教取面大枷来钉了，押下死囚牢里去。一面申闻都省，乞请明降如何。禅杖、

777

戒刀,封入府堂里去了。

此时哄动了华州一府。小喽啰得了这个消息,飞报上山来。武松大惊道:"我两个来华州干事,折了一个,怎地回去见众头领?"正没理会处,只见山下小喽啰报道:"有个梁山泊差来的头领,唤作神行太保戴宗,见在山下。"武松慌忙下来,迎接上山,和朱武等三人都相见了,诉说鲁智深不听谏劝失陷一事。戴宗听了大惊,道:"我不可久停久住了,就便回梁山泊报与哥哥知道,早遣兵将前来救取。"武松道:"小弟在这里专等,万望兄长早去,急来救应则可。"

戴宗吃了些素食,作起神行法去了,再回梁山泊来。三日之间,已到山寨。见了晁、宋二头领,具说鲁智深因救史进,要刺贺太守被陷一事。宋江听罢,失惊道:"既然两个兄弟有难,如何不救!我等不可担阁,便须点起人马,作三队而行。"前军点五员先锋:花荣、秦明、林冲、杨志、呼延灼,引领一千甲马,二千步军先行,逢山开路,遇水叠桥。中军领兵主将宋公明,军师吴用,朱仝、徐宁、解珍、解宝,共是六个头领,马步军兵二千。后军主掌粮草,李应、杨雄、石秀、李俊、张顺,共是五个头领押后,马步军兵二千。共计七千人马,离了梁山泊,端的是枪刀流水急,人马撮风行,直取华州来。在路趱行,不止一日,早过了半路,先使戴宗去报少华山上。朱武等三人安排下猪羊牛马,酝造下好酒等候。有诗为证:

> 智深雄猛不淹留,便向州中去报仇。
> 计拙不能成大事,反遭枷锁入幽囚。

再说宋江军马三队都到少华山下,武松引了朱武、陈达、杨春三人,又下山拜请宋江、吴用并众头领,都到山寨里坐下。宋江备问城中之事,朱武道:"两个头领已被贺太守监在牢里,只等朝廷明降发落。"宋江与吴用说道:"怎地定计去救史进、鲁智深?"朱武说道:"华州城郭广阔,濠沟深远,急切难打。只除非得里应外合,方可取得。"吴学究道:"明日且去城边看那城池,如何用计,却再商量。"宋江饮酒到晚,巴不得天明,要去看城。吴用谏道:"城中监着两只大虫在牢里,如何不做提备? 白日未可去看。今夜月色必然明朗,申牌前后下山,一更时分可到那里窥望。"当日捱到午后,宋江、吴用、花荣、秦明、朱仝,共是五骑马下山,迤逦前行。初更时分,已到华州城外。在山坡高处,立马望华州城里时,正是二月中旬天气,月华如昼,天上无一片云彩。看见华州周围有数座城门,城高地壮,堑濠深阔。看了半晌,远远地望见那西岳华山时,端的是好座名镇高山! 怎见得? 但见:

> 峰名仙掌,观隐云台。上连玉女洗头盆,下接天河分派水。乾坤皆秀,尖峰仿佛接云根;山岳惟尊,怪石巍峨侵斗柄。青如泼黛,碧若浮蓝。张僧繇妙笔画难成,李龙眠天机描不就。深沉洞府,月光飞万道金霞;崒嵂岩崖,日影动千条紫焰。傍人遥指,云池深内藕如船;故老传闻,玉井水中花十丈。巨灵神忿怒,劈开山顶逞神通;陈处士清高,结就茅庵来盹睡。千古传名推华岳,万年香火祀金天。

　　宋江等看了西岳华山,见城池厚壮,形势坚牢,无计可施。吴用道:"且回寨里去,再作商议。"五骑马连夜回到少华山上。宋江眉头不展,面带忧容。吴学究道:"且差十数个精细小喽啰下山,去远近探听消息。"三日之间,忽有一人上山来报道:"如今朝廷差个殿司太尉,将领御赐金铃吊挂来西岳降香,从黄河入渭河而来。"吴用听了便道:"哥哥休忧,计在这里了。"便叫李俊、张顺:"你两个与我如此如此而行。"李俊道:"只是无人,不识地境,得一个引领路道最好。"白花蛇杨春便道："小弟相帮同去如何？"
宋江大喜。三个下山去了。次日，吴学究请宋江、李应、朱仝、呼
延灼、花荣、秦明、徐宁，共八个人，悄悄止带五百馀人下山，径到
渭河渡口，李俊、张顺、杨春已夺下十馀只大船在彼。吴用便教
花荣、秦明、徐宁、呼延灼四个埋伏在岸上，宋江、吴用、朱仝、李
应下在船里，李俊、张顺、杨春把船都去滩头藏了。众人等候了
一夜。

次日天明，听得远远地锣鸣鼓响，三只官船到来，船上插着
一面黄旗，上写"钦奉圣旨西岳降香太尉宿元景"。宋江看了，心
中暗喜道："昔日玄女有言：'遇宿重重喜。'今日既见此人，必有
主意。"太尉官船将近河口，朱仝、李应各执长枪，立在宋江、吴用
背后。太尉船到，当港截住。船里走出紫衫银带虞候二十馀人，
喝道："你等甚么船只，敢当港拦截住大臣？"宋江执着骨朵，躬身
声喏。吴学究立在船头上，说道："梁山泊义士宋江，谨参祗候。"
船上客帐司出来答道："此是朝廷太尉，奉圣旨去西岳降香。汝
等是梁山泊义士，何故拦截？"吴用道："俺们义士，只要求见太尉
尊颜，有告复的事。"客帐司道："你等是甚么人，造次要见太尉！"
两边虞候喝道："低声！"宋江说道："暂请太尉到岸上，自有商量
的事。"客帐司道："休胡说！ 太尉是朝廷命臣，如何与你商量！"
宋江道："太尉不肯相见，只怕孩儿们惊了太尉。"朱仝把枪上小
号旗只一招动，岸上花荣、秦明、徐宁、呼延灼引出马军来，一齐
搭上弓箭，都到河口，摆列在岸上。那船上梢公都惊得钻入梢里
去了。

客帐司人慌了，只得入去禀复。宿太尉只得出到船头上坐
定。宋江躬身唱喏道："宋江等不敢造次。"宿太尉道："义士何故
如此邀截船只？"宋江道："某等怎敢邀截太尉，只欲求请太尉上

岸，别有禀复。"宿太尉道："我今特奉圣旨，自去西岳降香，与义士有何商议？朝廷大臣如何轻易登岸！"宋江道："太尉不肯时，只恐下面伴当亦不相容。"李应把号带枪一招，李俊、张顺、杨春一齐撑出船来。宿太尉看见大惊。李俊、张顺明晃晃掣出尖刀在手，早跳过船来，手起，先把两个虞候擪下水里去。宋江连忙喝道："休得胡做，惊了贵人！"李俊、张顺扑地也跳下水去，早把两个虞候又送上船来。张顺、李俊在水面上如登平地，托地又跳上船来，吓得宿太尉魂不着体。宋江喝道："孩儿们且退去，休得惊着太尉贵人。俺自慢慢地请太尉登岸。"宿太尉道："义士有甚事，就此说不妨。"宋江道："这里不是说话处，谨请太尉到山寨告禀，并无损害之心。若怀此念，西岳神灵诛灭。"到此时候，不容太尉不上岸。宿太尉只得离船上了岸，众人牵过一匹马来，扶策太尉上了马，不得已随众同行。有诗为证：

　　玉节龙旗出帝乡，云台观里去烧香。
　　却怜水寨神谋捷，暂假威名救困亡。

　　宋江先叫花荣、秦明陪奉太尉上山。宋江随后也上了马，分付教把船上一应人等并御香、祭物、金铃吊挂，齐齐收拾上山，只留下李俊、张顺带领一百馀人看船。一行众头领都到山上。宋江下马入寨，把宿太尉扶在聚义厅上当中坐定，众头领两边侍立着。宋江下了四拜，跪在面前，告复道："宋江原是郓城县小吏，为被官司所逼，不得已哨聚山林，权借梁山水泊避难，专等朝廷招安，与国家出力。今有两个兄弟，无事被贺太守生事陷害，下在牢里。欲借太尉御香仪从，并金铃吊挂去赚华州，事毕拜还，于太尉身上并无侵犯。乞太尉钧鉴。"宿太尉道："不争你将了御香等物去，明日事露，须连累下官。"宋江道："太尉回京，都推在宋江身上便了。"

宿太尉看了那一班人模样,怎生推托得,只得应允了。宋江执盏擎杯,设筵拜谢。就把太尉带来的人穿的衣服都借穿了。于小喽啰数内,选拣一个俊俏的,剃了髭须,穿了太尉的衣服,扮做宿元景;宋江、吴用扮做客帐司;解珍、解宝、杨雄、石秀扮做虞候;小喽啰都是紫衫银带,执着旌节、旗幡、仪仗、法物,擎抬了御香、祭礼、金铃吊挂;花荣、徐宁、朱仝、李应扮做四个衙兵。朱武、陈达、杨春款住太尉并跟随一应人等,置酒管待。却教秦明、呼延灼引一队人马,林冲、杨志引一队人马,分作两路取城;教武松预先去西岳门下伺候,只听号起行事。戴宗先去报知。

话休絮繁。且说一行人等离了山寨,径到河口下船而行,不去报与华州太守,一径奔西岳庙来。戴宗报知云台观观主并庙里职事人等,直至船边,迎接上岸。香花灯烛,幢幡宝盖,摆列在前。先请御香上了香亭,庙里人夫扛抬了,导引金铃吊挂前行。观主见太尉,吴学究道:"太尉一路染病不快,且把轿子来。"左右人等扶策太尉上轿,径到岳庙里官厅内歇下。客帐司吴学究对观主道:"这是特奉圣旨,赍捧御香、金铃吊挂来与圣帝供养。缘何本州官员轻慢,不来迎接?"观主答道:"已使人去报了,敢是便到。"

说犹未了,本州先使一员推官,带领做公的五七十人,将着酒果,来见太尉。原来那扮太尉的小喽啰,虽然模样相似,却言语发放不得,因此只教装做染病,把靠褥围定在床上坐。推官看了,见来的旌节、门旗、牙仗等物,都是东京来的,内府制造出的,如何不信。客帐司假意出入禀复了两遭,却引推官入去,远远地阶下参拜了。那假太尉只把手指,并不听得说甚么。吴用引到面前,埋怨推官道:"太尉是天子前近幸大臣,不辞千里之遥,特奉圣旨到此降香,不想于路染病未痊。本州众官如何不来远接?"推官答道:"前路官司虽有文书到州,不见近报,因此有失迎迓,不期太尉先到庙里。本是太守便来,奈缘少华山贼人纠合梁山泊草寇要打城池,每日在彼提防,以此不敢擅离,特差小官先来贡献酒礼。太守随后便来参见大臣。"吴学究道:"太尉涓滴不饮,只叫太守来商议行礼。"推官随即教取酒来,与客帐司亲随人把盏了。吴学究又入去禀一遭,将了钥匙出来,引着推官去看金铃吊挂。开了锁,就香帛袋中取出那御赐金铃吊挂来,叫推官看。便把条竹竿又起看时,果然是制造得无比。但见:

> 浑金打就,五彩装成。双悬缨络金铃,上挂珠玑宝盖。黄罗密布,中间八爪玉龙盘;紫带低垂,外壁双飞金凤绕。对嵌珊瑚玛瑙,重围琥珀珍珠。碧琉璃掩映绛纱灯,红菡萏参差青翠叶。堪宜金屋琼楼挂,雅称瑶台宝殿悬。

这一对金铃吊挂,乃是东京内府作分[①] 高手匠人做成的,浑是七宝珍珠嵌造,中间点着碗红纱灯笼。乃是圣帝殿上正中挂的,不是内府降来,民间如何做得。吴用叫推官看了,再收入柜匣内锁了;又将出中书省许多公文,付与推官,便叫太守来商议拣日祭祀。推官和众多做公的都见了许多物件文凭,便辞了客帐司,径回到华州府里来报贺太守。却说宋江暗暗地喝采道:"这厮虽然奸猾,也骗得他眼花心乱了。"此时武松已在庙门下了。吴学究又使石秀藏了尖刀,也来庙门下相帮武松行事;却又叫戴宗扮虞候。云台观主进献素斋,一面教执事人等安排铺陈岳庙。宋江闲步看那西岳庙时,果然是盖造的好,殿宇非凡,真乃人间天上。怎见得?

---

①　作分——作坊。

金门玉殿，碧瓦朱甍。山河扶绣户，日月近雕梁。悬虾须织锦栊帘，列龟背硃红亮槅。廊庑下磨砖花间缝，殿台边墙壁捣椒泥。帐设黄罗，供案畔列九卿四相；扇开丹凤，御榻边摆玉女金童。堂堂庙貌肃威仪，赫赫神灵常祭享。

宋江来到正殿上拈香再拜，暗暗祈祷已罢，回至官厅前。门人报道："贺太守来也。"宋江便叫花荣、徐宁、朱仝、李应四个衙兵，各执着器械，分列在两边；解珍、解宝、杨雄、戴宗各带暗器，侍立在左右。却说贺太守将带三百馀人，来到庙前下马，簇拥入来。假客帐司吴学究、宋江见贺太守带着三百馀人，都是带刀公吏人等入来，吴学究喝道："朝廷太尉在此，闲杂人不许近前！"众人立住了脚，贺太守亲自进前来拜见太尉。客帐司道："太尉教请太守入来厮见。"贺太守入到官厅前，望着假太尉便拜。吴学究道："太守，你知罪么？"太守道："贺某不知太尉到来，伏乞恕罪。"吴学究道："太尉奉敕到此西岳降香，如何不来远接？"太守答道："不曾有近报到州，有失迎逆。"吴学究喝声；"拿下！"解珍、解宝弟兄两个身边早掣出短刀来，一脚把贺太守踢翻，便割了头。宋江喝道："兄弟们动手！"早把那跟来的人三百馀个惊得呆了，正走不动。花荣等一发向前，把那一干人算子般都倒在地下。有一半抢出，庙门下武松、石秀舞刀杀将入来，小喽啰四下赶杀，三百馀人不剩一个回去。续后到庙里的，都被张顺、李俊杀了。

宋江急叫收了御香、吊挂下船。都赶到华州时，早见城中两路火起，一齐杀将入来。先去牢中救了史进、鲁智深，就打开库藏，取了财帛，装载上车。一行人离了华州，上船回到少华山上，都来拜见宿太尉，纳还了御香、金铃吊挂、旌节、门旗、仪仗等物，拜谢了太尉恩相。宋江教取一盘金银,相送太尉;随从人等,不分高低,都与了金银。就山寨里做了个送路筵席,谢承太尉。众头领直送下山,到河口交割了一应什物船只,一些不肯少了,还了来的人等。宋江谢了宿太尉,回到少华山上,便与四筹好汉商议,收拾山寨钱粮,放火烧了寨栅。一行人等,军马粮草,都望梁山泊来。有诗为证:

> 蚓结蛇蟠合计偕,便驱人马下山来。
>
> 虽然救得花和尚,太守何辜独被灾。

且说宿太尉下船,来到华州城中,已知被梁山泊贼人杀死军兵人马,劫了府库钱粮,城中杀死军校一百馀人,马匹尽皆虏去,西岳庙中又杀了许多人性命。便叫本州推官动文书申达中书省起奏,都做"宋江先在途中劫了御香、吊挂,因此赚知府到庙,杀害性命"。宿太尉到庙内焚了御香,把这金铃吊挂分付与了云台观主,星夜急急自回京师,奏知此事,不在话下。

再说宋江救了史进、鲁智深,带了少华山四个好汉,仍旧作三队分俵人马,回梁山泊来,所过州县,秋毫无犯。先使戴宗前来上山报知。晁盖并众头领下山迎接宋江等,一同到山寨里聚义厅上,都相见已罢,一面做庆喜筵席。次日,史进、朱武、陈达、杨春各以己财做筵宴,拜谢晁、宋二公并众头领。过了数日。

话休絮烦。忽一日,有旱地忽律朱贵上山报说:"徐州沛县芒砀山中,新有一伙强人,聚集着三千人马。为头一个先生,姓樊名瑞,绰号混世魔王,能呼风唤雨,用兵如神。手下两个副将:一个姓项,名充,绰号八臂那吒,能使一面团牌,牌上插飞刀二十四把,手中仗一条铁标枪;又有一个姓李名衮,绰号飞天大圣,也使一面团牌,牌上插标枪二十四根,手中仗一口宝剑。这三个结

785

为兄弟,占住芒砀山,打家劫舍。三个商量了,要来吞并俺梁山泊大寨。小弟听得说,不得不报。"宋江听了大怒道:"这贼怎敢如此无礼!我便再下山走一遭。"只见九纹龙史进便起身道:"小弟等四个初到大寨,无半米之功,情愿引本部人马,前去收捕这伙强人。"宋江大喜。

当下史进点起本部人马,与同朱武、陈达、杨春都披挂了,来辞宋江下山。把船渡过金沙滩,上路径奔芒砀山来。三日之内,早望见那座山,乃是昔日汉高祖斩蛇起义之处。三军人马,来到山下,早有伏路小喽啰上山报知。且说史进把少华山带来的人马摆开,史进全身披挂,骑一匹火炭赤马,当先出阵。怎见得史进的英雄?但见:

> 久在华州城外住,旧时原是庄农。学成武艺惯心胸。
> 三尖刀似雪,浑赤马如龙。体挂连环铁铠,战袍风飐猩
> 红。雕青镂玉更玲珑。江湖称史进,绰号九纹龙。

当时史进首先出马,手中横着三尖两刃刀。背后三个头领,中间的便是神机军师朱武。那人原是定远县人氏,平生足智多谋,亦能使两口双刀,出到阵前。亦有八句诗,单道朱武好处:

> 道服裁棕叶,云冠剪鹿皮。
> 脸红双眼俊,面白细髯垂。
> 智可张良比,才将范蠡欺。
> 军中人尽伏,朱武号神机。

上首马上坐着一筹好汉,手中横着一条出白点钢枪,绰号跳涧虎陈达,原是邺城人氏。当时提枪跃马,出到阵前。也有一首诗,单道着陈达好处:

> 生居邺郡上华胥,惯使长枪伏众威。
> 跳涧虎称多膂力,却将陈达比姜维。

下首马上坐着一筹好汉，手中使一口大杆刀，绰号白花蛇杨春，原是解良县蒲城人氏。当下挺刀立马，守住阵门。也有一首诗，单题杨春的好处：

　　蒲州生长最奢遮，会使钢刀赛左车。

　　瘦臂长腰真勇汉，杨春绰号白花蛇。

　　四个好汉勒马在阵前，望不多时，只见芒砀山上飞下一彪人马来。当先两个好汉，为头那一个便是徐州沛县人氏，姓项名充，绰号八臂那吒，使一面团牌，背插飞刀二十四把，百步取人，无有不中，右手仗一条标枪，后面打着一面认军旗，上书"八臂那吒"，步行下山。有八句诗，单题项充：

　　铁帽深遮顶，铜环半掩腮。

　　傍牌悬兽面，飞刀插龙胎。

　　脚到如风火，身先降祸灾。

　　那吒号八臂，此是项充来。

次后那个好汉，便是邳县人氏，姓李名衮，绰号飞天大圣，会使一面团牌，背插二十四把标枪，亦能百步取人，左手挽牌，右手仗剑，后面打着一面认军旗，上书"飞天大圣"，出到阵前。有八句诗，单道李衮：

　　缨盖盔兜项，袍遮铁掩襟。

　　胸藏拖地胆，毛盖杀人心。

　　飞刀齐攒玉，蛮牌满画金。

　　飞天号大圣，李衮众人钦。

　　当下项充、李衮见了对阵史进、朱武、陈达、杨春四骑马在阵前，并不打话。小喽啰筛起锣来，两个好汉舞动团牌齐上，直滚入阵来。史进等拦当不住，后军先走。史进前军抵敌，朱武等中军呐喊，各自逃生。宋军被他杀的人亡马倒，败退六七十里。史进险些儿中了飞刀;杨春转身得迟,被一飞刀,战马着伤,弃了马,逃命走了。

史进点军,折了一半,和朱武等商议,欲要差人往梁山泊求救。正忧疑之间,只见军士来报:"北边大路上,尘头起处,约有二千军马到来。"史进等直迎来时,却是梁山泊旗号。当先马上两员上将,一个是小李广花荣,一个是金枪手徐宁。史进接着,备说项充、李衮蛮牌滚动,军马遮拦不住。花荣道:"宋公明哥哥见兄长来了,放心不下,好生懊悔,特差我两个到来帮助。"史进等大喜,合兵一处下寨。次日天晓,正欲起兵对敌,军士报道:"北边大路上又有军马到来。"花荣、徐宁、史进一齐上马接时,却是宋公明亲自和军师吴学究、公孙胜、柴进、朱仝、呼延灼、穆弘、孙立、黄信、吕方、郭盛,带领三千人马来到。史进备说项充、李衮飞刀标枪滚牌难近,折了人马一事,宋江失惊。吴用道:"且把军马扎下寨栅,别作商议。"宋江性急,便要起兵剿捕,直到山下。此时天色已晚,望见芒砀山上都是青色灯笼。公孙胜看了便道:"这一伙人必有妖法。此寨中青色灯笼,必是个会行妖法之人在内。我等且把军马退去,来日贫道献一个阵法,要捉此二人。"宋江大喜,传令教军马且退二十里,扎住营寨。

次日清晨,公孙胜献出这个阵法,有分教:飞天大圣,拱手来上梁山;八臂那吒,延颈便归水泊。正是:计就魔王须下拜,阵圆神将怎施为? 毕竟公孙胜对宋江献出甚么阵法来,且听下回分解。

第 六 十 回

公孙胜芒砀山降魔 晁天王曾头市中箭

诗曰:

　　背后之言不可谌,得饶人处且饶人。

　　虽收芒砀无家客,殒却梁山主寨身。

　　诸将缟衣魂欲断,九原金镞恨难伸。

　　可怜盖世英雄骨,权厝荒城野水滨。

　　话说公孙胜对宋江、吴用献出那个阵图道:"是汉末三分,诸葛孔明摆石为阵的法。四面八方,分八八六十四队,中间大将居之。其像四头八尾,左旋右转,按天地风云之机,龙虎鸟蛇之状。待他下山冲入阵来,两军齐开,如若伺候他入阵,只看七星号带起处,把阵变为长蛇之势。贫道作起道法,教这三人在阵中,前后无路,左右无门。却于坎地上掘下陷坑,直逼此三人到于那里,两边埋伏下挠钩手,准备捉将。"宋江听了大喜,便传将令,叫大小将校依令如此而行。再用八员猛将守阵,那八员:呼延灼、朱仝、花荣、徐宁、穆弘、孙立、史进、黄信。却叫柴进、吕方、郭盛权摄中军。宋江、吴用、公孙胜带领陈达磨旗,叫朱武指引五个军士,在近山高坡上看对阵报事。

　　是日巳牌时分,众军近山摆开阵势,摇旗擂鼓搦战。只见芒砀山上有三二十面锣声,震地价响,三个头领一齐来到山下,便将三千馀人摆开。左右两边,项充、李衮。中间马上,拥出那个为头的好汉,姓樊名瑞,祖贯濮州人氏,幼年学作全真先生,江湖上学得一身好武艺,马上惯使一个流星锤,神出鬼没,斩将搴旗,人不敢近,绰号作混世魔王。怎见得樊瑞英雄?有《西江月》为证:

> 头散青丝细发,身穿绒绣皂袍。连环铁甲晃寒霄,惯使铜锤更妙。好似北方真武,世间伏怪除妖。云游江海把名标,混世魔王绰号。

那个混世魔王樊瑞,骑一匹黑马,立于阵前。上首是项充,下首是李衮。那樊瑞虽会使神术妖法,却不识阵势。看了宋江军马,四面八方,摆成阵势,心中暗喜道:"你若摆阵,中我计了。"分付项充、李衮道:"若见风起,你两个便引五百滚刀手杀入阵去。"项充、李衮得令,各执定蛮牌,挺着标枪飞剑,只等樊瑞作用。只见樊瑞立在马上,左手挽定流星铜锤,右手仗着混世魔王宝剑,口中念念有词,喝声道:"疾!"只见狂风四起,飞沙走石,天愁地暗,日月无光。项充、李衮呐声喊,带了五百滚刀手杀将过去。宋江军马见杀将过来,便分开做两下。项充、李衮一搅入阵,两下里强弓硬弩射住来人,只带得四五十人入去,其馀的都回本阵去了。宋江在高坡上望见项充、李衮已入阵里了,便叫陈达把七星号旗只一招,那座阵势,纷纷滚滚,变作长蛇之阵。项充、李衮正在阵里,东赶西走,左盘右转,寻路不见。高坡上朱武把小旗在那里指引。他两个投东,朱武便望东指;若是投西,便望西指。公孙胜在高埠处看了,便拔出那松文古定剑来,口中念动咒语,喝声道:"疾!"只见风尽随着项充、李衮脚跟边乱卷。两个在阵中,只见天昏地暗,日色无光,四边并不见一个军马,一望都是黑气,后面跟的都不见了。项充、李衮心慌起来,只要夺路回阵,百般地没寻归路处。正走之间,忽然地雷大振一声,两个在阵叫苦不迭,一齐搨①了双脚,翻筋斗撷下陷马坑里去。两边都是挠钩手,早把两个搭将起来,便把麻绳绑缚了,解上山坡请功。宋江把鞭梢一指,三军一齐掩杀过去。樊瑞引人马奔走上山,走不迭的,折其大半。

宋江收军,众头领都在帐前坐下,军健早解项充、李衮到于麾下。宋江见了,忙叫解了绳索,亲自把盏,说道:"二位壮士,其实休怪,临敌之际,不如此不得。小可宋江久闻三位壮士大名,欲来礼请上山,同聚大义,盖因不得其便,因此错过。倘若不弃,同归山寨,不胜万幸。"两个听了,拜伏在地道:"已闻及时雨大名,谁人不知道。只是小弟等无缘,不曾拜识。原来兄长果有大义,我等两个不识好人,要与天地相拗。今日既被擒获,万死尚轻,反以礼待。若蒙不杀收留,誓当效死报答大恩。樊瑞那人,无我两个,如何行得?义士头领,若肯放我们一个回去,就说樊瑞来投拜,不知头领尊意若何?"宋江便道:"壮士,不必留一人在此为当,便请二位同回贵寨,宋江来日专候佳音。"两个拜谢道:"真乃大丈夫!若是樊瑞不从投降,我等擒来奉献头领麾下。"有诗为证:

八阵神机世最难,雄才诸葛许谁攀!

多谋喜见公孙胜,樊瑞逡巡便入山。

宋江听说大喜,请入中军,待了酒食,换了两套新衣,取两匹好马,叫小喽啰拿了枪牌,送二人下山回寨。两个于路在马上感恩不尽。来到芒砀山下,小喽啰见了大惊,接上山寨。樊瑞问两个来意如何,项充、李衮道:"我等逆天之人,合该万死。"樊瑞道:"兄弟如何说这话?"两个便把宋江如此义气说了一遍。樊瑞道:

---

① 搨(tà)——跌。

"既然宋公明如此大贤,义气最重,我等不可逆天,来早都下山投拜。"两个道:"我们也为如此而来。"当夜把寨内收拾已了。次日天晓,三个一齐下山,直到宋江寨前,拜伏在地。宋江扶起三人,请入帐中坐定。三个见了宋江没半点相疑之意,彼各倾心吐胆,诉说平生之事。三人拜请众头领,都到芒砀山寨中,杀牛宰马,管待宋公明等众多头领,一面赏劳三军。饮筵已罢,樊瑞就拜公孙胜为师。宋江立主教公孙胜传授五雷天心正法与樊瑞,樊瑞大喜。数日之间,牵牛拽马,卷了山寨钱粮,驮了行李,收聚人马,烧毁了寨栅,跟宋江等班师回梁山泊,于路无话。

宋江同众好汉回转梁山泊来。戴宗于路飞报,听得回山,早报上山来。宋江军马已到梁山泊边,却欲过渡,只见芦苇岸边大路上,一个大汉望着宋江便拜。宋江慌忙下马扶住,问道:"足下姓甚名谁? 何处人氏?"那汉答道:"小人姓段,双名景住。人见小弟赤发黄须,都呼小人为金毛犬。祖贯是涿州人氏,平生只靠去北边地面① 盗马。今春去到枪竿岭北边,盗得一匹好马,雪练也似价白,浑身并无一根杂毛,头至尾长一丈,蹄至脊高八尺。那马又高又大,一日能行千里,北方有名,唤做照夜玉狮子马,乃是大金王子骑坐的,放在枪竿岭下,被小人盗得来。江湖上只闻及时雨大名,无路可见,欲将此马前来进献与头领,权表我进身之意。不期来到凌州西南上曾头市过,被那曾家五虎夺了去。小人称说是梁山泊宋公明的,不想那厮多有不秒的言语,小人不敢尽说。逃走得脱,特来告知。"宋江看这人时,虽是骨瘦形粗,却甚生得奇怪。怎见得? 有诗为证:

---

① 北边地面——指当时金国地界。

焦黄头发髭须卷,盗马不辞千里远。

强夫姓段涿州人,被人唤做金毛犬。

宋江见了段景住一表非俗,心中暗喜,便道:"既然如此,且同到山寨里商议。"带了段景住,一同都下船,到金沙滩上岸。晁天王并众头领接到聚义厅上,宋江教樊瑞、项充、李衮和众头领相见,段景住一同都参拜了。打起聒厅鼓来,且做庆贺筵席。

宋江见山寨连添了许多人马,四方豪杰望风而来,因此叫李云、陶宗旺监工,添造房屋并四边寨栅。段景住又说起那匹马的好处,宋江叫神行太保戴宗,去曾头市探听那匹马的下落消息,快来回报。且说戴宗前去曾头市探听,去了三五日之间,回来对众头领说道:"这个曾头市上,共有三千馀家。内有一家唤做曾家府。这老子原是大金国人,名为曾长者①,生下五个孩儿,号为曾家五虎。大的儿子唤做曾涂,第二个唤做曾参,第三个唤做曾索,第四个唤做曾魁,第五个唤做曾升。又有一个教师史文恭,一个副教师苏定。去那曾头市上,聚集着五七千人马,扎下寨栅,造下五十馀辆陷车,发愿说他与我们势不两立,定要捉尽俺山寨中头领,做个对头。那匹千里玉狮子马,见今与教师史文恭骑坐。更有一般堪恨那厮之处,杜撰几句言语,教市上小儿们都唱,道:

'摇动铁镮铃,神鬼尽皆惊。铁车并铁锁,上下有尖钉。扫荡梁山清水泊,剿除晁盖上东京。生擒及时雨,活捉智多星。曾家生五虎,天下尽闻名。'"

晁盖听了戴宗说罢,心中大怒道:"这畜生怎敢如此无礼!我须

---

① 长者——古人称德高、年长的人为长者。宋元人对做大官和有钱人稍有几岁年纪的,也称长者,犹如后来称老太爷。

亲自走一遭,不捉的此辈,誓不回山!"宋江道:"哥哥是山寨之主,不可轻动,小弟愿往。"晁盖道:"不是我要夺你的功劳,你下山多遍了,厮杀劳困,我今替你走一遭。下次有事,却是贤弟去。"宋江苦谏不听。晁盖忿怒,便点起五千人马,请启二十个头领相助下山,其馀都和宋公明保守山寨。

晁盖点那二十个头领:林冲、呼延灼、徐宁、穆弘、刘唐、张横、阮小二、阮小五、阮小七、杨雄、石秀、孙立、黄信、杜迁、宋万、燕顺、邓飞、欧鹏、杨林、白胜。共是二十一个头领,部领三军人马下山,征进曾头市。宋江与吴用、公孙胜众头领就山下金沙滩饯行。饮酒之间,忽起一阵狂风,正把晁盖新制的认军旗半腰吹折。众人见了,尽皆失色。吴学究谏道:"此乃不祥之兆,兄长改日出军。"宋江劝道:"哥哥方才出军,风吹折认旗,于军不利。不若停待几时,却去和那厮理会,未为晚矣。"晁盖道:"天地风云,何足为怪。趁此春暖之时,不去拿他,直待养成那厮气势,却去进兵,那时迟了。你且休阻我,遮莫怎地要去走一遭!"宋江那里违拗得住,晁盖引兵渡水去了。宋江悒怏不已,回到山寨,再叫戴宗下山去探听消息。

且说晁盖领着五千人马二十个头领来到曾头市相近,对面下了寨栅。次日,先引众头领上马去看曾头市。众多好汉立马看时,果然这曾头市是个险隘去处。但见:

> 周回一遭野水,四围三面高岗。堑边河港似蛇盘,濠下柳林如雨密。凭高远望绿阴浓,不见人家;附近潜窥青影乱,深藏寨栅。村中壮汉,出来的勇似金刚;田野小儿,生下的便如鬼子。僧道能轮棍棒,妇人惯使刀枪。果然是铁壁铜墙,端的尽人强马壮。交锋尽是哥儿将,上阵皆为子父兵。

晁盖与众头领正看之间，只见柳林中飞出一彪人马来，约有七八百人。当先一个好汉，戴熟铜盔，披连环甲，使一条点钢枪，骑着匹冲阵马，乃是曾家第四子曾魁，高声喝道："你等是梁山泊反国草寇，我正要来拿你解官请赏，原来天赐其便！如何不下马受缚，更待何时！"晁盖大怒，回头一观，早有一将出马去战曾魁。那人是梁山初结义的好汉豹子头林冲。两个交马，斗了三十馀合，不分胜败。曾魁斗到二十合之后，料道斗林冲不过，掣枪回马，便往柳林中走。林冲勒住马不赶。晁盖领转军马回寨，商议打曾头市之策。林冲道："来日直去市口搦战，就看虚实如何，再作商议。"

次日平明，引领五千人马，向曾头市口平川旷野之地，列成阵势，擂鼓呐喊。曾头市上炮声响处，大队人马出来，一字儿摆着七个好汉：中间便是都教师史文恭，上首副教师苏定，下首便是曾家长子曾涂，左边曾参、曾魁，右边曾升、曾索，都是全身披挂。教师史文恭弯弓插箭，坐下那匹却是千里玉狮子马，手里使一枝方天画戟。三通鼓罢，只见曾家阵里推出数辆陷车，放在阵前。曾涂指着对阵骂道："反国草寇，见俺陷车么？我曾家府里，杀你死的不算好汉。我一个个直要捉你活的，装载陷车里，解上东京，碎尸万段！你们趁早纳降，再有商议。"晁盖听了大怒，挺枪出马，直奔曾涂。众将怕晁盖有失，一发掩杀过去，两军混战。曾家军马一步步退入村里。林冲、呼延灼紧护定晁盖，东西赶杀。林冲见路途不好，急退回来收兵。看得两边各皆折了些人马。晁盖回到寨中，心中甚忧。众将劝道："哥哥且宽心，休得愁闷，有伤贵体。往常宋公明哥哥出军，亦曾失利，好歹得胜回寨。今日混战，各折了些军马，又不曾输了与他，何须忧闷！"晁盖只是郁郁不乐。在寨内一连了三日，每日搦战，曾头市上并不曾见一个。

第四日,忽有两个和尚直到晁盖寨里来投拜。军人引到中军帐前,两个和尚跪下告道:"小僧是曾头市上东边法华寺里监寺僧人,今被曾家五虎不时常来本寺作践啰唣,索要金银财帛,无所不为。小僧已知他的备细出没去处,特地前来拜请头领,入去劫寨,剿除了他时,当坊有幸。"晁盖见说大喜。有诗为证:

间谍从来解用兵,陈平昔日更专精。

却惭晁盖无先见,随着秃奴暮夜行。

晁盖便请两个和尚坐了,置酒相待。林冲谏道:"哥哥休得听信,其中莫非有诈?"和尚道:"小僧是个出家人,怎敢妄话!久闻梁山泊行仁义之道,所过之处,并不扰民,因此特来拜投,如何故来啜赚将军?况兼曾家未必赢得头领大军,何故相疑?"晁盖道:"兄弟休生疑心,误了大事。今晚我自去走一遭。"林冲道:"哥哥休去,我等分一半人马去劫寨,哥哥在外面接应。"晁盖道:"我不自去,谁肯向前?你可留一半军马在外接应。"林冲道:"哥哥带谁入去?"晁盖道:"点十个头领,分二千五百人马入去。十个头领是:刘唐、阮小二、呼延灼、阮小五、欧鹏、阮小七、燕顺、杜迁、宋万、白胜。"

当晚造饭吃了,马摘銮铃,军士衔枚,黑夜疾走,悄悄地跟了两个和尚,直到法华寺内看时,是一个古寺。晁盖下马入到寺内,见没僧众,问那两个和尚道:"怎地这个大寺院没一个僧众?"和尚道:"便是曾家畜生薅恼,不得已各自归俗去了。只有长老并几个侍者,自在塔院里居住。头领暂且屯住了人马,等更深些,小僧直引到那厮寨里。"晁盖道:"他的寨在那里?"和尚道:"他有四个寨栅,只是北寨里便是曾家弟兄屯军之处。若只打得那个寨子时,别的都不打紧,这三个寨便罢了。"晁盖道:"那个时分可去?"和尚道:"如今只是二更天气,再待三更时分,他无准备。"初时听得曾头市上整整齐齐打更鼓响,又听了半个更次,绝不闻更点之声。和尚道:"军人想是已睡了,如今可去。"和尚当先引路。晁盖带同诸将上马,领兵离了法华寺。跟着和尚行不到五里多路,黑影处不见了两个僧人,前军不敢行动。看四边路杂难行,又不见有人家,军士却慌起来,报与晁盖知道。呼延灼便叫急回旧路。走不到百十步,只见四下里金鼓齐鸣,喊声振地,一望都是火把。晁盖众将引军夺路而走,才转得两个湾,撞出一彪军马,当头乱箭射将来。不期一箭,正中晁盖脸上,倒撞下马来。却得呼延灼、燕顺两骑马,死并将去。背后刘唐、白胜救得晁盖上马,杀出村中来。村口林冲等引军接应,刚才敌得住。两军混战,直杀到天明,各自归寨。

林冲回来点军时,三阮、宋万、杜迁水里逃得性命;带入去二千五百人马,止剩得一千二三百人,跟着欧鹏,都回到帐中。众头领且来看晁盖时,那枝箭正射在面颊上;急拔得箭出,血晕倒了。看那箭时,上有"史文恭"字。林冲叫取金枪药敷贴上。原来却是一枝药箭,晁盖中了箭毒,已自言语不得。林冲叫扶上车子,便差三阮、杜迁、宋万先送回山寨。其馀十五个头领在寨中商议:"今番晁天王哥哥下山来,不想遭这一场,正应了风折认旗之兆。我等只可收兵回去,这曾头市急切不能取得。"呼延灼道:"须等宋公明哥哥将令来,方可回军。"有诗为证:

　　　　威镇边陲不可当,梁山寨主是天王。

　　　　最怜率尔图曾市,遽使英雄一命亡。

当日众头领闷闷不已,众军亦无恋战之心,人人都有还山之意。当晚二更时分,天色微明,十五个头领都在寨中纳闷。正是蛇无头而不行,鸟无翅而不飞,嗟咨叹惜,进退无措。忽听的伏路小校慌急报来:"前面四五路军马杀来,火把不计其数!"林冲听了,一齐上马。三面山上火把齐明,照晃如同白日,四下里呐喊到寨前。林冲领了众头领,不去抵敌,拔寨都起,回马便走。曾家军马背后卷杀将来。两军且战且走,走过了五六十里,方才得脱。计点人兵,又折了五七百人,大败输亏。急取旧路,望梁山泊回来。退到半路,正迎着戴宗,传下军令,教众头领引军且回山寨,别作良策。

众将得令,引军回到水浒寨上山,都来看视晁天王时,已自水米不能入口,饮食不进,浑身虚肿。宋江等守定在床前啼哭,亲手敷贴药饵,灌下汤散。众头领都守在帐前看视。当日夜至三更,晁盖身体沉重,转头看着宋江,嘱付道:"贤弟保重。若那个捉得射死我的,便叫他做梁山泊主。"言罢,便瞑目而死。

宋江见晁盖死了,比似丧考妣一般,哭得发昏。众头领扶策宋江出来主事。吴用、公孙胜劝道:"哥哥且省烦恼。生死人之分定,何故痛伤。且请理会大事。"宋江哭罢,便教把香汤沐浴了尸首,装殓衣服巾帻,停在聚义厅上。众头领都来举哀祭祀。一面合造内棺外椁,选了吉时盛放,在正厅上建起灵帏,中间设个神主,上写道:"梁山泊主天王晁公神主"。山寨中头领,自宋公明以下,都带重孝;小头目并众小喽啰,亦带孝头巾。把那枝誓箭,就供养在灵前。寨内扬起长幡,请附近寺院僧众上山做功德,追荐晁天王。宋江每日领众举哀,无心管理山寨事务。

林冲与公孙胜、吴用并众头领商议,立宋公明为梁山泊主,诸人拱听号令。次日清晨,香花灯烛,林冲为首,与众等请出保义宋公明,在聚义厅上坐定。吴用、林冲开话道:"哥哥听禀:治国一日不可无君,于家不可一日无主。今日山寨晁头领是归天去了,山寨中事业,岂可无主?四海万里疆宇之内,皆闻哥哥大

名,来日吉日良辰,请哥哥为山寨之主,诸人拱听号令。"宋江道:
"却乃不可忘了晁天王遗言。临死时嘱道:'如有人捉得史文恭
者,便立为梁山泊主。'此话众头领皆知,亦不可忘了。又不曾报
得仇,雪得恨,如何便居得此位?"吴学究又劝道:"晁天王虽是如
此说,今日又未曾捉得那人,山寨中岂可一日无主?若哥哥不坐
时,谁敢当此位?寨中人马如何管领?然虽遗言如此,哥哥权且
尊临此位坐一坐,待日后别有计较。"宋江道:"军师言之极当。
今日小可权当此位,待日后报仇雪恨已了,拿住史文恭的,不拘
何人,须当此位。"黑旋风李逵在侧边叫道:"哥哥休说做梁山泊
主,便做了大宋皇帝却不好!"宋江喝道:"这黑厮又来胡说!再
休如此乱言,先割了你这厮舌头!"李逵道:"我又不教哥哥做社
长,请哥哥做皇帝,倒要割了我舌头!"吴学究道:"这厮不识尊卑
的人,兄长不要和他一般见识。且请哥哥主张大事。"

　　宋江焚香已罢,权居主位,坐了第一把椅子。上首军师吴
用,下首公孙胜;左一带林冲为头,右一带呼延灼居长。众人参
拜了,两边坐下。宋江乃言道:"小可今日权居此位,全赖众兄弟
扶助,同心合意,同气相从,共为股肱,一同替天行道。如今山寨
人马数多,非比往日,可请众兄弟分做六寨驻扎。聚义厅今改为
忠义堂。前后左右立四个旱寨,后山两个小寨,前山三座关隘,
山下一个水寨,两滩两个小寨,今日各请弟兄分投去管。"有诗为
证:

　　　　英雄晁盖已归天,主寨公明在所先。

　　　　从此又颁新号令,分兵授职尽恭虔。

"忠义堂上,是我权居尊位,第二位军师吴学究,第三位法师公孙
胜,第四位花荣,第五位秦明,第六位吕方,第七位郭盛。左军寨
内,第一位林冲,第二位刘唐,第三位史进,第四位杨雄,第五位

石秀,第六位杜迁,第七位宋万。右军寨内,第一位呼延灼,第二位朱仝,第三位戴宗,第四位穆弘,第五位李逵,第六位欧鹏,第七位穆春。前军寨内,第一位李应,第二位徐宁,第三位鲁智深,第四位武松,第五位杨志,第六位马麟,第七位施恩。后军寨内,第一位柴进,第二位孙立,第三位黄信,第四位韩滔,第五位彭玘,第六位邓飞,第七位薛永。水军寨内,第一位李俊,第二位阮小二,第三位阮小五,第四位阮小七,第五位张横,第六位张顺,第七位童威,第八位童猛。六寨计四十三员头领。山前第一关令雷横、樊瑞守把,第二关令解珍、解宝守把,第三关令项充、李衮守把。金沙滩小寨内令燕顺、郑天寿、孔明、孔亮四个守把,鸭嘴滩小寨内令李忠、周通、邹渊、邹润四个守把。山后两个小寨,左一个旱寨内令王矮虎、一丈青、曹正,右一个旱寨内令朱武、陈达、杨春六人守把。忠义堂内:左一带房中,掌文卷萧让,掌赏罚裴宣,掌印信金大坚,掌算钱粮蒋敬;右一带房中,管炮凌振,管造船孟康,管造衣甲侯健,管筑城垣陶宗旺。忠义堂后两厢房中管事人员:监造房屋李云,铁匠总管汤隆,监造酒醋朱富,监造筵宴宋清,掌管什物杜兴、白胜。山下四路作眼酒店,原拨定朱贵、乐和、时迁、李立、孙新、顾大嫂、张青、孙二娘,已自定数。管北地收买马匹:杨林、石勇、段景住。分拨已定,各自遵守,毋得违犯。"梁山泊水浒寨内,大小头领,自从宋公明为寨主,尽皆欢喜,人心悦服,诸将都皆拱听约束。

异日,宋江聚众商议,欲要与晁盖报仇,兴兵去打曾头市。军师吴用谏道:"哥哥,庶民居丧,尚且不可轻动,哥哥兴师,且待百日之后,方可举兵,未为迟矣。"宋江依吴学究之言,守住山寨居丧,每日修设好事,只做功果,追荐晁盖。一日,请到一僧,法名大圆,乃是北京大名府在城龙华寺僧人。只为游方来到济宁,经过梁山泊，就请在寨内做道场。因吃斋之次，闲话间，宋江问起北京风土人物，那大圆和尚说道："头领如何不闻河北玉麒麟之名？"宋江、吴用听了，猛然省起，说道："你看我们未老，却恁地忘事！北京城里是有个卢大员外，双名俊义，绰号玉麒麟，是河北三绝。祖居北京人氏，一身好武艺，棍棒天下无对。梁山泊寨中若得此人时，何怕官军缉捕，岂愁兵马来临！"吴用笑道："哥哥何故自丧志气？若要此人上山，有何难哉！"宋江答道："他是北京大名府第一等长者，如何能勾得他来落草？"吴学究道："吴用也在心多时了，不想一向忘却。小生略施一计，便教本人上山。"宋江便道："人称足下为智多星，端的是不枉了，名不虚传。敢问军师用甚计策，赚得本人上山？"

　　吴用不慌不忙，叠两个指头，说出这段计来。有分教：北京城内，黎民废寝忘餐；梁山泊中，好汉驱兵领将。正是：计就水乡添虎将，谋成市井赚麒麟。毕竟吴学究怎地赚卢俊义上山，且听下回分解。

第六十一回

吴用智赚玉麒麟　张顺夜闹金沙渡

《满庭芳》：

> 通天彻地，能文会武，广交四海豪英。胸藏锦绣，义气
> 更高明。潇洒纶巾野服，笑谈将、白羽麾兵。聚义处，
> 人人瞻仰，四海久驰名。　　韵度同诸葛，运筹帷幄，
> 殚竭忠诚。有才能冠世，玉柱高擎。遂使玉麟归伏，命
> 风雷驱使天丁。梁山泊军师吴用，天上智多星。

　　话说这篇词，单道着吴用的好处。因为这龙华寺僧人，说出
此三绝玉麒麟卢俊义名字与宋江，吴用道："小生凭三寸不烂之
舌，尽一点忠义之心，舍死忘生，直往北京说卢俊义上山，如探囊
取物，手到拈来。只是少一个粗心大胆的伴当，和我同去。"说犹
未了，只见阶下一个人高声叫道："军师哥哥，小弟与你走一遭！"
吴用大笑。那人是谁？却是好汉黑旋风李逵。宋江喝道："兄
弟，你且住着！若是上风放火，下风杀人，打家劫舍，冲州撞府，
合用着你。这是做细的勾当，你性子又不好，去不的。"李逵道：
"你们都道我生的丑，嫌我，不要我去。"宋江道："不是嫌你。如
今大名府做公的极多，倘或被人看破，枉送了你的性命。"李逵叫
道："不妨，我定要去走一遭。"吴用道："你若依的我三件事，便带
你去；若依不的，只在寨中坐地。"李逵道："莫说三件，便是三十
件，也依你！"吴用道："第一件，你的酒性如烈火，自今日去便断

了酒,回来你却开;第二件,于路上做道童打扮,随着我,我但叫你,不要违拗;第三件最难,你从明日为始,并不要说话,只做哑子一般。依的这三件,便带你去。"李逵道:"不吃酒,做道童,却依的;闭着这个嘴不说话,却是鳖杀我!"吴用道:"你若开口,便惹出事来。"李逵道:"也容易,我只口里衔着一文铜钱便了!"宋江道:"兄弟,你若坚执要去,恐有疏失,休要怨我。"李逵道:"不妨,不妨! 我这两把板斧不到的只这般教他拿了去,少也砍他娘千百个鸟头才罢。"众头领都笑,那里劝的住。

当日忠义堂上做筵席送路,至晚各自去歇息。次日清早,吴用收拾了一包行李,教李逵打扮做道童,挑担下山。宋江与众头领都在金沙滩送行,再三分付吴用小心在意,休教李逵有失。吴用、李逵别了众人下山,宋江等回寨。

且说吴用、李逵二人往北京去,行了四五日路程,却遇天色晚来,投店安歇,平明打火上路。于路上,吴用被李逵呕的苦。行了几日,赶到北京城外店肆里歇下。当晚李逵去厨下做饭,一拳打的店小二吐血。小二哥来房里告诉吴用道:"你的哑道童,我小人不与他烧火,打的小人吐血。"吴用慌忙与他陪话,把十数贯钱与他将息,自埋怨李逵,不在话下。过了一夜,次日天明起来,安排些饭食吃了。吴用唤李逵入房中,分付道:"你这厮苦死要来,一路上呕死我也! 今日入城,不是耍处,你休送了我的性命!"李逵道:"不敢,不敢!"吴用道:"我再和你打个暗号:若是我把头来摇时,你便不可动掸。"李逵应承了。两个就店里打扮入城。怎见的?

吴用戴一顶乌绉纱抹眉头巾,穿一领皂沿边白绢道服,系一条杂采吕公绦,着一双方头青布履,手里拿一副赛黄金熟铜铃杵。李逵戗几根蓬松黄发,绾两枚浑骨丫

髻,黑虎躯穿一领粗布短褐袍,飞熊腰勒一条杂色短须
绦,穿一双蹬山透土靴,担一条过头木拐棒,挑着个纸
招儿,上写着"讲命谈天,卦金一两"。

吴用、李逵两个打扮了,锁上房门,离了店肆,望北京城南门来。
行无一里,却早望见城门,端的好个北京!但见:

> 城高地险,堑阔濠深。一周回鹿角交加,四下里排叉密
> 布。敌楼雄壮,缤纷杂采旗幡;堞道坦平,簇摆刀枪剑
> 戟。钱粮浩大,人物繁华。千百处舞榭歌台,数万座琳
> 宫梵宇。东西院内,笙箫鼓乐喧天;南北店中,行货钱
> 财满地。公子跨金鞍骏马,佳人乘翠盖珠軒。千员猛
> 将统层城,百万黎民居上国。

此时天下各处盗贼生发,各州府县俱有军马守把。惟此北
京是河北第一个去处,更兼又是梁中书统领大军镇守,如何不摆
得整齐。

且说吴用、李逵两个,摇摇摆摆,却好来到城门下。守门的
左右约有四五十军士,簇捧着一个把门的官人在那里坐定。吴
用向前施礼,军士问道:"秀才那里来?"吴用答道:"小生姓张名
用,这个道童姓李。江湖上卖卦营生,今来大郡与人讲命。"身边
取出假文引①,交军士看了。众人道:"这个道童的鸟眼,恰像贼
一般看人。"李逵听道,正待要发作,吴用慌忙把头来摇,李逵便
低了头。吴用向前与把门军士陪话道:"小生一言难尽!这个道
童又聋又哑,只有一分蛮气力,却是家生的孩儿②,没奈何带他
出来。这厮不省人事,望乞恕罪!"辞了便行。李逵跟在背后,脚

---

① 文引——证明文书。这里指通行证。
② 家生的孩儿——卖身的奴仆所生的孩子。省称家生的,或家生子。

高步低，望市心里来。吴用手中摇着铃杵，口里念四句口号道：

　　"甘罗发早子牙迟，彭祖颜回寿不齐。

　　范丹贫穷石崇富，八字生来各有时。"

吴用又道："乃时也，运也，命也。知生知死，知因知道。若要问前程，先请银一两。"说罢，又摇铃杵。北京城内小儿，约有五六十个，跟着看了笑。却好转到卢员外解库门首，自歌自笑，去了复又回来，小儿们哄动。

　　卢员外正在解库厅前坐地，看着那一班主管收解，只听得街上喧哄，唤当直的问道："如何街上热闹？"当直的报复员外："端的好笑，街上一个别处来的算命先生，在街上卖卦，要银一两算一命。谁人舍的！后头一个跟的道童，且是生的渗濑，走又走的没样范，小的们跟定了笑。"卢俊义道："既出大言，必有广学。当直的，与我请他来。"也是天罡星合当聚会，自然生出机会来。当直的慌忙去叫道："先生，员外有请。"吴用道："是何人请我？"当直的道："卢员外相请。"吴用便唤道童跟着转来，揭起帘子，入到厅前，教李逵只在鹅项椅上坐定等候。吴用转过来前，见卢员外时，那人生的如何？有《满庭芳》词为证：

　　　目炯双瞳，眉分八字，身躯九尺如银。威风凛凛，仪表似天神。义胆忠肝贯日，吐虹蜺志气凌云。驰声誉，北京城内，元是富豪门。　　　杀场临敌处，冲开万马，扫退千军。殚赤心报国，建立功勋。慷慨名扬宇宙，论英雄播满乾坤。卢员外双名俊义，河北玉麒麟。

　　这篇词单道卢俊义豪杰处。吴用向前施礼，卢俊义欠身答礼，问道："先生贵乡何处？尊姓高名？"吴用答道："小生姓张名用，自号谈天口。祖贯山东人氏。能算皇极先天数，知人生死贵贱。卦金白银一两，方才算命。"卢俊义请入后堂小阁儿里，分宾坐定;茶汤已罢,叫当直的取过白银一两,放于桌上,权为压命之资:"烦先生看贱造① 则个。"吴用道:"请贵庚月日下算。"卢俊义道:"先生,君子问灾不问福。不必道在下豪富,只求推算目下行藏则个。在下今年三十二岁,甲子年乙丑月丙寅日丁卯时。"吴用取出一把铁算子来,排在桌上,算了一回,拿起算子桌上一拍,大叫一声:"怪哉!"卢俊义失惊,问道:"贱造主何凶吉?"吴用道:"员外若不见怪,当以直言。"卢俊义道:"正要先生与迷人指路,但说不妨。"吴用道:"员外这命,目下不出百日之内,必有血光之灾,家私不能保守,死于刀剑之下。"卢俊义笑道:"先生差矣! 卢某生于北京,长在豪富之家,祖宗无犯法之男,亲族无再婚之女;更兼俊义作事谨慎,非理不为,非财不取,又无寸男为盗,亦无只女为非,如何能有血光之灾?"吴用改容变色,急取原银付还,起身便走,嗟叹而言:"天下原来都要人阿谀谄佞。罢,罢! 分明指与平川路,却把忠言当恶言。小生告退。"卢俊义道:"先生息怒,前言特地戏耳。愿听指教。"吴用道:"小生直言,切勿见怪。"卢俊义道:"在下专听,愿勿隐匿。"吴用道:"员外贵造,一向都行好运。但今年时犯岁君,正交恶限。目今百日之内,尸首异处。此乃生来分定,不可逃也。"卢俊义道:"可以回避否?"吴用再把铁算子搭了一回,便回员外道:"则除非去东南方巽地上② 一千里之外,方可免此大难。虽有些惊恐,却不伤大体。"卢俊义道:"若是免的此难,当以厚报。"吴用道:"命中有四句卦歌,小生说与员外,写于壁上,后日应验,方知小生灵处。"卢俊义道:"叫取笔砚来。"便去白粉壁上写,吴用口歌四句:

---

① 贱造——谦称自己的生辰八字。
② 巽(xùn)地上——按照八卦排列的方向,乾是西北,巽是东南。

　　"芦花丛里一扁舟,俊杰俄从此地游。

　　义士若能知此理,反躬逃难可无忧。"

　　当时卢俊义写罢,吴用收拾起算子,作揖便行。卢俊义留道:"先生少坐,过午了去。"吴用答道:"多蒙员外厚意,误了小生卖卦,改日再来拜会。"抽身便起。卢俊义送到门首,李逵拿了拐棒儿走出门外。吴学究别了卢俊义,引了李逵,径出城来,回到店中,算还房宿饭钱,收拾行李包裹。李逵挑出卦牌。出离店肆,对李逵说道:"大事了也! 我们星夜赶回山寨,安排圈套,准备机关,迎接卢俊义。他早晚便来也。"

　　且不说吴用、李逵还寨,却说卢俊义自从算卦之后,寸心如割,坐立不安。当夜无话,捱到次日天晓,洗漱罢,早饭已了,出到堂前,便叫当直的去唤众多主管商议事务。少刻都到。那一个为头管家私的主管,姓李名固。这李固原是东京人,因来北京投奔相识不着,冻倒在卢员外门前。卢俊义救了他性命,养他家中。因见他勤谨,写的算的,教他管顾家间事务。五年之内,直抬举他做了都管,一应里外家私都在他身上,手下管着四五十个行财管干,一家内都称他做李都管。当日大小管事之人,都随李固来堂前声喏。卢员外看了一遭,便道:"怎生不见我那一个人?"说犹未了,阶前走过一人来。看那来人怎生模样?但见:

　　　　六尺以上身材,二十四五年纪,三牙掩口细髯,十分腰细膀阔。戴一顶木瓜心攒顶头巾,穿一领银丝纱团领白衫,系一条蜘蛛斑红线压腰,着一双土黄皮油膀胮靴。脑后一对挨兽金环,护项一枚香罗手帕,腰间斜插名人扇,鬓畔常簪四季花。

这人是北京土居人氏,自小父母双亡,卢员外家中养的他大。为见他一身雪练也似白肉,卢俊义叫一个高手匠人与他刺了这一身遍体花绣,却似玉亭柱上铺着软翠。若赛锦体,由你是谁,都输与他。不则一身好花绣,那人更兼吹的、弹的、唱的、舞的,拆白道字①,顶真续麻②,无有不能,无有不会。亦是说的诸路乡谈③,省的诸行百艺的市语。更且一身本事,无人比的。拿着一张川弩,只用三枝短箭,郊外落生④,并不放空,箭到物落,晚间入城,少杀也有百十个虫蚁⑤。若赛锦标社⑥,那里利物管取都是他的。亦且此人百伶百俐,道头知尾。本身姓燕,排行第一,官名单讳个青字。北京城里人口顺,都叫他做浪子燕青。曾有一篇《沁园春》词,单道着燕青的好处。但见:

> 唇若涂朱,睛如点漆,面似堆琼。有出人英武,凌云志气,资禀聪明。仪表天然磊落,梁山上端的驰名。伊州古调,唱出绕梁声。　　果然是艺苑专精,风月丛中第一名。听鼓板喧云,笙声嘹亮,畅叙幽情。棍棒参差,揎拳飞脚,四百军州到处惊。人都羡英雄领袖,浪子燕青。

原来这燕青是卢俊义家心腹人。都上厅声喏了,做两行立住。

---

① 拆白道字——宋时流行的文字游戏之一种:把一个字拆作两个字,成句子说出来。例如黄山谷的《两同心词》:"你共人女边着子,争知我门里挑心。"就是拆的"好"、"闷"两字。

② 顶真续麻——宋时流行的文字游戏之又一种:下一句的头一字,就是上一句的末一字。例如:"断肠人寄断肠词,词写心间事,事到头来不由自……"。

③ 乡谈——方言土语,地方掌故。

④ 落生——射猎。

⑤ 虫蚁——这里指小的鸟雀。

⑥ 锦标社——比赛射弩的团体组织。

李固立在左边,燕青立在右边。卢俊义开言道:"我夜来算了一命,道我有百日血光之灾,只除非出去东南上一千里之外躲避。我想东南方有个去处,是泰安州,那里有东岳泰山天齐仁圣帝金殿,管天下人民生死灾厄。我一者去那里烧炷香消灾灭罪,二者躲过这场灾悔,三者做些买卖,观看外方景致。李固,你与我觅十辆太平车子,装十辆山东货物,你就收拾行李,跟我去走一遭。燕青小乙①看管家里库房钥匙,只今日便与李固交割。我三日之内便要起身。"李固道:"主人误矣。常言道:贾卜卖卦,转回说话。休听那算命的胡言乱语。只在家中,怕做甚么?"卢俊义道:"我命中注定了,你休逆我。若有灾来,悔却晚矣。"燕青道:"主人在上,须听小乙愚见。这一条路去山东泰安州,正打从梁山泊边过。近年泊内是宋江一伙强人在那里打家劫舍,官兵捕盗,近他不得。主人要去烧香,等太平了去,休信夜来那个算命的胡讲。倒敢是梁山泊歹人,假装做阴阳人来扇惑,要赚主人那里落草。小乙可惜夜来不在家里,若在家时,三言两句,盘倒那先生,倒敢有场好笑。"卢俊义道:"你们不要胡说,谁人敢来赚我!梁山泊那伙贼男女打甚么紧,我观他如同草芥,兀自要去特地捉他,把日前学成武艺显扬于天下,也算个男子大丈夫。"

　　说犹未了,屏风背后走出娘子来,乃是卢员外浑家,年方二十五岁,姓贾,嫁与卢俊义才方五载,琴瑟谐和。娘子贾氏便道:"丈夫,我听你说多时了。自古道:出外一里,不如屋里。休听那算命的胡说,撇了海阔一个家业,耽惊受怕,去虎穴龙潭里做买卖。你且只在家内,清心寡欲,高居静坐,自然无事。"卢俊义道:

---

①　小乙——对排行第一的年轻男子的俗称。

"你妇人家省得甚么！宁可信其有，不可信其无。自古祸出师人①口，必主吉凶。我既主意定了，你都不得多言多语。"

燕青又道："小人托主人福荫，学的些个棒法在身。不是小乙说嘴，帮着主人去走一遭，路上便有些个草寇出来，小人也敢发落的三五十个开去。留下李都管看家，小人伏侍主人走一遭。"卢俊义道："便是我买卖上不省的，要带李固去，他须省的，又替我大半气力，因此留你在家看守。自有别人管帐，只教你做个桩主②。"李固又道："小人近日有些脚气的症候，十分走不的多路。"卢俊义听了大怒道："养兵千日，用在一朝。我要你跟我去走一遭，你便有许多推故。若是那一个再阻我的，教他知我拳头的滋味！"李固吓的面如土色，众人谁敢再说，各自散了。

李固只得忍气吞声，自去安排行李，讨了十辆太平车子，唤了十个脚夫，四五十拽车头口，把行李装上车子，行货拴缚完备。卢俊义自去结束。第三日，烧了神福给散了，家中大男小女一个个都分付了，当晚先叫李固引两个当直的尽收拾了出城。李固去了，娘子看了车仗，流泪而去。

次日五更，卢俊义起来，沐浴罢，更换一身新衣服，取出器械，到后堂里辞别了祖先香火，出门上路。看卢俊义时怎生打扮？但见：

> 头戴范阳遮尘毡笠，拳来大小撒发红缨，斜纹缎子布衫，查开五指梅红线绦，青白行缠抓住袜口，软绢袜衬多耳麻鞋。腰悬一把雁翎响铜钢刀，海驴皮鞘子，手拿一条搜山搅海棍棒。端的是山东驰誉，河北扬名。

---

① 师人——指占卜、星相术士。

② 桩主——店里当家的大管事。

　　当下卢俊义拜辞家堂已了,分付娘子:"好生看家,多便三个月,少只四五十日便回。"贾氏道:"丈夫路上小心,频寄书信回来,家中知道。"说罢,燕青在面前拜了。卢俊义分付道:"小乙在家,凡事向前,不可出去三瓦两舍打哄。"燕青道:"主人在上,小乙不敢偷工夫闲耍。主人如此出行,怎敢怠慢!"卢俊义提了棍棒,出到城外。有诗一首,单道卢俊义这条好棒。有诗为证:

　　　　挂壁悬崖欺瑞雪,撑天拄地撼狂风。

　　　　虽然身上无牙爪,出水巴山秃尾龙。

　　李固接着,卢俊义道:"你可引两个伴当先去。但有干净客店,先做下饭,等候车仗脚夫到来便吃,省的担阁了路程。"李固也提条杆棒,先和两个伴当去了。卢俊义和数个当直的,随后押着车仗行。但见途中山明水秀,路阔坡平,心中欢喜道:"我若是在家,那里见这般景致!"行了四十馀里,李固接着主人。吃点心中饭罢,李固又先去了。再行四五十里,到客店里,李固接着车仗人马宿食。卢俊义来到店房内,倚了棍棒,挂了毡笠儿,解下腰刀,换了鞋袜,宿食皆不必说。次日清早起来,打火做饭,众人吃了,收拾车辆头口,上路又行。

　　自此在路夜宿晓行,已经数日,来到一个客店里宿食。天明要行,只见店小二哥对卢俊义说道:"好教官人得知,离小人店不得二十里路,正打梁山泊边口子前过去。山上宋公明大王,虽然不害来往客人,官人须是悄悄过去,休得大惊小怪。"卢俊义听了道:"原来如此!"便叫当直的取下衣箱,打开锁,去里面提出一个包袱,内取出四面白绢旗;问小二哥讨了四根竹竿,每一根缚起一面旗来。每面栲栳大小几个字,写道:

　　　　"慷慨北京卢俊义,远驮货物离乡地。

　　　　一心只要捉强人,那时方表男儿志!"

李固等众人看了，一齐叫起苦来。店小二问道："官人莫不
和山上宋大王是亲么？"卢俊义道："我自是北京财主，却和这贼
们有甚么亲！我特地要来捉宋江这厮。"小二哥道："官人低声
些，不要连累小人，不是耍处！你便有一万人马，也近他不的！"
卢俊义道："放屁！你这厮们都和那贼人做一路！"店小二叫苦不
迭，众车脚夫都痴呆了。李固跪在地下告道："主人可怜见众人，
留了这条性命回乡去，强似做罗天大醮！"卢俊义喝道："你省的
甚么！这等燕雀，安敢和鸿鹄厮并！我思量平生学的一身本事，
不曾逢着买主，今日幸然逢此机会，不就这里发卖，更待何时！
我那车子上叉袋里，已准备下一袋熟麻索。倘或这贼们当死合
亡，撞在我手里，一朴刀一个砍翻，你们众人与我便缚在车子上。
撇了货物不打紧，且收拾车子捉人。把这贼首解上京师，请功受
赏，方表我平生之愿！若你们一个不肯去的，只就这里把你们先
杀了！"

前面摆四辆车子，上插了四把绢旗；后面六辆车子，随从了
行。那李固和众人，哭哭啼啼，只得依他。卢俊义取出朴刀，装
在杆棒上，三个丫儿扣牢了，赶着车子奔梁山泊路上来。李固等
见了崎岖山路，行一步怕一步。卢俊义只顾赶着要行。从清早
起来，行到巳牌时分，远远地望见一座大林，有千百株合抱不交
的大树。却好行到林子边，只听的一声嗯哨响，吓的李固和两个
当直的没躲处。卢俊义教把车仗押在一边。车夫众人都躲在车
子底下叫苦。卢俊义喝道："我若搠翻，你们与我便缚！"说犹未
了，只见林子边走出四五百小喽啰来。听得后面锣声响处，又有
四五百小喽啰截住后路。林子里一声炮响，托地跳出一筹好汉。
怎地模样？但见：

茜红头巾，金花斜裹。铁甲凤盔，锦衣绣袄。血染髭

髯,虎威雄暴。大斧一双,人皆吓倒。

又诗曰:

铁额金睛老大虫,翻身跳出树林中。

一声咆吼如雷震,万里传名黑旋风。

当下李逵手搦双斧,厉声高叫:"卢员外认得哑道童么?"卢俊义猛省,喝道:"我如常有心要来拿你这伙强盗,今日特地到此!快教宋江那厮下山投拜!倘或执迷,我片时间教你人人皆死,个个不留!"李逵呵呵大笑道:"员外,你今日中了俺的军师妙计,快来坐把交椅。"卢俊义大怒,搦着手中朴刀,来斗李逵。李逵轮起双斧来迎。两个斗不到三合,李逵托地跳出圈子外来,转过身望林子里便走。卢俊义挺着朴刀,随后赶将入来。李逵在林木丛中,东闪西躲,引得卢俊义性发,破一步抢入林来。李逵飞奔乱松丛里去了。卢俊义赶过林子这边,一个人也不见了。却待回身,只听得松林傍边转出一伙人来,一个人高声大叫:"员外不要走!认得俺么?"卢俊义看时,却是一个胖大和尚,身穿皂直裰,倒提铁禅杖。卢俊义喝道:"你是那里来的和尚?"鲁智深大笑道:"洒家是花和尚鲁智深。今奉哥哥将令,着俺来迎接员外上山。"卢俊义焦躁,大骂:"秃驴,敢如此无礼!"拈手中朴刀,直取那和尚。鲁智深轮起铁禅杖来迎。两个斗不到三合,鲁智深拨开朴刀,回身便走,卢俊义赶将去。正赶之间,喽啰里走出行者武松,轮两口戒刀,直奔将来。卢俊义不赶和尚,来斗武松。又不到三合,武松拔步便走。卢俊义哈哈大笑:"我不赶你,你这厮们何足道哉!"说犹未了,只见山坡下一个人在那里叫道:"卢员外,你如何省得!岂不闻人怕落荡,铁怕落炉?哥哥定下的计策,你待走那里去?"卢俊义喝道:"你这厮是谁?"那人笑道:"小可便是赤发鬼刘唐。"卢俊义骂道:"草贼休走!"挺手中朴刀,直取刘唐。方才斗得三合,刺斜里一个人大叫道:"好汉没遮拦穆弘在此!"当时刘唐、穆弘两个,两条朴刀,双斗卢俊义。正斗之间,不到三合,只听的背后脚步响,卢俊义喝声:"着!"刘唐、穆弘跳退数步。卢俊义便转身斗背后的好汉,却是扑天雕李应。三个头领丁字脚围定,卢俊义全然不慌,越斗越健。正好步斗,只听得山顶上一声锣响,三个头领各自卖个破绽,一齐拔步去了。卢俊义又斗得一身臭汗,不去赶他。再回林子边来寻车仗人伴时,十辆车子、人伴、头口,都不见了,口里只管叫苦。有诗为证:

> 避灾因作泰山游,暗里机谋不自由。
>
> 家产妻孥俱撇下,来吞水浒钓鱼钩。

卢俊义便向高阜处四下里打一望,只见远远地山坡下一伙小喽啰,把车仗头口赶在前面,将李固一干人连连串串缚在后面,鸣锣擂鼓,解投松树那边去。卢俊义望见,心如火炽,气似烟生,提着朴刀,直赶将去。约莫离山坡不远,只见两筹好汉喝一声道:"那里去!"一个是美髯公朱仝,一个是插翅虎雷横。卢俊义见了,高声骂道:"你这伙草贼,好好把车仗人马还我!"朱仝手拈长髯大笑,说道:"卢员外,你还怎地不晓得,中了俺军师妙计,便肋生两翅,也飞不出去。快来大寨坐把交椅。"卢俊义听了大怒,挺起朴刀,直奔二人。朱仝、雷横各将兵器相迎。三个斗不到三合,两个回身便走。卢俊义寻思道:"须是赶翻一个,却才讨得车仗。"舍着性命,赶转山坡,两个好汉都不见了,只听得山顶上鼓板吹箫。仰面看时,风刮起那面杏黄旗来,上面绣着"替天行道"四字。转过来打一望,望见红罗销金伞下盖着宋江,左有吴用,右有公孙胜,一行部从二百馀人,一齐声喏道:"员外别来无恙!"卢俊义见了越怒,指名叫骂。山上吴用劝道:"兄长且须息怒。宋公明久闻员外清德,实慕威名,特令吴某亲诣门墙,赚员外上山，一同替天行道。请休见责。"卢俊义大骂："无端草贼，怎敢赚我！"宋江背后转过小李广花荣，拈弓取箭，看着卢俊义喝道："卢员外休要逞能，先教你看花荣神箭！"说犹未了，飕地一箭正中卢俊义头上毡笠儿的红缨。吃了一惊，回身便走。山上鼓声震地，只见霹雳火秦明、豹子头林冲，引一彪军马，摇旗呐喊，从东山边杀出来；又见双鞭将呼延灼、金枪手徐宁，也领一彪军马，摇旗呐喊，从山西边杀出来，吓得卢俊义走投没路。看看天色将晚，脚又疼，肚又饥，正是慌不择路，望山僻小径只顾走。约莫黄昏时分，烟迷远水，雾锁深山，星月微明，不分丛莽。正走之间，不到天尽头，须到地尽处，看看走到鸭嘴滩头，只一望时，都是满目芦花，茫茫烟水。卢俊义看见，仰天长叹道："是我不听好人言，今日果有凄惶事！"正烦恼间，只见芦苇里面一个渔人，摇着一只小船出来。正是：

> 生涯临野渡，茅屋隐晴川。
>
> 沽酒浑家乐，看山满意眠。
>
> 棹穿波底月，船压水中天。
>
> 惊起闲鸥鹭，冲开柳岸烟。

那渔人倚定小船叫道："客官好大胆！这是梁山泊出没的去处，半夜三更，怎地来到这里？"卢俊义道："便是我迷踪失路，寻不着宿头。你救我则个！"渔人道："此间大宽转，有一个市井，却用走三十馀里向开路程；更兼路杂，最是难认。若是水路去时，只有三五里远近。你舍得十贯钱与我，我便把船载你过去。"卢俊义道："你若渡得我过去，寻得市井客店，我多与你些银两。"那渔人摇船傍岸，扶卢俊义下船，把铁篙撑开。约行三五里水面，只听得前面芦苇丛中橹声响，一只小船飞也似来。船上有两个人，前面一个赤条条地拿着一条水篙，后面那个摇着橹。前面的

人横定篙,口里唱着山歌道:

    "生来不会读诗书,且就梁山泊内居。

    准备窝弓射猛虎,安排香饵钓鳌鱼。"

卢俊义听得,吃了一惊,不敢做声。又听得右边芦苇丛中,也是两个人摇一只小船出来。后面的摇着橹,有咿哑之声;前面的横定篙,口里也唱山歌道:

    "乾坤生我泼皮身,赋性从来要杀人。

    万两黄金浑不爱,一心要捉玉麒麟。"

卢俊义听了,只叫得苦。只见当中一只小船,飞也似摇将来,船头上立着一个人,倒提铁锁木篙,口里亦唱着山歌道:

    "芦花丛里一扁舟,俊杰俄从此地游。

    义士若能知此理,反躬逃难可无忧。"

    歌罢,三只船一齐唱喏。中间是阮小二,左边是阮小五,右边的是阮小七。那三只小船一齐撞将来。卢俊义听了,心内转惊,自想又不识水性,连声便叫渔人:"快与我拢船近岸!"那渔人呵呵大笑,对卢俊义说道:"上是青天,下是绿水。我生在浔阳江,来上梁山泊,三更不改名,四更不改姓,绰号混江龙李俊的便是!员外若还不肯降时,送了你性命!"卢俊义大惊,喝一声,说道:"不是你,便是我!"拿着朴刀,望李俊心窝里搠将来。李俊见朴刀搠将来,拿定棹牌,一个背抛筋斗,扑同的翻下水去了。那只船滴溜溜在水面上转,朴刀又搠将下水去了。只见船尾一个人从水底下钻出来,叫一声,乃是浪里白跳张顺,把手挟住船梢,脚踏水浪,把船只一侧,船底朝天,英雄落水。未知卢俊义性命如何? 正是:铺排打凤牢龙计,坑陷惊天动地人。毕竟卢俊义落水性命如何,且听下回分解。

第 六 十 二 回

放冷箭燕青救主　劫法场石秀跳楼

诗曰：

> 烟水茫茫云数重，罡星应合聚山东。岸边埋伏金睛兽，船底深藏玉爪龙。　风浩荡，月朦胧。法华开处显英雄。麒麟谩有擎天力，怎出军师妙计中。

话说这卢俊义虽是了得，却不会水，被浪里白跳张顺排翻小船，倒撞下水去。张顺却在水底下拦腰抱住，又钻过对岸来，抢了朴刀。张顺把卢俊义直奔岸边来。早点起火把，有五六十人在那里等，接上岸来，团团围住，解了腰刀，尽换下湿衣服，便要将索绑缚。只见神行太保戴宗传令高叫将来："不得伤犯了卢员外贵体！"随即差人将一包袱锦衣绣袄与卢俊义穿着。八个小喽啰抬过一乘轿来，扶卢员外上轿便行。只见远远地早有二三十对红纱灯笼，照着一簇人马，动着鼓乐，前来迎接。为头宋江、吴用、公孙胜，后面都是众头领，一齐下马。卢俊义慌忙下轿。宋江先跪，后面众头领排排地都跪下。卢俊义亦跪下还礼道："既被擒捉，愿求早死。"宋江大笑说道："且请员外上轿。"众人一齐上马，动着鼓乐，迎上三关，直到忠义堂前下马，请卢俊义到厅上，明晃晃地点着灯烛。宋江向前陪话道："小可久闻员外大名，如雷灌耳。今日幸得拜识，大慰平生！却才众兄弟甚是冒渎，万乞恕罪！"吴用上前说道："昨奉兄长之命，特令吴某亲诣门墙，以卖卦为由,赚员外上山,共聚大义,一同替天行道。"

宋江便请卢员外坐第一把交椅。卢俊义答礼道:"不才无识无能,误犯虎威,万死尚轻,何故相戏?"宋江陪笑道:"怎敢相戏!实慕员外威德,如饥如渴,万望不弃鄙处,为山寨之主,早晚共听严命。"卢俊义回说:"宁就死亡,实难从命。"吴用道:"来日却又商议。"当时置备酒食管待。卢俊义无计奈何,只得饮了几杯,小喽啰请去后堂歇了。次日,宋江杀羊宰马,大排筵宴,请出卢员外来赴席;再三再四谦让,在中间里坐了。酒至数巡,宋江起身把盏陪话道:"夜来甚是冲撞,幸望宽恕!虽然山寨窄小,不堪歇马,员外可看'忠义'二字之面。宋江情愿让位,休得推却!"卢俊义答道:"头领差矣!小可身无罪累,颇有些少家私。生为大宋人,死为大宋鬼,宁死实难听从。"吴用并众头领一个个说,卢俊义越不肯落草。吴用道:"员外既然不肯,难道逼勒?只留得员外身,留不得员外心。只是众弟兄难得员外到此,既然不肯入伙,且请小寨略住数日,却送还宅。"卢俊义道:"小可在此不妨,只恐家中知道这般的消息,忧损了老小。"吴用道:"这事容易,先教李固送了车仗回去,员外迟去几日却何妨。"正面上交椅坐定,都放了心。吴用道:"李都管,你的车仗货物都有么?"李固应道:"一些儿不少。"宋江叫取两个大银把与李固,两个小银赏发当直的,那十个车脚共与他白银十两。众人拜谢。卢俊义分付李固道:"我的苦,你都知了。你回家中,分付娘子不要忧心,我过三五日便回也。"李固只要脱身,满口应说:"但不妨事。"辞了,便下忠义堂去。吴用随即便起身,说道:"员外宽心少坐,小生发送李固下山便来也。"有诗为证:

> 梁山人马太喽啰,生赚卢公入网罗。
>
> 抵死不为非理事,未知终始果如何。

　　吴用这次起身,已有计了,只推发送李固,先到金沙滩等候。少刻,李固和两个当直的并车仗头口人伴,都下山来。吴用将引五百小喽啰,围在两边,坐在柳阴树下,便唤李固近前说道:"你的主人已和我们商议定了,今坐第二把交椅。此乃未曾上山时,预先写下四句反诗在家里壁上。我教你们知道,壁上二十八个字,每一句包着一个字:'芦花荡里一扁舟',包个'卢'字;'俊杰那能此地游',包个'俊'字;'义士手提三尺剑',包个'义'字;'反时须斩逆臣头',包个'反'字。这四句诗,包藏'卢俊义反'四字。今日上山,你们怎知!本待把你众人杀了,显得我梁山泊行短。今日放你们星夜自回去,休想望你主人回来。"李固等只顾下拜。吴用教把船送过渡口,一行人上路奔回北京。正是:鳌鱼脱却金钩去,摆尾摇头更不回。

　　话分两处。不说李固等归家,且说吴用回到忠义堂上,再入酒席,用巧言令色说诱卢俊义,筵会直到二更方散。次日,山寨里再排筵会庆贺。卢俊义说道:"感承众头领好意相留在下,只是小可度日如年,今日告辞。"宋江道:"小可不才,幸识员外。来日宋江梯己聊备小酌,对面论心一会,勿请推却。"又过了一日。明日宋江请,后日吴用请,大后日公孙胜请。话休絮繁,三十馀个上厅头领,每日轮一个做筵席。光阴荏苒,日月如梭,早过一月有馀。卢俊义寻思,又要告别。宋江道:"非是不留员外,争奈急急要回。来日忠义堂上,安排薄酒送行。"

　　次日,宋江又梯己送路。只见众头领都道:"俺哥哥敬员外十分,俺等众人当敬员外十二分。偏我哥哥筵席便吃!砖儿何厚,瓦儿何薄!"李逵在内大叫道:"我舍着一条性命,直往北京请得你来,却不吃我弟兄们筵席!我和你眉尾相结,性命相扑!"吴学究大笑道:"不曾见这般请客的,甚是粗卤!员外休怪,见他众

人薄意,再住几时。"不觉又过了四五日,卢俊义坚意要行。只见
神机军师朱武,将引一般头领直到忠义堂上,开话道:"我等虽是
以次弟兄,也曾与哥哥出气力,偏我们酒中藏着毒药?卢员外若
是见怪,不肯吃我们的,我自不妨,只怕小兄弟们做出事来,悔之
晚矣!"吴用起身便道:"你们都不要烦恼,我与你央及员外,再住
几时,有何不可。常言道:将酒劝人,终无恶意。"卢俊义抑众人
不过,只得又住了几日,前后却好三四十日。自离北京是四月的
话,不觉在梁山泊早过了四个月有馀。但见金风淅淅,玉露泠
泠,又早是中秋节近。卢俊义思量归期,对宋江诉说。宋江见卢
俊义思归苦切,便道:"这个容易,来日金沙滩送别。"卢俊义大
喜。有诗为证:

　　　　一别家山岁月赊,寸心无日不思家。

　　　　此身恨不生双翼,欲借天风过水涯。

　　次日,还把旧时衣裳刀棒送还员外,一行众头领,都送下山。
宋江托一盘金银相送,卢俊义推道:"非是卢某说口,金帛钱财家
中颇有,但得到北京盘缠足矣。赐与之物,决不敢受。"宋江等众
头领直送过金沙滩,作别自回,不在话下。

　　不说宋江回寨,只说卢俊义拽开脚步,星夜奔波。行了旬
日,到得北京,日已薄暮,赶不入城,就在店中歇了一夜。次日早
晨,卢俊义离了村店,飞奔入城。尚有一里多路,只见一人,头巾
破碎,衣裳蓝缕,看着卢俊义纳头便拜。卢俊义抬眼看时,却是
浪子燕青,便问燕青:"你怎地这般模样?"燕青道:"这里不是说
话处。"卢俊义转过土墙侧首,细问缘故。燕青说道:"自从主人
去后,不过数日,李固回来对娘子说道:'主人归顺了梁山泊宋
江,坐了第二把交椅。'如今去官司首告了。他已和娘子做了一

路,嗔怪燕青违拗,将我赶逐出门,将一应衣服尽行夺了,赶出城外。更兼分付一应亲戚相识,但有人安着燕青在家歇的,他便舍半个家私和他打官司,因此无人敢着。小乙在城中安不得身,只得来城外求乞度日,权在庵内安身。主人可听小乙言语,再回梁山泊去,别做个商议。若入城中,必中圈套。"卢俊义喝道:"我的娘子不是这般人,你这厮休来放屁!"燕青又道:"主人脑后无眼,怎知就里。主人平昔只顾打熬气力,不亲女色。娘子旧日和李固原有私情,今日推门相就,做了夫妻。主人若去,必遭毒手!"卢俊义大怒,喝骂燕青道:"我家五代在北京住,谁不识得!量李固有几颗头,敢做恁般勾当!莫不是你做出歹事来,今日倒来反说?我到家中问出虚实,必不和你干休!"燕青痛哭,拜倒地下,拖住主人衣服。卢俊义一脚踢倒燕青,大踏步便入城来。

　　奔到城内,径入家中,只见大小主管都吃一惊。李固慌忙前来迎接,请到堂上,纳头便拜。卢俊义便问:"燕青安在?"李固答道:"主人且休问,端的一言难尽!只怕发怒,待歇息定了却说。"贾氏从屏风后哭将出来,卢俊义说道:"娘子休哭,且说燕小乙怎地来?"贾氏道:"丈夫且休问,慢慢地却说。"卢俊义心中疑虑,定死要问燕青来历。李固便道:"主人且请换了衣服,吃了早膳,那时诉说不迟。"一边安排饭食与卢员外吃。方才举箸,只听得前门后门喊声齐起,二三百个做公的抢将入来。卢俊义惊得呆了,就被做公的绑了,一步一棍,直打到留守司来。

　　其时,梁中书正坐公厅,左右两行,排列狼虎一般公人七八十个,把卢俊义拿到当面。贾氏和李固也跪在侧边。厅上梁中书大喝道:"你这厮是北京本处百姓良民,如何却去投降梁山泊落草,坐了第二把交椅!如今到来,里勾外连,要打北京。今被擒来,有何理说?"卢俊义道:"小人一时愚蠢,被梁山泊吴用假做卖卦先生来家,口出讹言,扇惑良心,掇赚到梁山泊软监,过了四个月。今日幸得脱身归来,并无歹意。望恩相明镜。"梁中书喝道:"如何说得过!你在梁山泊中,若不通情,如何住了许多时?见放着你的妻子并李固出首,怎地是虚?"李固道:"主人既到这里,招伏了罢。家中壁上见写下藏头反诗,便是老大的证见,不必多说。"贾氏道:"不是我们要害你,只怕你连累我。常言道:一人造反,九族全诛!"卢俊义跪在厅下,叫起屈来。李固道:"主人不必叫屈。是真难灭,是假易除。早早招了,免致吃苦。"贾氏道:"丈夫,虚事难入公门,实事难以抵对。你若做出事来,送了我的性命。自古丈夫造反,妻子不首,不奈有情皮肉,无情杖子。你便招了,也只吃得有数的官司。"李固上下都使了钱。张孔目厅上禀说道:"这个顽皮赖骨,不打如何肯招!"梁中书道:"说的是。"喝叫一声:"打!"左右公人把卢俊义捆翻在地,不由分说,打的皮开肉绽,鲜血迸流,昏晕去了三四次。卢俊义打熬不过,仰天叹曰:"是我命中合当横死,我今屈招了罢。"张孔目当下取了招状,讨一面一百斤死囚枷钉了,押去大牢里监禁。府前府后,看的人都不忍见。当日推入牢门,吃了三十杀威棒,押到亭心内,跪在面前。狱子炕上坐着那个两院押牢节级,带管刽子,把手指道:"你认的我么?"卢俊义看了,不敢则声。那人是谁?有诗为证:

> 两院押牢称蔡福,堂堂仪表气凌云。
>
> 腰间紧系青鸾带,头上高悬垫角巾。
>
> 行刑问事人倾胆,使索施枷鬼断魂。
>
> 满郡夸称铁臂膊,杀人到处显精神。

这两院押狱兼充行刑刽子,姓蔡名福,北京土居人氏。因为他手段高强,人呼他为铁臂膊。傍边立着一个嫡亲兄弟,姓蔡名庆。亦有诗为证：

> 押狱丛中称蔡庆,眉浓眼大性刚强。
>
> 茜红衫上描鹨鹨,茶褐衣中绣木香。
>
> 曲曲领沿深染皂,飘飘博带浅涂黄。
>
> 金环灿烂头巾小,一朵花枝插鬓傍。

这个小押狱蔡庆,生来爱带一枝花,河北人氏顺口都叫他做一枝花蔡庆。那人挂着一条水火棍,立在哥哥侧边。蔡福道:"你且把这个死囚带在那一间牢里,我家去走一遭便来。"蔡庆把卢俊义自带去了。

蔡福起身出离牢门来,只见司前墙下转过一个人来,手里提着饭罐,面带忧容。蔡福认的是浪子燕青。蔡福问道:"燕小乙哥,你做甚么?"燕青跪在地下,擎着两行珠泪,告道:"节级哥哥,可怜见小人的主人卢员外,吃屈官司,又无送饭的钱财!小人城外叫化得这半罐子饭,权与主人充饥。节级哥哥怎地做个方便,便是重生父母,再长爷娘!"说罢,泪如雨下,拜倒在地。蔡福道:"我知此事。你自去送饭把与他吃。"燕青拜谢了,自进牢里去送饭。蔡福转过州桥来,只见一个茶博士叫住唱喏道:"节级,有个客人在小人茶房内楼上,专等节级说话。"蔡福来到楼上看时,却是主管李固。各施礼罢,蔡福道:"主管有何见教?"李固道:"奸不厮瞒,俏不厮欺。小人的事都在节级肚里。今夜晚间,只要光前绝后①。无甚孝顺,五十两蒜条金在此,送与节级。厅上官吏,小人自去打点。"蔡福笑道:"你不见正厅戒石②上刻着'下

---

① 光前绝后——这里指把人暗杀了,干干净净,不留一点痕迹。

② 戒石——宋时,每个官厅里都竖有一块石碑,上刻着做官的诫条,称为戒石。

民易虐,上苍难欺'？你的那瞒心昧己勾当,怕我不知？你又占
了他家私,谋了他老婆,如今把五十两金子与我,结果了他性命。
日后提刑官下马①,我吃不的这等官司！"李固道："只是节级嫌
少,小人再添五十两。"蔡福道："李固,你割猫儿尾拌猫儿饭。北
京有名怎地一个卢员外,只直得这一百两金子？你若要我倒地
他,不是我诈你,只把五百两金子与我！"李固便道："金子有在这
里,便都送与节级,只要今夜晚些成事。"蔡福收了金子,藏在身
边,起身道："明日早来扛尸。"李固拜谢,欢喜去了。

蔡福回到家里,却才进门,只见一人揭起芦帘,随即入来。
那人叫声："蔡节级相见。"蔡福看时,但见那一个人生得十分标
致。有诗为证：

> 身穿鸦翅青团领,腰系羊脂玉闹妆。
>
> 头戴鹧鸪冠一具,足蹑珍珠履一双。
>
> 规行矩步端详士,目秀眉清年少郎。
>
> 礼贤好客为柴进,四海驰名小孟尝。

那人进得门,看着蔡福便拜。蔡福慌忙答礼,便问道："官人
高姓？有何说话？"那人道："可借里面说话。"蔡福便请入来一个
商议阁里,分宾坐下。那人开话道："节级休要吃惊,在下便是沧
州横海郡人氏,姓柴名进,大周皇帝嫡派子孙,绰号小旋风的便
是。只因好义疏财,结识天下好汉,不幸犯罪,流落梁山泊。今
奉宋公明哥哥将令,差遣前来打听卢员外消息。谁知被赃官污
吏淫妇奸夫通情陷害,监在死囚牢里,一命悬丝,尽在足下之手。
不避生死,特来到宅告知：如是留得卢员外性命在世,佛眼相看,

---

① 提刑官下马——宋时,皇帝派到各地查勘司法情况的官,名为提点刑狱官,
省称提刑官。下马,就是停留在此地。

不忘大德；但有半米儿差错，兵临城下，将至濠边，无贤无愚，无老无幼，打破城池，尽皆斩首！久闻足下是个仗义全忠的好汉，无物相送，今将一千两黄金薄礼在此。倘若要捉柴进，就此便请绳索，誓不皱眉。"蔡福听罢，吓的一身冷汗，半晌答应不的。柴进起身道："好汉做事，休要踌躇，便请一决。"蔡福道："且请壮士回步，小人自有措置。"柴进拜谢道："既蒙语诺，当报大恩。"出门唤过从人，取出黄金一包，递在蔡福手里，唱个喏便走。外面从人，乃是神行太保戴宗，——又是一个不会走的！

　　蔡福得了这个消息，摆拨① 不下，思量半晌，回到牢中，把上项的事却对兄弟说了一遍。蔡庆道："哥哥平生最会决断，量这些小事，有何难哉！常言道：杀人须见血，救人须救彻。既然有一千两金子在此，我和你替他上下使用。梁中书、张孔目都是好利之徒，接了贿赂，必然周全卢俊义性命。葫芦提配将出去，救的救不的，自有他梁山泊好汉，俺们干的事便了也。"蔡福道："兄弟这一论，正合我意。你且把卢员外安顿好处，牢中早晚把些好酒食将息他，传个消息与他。"蔡福、蔡庆两个商议定了，暗地里把金子买上告下，关节已定。

　　次日，李固不见动静，前来蔡福家催并。蔡庆回说："我们正要下手结果他，中书相公不肯，已有人分付要留他性命。你自去上面使用，嘱付下来，我这里何难。"李固随即又央人去上面使用，中间过钱人去嘱托，梁中书道："这是押牢节级的勾当，难道教我下手？过一两日，教他自死。"两下里厮推。张孔目已得了金子，只管把文案拖延了日期。蔡福就里又打关节，教及早发落。张孔目将了文案来禀，梁中书道："这事如何决断？"张孔目

---

　　① 摆拨——同摆布。

道:"小吏看来,卢俊义虽有原告,却无实迹。虽是在梁山泊住了许多时,这个是扶同诖误①,难问真犯。脊杖四十,刺配三千里。不知相公意下如何?"梁中书道:"孔目见得极明,正与下官相合。"随唤蔡福牢中取出卢俊义来,就当厅除了长枷,读了招状文案,决了四十脊杖,换一具二十斤铁叶盘头枷,就厅前钉了,便差董超、薛霸管押前去,直配沙门岛。原来这董超、薛霸自从开封府做公人,押解林冲去沧州,路上害不得林冲,回来被高太尉寻事刺配北京。梁中书因见他两个能干,就留在留守司勾当。今日又差他两个监押卢俊义。当下董超、薛霸领了公文,带了卢员外,离了州衙,把卢俊义监在使臣房里,各自归家收拾行李包裹,即便起程。有诗为证:

> 贾氏奸淫最不才,忍将夫主撮刑灾。
>
> 若非柴进行金谍,俊义安能配出来。

且说李固得知,只叫得苦,便叫人来请两个防送公人说话。董超、薛霸到得那里酒店内,李固接着,请至阁儿里坐下,一面铺排酒食管待。三杯酒罢,李固开言说道:"实不相瞒上下,卢员外是我仇家。如今配去沙门岛,路途遥远,他又没一文,教你两个空费了盘缠,急待回来,也得三四个月。我没甚的相送,两锭大银,权为压手。多只两程,少无数里,就便的去处,结果了他性命,揭取脸上金印回来表证,教我知道,每人再送五十两蒜条金与你。你们只动得一张文书,留守司房里,我自理会。"董超、薛霸两两相觑,沉吟了半晌,见了两个大银,如何不起贪心。董超道:"只怕行不得。"薛霸便道:"哥哥,这李官人也是个好男子。

---

① 扶同诖(guà)误——扶同,是牵连的意思;扶同诖误,是被人牵连因而做错了事的意思。

我们也把这件事结识了他，若有急难之处，要他照管。"李固道："我不是忘恩失义的人，慢慢地报答你两个。"

董超、薛霸收了银子，相别归家，收拾包裹，连夜起身。卢俊义道："小人今日受刑，杖疮疼痛，容在明日上路！"薛霸骂道："你便闭了鸟嘴！老爷自悔气，撞着你这穷神！沙门岛往回六千里有馀，费多少盘缠，你又没一文，教我们如何布摆！"卢俊义诉道："念小人负屈含冤，上下看觑则个。"董超骂道："你这财主们，闲常一毛不拔，今日天开眼，报应得快！你不要怨怅，我们相帮你走。"卢俊义忍气吞声，只得走动。行出东门，董超、薛霸把衣包雨伞，都挂在卢员外枷头上。况是囚人，无计奈何。那堪又值晚秋天气，纷纷黄叶坠，对对塞鸿飞，心怀四海三江阔，腹隐千辛万苦愁，忧闷之中，只听的横笛之声。俊义吟诗一首：

"谁家玉笛弄秋清，撩乱无端恼客情。

自是断肠听不得，非干吹出断肠声。"

两个公人一路上做好做恶，管押了行。看看天色傍晚，约行了十四五里，前面一个村镇，寻觅客店安歇。旧时客店，但见公人监押因徒来歇，不敢要房钱。当时小二哥引到后面房里，安放了包裹。薛霸说道："老爷们苦杀是个公人，那里倒来扶侍罪人？你若要饭吃，快去烧火！"卢俊义只得带着枷来到厨下，问小二哥讨了个草柴，缚做一块，来灶前烧火。小二哥替他淘米做饭，洗刷碗盏。卢俊义是财主出身，这般事却不会做，草柴火把又湿，又烧不着，一齐灭了；甫能尽力一吹，被灰眯了眼睛。董超又喃喃讷讷地骂。做得饭熟，两个都盛去了，卢俊义并不敢讨吃。两个自吃了一回，剩下些残汤冷饭，与卢俊义吃了。薛霸又不住声骂了一回，吃了晚饭，又叫卢俊义去烧脚汤。等得汤滚，卢俊义方敢房里去坐地。两个自洗了脚，掇一盆百煎滚汤，赚卢俊义洗脚。方才脱得草鞋,被薛霸扯两条腿纳在滚汤里,大痛难禁。薛霸道:"老爷伏侍你,颠倒做嘴脸!"两个公人自去炕上睡了。把一条铁索将卢员外锁在房门背后,声唤到四更。两个起来,叫小二哥做饭,自吃了出门,收拾了包裹要行。卢俊义看脚时,都是潦浆泡,点地不得,寻那旧草鞋,又不见了。董超道:"我把一双新草鞋与你。"却是夹麻皮做的,穿上都打破了脚,出不的门。当日秋雨纷纷,路上又滑,卢俊义一步一撇,薛霸拿起水火棍拦腰便打,董超假意去劝,一路上埋冤叫苦。

离了村店,约行了十馀里,到一座大林。卢俊义道:"小人其实捱不动了,可怜见权歇一歇!"两个公人带入林子来,正是东方渐明,未有人行。薛霸道:"我两个起得早了,好生困倦,欲要就林子里睡一睡,只怕你走了。"卢俊义道:"小人插翅也飞不去!"薛霸道:"莫要着你道儿,且等老爷缚一缚!"腰间解麻索下来,兜住卢俊义肚皮,去那松树上只一勒,反拽过脚来,绑在树上。薛霸对董超道:"大哥,你去林子外立着,若有人来撞着,咳嗽为号。"董超道:"兄弟,放手快些个。"薛霸道:"你放心去看着外面。"说罢,拿起水火棍,看着卢员外道:"你休怪我两个,你家主管李固,教我们路上结果你。便到沙门岛也是死,不如及早打发了,你阴司地府不要怨我们。明年今日,是你周年。"卢俊义听了,泪如雨下,低头受死。

薛霸两只手拿起水火棍,望着卢员外脑门上劈将下来。董超在外面只听得一声扑地响,慌忙走入林子里来看时,卢员外依旧缚在树上,薛霸倒仰卧倒树下,水火棍撇在一边。董超道:"却又作怪!莫不是他使的力猛,倒吃一跤?"仰着脸四下里看时,不见动静。薛霸口里出血,心窝里露出三四寸长一枝小小箭杆。却待要叫,只见东北角树上,坐着一个人,听的叫声:"着!"撒手响处,董超脖项上早中了一箭,两脚蹬空,扑地也倒了。

　　那人托地从树上跳将下来,拔出解腕尖刀,割断绳索,劈碎盘头枷,就树边抱住卢员外放声大哭。卢俊义开眼看时,认得是浪子燕青,叫道:"小乙,莫不是魂魄和你相见么?"燕青道:"小乙直从留守司前,跟定这厮两个。见他把主人监在使臣房里,又见李固请去说话,小乙疑猜这厮们要害主人,连夜直跟出城来。主人在村店里被他作贱,小乙伏在外头壁子缝里都张得见。本要跳过来杀公人,却被店内人多不敢下手。比及五更里起来,小乙先在这里等候,想这厮们必来这林子里下手。被我两弩箭,结果了他两个,主人见么?"这浪子燕青那把弩弓,三枝快箭,端的是百发百中。但见:

　　　　弩桩劲裁乌木,山根对嵌红牙。拨手轻衬水晶,弦索半抽金线。背缠锦袋,弯弯如秋月未圆;稳放雕翎,急急似流星飞迸。绿槐影里,娇莺胆战心惊;翠柳阴中,野鹊魂飞魄散。好手人中称好手,红心里面夺红心。

　　卢俊义道:"虽是你强救了我性命,却射死这两个公人,这罪越添得重了。待走那里去的是?"燕青道:"当初都是宋公明苦了主人,今日不上梁山泊时,别无去处。"卢俊义道:"只是我杖疮发作,脚皮破损,点地不得。"燕青道:"事不宜迟,我背着主人去。"便去公人身边搜出银两,带着弩弓,插了腰刀,拿了水火棍,背着卢俊义,一直望东边行。走不到十数里,早驮不动,见一个小小村店,入到里面,寻房安下,买些酒肉,权且充饥。两个暂时安歇这里。

　　却说过往人看见林子里射死两个公人在彼,近处社长报与里正得知,却来大名府里首告。随即差官下来检验,却是留守司公人董超、薛霸。回复梁中书,着落大名府缉捕观察,限了日期,要捉凶身。做公的人都来看了,"论这弩箭,眼见得是浪子燕青的。事不宜迟。"一二百做公的,分头去一到处贴了告示,说那两个模样,晓谕远近村房道店,市镇人家,挨捕捉拿。

却说卢俊义正在村店房中将息杖疮,又走不动,只得在那里且住。店小二听得有杀人公事,村坊里排头说来,画两个模样。小二见了,连忙去报本处社长:"我店里有两个人,好生脚叉①。不知是也不是?"社长转报做公的去了。

却说燕青为无下饭,拿了弩子去近边处寻几个虫蚁吃,却待回来,只听得满村里发喊。燕青躲在树林里张时,看见一二百做公的枪刀围定,把卢俊义缚在车子上,推将过去。燕青要抢出去救时,又无军器,只叫得苦。寻思道:"若不去梁山泊报与宋公明得知,叫他来救,却不是我误了主人性命!"当时取路,行了半夜,肚里又饥,身边又没一文。走到一个土岗子上,丛丛杂杂,有些树木,就林子里睡到天明,心中忧闷。只听得树枝上喜雀咭咭噪噪,寻思道:"若是射得下来,村房人家讨些水煮瀑得熟,也得充饥。"走出林子外,抬头看时,那喜雀朝着燕青噪。燕青轻轻取出弩弓,暗暗问天买卦,望空祈祷说道:"燕青只有这一枝箭了!若是救的主人性命,箭到处灵雀坠空;若是主人命运合休,箭到灵雀飞去。"搭上箭,叫声:"如意不要误我!"弩子响处,正中喜雀后尾,带了那枝箭,直飞下岗子去。燕青大踏步赶下岗子去,不见了喜雀。正寻之间,只见两个人从前面走来。怎生打扮?但见:

> 前头的,带顶猪嘴头巾,脑后两个金裹银环,上穿香皂罗衫,腰系销金搭膊,穿半膝软袜麻鞋,提一条齐眉棍棒。后面的,白范阳遮尘笠子,茶褐攒线绸衫,腰系绯

---

① 脚叉——来路不明、陌生。

红缠袋,脚穿踢土皮鞋,背了衣包,提条短棒,跨口腰刀。

这两个来的人,正和燕青打个肩厮拍。燕青转回身看了这两个,寻思道:"我正没盘缠,何不两拳打倒两个,夺了包裹,却好上梁山泊。"揣了弩弓,抽身回来。这两个低着头,只顾走。燕青赶上,把后面带毡笠儿的后心一拳,扑地打倒。却待拽拳再打那前面的,反被那汉子手起棒落,正中燕青左腿,打翻在地。后面那汉子扒将起来,踏住燕青,掣出腰刀,劈面门便剁。燕青大叫道:"好汉!我死不妨,着谁上梁山泊报信?"那汉便不下刀,收住了手,提起燕青问道:"你这厮上梁山泊报甚么音信?"燕青道:"你问我待怎地?"那前面的好汉,把燕青手一拖,却露出手腕上花绣,慌忙问道:"你不是卢员外家甚么浪子燕青?"燕青想道:"左右是死,率性说了,教他捉去和主人阴魂做一处。"便道:"我正是卢员外家浪子燕青。今要上梁山泊报信,教宋公明救我主人则个。"二人见说,呵呵大笑,说道:"早是不杀了你,原来正是燕小乙哥。你认得我两个么?"穿皂的不是别人,梁山泊头领病关索杨雄;后面的便是拚命三郎石秀。杨雄道:"我两个今奉哥哥将令,差往北京打听卢员外消息。"燕青听得是杨雄、石秀,把上件事都对两个说了。杨雄道:"既是如此说时,我和燕青上山寨报知哥哥,别做个道理。你可自去北京打听消息,便来回报。"石秀道:"最好。"便把包裹与燕青背了。跟着杨雄,连夜上梁山泊来。见了宋江,燕青把上项事备细说了一遍。宋江大惊,便会众头领商议良策。

且说石秀只带自己随身衣服,来到北京城外,天色已晚,入不得城,就城外歇了一宿。次日早饭罢,入得城来,但见人人嗟叹,个个伤情。石秀心疑,来到市心里,只见人家闭户关门。石秀问市户人家时,只见一个老丈回言道:"客人你不知。我这北京有个卢员外,等地①财主,因被梁山泊贼人掳掠前去,逃得回来,倒吃了一场屈官司,送配去沙门岛。又不知怎地路上坏了两个公人,昨夜拿来,今日午时三刻解来这里市曹上斩他。客人可看一看。"石秀听罢,走来市曹上看时,十字路口是个酒楼。石秀便来酒楼上,临街占个阁儿坐下。酒保前来问道:"客官还是请人,只是独自酌杯?"石秀睁着怪眼,说道:"大碗酒,大块肉,只顾卖来,问甚么鸟!"酒保倒吃了一惊。打两角酒,切一大盘牛肉,将来只顾吃。石秀大碗吃了一回,坐不多时,只听得楼下街上热闹。石秀便去楼窗外看时,只见家家闭户,铺铺关门。酒保上楼来道:"客官醉也! 楼下出公事,快算了酒钱,别处去回避。"石秀道:"我怕甚么鸟! 你快走下去,莫要讨老爷打吃!"酒保不敢做声,下楼去了。不多时,只见街上锣鼓喧天价来。但见:

> 两声破鼓响,一棒碎锣鸣。皂纛旗招展如云,柳叶枪交加似雪。犯由牌前引,白混棍后随。押牢节级狰狞,仗刃公人猛勇。高头马上,监斩官胜似活阎罗;刀剑林中,掌法吏犹如追命鬼。可怜十字街心里,要杀含冤负屈人。

石秀在楼窗外看时,十字路口,周回围住法场,十数对刀棒刽子,前排后拥,把卢俊义押到楼前跪下。铁臂膊蔡福拿着法刀,一枝花蔡庆扶着枷梢,说道:"卢员外,你自精细看。不是我弟兄两个救你的,事做拙了! 前面五圣堂里,我已安排下你的坐位了,你可一魂去那里领受。"说罢,人丛里一声叫道:"午时三

---

① 等地——当地。

刻到了!"一边开枷,蔡庆早拿住了头,蔡福早掣出法刀在手。当案孔目高声读罢犯由牌,众人齐和一声。楼上石秀只就那一声和里,掣着腰刀在手,应声大叫:"梁山泊好汉全伙在此!"蔡福、蔡庆撇了卢员外,扯了绳索先走。石秀从楼上跳将下来,手举钢刀,杀人似砍瓜切菜,走不迭的,杀翻十数个。一只手拖住卢俊义,投南便走。原来这石秀不认得北京的路,更兼卢员外惊得呆了,越走不动。

梁中书听得报来,大惊,便点帐前头目,引了人马,分头去把城四门关上;差前后做公的,合将拢来。快马强兵,怎出高城峻垒?且看石秀、卢俊义走向那里出去。正是:分开陆地无牙爪,飞上青天欠羽毛。毕竟卢员外同石秀当下怎地脱身,且听下回分解。

第 六 十 三 回

宋江兵打北京城　关胜议取梁山泊

诗曰：

北京留守多雄伟，四面高城崛然起。

西风飒飒骏马鸣，此日冤囚当受死。

俊义之冤谁雪洗，时刻便为刀下鬼。

纷纷戈剑乱如麻，后拥前遮集如蚁。

英雄忿怒举青锋，翻身直下如飞龙。

步兵骑士悉奔走，凛凛杀气生寒风。

六街三市尽回首，尸横骸卧如猪狗。

可怜力寡难抵当，将身就缚如摧朽。

他时奋出图圄中，胆气英英大如斗。

话说当时石秀和卢俊义两个，在城内走头没路，四下里人马合来，众做公的把挠钩搭住，套索绊翻。可怜悍勇英雄，方信寡不敌众，两个当下尽被捉了。解到梁中书面前，叫押过劫法场的贼来。石秀押在厅下，睁圆怪眼，高声大骂："你这败坏国家，害百姓的贼！我听着哥哥将令，早晚便引军来，打你城子，踏为平地，把你砍做三截。先教老爷来和你们说知。"石秀在厅前千贼万贼价骂，厅上众人都唬呆了。梁中书听了，沉吟半晌，叫取大枷来，且把二人枷了，监放死囚牢里，分付蔡福在意看管，休教有失。蔡福要结识梁山泊好汉，把他两个做一处牢里关着，每日好酒好肉,与他两个吃,因此不曾吃苦,倒将养得好了。

却说梁中书唤本州新任王太守,当厅发落,就城中计点被伤人数,杀死的有七八十个,跌伤头面、磕损皮肤、撞折腿脚者,不计其数。报名在官,梁中书支给官钱,医治、烧化了当。次日,城里城外报说将来,收得梁山泊没头帖子数十张,不敢隐瞒,只得呈上。梁中书看了,吓得魂飞天外,魄散九霄。帖上写道:

　　"梁山泊义士宋江,仰示大名府,布告天下:今为大宋朝滥官当道,污吏专权,殴死良民,涂炭万姓。北京卢俊义,乃豪杰之士,今者启请上山,一同替天行道。特令石秀先来报知,不期俱被擒捉。如是存得二人性命,献出淫妇奸夫,吾无侵扰;倘若误伤羽翼,屈坏股肱,拔寨兴兵,同心雪恨,人兵到处,玉石俱焚。天地咸扶,鬼神共佑。剿除奸诈,殄灭愚顽,谈笑入城,并无轻恕。义夫节妇,孝子顺孙,好义良民,清慎官吏,切勿惊惶,各安职业。谕众知悉。"

当时梁中书看了没头告示,便唤王太守到来,商议此事如何剖决。王太守是个善懦之人,听得说了这话,便禀梁中书道:"梁山泊这一伙,朝廷几次尚且收捕他不得,何况我这里孤城小处。倘若这亡命之徒引兵到来,朝廷救兵不迭,那时悔之晚矣!若论小官愚意,且姑存此二人性命,一面写表申奏朝廷,二乃奉书呈上蔡太师恩相知道,三者可教本处军马出城下寨,提备不虞。如此可保北京无事,军民不伤。若将这两个一时杀坏,仍恐寇兵临城,一者无兵解救,二者朝廷见怪,三乃百姓惊慌,城中扰乱,深为未便。"梁中书听了道:"知府言之极当。"先唤押牢节级蔡福发放道:"这两个贼徒,非同小可。你若是拘束得紧,诚恐丧命;若教你宽松,又怕他走了。你弟兄两个,早早晚晚,可紧可慢,在意坚固管候发落,休得时刻怠慢。"蔡福听了,心中暗喜,如此发放,正中下怀。领了钧旨,自去牢中安慰他两个,不在话下。

只说梁中书便唤兵马都监大刀闻达、天王李成两个,都到厅前商议。梁中书备说梁山泊没头告示,王太守所言之事。两个都监听罢,李成便道:"量这伙草寇,如何肯擅离巢穴,相公何必有劳神思。李某不才,食禄多矣,无功报德,愿施犬马之劳,统领军卒,离城下寨。草寇不来,别作商议;如若那伙强寇年衰命尽,擅离巢穴,领众前来,不是小将夸其大言,定令此贼片甲不回。上报国家俸禄之恩,下伸平生所学之志,肝胆涂地,并无异心。"梁中书听了大喜,随即取金碗绣段,赏劳二将。两个辞谢,别了梁中书,各回营寨安歇。

次日,李成升帐,唤大小官军上帐商议。傍边走过一人,威风凛凛,相貌堂堂,姓索名超,绰号急先锋,惯使两把金蘸斧。李成传令道:"宋江草寇,早晚临城,要来打俺北京。你可点本部军兵,离城三十五里下寨。我随后却领军来。"索超得了将令,次日点起本部军兵,至三十五里地名飞虎峪,靠山下了寨栅。次日,李成引领正偏将,离城二十五里地名槐树坡,下了寨栅。周围密布枪刀,四下深藏鹿角,三面掘下陷坑。众军磨拳擦手,诸将协力同心,只等梁山泊军马到来,便要建功。有诗为证:

> 金鼓喧天大寨中,人如貔虎马如龙。
> 一心忠赤无余事,只要当朝建大功。

话分两头。原来这没头帖子,却是神行太保戴宗打听得卢员外、石秀都被擒捉,因此虚写告示,向没人处撒下,及桥梁道路上贴放,只要保全卢俊义、石秀二人性命。回到梁山泊寨内,把上项事备细与众头领说知。宋江听罢大惊,就忠义堂上打鼓集众,大小头领各依次序而坐。宋江开话对吴学究道:"当初军师好意,启请卢员外上山来聚义。今日不想却教他受苦,又陷了石秀兄弟。当用何计可救?"吴用道:"兄长放心。小生不才,愿献一计,乘此机会,就取北京钱粮,以供山寨之用。明日是个吉辰,请兄长分一半头领,把守山寨,其馀尽随我等去打城池。"宋江道:"军师之言极当。"便唤铁面孔目裴宣,派拨大小军兵,来日起程。黑旋风李逵便道:"我这两把大斧,多时不曾发市。听得打州劫县,我也在厅边欢喜。哥哥拨与我五百小喽啰,抢到北京,把梁中书砍做肉泥,拿住李固和那婆娘碎尸万段,救取卢员外、石秀二人性命,是我心愿。"宋江道:"兄弟虽然勇猛,这北京非比别处州府。且梁中书又是蔡太师女婿,更兼手下有李成、闻达,都有万夫不当之勇,不可轻敌。"李逵大叫道:"哥哥这般长别人志气,灭自己威风!且看兄弟去如何,若还输了,誓不回山。"吴用道:"既然你要去,便教做先锋,点与五百好汉相随,就充头阵,来日下山。"

　　当晚宋江和吴用商议,拨定了人数。裴宣写了告示,送到各寨,各依拨次施行,不得时刻有误。此时秋末冬初天气,征夫容易披挂,战马易得肥满。军卒久不临阵,皆生战斗之心;各恨不平,尽想报仇之念。得蒙差遣,欢天喜地,收拾枪刀,拴束鞍马,磨拳擦掌,时刻下山。第一拨,当先哨路黑旋风李逵,部领小喽啰五百。第二拨,两头蛇解珍、双尾蝎解宝、毛头星孔明、独火星孔亮,部领小喽啰一千。第三拨,女头领一丈青扈三娘,副将母夜叉孙二娘、母大虫顾大嫂,部领小喽啰一千。第四拨,扑天雕李应,副将九纹龙史进、小尉迟孙新,部领小喽啰一千。中军主将都头领宋江,军师吴用。簇帐头领四员:小温侯吕方、赛仁贵郭盛、病尉迟孙立、镇三山黄信。前军头领霹雳火秦明,副将百胜将韩滔、天目将彭玘。后军头领豹子头林冲,副将铁笛仙马麟、火眼狻猊邓飞。左军头领双鞭将呼延灼,副将摩云金翅欧鹏、锦毛虎燕顺。右军头领小李广花荣,副将跳涧虎陈达、白花蛇杨春。并带炮手轰天雷凌振。接应粮草头领一员,神行太保戴宗。军兵分拨已定,平明,各头领依次而行,当日进发。只留下副军师公孙胜并刘唐、朱仝、穆弘四个头领,统领马步军兵守把山寨三关。水寨中自有李俊等守把,不在话下。有诗为证:

> 石秀无端闹法场,圄扉枷杻苦遭殃。

> 梁山大举鹰扬旅,水陆横行孰敢当。

却说索超正在飞虎峪寨中坐地,只见流星报马前来,报说宋江军马大小人兵不计其数,离寨约有二三十里,将近到来。索超听的,飞报李成槐树坡寨内。李成听了,一面报马入城,一面自备了战马,直到前寨。索超接着,说了备细。次日五更造饭,平明拔寨都起,前到庾家疃,列成阵势,摆开一万五千人马。李成、索超全副披挂,门旗下勒住战马。平东一望,远远地尘土起处,约有五百馀人,飞奔前来。李成鞭梢一指,军健脚踏硬弩,手拽强弓。梁山泊好汉,在庾家疃一字儿摆成阵势。只见:

> 人人都带茜红巾,个个齐穿绯衲袄。鹭鸶腿紧系脚绑,
> 虎狼腰牢拴裹肚。三股叉直进寒光,四棱简横拖冷雾。
> 柳叶枪、火尖枪,密密如麻;青铜刀、偃月刀,纷纷似雪。
> 满地红旗飘火焰,半空赤帜耀霞光。

东阵上只见一员好汉当前出马,乃是黑旋风李逵,手搦双斧,睁圆怪眼,咬碎钢牙,高声大叫:“认得梁山泊好汉黑旋风么!”李成在马上看了,与索超大笑道:“每日只说梁山泊好汉,原来只是这等腌臜草寇,何足为道!先锋,你看么,何不先捉此贼!”索超笑道:“割鸡焉用牛刀。自有战将建功,不必主将挂念。”言未绝,索超马后一员首将,姓王名定,手搦长枪,引领部下

一百马军，飞奔冲将过来。李逵胆勇过人，虽是带甲遮护，怎当军马一冲，当时四下奔走。索超引军直赶过庾家疃来。只见山坡背后锣鼓喧天，早撞出两彪军马，左有解珍、孔亮，右有孔明、解宝，各领五百小喽啰冲杀将来。索超见他有接应军马，方才吃惊，不来追赶，勒马便回。李成问道："如何不拿贼来？"索超道："赶过山去，正要拿他，原来这厮们倒有接应人马，伏兵齐起，难以下手。"李成道："这等草寇，何足惧哉！"将引前部军兵，尽数杀过庾家疃来。只见前面摇旗呐喊，擂鼓鸣锣，又是一彪军马。当先一骑马上，却是一员女将，结束得十分标致。有《念奴娇》为证：

> 玉雪肌肤，芙蓉模样，有天然标格。金铠辉煌鳞甲动，银渗红罗抹额。玉手纤纤，双持宝刃，恁英雄煊赫。眼溜秋波，万种妖娆堪摘。　　谩驰宝马当前，霜刃如风，要把官军斩馘。粉面尘飞，征袍汗湿，杀气腾胸腋。战士消魂，敌人丧胆，女将中间奇特。得胜归来，隐隐笑生双颊。

且说这扈三娘引军红旗上，金书大字"女将一丈青"，左有顾大嫂，右有孙二娘，引一千馀军马，都是七长八短汉，四山五岳人。李成看了道："这等军人，作何用处！索超与我向前迎敌，我却分兵勒捕四下草寇。"索超领了将令，手搽金蘸斧，拍坐下马，杀奔前来。一丈青勒马回头，望山凹里便走。李成分开人马，四下里赶杀。正赶之间，只听的喊声震地，雾气遮天，一彪人马飞也似追来。李成急急退兵十四五里，首尾不能管顾。急退入庾家疃时，左冲出解珍、孔亮，部领人马，赶杀将来；右冲出孔明、解宝，部领人马，又杀到来；三员女将，拨转马头，随后杀来，赶的李成军马四分五落。急待回寨，黑旋风李逵当先拦住。李成、索超冲开人马,夺路而去。比及回寨,大折一阵。宋江军马也不追赶,一面收兵暂歇,扎下营寨。

且说李成、索超慌忙入城报知,梁中书连夜再差闻达速领本部军马,前来助战。李成接着,就槐树坡寨内商议退兵之策。闻达笑道:"疥癞之疾,何足挂意!闻某不才,来日愿决一阵,势不相负。"当夜商议定了,传令与军士得知。四更造饭,五更披挂,平明进兵。战鼓三通,拔寨都起,前到庾家疃,早见宋江军马,拨风也似价来。但见:

> 征云冉冉飞晴空,征尘漠漠迷西东。
> 十万貔貅声振地,车厢火炮如雷轰。
> 鼛鼓咚咚撼山谷,旌旗猎猎摇天风。
> 枪影摇空翻玉蟒,剑光耀日飞苍龙。
> 六师鹰扬鬼神泣,三军英勇豼虎同。
> 罡星煞曜降凡世,天蓬丁甲离青穹。
> 银盔金甲濯冰雪,强弓劲弩真难攻。
> 人人只欲尽忠义,擒王斩将非邀功。
> 索超李成悉败走,有如脱兔潜葭蓬。
> 败军残卒各逃命,陆路恐惧心怔忡。
> 大刀闻达不知量,狂言逞技真雕虫。
> 四面伏兵一齐发,蜂兵蚁聚村疃中。
> 乱兵俘获竟难免,聚义堂上重相逢。

当日大刀闻达,便教将军马摆开,强弓硬弩,射住阵脚。花腔鼍鼓擂,杂彩绣旗摇。宋江阵中,当先捧出一员大将,红旗银字,大书"霹雳火秦明"。怎生打扮?

> 头上朱红漆笠,身穿绛色袍鲜。连环铠甲兽吞肩,抹绿
> 战靴云嵌。凤翅明盔耀日,狮蛮宝带腰悬。狼牙混棍

手中拈,凛凛英雄罕见。

秦明勒马,应声高叫:"北京滥官污吏听着！多时要打你这城子,诚恐害了百姓良民。好好将卢俊义、石秀送将过来,淫妇奸夫一同解出,我便退兵罢战,誓不相侵。若是执迷不悟,便教昆仑火起,玉石俱焚,只在目前。有话早说,休得俄延！"话犹未了,闻达大怒,便问首将:"谁与我力擒此贼？"话言未了,脑后鸾铃响处,一员大将当先出马。怎生打扮？

耀日兜鍪晃晃,连环铁甲重重。团花点翠锦袍红,金带鈒成双凤。鹊画弓藏袋内,狼牙箭插壶中。雕鞍稳定五花龙,大斧手中摩弄。

这个是北京上将,姓索名超,因为此人性急,人皆呼他为急先锋。出到阵前高声喝道:"你这厮是朝廷命官,国家有何负你？你好人不做,却去落草为贼！我今日拿住你时,碎尸万段,死有馀辜！"这个秦明,又是一个性急的人,听了这话,正是炉中添炭,火上浇油,拍马向前,轮动狼牙棍,直奔将来。索超纵马直挺秦明。二匹劣马相交,两般军器并举,众军呐喊,斗到二十馀合,不分胜败。宋江军中,先锋队里转过韩滔,就马上拈弓搭箭,觑的索超较亲,飕地只一箭,正中索超左臂,撇了大斧,回马望本阵便走。宋江鞭梢一指,大小三军一齐卷杀过来,杀的尸横遍野,流血成河,大败亏输。直追过庾家疃,随即夺了槐树坡小寨。当晚闻达直奔飞虎峪,计点军兵,三停去一。宋江就槐树坡寨内屯扎。吴用道:"军兵败走,心中必怯。若不乘势追赶,诚恐养成勇气,急忙难得。"宋江道:"军师言之极当。"随即传令,当晚就将精锐得胜军将分作四路,连夜进发,杀奔城来。

再说闻达奔到飞虎峪,忙忙似丧家之犬,急急如漏网之鱼。正在寨中商议计策,小校来报,近山上一带火起。闻达带领军兵,上马看时,只见东边山上,火把不知其数,照的遍山遍野通红。闻达便引军兵迎敌。山后又是马军来到,当先首将小李广花荣,引副将杨春、陈达横杀将来。闻达措手不及,领兵便回飞虎峪。西边山上,火把不知其数,当先首将双鞭呼延灼,引副将欧鹏、燕顺冲击将来。后面喊声又起,却是首将霹雳火秦明,引副将韩滔、彭玘并力杀来。闻达军马大乱,拔寨都起。只见前面喊声又起,火光晃耀,却是轰天雷凌振,将带副手,从小路直转飞虎峪那边,放起炮来。闻达引军夺路,奔城而去。只见前面鼓声响处,早有一彪军马拦路,火光丛中,闪出首将豹子头林冲,引副将马麟、邓飞截住归路。四下里战鼓齐鸣,烈火竞起,众军乱撺,各自逃生。闻达手舞大刀,杀开条路走,正撞着李成,合兵一处,且战且走。战到天明,已至城下。梁中书听的这个消息,惊的三魂荡荡,七魄幽幽,连忙点军出城,接应败残人马,紧闭城门,坚守不出。次日,宋江军马追来,直抵东门下寨,准备攻城,急于风火。有诗为证:

　　梁山兵马势鹰扬,杀气英风不可当。
　　城内军民俱被困,便须写表告君王。
　　且说梁中书在留守司聚众商议,难以解救。李成道:"贼兵临城,事在告急,若是迟延,必至失陷。相公可修告急家书,差心腹之人,星夜赶上京师,报与蔡太师知道,早奏朝廷,调遣精兵,前来救应,此是上策。第二,作紧行文关报邻近府县,亦教早早调兵接应。第三,北京城内着仰大名府起差民夫上城,同心协助,守护城池,准备擂木炮石,踏弩硬弓,灰瓶金汁,晓夜提备。如此可保无虞。"梁中书道:"家书随便修下,谁人去走一遭?"当日差下首将王定,全副披挂,又差数个马军,领了密书,放开城门吊桥,望东京飞报声息,及关报邻近府分,发兵救应。先仰王太守起集民夫上城守护,不在话下。

且说宋江分调众将，引军围城，东西北三面下寨，只空南门不围，每日引军攻打。李成、闻达连日提兵出城交战，不能取胜。索超箭疮将息，未得痊可。

不说宋江军兵打城，且说首将王定赍领密书，三骑马直到东京太师府前下马。门吏转报入去，太师教唤王定进来，直到后堂，拜罢，呈上密书。蔡太师拆开封皮看了，大惊，问其备细。王定把卢俊义的事一一说了，"如今宋江领了兵围城，贼寇浩大，不可抵敌。"庾家疃、槐树坡、飞虎峪三处厮杀，尽皆说罢。蔡京道："鞍马劳困，你且去馆驿内安下，待我会官商议。"王定又禀道："太师恩相，北京危如累卵，破在旦夕，倘或失陷，河北县郡如之奈何？望太师恩相早早遣兵剿除。"蔡京道："不必多说，你且退去。"王定去了。太师随即差当日府干，请枢密官急来商议军情重事。不移时，东厅枢密使童贯，引三衙太尉都到节堂参见太师。蔡京把北京危急之事，备细说了一遍："如今将甚计策，用何良将，可退贼兵，以保城郭？"说罢，众官互相厮觑，各有惧色。只见那步司太尉背后，转出一人，乃是衙门防御保义使，姓宣名赞，掌管兵马。此人生的面如锅底，鼻孔朝天，卷发赤须，彪形八尺，使口钢刀，武艺出众。先前在王府曾做郡马，人呼为丑郡马。因对连珠箭赢了番将，郡王招做女婿。谁想郡主嫌他丑陋，怀恨而亡，因此不得重用，只做得个兵马保义使。童贯是个阿谀谄佞之徒，与他不能相下，常有嫌疑之心。当时此人忍不住，出班来禀太师道："小将当初在乡中，有个相识。此人乃是汉末三分义勇武安王① 嫡派子孙，姓关名胜，生的规模与祖上云长相似，使一

---

① 义勇武安王——宋时对关羽追加封赠的爵号。

口青龙偃月刀,人称为大刀关胜。见做蒲东巡检,屈在下僚。此人幼读兵书,深通武艺,有万夫不当之勇。若以礼币请他,拜为上将,可以扫清水寨,殄灭狂徒。保国安民,开疆展土,端在此人。乞取钧旨。"蔡京听罢大喜,就差宣赞为使,赍了文书鞍马,连夜星火前往蒲东,礼请关胜赴京计议。众官皆退。

话休絮繁。宣赞领了文书,上马进发,带将三五个从人,不则一日,来到蒲东巡检司前下马。当日关胜正和郝思文在衙内论说古今兴废之事,只闻见说东京有使命至,关胜忙与郝思文出来迎接。各施礼罢,请到厅上坐地。关胜问道:"故人久不相见,今日何事远劳亲自到此?"宣赞回言:"为因梁山泊草寇攻打北京,宣某在太师跟前,一力保举兄长有安邦定国之策,降兵斩将之才,特奉朝廷敕旨,太师钧命,彩币鞍马,礼请起行。兄长勿得推却,便请收拾赴京。"关胜听罢大喜,与宣赞说道:"这个兄弟姓郝,双名思文,是我拜义弟兄。当初他母亲梦井木犴投胎,因而有孕,后生此人,因此人唤他做井木犴郝思文。这兄弟十八般武艺,无有不能。得蒙太师呼唤,一同前去,用功报国,有何不可。"宣赞喜诺,就行催请登程。

当下关胜分付老小,一同郝思文将引关西汉十数个人,收拾刀马盔甲行李,跟随宣赞连夜起程。来到东京,径投太师府前下马。门吏转报蔡太师得知,教唤进。宣赞引关胜、郝思文直到节堂,拜见已罢,立在阶下。蔡京看了关胜,端的好表人材,堂堂八尺五六身躯,细细三柳髭髯,两眉入鬓,凤眼朝天,面如重枣,唇若涂朱。太师大喜,便问:"将军青春多少?"关胜答道:"小将三旬有二。"蔡太师道:"梁山泊草寇围困北京城郭,请问良将,愿施妙策,以解其围。"关胜禀道:"久闻草寇占住水洼,侵害黎民,劫掳城池。此贼擅离巢穴,自取其祸。若救北京,虚劳神力。乞假精兵数万,先取梁山,后拿贼寇,教他首尾不能相顾。"太师见说大喜,与宣赞道:"此乃围魏救赵之计①,正合吾心。"随即唤枢密院官调拨山东、河北精锐军兵一万五千,教郝思文为先锋,宣赞为合后,关胜为领兵指挥使,步军太尉段常接应粮草。犒赏三军,限日下起行,大刀阔斧,杀奔梁山泊来。直教龙离大海,不能驾雾腾云;虎到平川,怎地张牙露爪。正是:贪观天上中秋月,失却盘中照殿珠。毕竟宋江军马怎地结末,且听下回分解。

---

① 围魏救赵之计——公元前353年,魏国围攻赵国都城邯郸。齐国王命令田忌、孙膑率军救赵。孙膑认为魏国的精锐部队在赵,内部空虚,乃引兵攻魏。魏军回救本国,齐军乘其疲惫,在桂陵(今山东省菏泽县东北)一战,大败魏军,赵国之围遂解。以后中国的军事家就用"围魏救赵"来说明一切类似的战法。

第六十四回

呼延灼夜月赚关胜　宋公明雪天擒索超

古风一首：

古来豪杰称三国，西蜀东吴魏之北。
卧龙才智谁能如，吕蒙英锐真奇特。
中间虎将无人比，勇力超群独关羽。
蔡阳斩首付一笑，芳声千古传青史。
岂知世乱英雄亡，后代贤良有孙子。
梁山兵困北京危，万姓荒荒如乱蚁。
梁公请救赴京师，玉殿丝纶传睿旨。
前军后合狼虎威，左文右武生光辉。
中军主将是关胜，昂昂志气烟云飞。
黄金铠甲寒光迸，水银盔展兜鍪重。
面如重枣美须髯，锦征袍上蟠双凤。
衬衫淡染鹅儿黄，雀靴雕弓金镞莹。
紫骝骏马猛如龙，玉勒锦鞍双兽并。
宝刀灿灿霜雪光，冠世英雄不可当。
除此威风真莫比，重生义勇武安王。

话说这篇古风，单道蒲东关胜，这人惯使口大刀，英雄盖世，义勇过人。当日辞了太师，统领着一万五千人马，分为三队，离了东京，望梁山泊来。

　　话分两头。且说宋江与同众将,每日北京攻打城池不下。李成、闻达那里敢出对阵,索超箭疮又未平复,亦无人出战。宋江见攻打城子不破,心中纳闷:离山已久,不见输赢。是夜在中军帐里闷坐,点上灯烛,取出玄女天书,正看之间,猛然想起围城已久,不见有救军接应,戴宗回去,又不见来,默然觉得神思恍惚,寝食不安,便叫小校请军师来计议。吴用到得中军帐内,与宋江商量道:"我等众军围许多时,如何杳无救军来到?城中又不敢出战。眼见的梁中书使人去京师告急,他丈人蔡太师必然有救军到来,中间必有良将。倘用围魏救赵之计,且不来解此处之危,反去取我梁山大寨,此是必然之理,兄长不可不虑。我等先着军士收拾,未可都退。"正说之间,只见神行太保戴宗到来,报说:"东京蔡太师拜请关菩萨玄孙蒲东郡大刀关胜,引一彪军马飞奔梁山泊来。寨中头领主张不定,请兄长、军师早早收兵回来,且解山寨之难。"吴用道:"虽然如此,不可急还。今夜晚间,先教步军前行,留下两支军马,就飞虎峪两边埋伏。城中知道我等退军,必然追赶,若不如此,我兵先乱。"宋江道:"军师言之极当。"传令便差小李广花荣,引五百军兵去飞虎峪左边埋伏;豹子头林冲,引五百军兵去飞虎峪右边埋伏。再叫双鞭呼延灼,引二十五骑马军,带着凌振,将了风火等炮,离城十数里远近,但见追兵过来,随即施放号炮,令其两下伏兵齐去并杀追兵。一面传令前队退兵,倒拖旌旗,不鸣战鼓,却如雨散云行,遇兵勿战,自然退回。步军队里,半夜起来,次第而行。直至次日巳牌前后,方才鸣金收军。

　　城上望见宋江军马,手拖旗幡,肩担刀斧,人起还山之意,马嘶归寨之声,纷纷滚滚,拔寨都起。城上看了仔细,报与梁中书知道:"梁山泊军马,今日尽数收兵,都回去了。"梁中书听的,随即唤李成、闻达商议。闻达道："眼见的是京师救军去取他梁山泊,这厮们恐失巢穴,慌忙归去。可以乘势追杀,必擒宋江。"说犹未了,城外报马到来,赍京文字,约会引兵去取贼巢;他若退兵,可以立追。梁中书便叫李成、闻达各带一支军马,从东西两路追赶宋江军马。

且说宋江引兵退回,见城中调兵追赶,舍命便走,直退到飞虎峪那边。只听的背后火炮齐响。李成、闻达吃了一惊,勒住战马看时,后面只见旗幡对刺①,战鼓乱鸣。李成、闻达火急回军,左手下撞出小李广花荣,右手下撞出豹子头林冲,各引五百军马,两边杀来。措手不及,知道中了奸计,火速回军。前面又撞出呼延灼,引着一支马军,大杀一阵,杀的李成、闻达金盔倒纳,衣甲飘零,退入城中,闭门不出。宋江军马次第而回,早转近梁山泊边,却好迎着丑郡马宣赞拦路。宋江约住军兵,权且下寨,暗地使人从偏僻小路,赴水上山报知,约会水陆军兵,两下救应。有诗为证:

> 宋江振旅暂回营,飞虎坡前暗伏兵。
> 杀得李成无处走,倒戈弃甲入京城。

且说水寨内头领船火儿张横,与兄弟浪里白跳张顺当时议定:"我和你弟兄两个,自来寨中,不曾建功,只看着别人夸能说会,倒受他气。如今蒲东大刀关胜,三路调军打我寨栅。不若我和你两个先去劫了他寨,捉拿关胜,立这件大功,众兄弟面上也好争口气。"张顺道:"哥哥,我和你只管的些水军,倘或不相救应,枉惹人耻笑。"张横道:"你若这般把细,何年月日能勾建功?

---

① 对刺——交叉。

你不去便罢,我今夜自去。"张顺苦谏不听。当夜张横点了小船五十馀只,每船上只有三五人,浑身都是软战,手执苦竹枪,各带蓼叶刀,趁着月光微明,寒露寂静,把小船直抵旱路。此时约有二更时分。

却说关胜正在中军帐里点灯看书,有伏路小校悄悄来报:"芦花荡里,约有小船四五十只,人人各执长枪,尽去芦苇里面两边埋伏,不知何意,特来报知。"关胜听了,微微冷笑:"盗贼之徒,不足与吾对敌。"当时暗传号令,教众军俱各如此准备,"贼兵入寨,帐前一声锣响,四下各自捉人。"三军得令,各自潜伏。

且说张横将引三二百人,从芦苇中间藏踪蹑迹,直到寨边,拔开鹿角,径奔中军,望见帐中灯烛荧煌,关胜手拈髭髯,坐看兵书。张横暗喜,手搦长枪,抢入帐房里来。傍边一声锣响,众军喊动,如天崩地塌,山倒江翻,吓的张横倒拖长枪,转身便走。四下里伏兵乱起,可怜会水张横,怎脱平川罗网,二三百人不曾走的一个,尽数被缚,推到帐前。关胜看了,笑骂:"无端草贼,小辈匹夫,安敢侮吾!"将张横陷车盛了,其馀者尽数监了,"直等捉了宋江,一并解上京师,不负宣赞举荐之意。"

不说关胜捉了张横,却说水寨内三阮头领,正在寨中商议,使人去宋江哥哥处听令,只见张顺到来报说:"我哥哥因不听小弟苦谏,去劫关胜营寨,不料被捉,囚车监了。"阮小七听了,叫将起来,说道:"我兄弟们同死同生,吉凶相救。你是他嫡亲兄弟,却怎地被人捉了,你不去救,怎见宋公明哥哥?我弟兄三个,自去救他。"张顺道:"为不曾得哥哥将令,却不敢轻动。"阮小七道:"若等将令来时,你哥哥吃他剁做八段!"阮小二、阮小五都道:"说的是。"张顺说他三个不过,只得依他。当夜四更,点起大小水寨头领,各驾船只一百馀只,一齐杀奔关胜寨来。岸上小军望见水面上战船如蚂蚁相似,都傍岸边,慌忙报知主帅。关胜笑道:"无见识贼奴,何足为虑!"随即唤首将附耳低言如此如此。且说三阮在前,张顺在后,呐声喊,抢入寨来,只见寨内枪刀竖立,旌旗不倒,并无一人。三阮大惊,转身便走。帐前一声锣响,左右两边马军步军,分作八路,簸箕掌,栲栳圈,重重叠叠围裹将来。张顺见不是头,扑同地先跳下水去。三阮夺路便走,急到的水边。后军赶上,挠钩齐下,套索飞来,把这活阎罗阮小七搭住,横拖倒拽捉去了。阮小二、阮小五、张顺,却得混江龙李俊带的童威、童猛死救回去。

　　不说阮小七被捉,因在陷车之中,且说水军报上梁山泊来,刘唐便使张顺从水路里直到宋江寨中,报说这个消息。宋江便与吴用商议,怎生退的关胜。吴用道:"来日决战,且看胜败如何。"说犹未了,猛听得战鼓齐鸣,却是丑郡马宣赞部领三军直到大寨,宋江举众出迎。门旗开处,宣赞出马。怎生打扮?但见:

　　　　征袍穿蜀锦,铠甲露银花。金盔凤翅披肩,抹绿云靴护腿。马蹄荡起红尘,刀面平铺秋水。满空杀气从天降,一点朱缨滚地来。

　　宋江看了宣赞在门旗下勒战,便唤首将:"那个出马先拿这厮?"只见小李广花荣拍马持枪,直取宣赞。宣赞舞刀来迎,一来一往,一上一下,斗到十合,花荣卖个破绽,回马便走。宣赞赶来,花荣就了事环带住钢枪,拈弓取箭,侧坐雕鞍,轻舒猿臂,翻身一箭。宣赞听的弓弦响,却好箭来,把刀只一隔,铮地一声响,射在刀面上。花荣见一箭不中,再取第二枝箭,看的较近,望宣赞胸膛上射来。宣赞镫里藏身,又躲过了。宣赞见他弓箭高强,不敢追赶,霍然勒回马,跑回本阵。花荣见他不赶来,连忙便勒转马头,望宣赞赶来,又取第三枝箭,望得宣赞后心较近,再射一箭,只听得铛地一声响,却射在背后护心镜上。宣赞慌忙驰马入阵,便使人报与关胜。关胜得知,便唤小校快牵过战马来。那匹马头至尾长一丈,蹄至脊高八尺,浑身上下没一根杂毛,纯是火炭般赤,拴一副皮甲,束三条肚带。关胜全装披挂,绰刀上马,直临阵前,门旗开处,便乃出马。有《西江月》一首为证:

> 汉国功臣苗裔,三分良将玄孙。绣旗飘挂动天兵,金甲绿袍相称。　　赤兔马腾腾紫雾,青龙刀凛凛寒冰。蒲东郡内产英雄,义勇大刀关胜。

宋江看了关胜一表非俗,与吴用暗暗地喝采,回头与众多良将道:"将军英雄,名不虚传!"说言未了,林冲忿怒,便道:"我等弟兄,自上梁山泊,大小五七十阵,未尝挫了锐气。军师何故灭自己威风!"说罢,便挺枪出马,直取关胜。关胜见了,大喝道:"水泊草寇,汝等怎敢背负朝廷!单要宋江与吾决战。"宋江在门旗下喝住林冲,纵马亲自出阵,欠身与关胜施礼,说道:"郓城小吏宋江,到此谨参,惟将军问罪。"关胜道:"汝为俗吏,安敢背叛朝廷?"宋江答道:"盖为朝廷不明,纵容奸臣当道,谗佞专权,设除滥官污吏,陷害天下百姓。宋江等替天行道,并无异心。"关胜大喝:"天兵到此,尚然抗拒,巧言令色,怎敢瞒吾!若不下马受降,着你粉骨碎身!"霹雳火秦明听得大怒,手舞狼牙棍,纵坐下马,直抢过来。关胜也纵马出迎,来斗秦明。林冲怕他夺了头功,猛可里飞抢过来,径奔关胜。三骑马向征尘影里,转灯般厮杀。宋江看了,恐伤关胜,便教鸣金收军。林冲、秦明回马阵前,说道:"正待擒捉这厮,兄长何故收军罢战?"宋江道:"贤弟,我等忠义自守,以强欺弱,非所愿也。纵使阵上捉他,此人不伏,亦乃惹人耻笑。吾看关胜英勇之将,世本忠臣,乃祖为神,若得此人上山,宋江情愿让位。"林冲、秦明都不喜欢。当日两边各自收兵。

　　且说关胜回到寨中，下马卸甲，心中暗忖道："我力斗二将不过，看看输与他，宋江倒收了军马，不知主何意？"却教小军推出陷车中张横、阮小七过来，问道："宋江是个郓城小吏，你这厮们如何伏他？"阮小七应道："俺哥哥山东、河北驰名，都称做及时雨呼保义宋公明。你这厮不知礼义之人，如何省的！"关胜低头不语，且教推过陷车。当晚寨中纳闷，坐卧不安，走出中军，立观月色满天，霜华遍地，嗟叹不已。有伏路小校前来报说："有个胡须将军，匹马单鞭，要见元帅。"关胜道："你不问他是谁？"小校道："他又没衣甲军器，并不肯说姓名，只言要见元帅。"关胜道："既是如此，与我唤来。"没多时，来到帐中，拜见关胜。关胜看了，有些面熟，灯光之下略也认得，便问是谁。那人道："乞退左右。"关胜道："不妨。"那人道："小将呼延灼的便是。先前曾与朝廷统领连环马军，征进梁山泊，谁想中贼奸计，失陷了军机，不能还乡。听得将军到来，不胜之喜。早间宋江在阵上，林冲、秦明待捉将军，宋江火急收军，诚恐伤犯足下。此人素有归顺之意，无奈众贼不从，暗与呼延灼商议，正要驱使众人归顺。将军若是听从，明日夜间，轻弓短箭，骑着快马，从小路直入贼寨，生擒林冲等寇，解赴京师，共立功勋。"关胜听罢大喜，请入帐，置酒相待。备说宋江专以忠义为主，不幸从贼无辜。二人递相剖露衷情，并无疑心。次日，宋江举众搦战。关胜与呼延灼商议："今日可先赢首将，晚间可行此计。"有诗为证：

　　　　亡命呼延计最奇，单人匹马夜逃归。

　　　　阵前假意鞭黄信，钩起梁山旧是非。

　　且说呼延灼借副衣甲穿了，彼各上马，都到阵前。宋江见了，大骂呼延灼道："我不曾亏负你半分，因何夤夜私去！"呼延灼回道:"汝等草寇,成何大事!"宋江便令镇三山黄信出马,仗丧门剑,驱坐下马,直奔呼延灼。两马相交,斗不到十合,呼延灼手起一鞭,把黄信打落马下。宋江阵上众军,抢出来扛了回去。关胜大喜,令大小三军一齐掩杀。呼延灼道:"不可追掩,恐吴用那厮广有神机,若还赶杀,恐贼有计。"关胜听了,火急收军,都回本寨,到中军帐里置酒相待,动问镇三山黄信之事。呼延灼道:"此人原是朝廷命官,青州都监,与秦明、花荣一时落草。今日先杀此贼,挫灭威风,今晚偷营,必然成事。"关胜大喜,传下将令,教宣赞、郝思文两路接应;自引五百马军,轻弓短箭,叫呼延灼引路。至夜二更起身,三更前后,直奔宋江寨中,炮响为号,里应外合,一齐进兵。是夜月光如昼。黄昏时候披挂已了,马摘鸾铃,人披软战,军卒衔枚疾走,一齐乘马。呼延灼当先引路,众人跟着。转过山径,约行了半个更次,前面撞见三五十个伏路小军,低声问道:"来的不是呼将军么?宋公明差我等在此迎接。"呼延灼喝道:"休言语,随在我马后走。"呼延灼纵马先行,关胜乘马在后。又转过一层山嘴,只见呼延灼把枪尖一指,远远地一碗红灯。关胜勒住马问道:"有红灯处是那里?"呼延灼道:"那里便是宋公明中军。"急催动人马。将近红灯,忽听得一声炮响,众军跟定关胜,杀奔前来。到红灯之下看时,不见一个;便唤呼延灼时,亦不见了。关胜大惊,知道中计,慌忙回马,听得四边山上,一齐鼓响锣鸣。正是慌不择路,众军各自逃生。关胜连忙回马时,只剩得数骑马军跟着。转出山嘴,又听得树林边脑后一声炮响,四下里挠钩齐出,把关胜拖下雕鞍,夺了刀马,卸去衣甲,前推后拥,拿投大寨里来。却说林冲、花荣自引一支军马截住郝思文,回头厮杀。月光之下,遥见郝思文怎生打扮?有《西江月》为证:

千丈凌云豪气,一团筋骨精神。横枪跃马荡征尘,四海

英雄难近。　　　　身着战袍锦绣,七星甲挂龙鳞。天丁
元是郝思文,飞马当前出阵。

　　林冲大喝道:"你主将关胜中计被擒,你这无名小将,何不下
马受缚!"郝思文大怒,直取林冲。二马相交,斗无数合,花荣挺
枪助战。郝思文势力不加,回马便走,肋后撞出个女将一丈青扈
三娘,撒起红绵套索,把郝思文拖下马来。步军向前一齐捉住,
解投大寨。话分两处。这边秦明、孙立自引一支军马去捉宣赞,
当路正逢此人。丑郡马宣赞怎生打扮?有《西江月》为证:

　　　　卷缩短黄须发,凹兜黑墨容颜。睁开怪眼似双环,鼻孔
　　　　朝天仰见。　　　　手内钢刀耀雪,护身铠甲连环。海骝
　　　　赤马锦鞍鞯,郡马英雄宣赞。

　　当下宣赞出马,大骂:"草贼匹夫,当我者死,避我者生!"秦
明大怒,跃马挥狼牙棍,直取宣赞。二马相交,约斗数合,孙立侧
首过来。宣赞慌张,刀法不依古格,被秦明一棍搠下马来。三军
齐喊一声,向前捉住。再有扑天雕李应引领大小军兵,抢奔关胜
寨内来,先救了张横、阮小七并被擒水军人等,夺去一应粮草马
匹,却去招安四下败残人马。

　　天晓,宋江会众上山。此时东方渐明,忠义堂上分开坐次,
早把关胜、宣赞、郝思文分投解来。宋江见了,慌忙下堂,喝退军
卒,亲解其缚,把关胜扶在正中交椅上,纳头便拜,叩首伏罪,说
道:"亡命狂徒,冒犯虎威,望乞恕罪。"关胜连忙答礼,闭口无言,
手足无措。呼延灼亦向前来伏罪道:"小可既蒙将令,不敢不依,
万望将军免恕虚诳之罪。"关胜看了一般头领义气深重,回顾与
宣赞、郝思文道:"我们被擒在此,所事若何?"二人答道:"并听将
令。"关胜道:"无面还京,俺三人愿早赐一死。"宋江道:"何故发
此言?将军倘蒙不弃微贱,一同替天行道。若是不肯,不敢苦

留,只今便送回京。"关胜道:"人称忠义宋公明,话不虚传。今日我等有家难奔,有国难投,愿在帐下为一小卒。"宋江大喜。当日一面设筵庆贺,一边使人招安逃窜败军,又得了五七千人马。其馀各自四散。投降军内,有老幼者,随即给散银两,便放回家;一边差薛永赍书往蒲东,搬取关胜老小,都不在话下。

宋江正饮宴间,默然想起卢员外、石秀陷在北京,潸然泪下。吴用道:"兄长不必忧心,吴用自有措置。只过今晚,来日再起军兵,去打北京,必然成事。"关胜便起身说道:"小将无可报答不杀之罪,愿为前部。"宋江大喜。次日早晨传令,就教宣赞、郝思文拨回旧有军马,便为前部先锋;其馀原打北京头领,不缺一个。再差李俊、张顺将带水战盔甲随去,以次再望北京进发。

这里却说梁中书在城中,正与索超起病饮酒,只见探马报道:"关胜、宣赞、郝思文并众军马,俱被宋江捉去,已入伙了。梁山泊军马见今又到。"梁中书听得,唬得目睁痴呆,手脚无措。只见索超禀复道:"前者中贼冷箭,今番且复此仇。"随即赏了索超,便教引本部人马,争先出城,前去迎敌。李成、闻达随后调军接应。其时正是仲冬天气,时候正冷,连日彤云密布,朔风乱吼。宋江兵到,索超直至飞虎峪下寨,次日引兵迎敌。宋江引前部吕方、郭盛,上高阜处看关胜厮杀。三通战鼓罢,关胜出阵。只见对面索超出马。怎生打扮?有诗为证:

　　生居河北最英雄,累与朝廷立大功。

　　双凤袍笼银叶铠,飞鱼袋插铁胎弓。

　　勇如袁达安齐国,壮若灵神劈华峰。

　　马上横担金蘸斧,索超名号急先锋。

当时索超见了关胜,却不认得。随征军卒说道:"这个来的便是新背反的大刀关胜。"索超听了，并不打话，直抢过来，径奔关胜。关胜也拍马舞刀来迎。两个斗不十合，李成正在中军，看见索超斧怯，战关胜不下，自舞双刀出阵，夹攻关胜。这边宣赞、郝思文见了，各持兵器前来助战，五骑搅做一块。宋江在高阜处看见，鞭梢一指，大军卷杀过去。李成军马大败亏输，杀得七断八绝，连夜退入城去，坚闭不出。宋江催兵直抵城下，扎住军马。

次日，索超亲引一支军马，出城冲突。吴用见了，便教军校迎敌戏战，他若追来，乘势便退。此时索超又得了这一阵，欢喜入城。当晚彤云四合，纷纷雪下，吴用已有计了。暗差步军去北京城外，靠山边河路狭处，掘成陷坑，上用土盖。是夜雪急风严，平明看时，约有二尺深雪。城上望见宋江军马，各有惧色，东西栅立不定。索超看了，便点三百军马，就时追出城来。宋江军马四散奔波而走。却教水军头领李俊、张顺身披软战，勒马横枪，前来迎敌。却才与索超交马，弃枪便走，特引索超奔陷坑边来。这里一边是路，一边是涧。李俊弃马跳入涧中去了，向着前面，口里叫道："宋公明哥哥快走！"索超听了，不顾身体，飞马抢过阵来。山背后一声炮响，索超连人和马撷将下去。后面伏兵齐起，这索超便有三头六臂，也须七损八伤。正是：烂银深盖藏圈套，碎玉平铺作陷坑。毕竟急先锋索超性命如何，且听下回分解。

第六十五回

托塔天王梦中显圣　浪里白跳水上报冤

诗曰：

> 岂知一夜乾坤老，卷地风严雪正狂。
>
> 隐隐林边排剑戟，森森竹里摆刀枪。
>
> 六花为阵成机柅，万里铺银作战场。
>
> 却似玉龙初斗罢，满天鳞甲乱飞扬。

话说宋江军中，因这一场大雪，吴用定出这条计来，就下雪陷坑中捉了索超。其馀军马，都逃回城中去了，报说索超被擒。梁中书听得这个消息，不由他不慌，传令教众将只是坚守，不许相战。

且说宋江到寨，中军帐上坐下，早有伏兵解索超到麾下。宋江见了大喜，喝退军健，亲解其缚，请入帐中置酒相待，用好言抚慰道："你看我众兄弟们，一大半都是朝廷军官。盖为朝廷不明，纵容滥官当道，污吏专权，酷害良民，都情愿协助宋江，替天行道。若是将军不弃，同以忠义为主。"索超本是天罡星之数，自然凑合，降了宋江。当夜帐中置酒作贺。

次日商议打城。一连打了数日，不得城破，宋江好生忧闷。当夜帐中伏枕而卧，忽然阴风飒飒，寒气逼人，宋江抬头看时，只见天王晁盖欲进不进，叫声："兄弟，你不回去，更待何时！"立在面前。宋江吃了一惊，急起身问道："哥哥从何而来？屈死冤仇不曾报得，中心日夜不安。前者一向不曾致祭，以此显灵，必有见责。"晁盖道："非为此也。兄弟靠后，阳气逼人，我不敢近前。今特来报你：贤弟有百日血光之灾，则除江南地灵星可治。你可早早收兵，此为上计。回军自保，免致久围。"宋江却欲再问明白，赶向前去说道："哥哥阴魂到此，望说真实。"被晁盖一推，撒然觉来，却是南柯一梦。便叫小校请军师圆梦。吴用来到中军帐上，宋江说其异事。吴用道："既是晁天王显圣，不可不依。目今天寒地冻，军马难以久住，权且回山守待，冬尽春初，雪消冰解，那时再来打城，未为晚矣。"宋江道："军师言之甚当，只是卢员外和石秀兄弟陷在缧绁，度日如年，只望我等兄弟来救。不争我们回去，诚恐这厮们害他性命。此事进退两难。"计议未定。

次日，只见宋江觉道神思疲倦，身体酸疼，头如斧劈，身似笼蒸，一卧不起。众头领都在面前看视。宋江道："我只觉背上好生热疼。"众人看时，只见鳖子一般赤肿起来。吴用道："此疾非痈即疽。吾看方书①，菉豆粉可以护心，毒气不能侵犯。便买此物，安排与哥哥吃。"一面使人寻药医治，亦不能好。只见浪里白跳张顺说道："小弟旧在浔阳江时，因母得患背疾，百药不能治，后请得建康府安道全，手到病除。向后小弟但得些银两，便着人送去与他。今见兄长如此病症，此去东途路远，急速不能便到。为哥哥的事，只得星夜前去，拜请他来救治哥哥。"吴用道："兄长梦晁天王所言，百日之灾，则除江南地灵星可治，莫非正应此人？"宋江道："兄弟，你若有这个人，快与我去，休辞生受，只以义气为重。星夜去请此人，救我一命。"吴用教取蒜条金一百两与医人，再将三二十两碎银作为盘缠，分付与张顺："只今便行，好

① 方书——讲医学和药案的书。

歹定要和他同来,切勿有误! 我今拔寨回山,和他山寨里相会。
兄弟可作急快来。"张顺别了众人,背上包裹,望前便去。

且说军师吴用传令诸将,权且收军罢战回山。车子上载了
宋江,连夜起发。北京城内曾经了伏兵之计,只猜他引诱,不敢
来追。次日,梁中书见报,说道:"此去未知何意?"李成、闻达道:
"吴用那厮诡计极多,只可坚守,不宜追赶。"

话分两头。且说张顺要救宋江,连夜趱行,时值冬尽,无雨
即雪,路上好生艰难;更兼慌张,不曾带得雨具。行了数千里,早
近扬子江边。是日北风大作,冻云低垂,飞飞扬扬,下一天大雪。
张顺冒着风雪,要过大江,舍命而行。虽是景物凄凉,江内别是
几般清致。有《西江月》为证:

> 嘹唳冻云孤雁,盘旋枯木寒鸦。空中雪下似梨花,片片
> 飘琼乱洒。　　玉压桥边酒旆,银铺渡口鱼艖。前村
> 隐隐两三家,江上晚来堪画。

那张顺独自一个,奔至扬子江边,看那渡船时,并无一只,只
叫得苦。绕着这江边行走,只见败苇折芦里面,有些烟起。张顺
叫道:"梢公,快把渡船来载我。"只见芦苇里簌簌地响,走出一个
人来,头戴箬笠,身披簑衣,问道:"客人要那里去?"张顺道:"我
要渡江去建康干事至紧,多与你些船钱,渡我则个。"那梢公道:
"载你不妨,只是今日晚了,便过江去也没歇处。你只在我船里
歇了,到四更风静月明时,我便渡你过去。多出些船钱与我。"张
顺道:"也说的是。"便与梢公钻入芦苇里来,见滩边缆着一只小
船,见篷底下一个瘦后生在那里向火。梢公扶张顺下船,走入舱
里,把身上湿衣服都脱下来,叫那小后生就火上烘焙。张顺自打
开衣包,取出棉被,和身上卷倒在舱里,叫梢公道:"这里有酒卖

么？买些来吃也好。"梢公道："酒却没买处，要饭便吃一碗。"张顺吃了一碗饭，放倒头便睡。一来连日辛苦，二来十分托大，到初更左侧，不觉睡着。那瘦后生向着炭火烘着上盖的衲袄，看见张顺睡着了，便叫梢公道："大哥，你见么？"梢公盘将来，去头边只一捏，觉道是金帛之物，把手摇道："你去把船放开，去江心里下手不迟。"那后生推开篷，跳上岸，解了缆索，上船把竹篙点开，搭上橹，咿咿哑哑地摇出江心里来。梢公在船舱里取缆船索，轻轻地把张顺捆缚做一块，便去船梢艎板底下取出板刀来。张顺却好觉来，双手被缚，挣挫不得。梢公手拿大刀，按在他身上。张顺道："好汉，你饶我性命，都把金子与你。"梢公道："金银也要，你的性命也要。"张顺连声叫道："你只教我囫囵死，冤魂便不来缠你。"梢公放下板刀，把张顺扑咚的丢下水去。那梢公便去打开包来看时，见了许多金银，便没心分与那瘦后生，叫道："五哥，和你说话。"那人钻入舱里来，被梢公一手揪住，一刀落时，砍的伶仃，推下水去。梢公打并了船中血迹，自摇船去了。有诗为证：

宋江偶尔患疮痍，张顺江东去请医。

烟水芦花深夜后，图财致命更堪悲。

却说张顺是在水底下伏得三五夜的人，一时被推下去，就江底下咬断索子，赴水过南岸时，见树林中闪出灯光来。张顺扒上岸，水渌渌地转入林子里看时，却是一个村酒店，半夜里起来榨酒，破壁缝透出灯光。张顺叫开门时，见个老丈，纳头便拜。老儿道："你莫不是江中被人劫了，跳水逃命的么？"张顺道："实不相瞒老丈，小人来建康干事，晚了，隔江觅船，不想撞着两个歹人，把小子应有衣服金银，尽都劫了，撺落江中。小人却会赴水，逃得性命。公公救度则个。"老丈见说，领张顺入后屋下，把个衲头① 与他,替下湿衣服来烘,盪些热酒与他吃。老丈道:"汉子,你姓甚么? 山东人来这里干何事?"张顺道:"小人姓张,建康府安太医是我弟兄,特来探望他。"老丈道:"你从山东来,曾经梁山泊过?"张顺道:"正从那里经过。"老丈道:"他山上宋头领不劫来往客人,又不杀害人性命,只是替天行道。"张顺道:"宋头领专以忠义为主,不害良民,只怪滥官污吏。"老丈道:"老汉听得说,宋江这伙端的仁义,只是救贫济老,那里似我这里草贼。若得他来这里,百姓都快活,不吃这伙滥污官吏薅恼。"张顺听罢,道:"公公不要吃惊,小人便是浪里白跳张顺。因为俺哥哥宋公明害发背疮,教我将一百两黄金来请安道全。谁想托大在船中睡着,被这两个贼男女缚了双手,撺下江里。被我咬断绳索,到得这里。"老丈道:"你既是那里好汉,我叫儿子出来和你相见。"不多时,后面走出一个后生来,看着张顺便拜道:"小人久闻哥哥大名,只是无缘不曾拜识。小人姓王,排行第六,因为走跳的快,人都唤小人做霍闪婆② 王定六。平生只好赴水使棒,多曾投师,不得传受,权在江边卖酒度日。却才哥哥被两个劫了的,小人都认得:一个是截江鬼张旺,那一个瘦后生却是华亭县人,唤做油里鳅孙三。这两个男女,如常在这江里劫人。哥哥放心,在此住几日,等这厮来吃酒,我与哥哥报仇。"张顺道:"感承兄弟好意。我为兄长宋公明,恨不得一日奔回寨里。只等天明便入城去,请了安太医回来相会。"王定六把自己衣裳都与张顺换了,连忙置酒相待,不在话下。

　　次日,天晴雪消,把十数两银子与张顺,且教入建康府来。

---

① 衲头——指破旧的衣服。衲,补缀。
② 霍闪婆——神话传说中"雷公、电母"的电母。一写作"活闪婆"。

张顺进得城中,径到槐桥下,看见安道全正在门前货药。张顺进得门,看着安道全纳头便拜。古人有首诗,单题安道全好处。道是:

> 肘后良方有百篇,金针玉刃得师传。
> 重生扁鹊应难比,万里传名安道全。

这安道全祖传内科外科尽皆医得,以此远方驰名。当时看了张顺,便问道:"兄弟多年不见,甚风吹得到此?"张顺随至里面,把这闹江州跟宋江上山的事一一告诉了;后说宋江见患背疮,特地来请神医,扬子江中险些儿送了性命,都实诉了。安道全道:"若论宋公明天下义士,去走一遭最好。只是拙妇亡过,家中别无亲人,离远不得,以此难出。"张顺苦苦求告:"若是兄长推却不去,张顺也难回山。"安道全道:"再作商议。"张顺百般哀告,安道全方才应允。

原来这安道全却和建康府一个烟花娼妓,唤做李巧奴,如常往来。这李巧奴生的十分美丽,安道全以此眷顾他。有诗为证:

> 蕙质温柔更老成,玉壶明月逼人清。
> 步摇宝髻寻春去,露湿凌波步月行。
> 丹脸笑回花萼丽,朱弦歌罢彩云停。
> 愿教心地常相忆,莫学章台赠柳情。

当晚就带张顺同去他家,安排酒吃。李巧奴拜张顺做叔叔。三杯五盏,酒至半酣,安道全对巧奴说道:"我今晚就你这里宿歇,明日早和这兄弟去山东地面走一遭。多则是一个月,少是二十馀日,便回来望你。"那李巧奴道:"我却不要你去!你若不依我口,再也休上我门。"安道全道:"我药囊都已收拾了,只要动身,明日便去。你且宽心,我便去也,又不担阁。"李巧奴撒娇撒痴,倒在安道全怀里说道:"你若还不依我,去了,我只咒的你肉片片儿飞!"张顺听了这话,恨不得一口水吞吃了这婆娘。看看天色晚了,安道全大醉倒了,搀去巧奴房里,睡在床上。巧奴却来发付张顺道:"你自归去,我家又没睡处。"张顺道:"只待哥哥酒醒同去。"以此发遣他不动,只得安他在门首小房里歇。

张顺心中忧煎,那里睡得着。初更时分,有人敲门。张顺在壁缝里张时,只见一个人闪将入来,便与虔婆说话。那婆子问道:"你许多时不来,却在那里? 今晚太医醉倒在房里,却怎生奈何?"那人道:"我有十两金子,送与姐姐打些钗环。老娘怎地做个方便,教他和我厮会则个。"虔婆道:"你只在我房里,我叫女儿来。"张顺在灯影下张时,却见是截江鬼张旺。原来这厮但是江中寻得些财,便来他家使。张顺见了,按不住火起。再细听时,只见虔婆安排酒食在房里,叫巧奴相伴张旺。张顺本待要抢入去,却又怕弄坏了事,走了这贼。约莫三更时分,厨下两个使唤的也醉了。虔婆东倒西歪,却在灯前打醉眼子①。张顺悄悄开了房门,趱到厨下,见一把厨刀明晃晃放在灶上,看这虔婆倒在侧首板凳上。张顺走将入来,拿起厨刀,先杀了虔婆。要杀使唤的时,原来厨刀不甚快,砍了一个人,刀口早卷了。那两个正待要叫,却好一把劈柴斧正在手边,绰起来,一斧一个砍杀了。房中婆娘听得,慌忙开门,正迎着张顺,手起斧落,劈胸膛砍翻在地。张旺灯影下见砍翻婆娘,推开后窗,跳墙走了。张顺懊恼无极,随即割下衣襟,蘸血去粉壁上写道:"杀人者,安道全也。"连写数十处。捱到五更将明,只听得安道全在房中酒醒,便叫巧奴。张顺道:"哥哥不要则声! 我教你看两个人。"安道全起来,看了四个死尸,吓得浑身麻木,颤做一团。张顺道:"哥哥,你见

---

① 打醉眼子——打瞌睡。

壁上写的么?"安道全道:"你苦了我也!"张顺道:"只有两条路从
你行:若是声张起来,我自走了,哥哥却用去偿命;若还你要没
事,家中取了药囊,连夜径上梁山泊救我哥哥。这两件随你行。"
安道全道:"兄弟忒这般短命见识!"有诗为证:

> 久恋烟花不肯休,临行留滞更绸缪。
>
> 铁心张顺无情甚,白刃横飞血漫流。

到天明,张顺卷了盘缠,同安道全回家,敲开门,取了药囊出
城来,径到王定六酒店里。王定六接着,说道:"昨日张旺从这里
过,可惜不遇见哥哥。"张顺道:"我自要干大事,那里且报小仇。"
说言未了,王定六报道:"张旺那厮来也!"张顺道:"且不要惊他,
看他投那里去。"只见张旺去滩头看船。王定六叫道:"张大哥,
你留船来载我两个亲眷过去。"张旺道:"要趁船快来。"王定六报
与张顺。张顺道:"安兄,你可借衣服与小弟穿,小弟衣裳却换与
兄长穿了,才去趁船。"安道全道:"此是何意?"张顺道:"自有主
张,兄长莫问。"安道全脱下衣服与张顺换穿了。张顺戴上头巾,
遮尘暖笠影身。王定六背了药囊。走到船边,张旺拢船傍岸,三
个人上船。张顺扒入后梢,揭起艎板看时,板刀尚在。张顺拿
了,再入船舱里。张旺把船摇开,咿哑之声,直到江心里面。张
顺脱去上盖,叫一声:"梢公快来,你看船舱里漏入水来。"张旺不
知中计,把头钻入舱里来,被张顺肐膊地揪住,喝一声:"强贼!
认得前日雪天趁船的客人么?"张旺看了,则声不得。张顺喝道:
"你这厮谋了我一百两黄金,又要害我性命。你那个瘦后生那里
去了?"张旺道:"好汉,小人得了财,无心分与他,恐他争论,被我
杀死,揎入江里去了。"张顺道:"你认得我么?"张旺道:"不识得
好汉,只求饶了小人一命。"张顺喝道:"我生在浔阳江边,长在小
孤山下,作卖鱼牙子,谁不认得! 只因闹了江州,上梁山泊随从

宋公明,纵横天下,谁不惧我!你这厮漏我下船,缚住双手,撺下江心,不是我会识水时,却不送了性命!今日冤仇相见,饶你不得!"就势只一拖,提在船舱中,把手脚四马攒蹄,捆缚做一块,看着那扬子大江,直撺下去:"也免了你一刀。"张旺性命,眼见得黄昏做鬼。有诗为证:

> 盗金昔日沉张顺,今日何期向水撺。
>
> 终须一命还一命,天道昭昭冤报冤。

这张顺将船户贼人张旺捆缚,沉下水去。王定六看了,十分叹息。三人棹船到岸,张顺对王定六道:"贤弟恩义,生死难忘。你若不弃,便可同父亲收拾起酒店,赶上梁山泊来,一同归顺大义。未知你心下何如?"王定六道:"哥哥所言,正合小弟之心。"说罢分别。张顺和安道全就北岸上路;王定六作辞二人,复上小船,自回家去,收拾行李赶来。

且说张顺与同安道全上得北岸,背了药囊,移身便走。那安道全是个文墨的人,士大夫出身,不会走路,行不得三十馀里,早走不动。张顺请入村店,买酒相待。正吃之间,只见外面一个客人走到面前,叫声:"兄弟,如何这般迟误?"张顺看时,却是神行太保戴宗,扮做客人赶来。张顺慌忙教与安道全相见了,便问宋公明哥哥消息。戴宗道:"如今哥哥神思昏迷,水米不吃,看看待死,不久临危。"张顺闻言,泪如雨下。安道全问道:"皮肉血色如何?"戴宗答道:"肌肤憔悴,终日叫唤,疼痛不止,性命早晚难保。"安道全道:"若是皮肉身体得知疼痛,便可医治。只怕误了日期。"戴宗道:"这个容易。"取两个甲马拴在安道全腿上。戴宗自背了药囊,分付张顺:"你自慢来,我同太医前去。"两个离了村店,作起神行法先去了。有诗为证:

> 将军发背少宁安,千里迎医道路难。

四腿俱粘双甲马，星驰电逐奔梁山。

当下且说这张顺在本处村店里，一连安歇了两三日，只见王定六背了包裹，同父亲果然过来。张顺接见，心中大喜，说道："我专在此等你。"王定六问道："安太医何在？"张顺道："神行太保戴宗接来迎着，已和他先行去了。"王定六却和张顺并自父亲，一同起身投梁山泊来。

且说戴宗引着安道全，作起神行法，连夜赶到梁山泊，并不困倦。寨中大小头领接着，引到宋江卧榻内，就床上看时，口内一丝两气。安道全先诊了脉息，说道："众头领休慌。脉体无事，身躯虽见沉重，大体不妨。不是安某说口，只十日之间，便要复旧。"众人见说，一齐便拜。安道全先把艾焙引出毒气，然后用药，外使敷贴之饵，内用长托之剂。五日之间，渐渐皮肤红白，肉体滋润，饮食渐进。不过十日，虽然疮口未完，饮食复旧。只见张顺引着王定六父子二人，拜见宋江并众头领，诉说江中被劫、水上报冤之事。众皆称叹："险不误了兄长之患。"

宋江才得病好，便与吴用商量，要打北京，救取卢员外、石秀，以表忠义之心。安道全谏道："将军疮口未完，不可轻动，动则急难痊可。"吴用道："不劳兄长挂心，有伤神思，只顾自己将息，调理元阳真气。吴用虽然不才，只就目今春初时候，定要打破北京城池，救取卢员外、石秀二人性命，擒拿淫妇奸夫。不知兄长意下如何？"宋江道："若得军师如此扶持，宋江虽死瞑目。"

吴用便就忠义堂上传令。言不过数句，话不尽一席，有分教：北京城内，变成火窟枪林；大名府中，翻作尸山血海。正是：谈笑鬼神皆丧胆，指挥豪杰尽倾心。毕竟军师吴用设出甚么计来，且听下回分解。

第 六 十 六 回

时迁火烧翠云楼　吴用智取大名府

诗曰：

野战攻城事不通，神谋鬼计运奇功。

星桥铁锁悠悠展，火树银花处处同。

大府忽为金璧碎，高楼翻作祝融红。

龙群虎队真难制，可愧中书智力穷。

话说吴用对宋江道："今日幸喜得兄长无事，又得安太医在寨中看视贵疾，此是梁山泊万千之幸。比及兄长卧病之时，小生累累使人去北京探听消息，梁中书昼夜忧惊，只恐俺军马临城。又使人直往北京城里城外市井去处，遍贴无头告示，晓谕居民，勿得疑虑：冤各有头，债各有主，大军到郡，自有对头。因此梁中书越怀鬼胎。东京蔡太师见说降了关胜，天子之前，更不敢题，只是主张招安，大家无事。因此累累寄书与梁中书，教道且留卢俊义、石秀二人性命，好做脚手。"宋江见说，便要催趱军马下山，去打北京。吴用道："即今冬尽春初，早晚元宵节近，北京年例大张灯火。我欲乘此机会，先令城中埋伏，外面驱兵大进，里应外合，可以救难破城。"宋江道："若要如此调兵，便请军师发落。"吴用道："为头最要紧的是城中放火为号。你众弟兄中谁敢与我先去城中放火？"只见阶下走过一人道："小弟愿往！"众人看时，却是鼓上蚤时迁。时迁道："小弟幼年间曾到北京。城内有座楼，

唤做翠云楼,楼上楼下大小有百十个阁子。眼见得元宵之夜,必
然喧哄,乘空潜地入城。正月十五日夜,盘去翠云楼上,放起火
来为号,军师可自调人马劫牢,此为上计。"吴用道:"我心正待如
此。你明日天晓,先下山去,只在元宵夜一更时候,楼上放起火
来,便是你的功劳。"时迁应允,听令去了。吴用次日却调解珍、
解宝扮做猎户,去北京城内官员府里献纳野味。正月十五日夜
间,只看火起为号,便去留守司前截住报事官兵。两个听令去
了。再调杜迁、宋万扮做粜米客人,推辆车子去城中宿歇,元宵
夜只看号火起时,却来先夺东门:"此是你两个功劳。"两个听令
去了。再调孔明、孔亮扮做仆者,去北京城内闹市里房檐下宿
歇,只看楼前火起,便去往来接应。两个听令去了。再调李应、
史进扮做客人,去北京东门外安歇,只看城中号火起时,先斩把
门军士,夺下东门,好做出路。两个听令去了。再调鲁智深、武
松扮做行脚僧行,去北京城外庵院挂搭,只看城中号火起时,便
去南门外截住大军,冲击去路。两个听令去了。再调邹渊、邹润
扮做卖灯客人,直往北京城中寻客店安歇,只看楼中火起,便去
司狱司前策应。两个听令去了。再调刘唐、杨雄扮作公人,直去
北京州衙前宿歇,只看号火起时,便去截住一应报事人员,令他
首尾不能救应。两个听令去了。再调公孙胜先生扮做云游道
士,却教凌振扮做道童跟着,将带风火轰天等炮数百个,直去北
京城内净处守待,只看号火起时施放。两个听令去了。再调张
顺跟随燕青从水门里入城,径奔卢员外家,单捉淫妇奸夫。再调
王矮虎、孙新、张青、扈三娘、顾大嫂、孙二娘扮作三对村里夫妻
入城看灯,寻至卢俊义家中放火。再调柴进带同乐和扮做军官,
直去蔡节级家中,要保救二人性命。调拨已定,众头领俱各听令
去了。各各遵依军令,不可有误。此是正月初头。不说梁山泊

好汉依次各各下山进发。有诗为证：

　　　　卢生石秀久幽囚，豪杰分头去复仇。

　　　　只待上元灯火夜，一时焚却翠云楼。

　　且说北京梁中书唤过李成、闻达、王太守等一干官员，商议放灯一事。梁中书道："年例北京大张灯火，庆赏元宵，与民同乐，全似东京体例。如今被梁山泊贼人两次侵境，只恐放灯因而惹祸。下官意欲住歇放灯，你众官心下如何计议？"闻达便道："想此贼人潜地退去，没头告示乱贴，此计是穷，必无主意，相公何必多虑。若还今年不放灯时，这厮们细作探知，必然被他耻笑。可以传下钧旨，晓示居民：比上年多设花灯，添扮社火，市心中添搭两座鳌山，照依东京体例，通宵不禁，十三至十七放灯五夜。教府尹点视居民，勿令缺少。相公亲自行春①，务要与民同乐。闻某亲领一彪军马出城去飞虎峪驻扎，以防贼人奸计。再着李都监亲引铁骑马军，绕城巡逻，勿令居民惊忧。"梁中书见说大喜。众官商议已定，随即出榜晓谕居民。

　　这北京大名府是河北头一个大郡，冲要去处。却有诸路买卖，云屯雾集，只听放灯，都来赶趁。在城坊隅巷陌，该管厢官每日点视，只得装扮社火。豪富之家，各自去赛花灯，远者三二百里去买，近者也过百十里之外，便有客商年年将灯到城货卖。家家门前扎起灯棚，都要赛挂好灯，巧样烟火。户内缚起山棚，摆放五色屏风炮灯，四边都挂名人画片并奇异古董玩器之物。在城大街小巷，家家都要点灯。大名府留守司州桥边搭起一座鳌山，上面盘红黄纸龙两条，每片鳞甲上点灯一盏，口喷净水。去州桥河内周围上下，点灯不计其数。铜佛寺前扎起一座鳌山，上

_____

①　行春——官员春天到乡间察看农桑，叫行春。这里指察看灯火。

面盘青龙一条,周回也有千百盏花灯。翠云楼前也扎起一座鳌山,上面盘着一条白龙,四面灯火不计其数。原来这座酒楼,名贯河北,号为第一。上有三檐滴水①,雕梁绣柱,极是造得好;楼上楼下,有百十处阁子,终朝鼓乐喧天,每日笙歌聒耳。城中各处宫观寺院佛殿法堂中,各设灯火,庆赏丰年。三瓦两舍,更不必说。

那梁山泊探细人得了这个消息,报上山来。吴用得知大喜,去对宋江说知备细,宋江便要亲自领兵去打北京。安道全谏道:"将军疮口未完,切不可轻动。稍若怒气相侵,实难痊可。"吴用道:"小生替哥哥走一遭。"随即与铁面孔目裴宣点拨八路军马:第一队,双鞭呼延灼引领韩滔、彭玘为前部,镇三山黄信在后策应,都是马军。前者呼延灼阵上打了的是假的,故意要赚关胜,故设此计。第二队,豹子头林冲引领马麟、邓飞为前部,小李广花荣在后策应,都是马军。第三队,大刀关胜引领宣赞、郝思文为前部,病尉迟孙立在后策应,都是马军。第四队,霹雳火秦明引领欧鹏、燕顺为前部,青面兽杨志在后策应,都是马军。第五队,却调步军头领没遮拦穆弘,将引杜兴、郑天寿。第六队,步军头领黑旋风李逵将引李立、曹正。第七队,步军头领插翅虎雷横将引施恩、穆春。第八队,步军头领混世魔王樊瑞将引项充、李衮。这八路马步军兵,各自取路,即今便要起行,毋得时刻有误。正月十五日二更为期,都要到北京城下。马军、步军一齐进发。那八路人马依令下山,其馀头领尽跟宋江保守山寨。有诗为证:

> 八路军兵似虎狼,横天杀气更鹰扬。
>
> 安排盖地遮天技,要使鳌山变杀场。

---

① 三檐滴水——滴水檐有三层,代指高大的楼房。

　　且说时迁是个飞檐走壁的人，不从正路入城，夜间越墙而过。城中客店内却不着单身客人，他自白日在街上闲走，到晚来东岳庙内神座底下安身。正月十三日，却在城中往来观看居民百姓搭缚灯棚，悬挂灯火。正看之间，只见解珍、解宝挑着野味在城中往来观看，又撞见杜迁、宋万两个从瓦子里走将出来。时迁当日先去翠云楼上打一个趓，只见孔明披着头发，身穿羊裘破衣，右手拄一条杖子，左手拿个碗，腌腌臜臜在那里求乞。见了时迁，打抹他去背后说话。时迁道："哥哥，你这般一个汉子，红红白白面皮，不象叫化的。北京做公的多，倘或被他看破，须误了大事，哥哥可以躲闪回避。"说不了，又见个丐者从墙边来，看时，却是孔亮。时迁道："哥哥，你又露出雪也似白面来，亦不象忍饥受饿的人。这般模样，必然决撒。"却才道罢，背后两个劈角儿揪住喝道："你三个做得好事！"回头看时，却是杨雄、刘唐。时迁道："你惊杀我也！"杨雄道："都跟我来。"带去僻静处埋冤道："你三个好没分晓！却怎地在那里说话？倒是我两个看见，倘若被他眼明手快的公人看破，却不误了哥哥大事！我两个都已见了弟兄们，不必再上街去。"孔明道："邹渊、邹润自在街上卖灯，鲁智深、武松已在城外庵里。再不必多说，只顾临期各自行事。"五个说了，都出到一个寺前，正撞见一个先生从寺里出来，喝道："你五个在此做甚事？"众人抬头看时，却是入云龙公孙胜，背后凌振扮做道童跟着。七个人都颐指气使，点头会意，各自去了。

　　看看相近上元，梁中书先令闻大刀闻达将引军马出城，去飞虎峪驻扎，以防贼寇。十四日，却令李天王李成亲引铁骑马军五百，全副披挂，绕城巡视。次日，正是正月十五日上元佳节，好生晴明。黄昏月上，六街三市，各处坊隅巷陌，点放花灯，大街小巷，都有社火。值此元宵，有诗为证：

北京三五风光好,膏雨初晴春意早。

银花火树不夜城,陆地拥出蓬莱岛。

烛龙衔照夜光寒,人民歌舞欣时安。

五凤羽扶双贝阙,六鳌背驾三神山。

红妆女立朱帘下,白面郎骑紫骝马。

笙箫嘹亮入青云,月光清射鸳鸯瓦。

翠云楼高侵碧天,嬉游来往多婵娟。

灯球灿烂若锦绣,王孙公子真神仙。

游人寥辘尚未绝,高楼顷刻生云烟。

是夜,节级蔡福分付教兄弟蔡庆看守着大牢:"我自回家看看便来。"方才进得家门,只见两个人闪将入来,前面那个军官打扮,后面仆者模样。灯光之下看时,蔡福认得是小旋风柴进,后面的已自是铁叫子乐和。蔡节级只认得柴进,便请入里面去,见成杯盘,随即管待。柴进道:"不必赐酒,在下到此有件紧事相央。卢员外、石秀全得足下相觑,称谢难尽。今晚小子欲就大牢里,趁此元宵热闹,看望一遭,望你相烦引进,休得推却。"蔡福是个公人,早猜了八分。欲待不依,诚恐打破城池,都不见了好处,又陷了老小一家人口性命。只得担着血海的干系,便取些旧衣裳教他两个换了,也扮做公人,换了巾帻,带柴进、乐和径奔牢中去了。

初更左右,王矮虎、一丈青、孙新、顾大嫂、张青、孙二娘三对儿村里夫妻,乔乔画画①,装扮做乡村人,挨入在人丛里,便入东门去了。公孙胜带同凌振,挑着荆篓去城隍庙里廊下坐地。这城隍庙只在州衙侧边。邹渊、邹润挑着灯,在城中闲走。杜迁、

---

① 乔乔画画——装模做样的样子。

宋万各推一辆车子,径到梁中书衙前,闪在人闹处。原来梁中书衙,只在东门里大街住。刘唐、杨雄各提着水火棍,身边都自有暗器,来州桥上两边坐定。燕青领了张顺,自从水门里入城,静处埋伏。都不在话下。

不移时,楼上鼓打二更。却说时迁挟着一个篮儿,里面都是硫黄、焰硝,放火的药头,篮儿上插几朵闹鹅儿①,趱入翠云楼后,走上楼去。只见阁子内吹笙箫,动鼓板,掀云闹社,子弟们闹闹穰穰,都在楼上打哄赏灯。时迁上到楼上,只做卖闹鹅儿的,各处阁子里去看。撞见解珍、解宝拖着钢叉,叉上挂着兔儿,在阁子前趱。时迁便道:"更次到了,怎生不见外面动掸?"解珍道:"我两个方才在楼前,见探马过去,多管兵马到了。你只顾去行事。"

言犹未了,只见楼前都发起喊来,说道:"梁山泊军马到了西门外。"解珍分付时迁:"你自快去,我自去留守司前接应。"奔到留守司前,只见败残军马,一齐奔入城来,说道:"闻大刀吃劫了寨也。梁山泊贼寇引军都赶到城下。"李成正在城上巡逻,听见说了,飞马来到留守司前,教点军兵,分付闭上城门,守护本州。

却说王太守亲引随从百馀人,长枷铁锁,在街镇压,听得报说这话,慌忙回留守司前。却说梁中书正在衙前闲坐,初听报说,尚自不甚慌;次后没半个更次,流星探马接连报来,吓得魂不附体,慌忙快叫备马。

说言未了,时迁就在翠云楼上点着硫黄焰硝,放一把火来。那火烈焰冲天,火光夺月,十分浩大。梁中书见了,急上得马,却待要去看时,只见两条大汉,推两辆车子,放在当路,便去取碗挂

---

① 闹鹅儿——妇女插在头上的一种彩花。

的灯来，望车子上点着，随即火起。梁中书要出东门时，两条大汉口称："李应、史进在此！"手拈扑刀，大踏步杀来。把门官军吓得走了，手边的伤了十数个。杜迁、宋万却好接着出来，四个合做一处，把住东门。梁中书见不是头势，带领随行伴当，飞奔南门。南门传说道："一个胖大和尚轮动铁禅杖，一个虎面行者掣出双戒刀，发喊杀入城来。"梁中书回马，再到留守司前，只见解珍、解宝手拈钢叉，在那里东撞西撞，急待回州衙，不敢近前。王太守却好过来，刘唐、杨雄两条水火棍齐下，打得脑浆迸流，眼珠突出，死于街前。虞候、押番各逃残生去了。梁中书急急回马奔西门，只听得城隍庙里火炮齐响，轰天震地。邹渊、邹润手拿竹竿，只顾就房檐下放起火来。南瓦子前，王矮虎、一丈青杀将来；孙新、顾大嫂身边掣出暗器，就那里协助。铜佛寺前，张青、孙二娘入去，扒上鳌山，放起火来。此时北京城内，百姓黎民，一个个鼠窜狼奔，一家家神号鬼哭，四下里十数处火光亘天，四方不辨。有诗为证：

回禄施威特降灾，熏天烈焰涨红埃。

黄童白叟皆惊惧，又被雄兵混杀来。

却说梁中书奔到西门，接着李成军马，急到南门城上，勒住马在鼓楼上看时，只见城下兵马摆满，旗号上写着"大将呼延灼"，火焰光中，抖擞精神，施逞骁勇，左有韩滔，右有彭玘，黄信在后，催动人马，雁翅一般横杀将来，随到门下。梁中书出不得城去，和李成躲在北门城下，望见火光明亮，军马不知其数，却是豹子头林冲，跃马横枪，左有马麟，右有邓飞，花荣在后催动人马，飞奔将来。再转东门，一连火把丛中，只见没遮拦穆弘，左有杜兴，右有郑天寿，三筹步军好汉当先，手拈扑刀，引领一千馀人，杀入城来。梁中书径奔南门，舍命夺路而走。吊桥边火把齐明,只见黑旋风李逵,左有李立,右有曹正,李逵浑身脱剥,睁圆怪眼,咬定牙根,手搦双斧,从城濠里飞杀过来。李立、曹正,一齐俱到。李成当先,杀开条血路,奔出城来,护着梁中书便走。只见左手下杀声震响,火把丛中军马无数,却是大刀关胜,拍动赤兔马,手舞青龙刀,径抢梁中书。李成手举双刀,前来迎敌。那时李成无心恋战,拨马便走。左有宣赞,右有郝思文,两肋里撞来,孙立在后催动人马,并力杀来。正斗间,背后赶上小李广花荣,拈弓搭箭,射中李成副将,翻身落马。李成见了,飞马奔走。未及半箭之地,只见右手下锣鼓乱鸣,火光夺目,却是霹雳火秦明,跃马舞棍,引着燕顺、欧鹏,背后杨志,又杀将来。李成且战且走,折军大半,护着梁中书,冲路走脱。

话分两头,却说城中之事。杜迁、宋万去杀梁中书老小一门良贱。刘唐、杨雄去杀王太守一家老小。孔明、孔亮已从司狱司后墙爬将入去。邹渊、邹润却在司狱司前接住往来之人。大牢里柴进、乐和看见号火起了,便对蔡福、蔡庆道:"你弟兄两个见也不见? 更待几时?"蔡庆在门边守时,邹渊、邹润早撞开牢门,大叫道:"梁山泊好汉全伙在此! 好好送出卢员外、石秀哥哥来!"蔡庆慌忙报蔡福时,孔明、孔亮早从牢屋上跳将下来。不由他弟兄两个肯与不肯,柴进身边取出器械,便去开枷,放了卢俊义、石秀。柴进说与蔡福:"你快跟我去家中保护老小。"一齐都出牢门来。邹渊、邹润接着,合做一处。蔡福、蔡庆跟随柴进,来家中保全老小。卢俊义将引石秀、孔明、孔亮、邹渊、邹润五个弟兄,径奔家中来捉李固、贾氏。

却说李固听得梁山泊好汉引军马入城,又见四下里火起,正在家中有些眼跳,便和贾氏商量,收拾了一包金珠细软背了,便出门奔走。只听得排门一带都倒,正不知多少人抢将入来。李固和贾氏慌忙回身,便望里面开了后门,踅过墙边,径投河下来寻自家躲避处。只见岸上张顺大叫:"那婆娘走那里去!"李固心慌,便跳下船中去躲。却待攒入舱里,只见一个人伸出手来,劈角儿揪住,喝道:"李固,你认得我么?"李固听得是燕青的声音,慌忙叫道:"小乙哥!我不曾和你有甚冤仇,你休得揪我上岸!"岸上张顺早把那婆娘挟在肋下,拖到船边。燕青拿了李固,都望东门来了。

再说卢俊义奔到家中,不见了李固和那婆娘,且叫众人把应有家私金银财宝,都搬来装在车子上,往梁山泊给散。

却说柴进和蔡福到家中收拾家资老小,同上山寨。蔡福道:"大官人可救一城百姓,休教残害。"柴进见说,便去寻军师吴用。比及柴进寻着吴用,急传下号令去,休教杀害良民时,城中将及伤损一半。但见:

> 烟迷城市,火燎楼台。千门万户受灾危,三市六街遭患难。鳌山倒塌,红光影里碎琉璃;屋宇崩摧,烈焰火中烧翡翠。前街傀儡,顾不得面是背非;后巷清音,尽丢坏龙笙凤管。班毛老子,猖狂燎尽白髭须;绿发儿郎,奔走不收华盖伞。耍和尚烧得头焦额烂,麻婆子赶得屁滚尿流。踏竹马的暗中刀枪,舞鲍老的难免刃槊。如花仕女,人丛中金坠玉崩;玩景佳人,片时间星飞云散。瓦砾藏埋金万斛,楼台变作祝融墟。可惜千年歌舞地,翻成一片战争场。

当时天色大明,吴用、柴进在城内鸣金收军。众头领却接着卢员外并石秀,都到留守司相见,备说牢中多亏了蔡福、蔡庆弟兄两个看管,已逃得残生。燕青、张顺早把这李固、贾氏解来。卢俊义见了,且教燕青监下,自行看管,听候发落,不在话下。

　　再说李成保护梁中书出城逃难，又撞着闻达领着败残军马回来，合兵一处，投南便走。正走之间，前军发起喊来，却是混世魔王樊瑞，左有项充，右有李衮，三筹步军好汉，舞动飞刀飞枪，直杀将来。背后又是插翅虎雷横，将引施恩、穆春，各引一千步军，前来截住退路。却似虾儿逢巨浪，兔子遇豺狼。正是：狱囚遇赦重回禁，病客逢医又上床。毕竟梁中书一行人马怎地计结，且听下回分解。

第六十七回

宋江赏马步三军　关胜降水火二将

词曰：

申唸庄公臂断截，灵辄车轮亦能折。

专诸鱼肠数寸锋，姬光座上流将血。

路旁手发千钧锤，秦王副车烟尘飞。

春秋壮士何可比，泰山一死如毛羽。

豫让酬恩荆轲烈，分尸碎骨如何说。

吴国要离刺庆忌，赤心赴刃亦何丑。

得人小恩施大义，剜心刎颈那回首。

丈夫取义能舍生，岂学儿曹夸大口。

话说当下梁中书、李成、闻达慌速寻得败残军马，投南便走。正行之间，又撞着两队伏兵，前后掩杀。李成当先，闻达在后，护着梁中书，并力死战，撞透重围，脱得大难。头盔不整，衣甲飘零，虽是折了人马，且喜三人逃得性命，投西去了。樊瑞引项充、李衮乘势追赶不上，自与雷横、施恩、穆春等同回北京城内听令。

再说军师吴用在城中传下将令，一面出榜安民，一面救灭了火。梁中书、李成、闻达、王太守各家老小，杀的杀了，走的走了，也不来追究。便把大名府库藏打开，应有金银宝物，段匹绫锦，都装载上车了。又开仓廒，将粮米俵济满城百姓了，馀者亦装载上车，将回梁山泊仓用。号令众头领人马，都皆完备，把李固、贾氏钉在陷车内,将军马摽拨作三队,回梁山泊来。正是:鞍上将敲金镫响,步军齐唱凯歌回。却叫戴宗先去报宋公明。

宋江会集诸将下山迎接,都到忠义堂上。宋江见了卢俊义,纳头便拜。卢俊义慌忙答礼。宋江道:"我等众人,欲请员外上山,同聚大义,不想却遭此难,几被倾送,寸心如割! 皇天垂祐,今日再得相见,大慰平生。"卢俊义拜谢道:"上托兄长虎威,深感众头领之德,齐心并力,救拔贱体,肝胆涂地,难以报答!"便请蔡庆、蔡福拜见宋江,言说:"在下若非此二人,安得残生到此!"称谢不尽。当下宋江要卢员外为尊,卢俊义拜道:"卢某是何等之人,敢为山寨之主! 若得与兄长执鞭坠镫,愿为一卒,报答救命之恩,实为万幸。"宋江再三拜请,卢俊义那里肯坐。只见李逵道:"哥哥若让别人做山寨之主,我便杀将起来!"武松道:"哥哥只管让来让去,让得弟兄们心肠冷了!"宋江大喝道:"汝等省得甚么! 不得多言!"卢俊义慌忙拜道:"若是兄长苦苦相让,着卢某安身不牢。"李逵叫道:"今朝都没事了,哥哥便做皇帝,教卢员外做丞相,我们都做大官,杀去东京,夺了鸟位子,却不强似在这里鸟乱!"宋江大怒,喝骂李逵。吴用劝道:"且教卢员外东边耳房安歇,宾客相待。等日后有功,却再让位。"宋江方才欢喜,就叫燕青一处安歇。另拨房屋叫蔡福、蔡庆安顿老小。关胜家眷,薛永已取到山寨。

宋江便叫大设筵宴,犒赏马、步、水三军,令大小头目,并众喽啰军健,各自成团作队去吃酒。忠义堂上设宴庆贺,大小头领相谦相让,饮酒作乐。卢俊义起身道:"淫妇奸夫擒捉在此,听候发落。"宋江笑道:"我正忘了,叫他两个过来!"众军把陷车打开,拖出堂前。李固绑在左边将军柱上,贾氏绑在右边将军柱上。宋江道:"休问这厮罪恶,请员外自行发落。"卢俊义得令,手拿短刀,自下堂来,大骂泼妇贼奴,就将二人割腹剜心,凌迟处死,抛弃尸首,上堂来拜谢众人。众头领尽皆作贺,称赞不已。

且不说梁山泊大设筵宴,犒赏马、步、水三军,却说梁中书探听得梁山泊军马退去,再和李成、闻达引领败残军马入城来,看觑老小时,十损八九,众皆嚎哭不已。比及邻近取军追赶梁山泊人马时,已自去得远了,且教各自收军。梁中书的夫人躲得在后花园中,逃得性命,便教丈夫写表申奏朝廷,写书教太师知道,早早调兵遣将,剿除贼寇报仇。抄写民间被杀死者五千馀人,中伤者不计其数。各部军马,总折却三万有馀。首将赍了奏文密书上路,不则一日,来到东京太师府前下马。门吏转报,太师教唤入来。首将直至节堂下拜见了,呈上密书申奏,诉说打破北京,贼寇浩大,难以抵敌。蔡京见了大怒,且教首将退去。

次日五更,景阳钟响,待漏院众集文武群臣。蔡太师为首,直临玉阶,面奏道君皇帝。天子览奏大惊,与众臣曰:“此寇累造大恶,克当何如?”有谏议大夫赵鼎出班奏道:“前者差蒲东关胜领兵征剿,收捕不全,累至失陷。往往调兵征发,皆折兵将,盖因失其地利,以至如此。以臣愚意,不若降敕赦罪招安,诏取赴阙,命作良臣,以防边境之害,此为上策。”蔡京听了大怒,喝叱道:“汝为谏议大夫,反灭朝廷纲纪,猖獗小人,罪合赐死!”天子曰:“如此,目下便令出朝,无宣不得入朝!”当日革了赵鼎官爵,罢为庶人。当朝谁敢再奏。有诗为证:

　　　玺书招抚是良谋,赵鼎名言孰与俦。

　　　堪笑蔡京多误国,反疏忠直快私仇。

天子又问蔡京曰:“似此贼人猖獗,可遣谁人剿捕此寇?”蔡太师奏曰:“臣量这等山野草贼,安用大军。臣举凌州有二将:一人姓单名廷圭,一人姓魏名定国,见任本州团练使。伏乞陛下圣旨,星夜差人调此一枝军马,克日扫清水泊。"天子大喜,随即降写敕符,着枢密院调遣。天子驾起,百官退朝,众官暗笑。次日,蔡京会省院差官,赍捧圣旨敕符投凌州来。

再说宋江水浒寨内,将北京所得的府库金宝财物,给赏与马、步、水三军;连日杀牛宰马,大排筵宴,庆贺卢员外,虽无炮凤烹龙,端的肉山酒海。众头领酒至半酣,吴用对宋江等说道:"今为卢员外,打破北京,杀损人民,劫掠府库,赶得梁中书等离城逃奔,他岂不写表申奏朝廷? 况他丈人是当朝太师,怎肯干罢? 必然起军发马,前来征讨。"宋江道:"军师所虑,最为得理。何不使人连夜去北京探听虚实,我这里好做准备。"吴用笑道:"小弟已差人去了,将次回也。"正在筵会之间,商议未了,只见原差探事人到来,报说:"北京梁中书果然申奏朝廷,要调兵征剿。有谏议大夫赵鼎奏请招安,致被蔡京喝骂,削了赵鼎官职。如今奏过天子,差人赍捧敕符,往凌州调遣单廷圭、魏定国两个团练使,起本州军马前来征讨。"宋江便道:"似此如何迎敌?"吴用道:"等他来时,一发捉了。"关胜起身对宋江、吴用道:"关某自从上山,深感仁兄重待,不曾出得半分气力。单廷圭、魏定国,蒲城多曾相会。久知单廷圭那厮,善能用水浸兵之法,人皆称为圣水将军;魏定国这厮,熟精火攻兵法,上阵专能用火器取人,因此呼为神火将军。凌州是本境,兼管本州兵马,取此二人为部下。小弟不才,愿借五千军兵,不等他二将起行,先往凌州路上接住。他若肯降时,带上山来;若不肯投降,必当擒来奉献。兄长亦不须用众头领张弓挟矢,费力劳神。不知尊意若何?"宋江大喜,便叫宣赞、郝思文二将,就跟着一同前去。关胜带了五千军马,来日下山。次早,宋江与众头领在金沙滩寨前饯行,关胜三人引兵去了。

众头领回到忠义堂上,吴用便对宋江说道:"关胜此去,未保其心。可以再差良将随后监督,就行接应。"宋江道:"吾看关胜义气凛然,始终如一,军师不必见疑。"吴用道:"只恐他心不似兄长之心。可再叫林冲、杨志领兵,孙立、黄信为副将,带领五千人马,随即下山。"李逵便道:"我也去走一遭。"宋江道:"此一去用你不着,自有良将建功。"李逵道:"兄弟若闲便要生病。若不叫我去时,独自也要去走一遭。"宋江喝道:"你若不听我的军令,割了你头!"李逵见说,闷闷不已,下堂去了。

不说林冲、杨志领兵下山接应关胜。次日,只见小军来报:"黑旋风李逵,昨夜二更,拿了两把板斧,不知那里去了。"宋江见报,只叫得苦:"是我夜来冲撞了他这几句言语,多管是投别处去了。"吴用道:"兄长非也!他虽粗卤,义气倒重,不到得投别处去。多管是过两日便来,兄长放心!"宋江心慌,先使戴宗去赶,后着时迁、李云、乐和、王定六四个首将,分四路去寻。有诗为证:

　　　　李逵斗胆人难及,便要随军报不平。
　　　　只为宋江军令肃,手持双斧夜深行。

且说李逵是夜提着两把板斧下山,抄小路径投凌州去,一路上自寻思道:"这两个鸟将军,何消得许多军马去征他!我且抢入城中,一斧一个,都砍杀了,也教哥哥吃一惊,也和他们争得一口气。"走了半日,走得肚饥,原来贪慌下山,又不曾带得盘缠。多时不做这买卖,寻思道:"只得寻个鸟出气的。"正走之间,看见路旁一个村酒店,李逵便入去里面坐下,连打了三角酒,二斤肉吃了,起身便走。酒保拦住讨钱,李逵道:"待我前头去寻得些买卖,却把来还你。"说罢,便动身。只见外面走入个彪形大汉来,喝道:"你这黑厮好大胆!谁开的酒店,你来白吃不肯还钱!"李逵睁着眼道:"老爷不拣那里,只是白吃。"韩伯龙道:"我对你说时,惊得你尿流屁滚! 老爷是梁山泊好汉韩伯龙的便是,本钱都是宋江哥哥的。"李逵听了暗笑:"我山寨里那里认的这个鸟人!"原来韩伯龙曾在江湖上打家劫舍,要来上梁山泊入伙,却投奔了旱地忽律朱贵,要他引见宋江。因是宋公明生发背疮在寨中,又调兵遣将,多忙少闲,不曾见得,朱贵权且教他在村中卖酒。当时李逵去腰间拔出一把板斧,看着韩伯龙道:"把斧头为当。"韩伯龙不知是计,舒手来接,被李逵手起,望面门上只一斧,肐腊地砍着。可怜韩伯龙做了半世强人,死在李逵之手。两三个火家,只恨爷娘少生了两只脚,望深村里走了。李逵就地下掳掠了盘缠,放火烧了草屋,望凌州去了。

　　行不得一日,正走之间,官道旁边只见走过一条大汉,直上直下相李逵。李逵见那人看他,便道:"你那厮看老爷怎地?"那汉便答道:"你是谁的老爷?"李逵便抢将入来。那汉子手起一拳,打个搭墩①。李逵寻思:"这汉子倒使得好拳!"坐在地下,仰着脸问道:"你这汉子姓甚名谁?"那汉道:"老爷没姓,要厮打便和你厮打。你敢起来?"李逵大怒,正待跳将起来,被那汉子肋罗里又只一脚,踢了一跤。李逵叫道:"赢他不得!"扒将起来便走。那汉叫住,问道:"这黑汉子,你姓甚名谁? 那里人氏?"李逵道:"我说与你,休要吃惊。我是梁山泊黑旋风李逵的便是。"那汉道:"你端的是不是? 不要说谎。"李逵道:"你不信,只看我这两把板斧。"那汉道:"你既是梁山泊好汉,独自一个投那里去?"李逵道:"我和哥哥赌口气,要投凌州去杀那姓单姓魏的两个。"那汉道:"我听得你梁山泊已有军马去了。你且说是谁?"李逵道:"先是大刀关胜领兵,随后便是豹子头林冲、青面兽杨志领军策

————————————

① 搭墩——屁股着地摔了一跤。

应。"那汉听了，纳头便拜。李逵道："你端的姓甚名谁?"那汉道："小人原是中山府人氏，祖传三代相扑为生。却才手脚，父子相传，不教徒弟。平生最无面目①，到处投人不着，山东、河北都叫我做没面目焦挺。近日打听得寇州地面有座山，名为枯树山，山上有个强人，平生只好杀人，世人把他比做丧门神，姓鲍名旭。他在那山里打家劫舍，我如今待要去那里入伙。"李逵道："你有这等本事，如何不来投奔俺哥哥宋公明?"焦挺道："我多时要投奔大寨入伙，却没条门路。今日得遇兄长，愿随哥哥。"李逵道："我却要和宋公明哥哥争口气了，下山来，不杀得一个人，空着双手怎地回去?你和我去枯树山，说了鲍旭，同去凌州，杀得单、魏二将，便好回山。"焦挺道："凌州一府城池，许多军马在彼，我和你只两个，便有十分本事，也不济事，枉送了性命。不如且去枯树山，说了鲍旭，都去大寨入伙，此为上计。"两个正说之间，背后时迁赶将来，叫道："哥哥忧得你苦! 便请回山。如今分四路去赶你也。"李逵引着焦挺，且教与时迁厮见了。时迁劝李逵回山："宋公明哥哥等你。"李逵道："你且住! 我和焦挺商量定了，先去枯树山说了鲍旭，方才回来。"时迁道："使不得。哥哥等你，即便回寨。"李逵道："你若不跟我去，你自先回山寨，报与哥哥知道，我便回也。"时迁惧怕李逵，自回山寨去了。焦挺却和李逵自投寇州来，望枯树山去了。

　　话分两头，却说关胜与同宣赞、郝思文，引领五千军马接来，相近凌州。且说凌州太守接得东京调兵的敕旨，并蔡太师札付，便请兵马团练单廷圭、魏定国商议。二将受了札付，随即选点军

---

① 无面目——六亲不认、不讲交情的意思。

兵,关领军器,拴束鞍马,整顿粮草,指日起行。忽闻报说:"蒲东大刀关胜,引军到来,侵犯本州。"单廷圭、魏定国听得大怒,便收拾军马出城迎敌。两军相近,旗鼓相望。门旗下关胜出马。那边阵内鼓声响处,圣水将军出马。怎生打扮?

　　戴一顶浑铁打就四方铁帽,顶上撒一颗斗来大小黑缨,披一副熊皮砌就嵌缝沿边乌油铠甲,穿一领皂罗绣就点翠团花秃袖征袍,着一双斜皮踢镫嵌线云跟靴,系一条碧鞓钉就叠胜狮蛮带,一张弓,一壶箭,骑一匹深乌马,使一条黑杆枪。

前面打一把引军按北方皂纛旗,上书七个银字:"圣水将军单廷圭"。又见这边鸾铃响处,转出这员神火将军魏定国来出马。怎生打扮?

　　戴一顶朱红缀嵌点金束发盔,顶上撒一把扫帚长短赤缨,披一副摆连环吞兽面猙猊铠,穿一领绣云霞飞怪兽绛红袍,着一双刺麒麟间翡翠云缝锦跟靴,带一张描金雀画宝雕弓,悬一壶凤翎凿山狼牙箭,骑坐一匹胭脂马,手使一口熟铜刀。

前面打一把引军按南方红绣旗,上书七个银字:"神火将军魏定国"。两员虎将一齐出到阵前。关胜见了,在马上说道:"二位将军,别来久矣!"单廷圭、魏定国大笑,指着关胜骂道:"无才关胜,背反狂夫,上负朝廷之恩,下辱祖宗名目,不知死活,引军到来,有何理说?"关胜答道:"你二将差矣!目今主上昏昧,奸臣弄权,非亲不用,非仇不谈。兄长宋公明仁德施恩,替天行道,特令关某等到来,招请二位将军。倘蒙不弃,便请过来,同归山寨。"单、魏二将听得大怒,骤马齐出。一个似北方一朵乌云,一个如南方一团烈火,飞出阵前。关胜却待去迎敌,左手下飞出宣赞,右手下奔出郝思文,两对儿在阵前厮杀。刀对刀,迸万道寒光;枪对枪,起一天杀气。关胜遥见神火将越斗越精神,圣水将无半点惧色。正斗之间,两将拨转马头,望本阵便走。郝思文、宣赞随即追赶,冲入阵中。只见魏定国转入左边,单廷圭转过右边,随后宣赞赶着魏定国,郝思文追住单廷圭。

且说宣赞正赶之间,只见四五百步军,都是红旗红甲,一字儿围裹将来,挠钩齐下,套索飞来,和人连马活捉去了。再说郝思文追赶单廷圭到右边,只见五百来步军,尽是黑旗黑甲,一字儿裹转来,脑后众军齐上,把郝思文生擒活捉去了。可怜二将英雄,到此翻成画饼。一面把人解入凌州,各领五百精兵,杀出阵门,却似乌云卷地,犹如烈火飞来。众军卷杀过对阵,关胜举手无措,大败输亏,望后便退。随即单廷圭、魏定国拍马在背后追来。关胜正走之间,只见前面冲出二将。关胜看时,左有林冲,右有杨志,从两肋罗里撞将出来,杀散凌州军马。关胜收住本部残兵,与林冲、杨志相见,合兵一处。随后孙立、黄信,一同见了,权且下寨。

却说水火二将捉得宣赞、郝思文,得胜回到城中。张太守接着,置酒作贺。一面教人做造陷车,装了二人,差一员偏将,带领三百步军,连夜解上东京,申达朝廷。

且说偏将带领三百人马,监押宣赞、郝思文上东京来,迤逦前行,来到一个去处,只见满山枯树,遍地芦芽。一声锣响,撞出一伙强人,当先一个,手搦双斧,声喝如雷,正是梁山泊黑旋风李逵。随即后面带着这个好汉,端的是谁?正是:

相扑丛中人尽伏,拽拳飞脚如刀毒。

劣性发时似山倒,焦挺从来没面目。

李逵、焦挺两个好汉,引着小喽啰拦住去路,也不打话,便抢陷车。偏将急待要走，背后又撞出一个好汉。正是：

　　　　狰狞鬼脸如锅底，双睛叠暴露狼唇。

　　　　放火杀人提阔剑，鲍旭名唤丧门神。

这个好汉正是丧门神鲍旭，向前把偏将手起剑落，砍下马来。其余人等，撇下陷车尽皆逃命去了。

　　李逵看时，却是宣赞、郝思文，便问了备细来由。宣赞见李逵，亦问："你怎生在此？"李逵说道："为是哥哥不肯教我来厮杀，独自一个走下山来。先杀了韩伯龙，后撞见焦挺，引我在此。鲍旭一见如故，便和亲兄弟一般接待。却才商议，正欲去打凌州，只见小喽啰山头上望见这伙人马，监押陷车到来。只道是官兵捕盗，不想却是你二位。"鲍旭邀请到寨内，杀羊置酒相待。郝思文道："兄弟既然有心上梁山泊入伙，不若将引本部人马，就同去凌州，并力攻打，此为上策。"鲍旭道："小可与李兄正如此商议。足下之言，说的最是。我山寨之中，也有三二百匹好马。"带领五七百小喽啰，五筹好汉，一齐来打凌州。

　　却说逃难军士奔回来报与张太守说道："半路里有强人夺了陷车，杀了首将。"单廷圭、魏定国听得大怒，便道："这番拿着，便在这里施刑。"只听得城外关胜引兵搦战。单廷圭争先出马，开城门放下吊桥，引一千军马出城迎敌。门旗中飞出五百玄甲军来，到于阵前，走出一员大将，争先出马，乃是圣水将军。端的好表人物。怎生打扮？有诗为证：

　　　　凤目卧蚕眉，虬髯黑面皮。

　　　　锦袍笼獬豸，宝甲嵌狻猊。

　　　　马跨东洋兽，人擎北斗旗。

　　　　凌州圣水将，英雄单廷圭。

　　当下单廷圭出马，大骂关胜道："辱国败将，何不就死！"关胜听了,舞刀拍马。两个斗不到二十馀合,关胜勒转马头,慌忙便走。单廷圭随即赶将来,约赶十馀里,关胜回头喝道:"你这厮不下马受降,更待何时!"单廷圭挺枪直取关胜后心。关胜使出神威,拖起刀背,只一拍,喝一声:"下去!"单廷圭落马。关胜下马,向前扶起,叫道:"将军恕罪。"单廷圭惶恐伏礼,乞命受降。关胜道:"某与宋公明哥哥面前,多曾举你。特来相招二位将军,同聚大义。"单廷圭答道:"不才愿施犬马之力,同共替天行道。"两个说罢,并马而行出来。林冲接见二人并马而行,便问其故。关胜不说输赢,答道:"山僻之内,诉旧论新,招请归降。"林冲等众皆大喜。单廷圭回至阵前,大叫一声,五百玄甲军兵一哄过来。其馀人马,奔入城中去了,连忙报知太守。

魏定国听了大怒。次日,领起军马出城交战。单廷圭与同关胜、林冲,直临阵前。只见门旗开处,神火将军出马。怎生打扮?有诗为证:

> 朗朗明星露双目,团团虎面如紫玉。
>
> 锦袍花绣荔枝红,衬袄云铺鹦鹉绿。
>
> 行来好似火千团,部领绛衣军一簇。
>
> 世间人号神火将,此是凌州魏定国。

当时魏定国出马,见了单廷圭顺了关胜,大骂:"忘恩背主,负义匹夫!"关胜大怒,拍马向前迎敌。二马相交,军器并举,两将斗不到十合,魏定国望本阵便走。关胜却欲要追,单廷圭大叫道:"将军不可去赶!"关胜连忙勒住战马。说犹未了,凌州阵内早飞出五百火兵,身穿绛衣,手执火器,前后拥出有五十辆火车,车上都满装芦苇引火之物。军人背上,各拴铁葫芦一个,内藏硫黄焰硝五色烟药,一齐点着,飞抢出来。人近人倒,马遇马伤。关胜军兵四散奔走,退四十馀里扎住。

魏定国收转军马回城，看见本州烘烘火起，烈烈烟生。原来却是黑旋风李逵与同焦挺、鲍旭，带领枯树山人马，都去凌州背后，打破北门，杀入城中，放起火来，劫掳仓库钱粮。魏定国知了，不敢入城，慌速回军。被关胜随后赶上追杀，首尾不能相顾。凌州已失，魏定国只得退走，奔中陵县屯驻。关胜引军，把县四下围住，便令诸将调兵攻打。魏定国闭门不出。

单廷圭便对关胜、林冲等众位说道："此人是一勇之夫，攻击得紧，他宁死而不辱。事宽即完，急难成效。小弟愿往县中，不避刀斧，用好言招抚此人，束手来降，免动干戈。"关胜见说大喜，随即叫单廷圭单人匹马到县。小校报知，魏定国出来相见了，邀请上厅而坐。单廷圭用好言说道："如今朝廷不明，天下大乱，天子昏昧，奸臣弄权。我等归顺宋公明，且归水泊。久后奸臣退位，那时临朝，去邪归正，未为晚矣。"魏定国听罢，沉吟半晌，说道："若是要我归顺，须是关胜亲自来请，我便投降。他若是不来，我宁死而不辱。"单廷圭即便上马回来，报与关胜。关胜见说，便道："大丈夫作事，何故疑惑。"便与单廷圭匹马单刀而去。林冲谏道："兄长，人心难忖，三思而行。"关胜道："好汉作事无妨。"直到县衙。魏定国接着大喜，愿拜投降，同叙旧情，设宴管待。当日带领五百火兵，都来大寨，与林冲、杨志并众头领俱各相见已了，即便收军回梁山泊来。宋江早使戴宗接着，对李逵说道："只为你偷走下山，空教众兄弟赶了许多路。如今时迁、乐和、李云、王定六四个先回山去了。我如今先去报知哥哥，免至悬望。"

不说戴宗争先去了，且说关胜等军马回到金沙滩边，水军头领棹船接济军马，陆续过渡，只见一个人气急败坏跑将来。众人看时，却是金毛犬段景住。林冲便问道："你和杨林、石勇去北地里买马,如何这等慌速跑来?"

段景住言无数句,话不一席,有分教:宋江调拨军兵,来打这个去处。重报旧仇,再雪前恨。正是:情知语是钩和线,从头钓出是非来。毕竟段景住对林冲等说出甚言语来,且听下回分解。

第 六 十 八 回

宋公明夜打曾头市　卢俊义活捉史文恭

诗曰：

恢恢天网实无端，消息盈虚未易观。

不向公家尊礼度，却从平地筑峰峦。

宋江水浒心初遂，晁盖泉台死亦安。

天道好还非谬语，身亡家破不胜叹。

话说当时段景住跑来，对林冲等说道："我与杨林、石勇前往北地买马。小弟到彼，选得壮窜有筋力好毛片骏马，买了二百馀匹。回至青州地面，被一伙强人，为头一个唤做险道神郁保四，聚集二百馀人，尽数把马劫夺，解送曾头市去了。石勇、杨林不知去向。小弟连夜逃来报知，可差人去讨马回山。"

关胜见说，教且回山寨与哥哥相见了，却商议此事。众人且过渡来，都到忠义堂上，见了宋江。关胜引单廷圭、魏定国与大小头领俱各相见了。李逵把下山杀了韩伯龙，遇见焦挺、鲍旭，同去打破凌州之事说了一遍。宋江听罢，又添四个好汉，正在欢喜。

段景住备说夺马一事，宋江听了，大怒道："前者夺我马匹，今又如此无礼！晁天王的冤仇未曾报得，旦夕不乐。若不去报此仇，惹人耻笑！"吴用道："即目春暖，正好厮杀。前者进兵失其地利，如今必用智取。"宋江道："此仇深入骨髓，不报得誓不还山!"吴用道:"且教时迁,他会飞檐走壁,可去探听消息一遭,回来却作商量。"时迁听命去了。无三二日,只见杨林、石勇逃得回寨,备说曾头市史文恭口出大言,要与梁山泊势不两立。宋江见说,便要起兵。吴用道:"再待时迁回报,却去未迟。"宋江怒气填胸,要报此仇,片时忍耐不住,又使戴宗飞去打听,立等回报。不过数日,却是戴宗先回来说:"这曾头市要与凌州报仇,欲起军马。见今曾头市口扎下大寨,又在法华寺内做中军帐,五百里遍插旌旗,不知何路可进。"次日,时迁回寨报说:"小弟直到曾头市里面,探知备细。见今扎下五个寨栅,曾头市前面,二千馀人守住村口。总寨内是教师史文恭执掌,北寨是曾涂与副教师苏定,南寨内是次子曾参,西寨内是三子曾索,东寨内是四子曾魁,中寨内是第五子曾升与父亲曾弄守把。这个青州郁保四,身长一丈,腰阔数围,绰号险道神,将这夺的许多马匹都喂养在法华寺内。"

吴用听罢,便教会集诸将,一同商议:"既然他设五个寨栅,我这里分调五支军将,可作五路去打他五个寨栅。"卢俊义便起身道:"卢某得蒙救命上山,未能报效,今愿尽命向前,未知尊意若何?"宋江大喜,便道:"员外如肯下山,便为前部。"吴用谏道:"员外初到山寨,未经战阵,山岭崎岖,乘马不便,不可为前部先锋。别引一支军马,前去平川埋伏,只听中军炮响,便来接应。"吴用主意只恐卢俊义捉得史文恭,宋江不负晁盖之遗言,让位与他,因此不允。宋江大意只要卢俊义建功,乘此机会,教他为山寨之主,不负晁盖遗言。吴用不肯,立主叫卢员外带同燕青,引领五百步军,平川小路听号。再分调五路军马:曾头市正南大寨,差马军头领霹雳火秦明、小李广花荣,副将马麟、邓飞,引军三千攻打;曾头市正东大寨,差步军头领花和尚鲁智深、行者武松，副将孔明、孔亮，引军三千攻打；曾头市正北大寨，差马军头领青面兽杨志、九纹龙史进，副将杨春、陈达，引军三千攻打；曾头市正西大寨，差步军头领美髯公朱仝，插翅虎雷横，副将邹渊、邹润，引军三千攻打；曾头市正中总寨，都头领宋公明，军师吴用、公孙胜，随行副将吕方、郭盛、解珍、解宝、戴宗、时迁，领军五千攻打。合后步军头领黑旋风李逵、混世魔王樊瑞，副将项充、李衮，引马步军兵五千。其馀头领各守山寨。怎见得五军进发？但见：

> 梁山泊五军先锋，马军遇水叠桥；水浒寨六丁神将，步
> 卒逢山开路。七星旗带，飘飘散天上乌云；八卦阵图，
> 隐隐动山前虎豹。鞍上将齐披铁铠，坐下马都带铜铃。
> 九洞妖魔离海内，十方神将降人间。

当下宋江部领五军兵将大进，正是枪刀流水急，人马撮风行。且说曾头市探事人探知备细，报入寨中。曾长官听了，便请教师史文恭、苏定商议军情重事。史文恭道："梁山泊军马来时，只是多使陷坑，方才捉得他强兵猛将。这伙草寇，须是这条计，以为上策。"曾长官便差庄客人等，将了锄头、铁锹，去村口掘下陷坑数十处，上面虚浮土盖，四下里埋伏了军兵，只等敌军来到。又去曾头市北路，也掘下十数处陷坑。比及宋江军马起行时，吴用预先暗使时迁又去打听。数日之间，时迁回来报说："曾头市寨南寨北尽都掘下陷坑，不计其数，只等俺军马到来。"吴用见说，大笑道："不足为奇！"引军前进，来到曾头市相近。此时日午时分，前队望见一骑马来，项带铜铃，尾拴雉尾，马上一人，青巾白袍，手执短枪。前队望见，便要追赶。吴用止住，便教军马就此下寨，四面掘了濠堑，下了铁蒺藜。传令下去，教五军各自分投下寨，一般掘下濠堑，下了蒺藜。

一住三日，不出交战。吴用再使时迁扮作伏路小军，去曾头市寨中探听他不出何意；所有陷坑，暗暗地记着有几处，离寨多少路远，总有几处。时迁去了一日，都知备细，暗地使了记号，回报军师。次日，吴用传令，教前队步军各执铁锄，分作两队，又把粮车一百有馀，装载芦苇干柴，藏在中军。当晚传令与各寨诸军头领：来日巳牌，只听东西两路步军先去打寨。再教攻打曾头市北寨的杨志、史进，把马军一字儿摆开。如若那边擂鼓摇旗，虚张声势，切不可进。吴用传令已了。

再说曾头市史文恭只要引宋江军马打寨，便着他陷坑，寨前路狭，待走那里去！次日巳牌，只听得寨前炮响，追兵大队都到南门。次后只见东寨边来报道："一个和尚轮着铁禅杖，一个行者舞起双戒刀，攻打前后。"史文恭道："这两个必是梁山泊鲁智深、武松。"犹恐有失，便分人去帮助曾魁。只见西寨边又来报道："一个长髯大汉，一个虎面贼人，旗号上写着美髯公朱仝、插翅虎雷横，前来攻打甚急。"史文恭听了，又分拨人去帮助曾索。又听得寨前炮响，史文恭按兵不动，只要等他入来塌了陷坑，山后伏兵齐起，接应捉人。这里吴用却调马军，从山背后两路抄到寨前。前面步军只顾看寨，又不敢去；两边伏兵都摆在寨前，背后吴用军马赶来，尽数逼下坑去。史文恭却待出来，吴用鞭梢一指，军寨中锣响，一齐推出百馀辆车子来，尽数把火点着，上面芦苇、干柴、硫黄、焰硝一齐着起，烟火迷天。比及史文恭军马出来，尽被火车横拦当住，只得回避，急待退军。公孙胜早在阵中挥剑作法，借起大风，刮得火焰卷入南门，早把敌楼、排栅尽行烧毁。已自得胜，鸣金收军，四下里入寨，当晚权歇。史文恭连夜修整寨门，两下当住。

次日，曾涂对史文恭计议道："若不先斩贼首，难以追灭。"分付教师史文恭牢守寨栅。曾涂率领军兵，披挂上马，出阵搦战。怎生打扮？

　　头戴金盔，身披铁铠，腰系绒绦，坐骑快马。

　　弯弓插箭，体挂绯袍，脚踏宝镫，手拈钢枪。

　　当日曾涂上马，飞出阵来。宋江在中军闻知曾涂搦战，带领吕方、郭盛相随，出到前军。门旗影里看见曾涂，心怀旧恨，用鞭指道："谁与我先捉这厮，报往日之仇，消向者之恨？"小温侯吕方拍坐下马，挺手中方天画戟，直取曾涂。两马交锋，军器并举，斗到三十合已上，郭盛在门旗下，看见两个中间将及输了一个。原来吕方本事迭不得①　曾涂，三十合已前，兀自抵敌得住，三十合已后，戟法乱了，只办得遮架躲闪。郭盛只恐吕方有失，便骤坐下马，拈手中方天画戟，飞出阵来，夹攻曾涂。三骑马在阵前绞做一团。原来两枝戟上都拴着金钱豹尾，吕方、郭盛要捉曾涂，两枝戟齐举。曾涂眼明，便用枪只一拨，却被两条豹尾搅住朱缨，夺扯不开。三个各要掣出军器使用。小李广花荣在阵中看见，恐怕输了两个，便纵马出来，左手拈起雕弓，右手急取铍箭②，搭上箭，拽满弓，望着曾涂射来。这曾涂却好掣出枪来，那两枝戟兀自搅做一团。说时迟，那时疾，曾涂掣枪，便望吕方项根搠来，花荣箭早先到，正中曾涂左臂，翻身落马，头盔倒卓，两脚蹬空。吕方、郭盛双戟并施，曾涂死于非命。十数骑马军飞奔回来，报知史文恭，转报中寨。曾长官听得大哭。有诗为证：

　　拍马横枪要出尖，当场挑战势翩翩。

　　不知暗中雕翎箭，一命悠悠赴九泉。

----

① 迭不得——比不上。迭，及。

② 铍(pī)箭——箭头较薄而阔、箭杆较长的一种箭。

只见旁边恼犯了一个壮士曾升,武艺绝高,使两口飞刀,人莫敢近。当时听了大怒,咬牙切齿,喝教:"备我马来,要与哥哥报仇!"曾长官拦当不住,全身披挂,绰刀上马,直奔前寨。史文恭接着,劝道:"小将军不可轻敌,宋江军中智勇猛将极多。若论史某愚意,只宜坚守五寨,暗地使人前往凌州,便教飞奏朝廷,调兵选将,多拨官军,分作两处征剿,一打梁山泊,一保曾头市,令贼无心恋战,必欲退兵急奔回山。那时史某不才,与汝弟兄一同追杀,必获大功。"说言未了,北寨副教师苏定到来,见说坚守一节,便道:"梁山泊吴用那厮,诡计多谋,不可轻敌。只宜退守,待救兵到来,从长商议。"曾升叫道:"杀我亲兄,此冤不报,更待何时!直等养成贼势,退敌则难。"史文恭、苏定阻当不住,曾升上马,带领数十骑马军,飞奔出寨搦战。

宋江闻知,传令前军迎敌。当时秦明得令,舞起狼牙棍,正要出阵斗这曾升,只见黑旋风李逵手搦板斧,直奔军前,不问事由,抢出阵心。对阵有人认的,说道:"这个是梁山泊黑旋风李逵。"曾升见了,便叫放箭。原来李逵但是上阵,便要脱膊,全得项充、李衮蛮牌遮护。此时独自抢来,被曾升一箭,腿上正着,身如泰山倒在地下。曾升背后马军齐抢过来,宋江阵上秦明、花荣飞马向前死救,背后马麟、邓飞、吕方、郭盛一齐接应归阵。曾升见了宋江阵上人多,不敢再战,以此领兵还寨。宋江也自收军驻扎。次日,史文恭、苏定只是主张不要对阵,怎禁得曾升催并道:"要报兄仇。"史文恭无奈,只得披挂上马。那匹马便是先前夺的段景住的千里龙驹照夜玉狮子马。宋江引诸将摆开阵势迎敌。对阵史文恭出马。怎生打扮?

头上金盔耀日光,身披铠甲赛冰霜。

坐骑千里龙驹马,手执朱缨丈二枪。

斯时史文恭出马，横杀过来。宋江阵上秦明要夺头功，飞奔坐下马来迎。二骑相交，军器并举，约斗二十馀合，秦明力怯，望本阵便走。史文恭奋勇赶来，神枪到处，秦明后腿股上早着，倒撷下马来。吕方、郭盛、马麟、邓飞四将齐出，死命来救。虽然救得秦明，军兵折了一阵，收回败军，离寨十里驻扎。宋江叫把车子载了秦明，一面使人送回山寨将息，再与吴用商量，教取大刀关胜、金枪手徐宁，并要单廷圭、魏定国，四位下山，同来协助。

宋江自己焚香祈祷，占卜一课。吴用看了卦象，便道："虽然此处可破，今夜必主有贼兵入寨。"宋江道："可以早作准备。"吴用道："请兄长放心，只顾传下号令。"先去报与三寨头领，今夜起，东西二寨，便教解珍在左，解宝在右，其馀军马，各于四下里埋伏已定。是夜，天晴月白，风静云闲。史文恭在寨中对曾升道："贼兵今日输了两将，必然惧怯，乘虚正好劫寨。"曾升见说，便教请北寨苏定、南寨曾参、西寨曾索引兵前来，一同劫寨。二更左侧，潜地出哨，马摘鸾铃，人披软战，直到宋江中军寨内。见四下无人，劫着空寨，急叫中计，转身便走。左手下撞出两头蛇解珍，右手下撞出双尾蝎解宝，后面便是小李广花荣，一发赶上。曾索在黑地里被解珍一钢叉搠于马下。放起火来，后寨发喊，东西两边，进兵攻打寨栅，混战了半夜。史文恭夺路得回。

曾长官又见折了曾索，烦恼倍增。次日，请史文恭写书投降。史文恭也有八分惧怯，随即写书，速差一人赍擎，直到宋江大寨。小校报知曾头市有人下书，宋江传令，教唤入来。小校将书呈上，宋江拆开看时，写道：

"曾头市主曾弄顿首再拜宋公明统军头领麾下：日昨小男倚仗一时之勇，误有冒犯虎威。向日天王率众来，理合就当归附。奈何无端部卒施放冷箭，更兼夺马之罪，虽百口何辞！原之实非本意。今顽犬已亡，遣使讲和。如蒙罢战休兵，将原夺马匹尽数纳还，更赍金帛犒劳三军。此非虚情，免致两伤。谨此奉书，伏乞照察。"

宋江看罢来书，心中大怒，扯书骂道："杀我兄长，焉肯干休！只待洗荡村坊，是我本愿。"下书人俯伏在地，凛颤不已。吴用慌忙劝道："兄长差矣！我等相争，皆为气耳。既是曾家差人下书讲和，岂为一时之忿，以失大义。"随即便写回书，取银十两赏了来使。回还本寨，将书呈上。曾长官与史文恭拆开看时，上面写道：

"梁山泊主将宋江手书回复曾头市主曾弄帐前：国以信而治天下，将以勇而镇外邦。人无礼而何为，财非义而不取。梁山泊与曾头市自来无仇，各守边界。奈缘尔将行一时之恶，惹数载之冤。若要讲和，便须发还二次原夺马匹，并要夺马凶徒郁保四，犒劳军士金帛。忠诚既笃，礼数休轻。如或更变，别有定夺。草草具陈，情照不宣。"

曾长官与史文恭看了，俱各惊忧。次日，曾长官又使人到来言说："若肯讲和，各请一人质当。"宋江不肯，吴用便道："无伤！"随即便差时迁、李逵、樊瑞、项充、李衮五人前去为信。临行时，吴用叫过时迁，附耳低言："如此如此，休得有误。"不说五人去了，却说关胜、徐宁、单廷圭、魏定国到了，当时见了众人，就在中军扎驻。

且说时迁引四个好汉来见曾长官。时迁向前说道："奉哥哥将令，差时迁引李逵等四人前来讲和。"史文恭道："吴用差遣五个人来，必然有谋。"李逵大怒，揪住史文恭便打，曾长官慌忙劝住。时迁道："李逵虽然粗卤，却是俺宋公明哥哥心腹之人，特使他来，休得疑惑。"曾长官中心只要讲和，不听史文恭之言，便叫置酒相待,请去法华寺寨中安歇,拨五百军人前后围住,却使曾升带同郁保四来宋江大寨讲和。二人到中军相见了,随后将原夺二次马匹并金帛一车送到大寨。宋江看罢道:"这马都是后次夺的,正有先前段景住送来那匹千里白龙驹照夜玉狮子马,如何不见将来?"曾升道:"是师父史文恭乘坐着,以此不曾将来。"宋江道:"你疾忙快写书去,教早早牵那匹马来还我!"曾升便写书,叫从人还寨讨这匹马来。史文恭听得,回道:"别的马将去不吝,这匹马却不与他!"从人往复走了几遭,宋江定死要这匹马。史文恭使人来说道:"若还定要我这匹马时,着他即便退军,我便送来还他。"

　　宋江听得这话,便与吴用商议。尚然未决,忽有人来报道:"青州、凌州两路有军马到来。"宋江道:"那厮们知得,必然变卦!"暗传下号令,就差关胜、单廷圭、魏定国去迎青州军马,花荣、马麟、邓飞去迎凌州军马。暗地叫出郁保四来,用好言抚恤他,十分恩义相待,说道:"你若肯建这场功劳,山寨里也教你做个头领,夺马之仇,折箭为誓,一齐都罢;你若不从,曾头市破在旦夕。任从你心。"郁保四听言,情愿投拜,从命帐下。吴用授计与郁保四道:"你只做私逃还寨,与史文恭说道:'我和曾升去宋江寨中讲和,打听得真实了。如今宋江大意,只要赚这匹千里马,实无心讲和,若还与了他,必然翻变。如今听得青州、凌州两路救兵到了,十分心慌,正好乘势用计,不可有误。'他若信从了,我自有处置。"郁保四领了言语,直到史文恭寨里,把前事具说一遍。史文恭引了郁保四来见曾长官,备说宋江无心讲和,可以乘势劫他寨栅。曾长官道:"我那曾升当在那里,若还翻变,必然被他杀害。"史文恭道:"打破他寨,好歹救了。今晚传令与各寨,尽数都起,先劫宋江大寨。如断去蛇首,众贼无用,回来却杀李逵等五人未迟。"曾长官道:"教师可以善用良计。"当下传令与北寨苏定、东寨曾魁、南寨曾参,一同劫寨。郁保四却闪来法华寺大寨内,看了李逵等五人,暗与时迁走透这个消息。

再说宋江同吴用说道:"未知此计若何?"吴用道:"如是郁保四不回,便是中俺之计。他若今晚来劫我寨,我等退伏两边,却教鲁智深、武松引步军杀入他东寨,朱仝、雷横引步军杀入他西寨,却令杨志、史进引马军截杀北寨。此名番犬伏窝之计①,百发百中。"

当晚却说史文恭带了苏定、曾参、曾魁,尽数起发。是夜,月色朦胧,星辰昏暗。史文恭、苏定当先,曾参、曾魁押后,马摘鸾铃,人披软战,尽都来到宋江总寨。只见寨门不关,寨内并无一人,又不见些动静,情知中计。即便回身,急望本寨去时,只见曾头市里锣鸣炮响,却是时迁爬去法华寺钟楼上撞起钟来。声响为号,东西两门火炮齐响,喊声大举,正不知多少军马杀将入来。却说法华寺中李逵、樊瑞、项充、李衮一齐发作,杀将出来。史文恭等急回到寨时,寻路不见。曾长官见寨中大闹,又听得梁山泊大军两路杀将入来,就在寨里自缢而死。曾参径奔西寨,被朱仝一朴刀搠死。曾魁要奔东寨时,乱军中马踏为泥。苏定死命奔出北门,却有无数陷坑,背后鲁智深、武松赶杀将来,前逢杨志、史进,乱箭射死苏定。后头撞来的人马都撷入陷坑中去,重重叠叠,陷死不知其数。宋江众将得胜,在曾头市卷杀八面残兵,掳掠财物。有诗为证:

可怪曾家事不谐,投降特地贡书来。

---

① 番犬伏窝之计——古代传说:外番有一种犬,猎物时常伏到野兽的窝里,等野兽回窝时,就把它咬住。

宋江要雪天王恨，半夜驱兵卷杀来。

且说史文恭得这千里马行得快，杀出西门，落荒而走。此时黑雾遮天，不分南北，约行了二十馀里，不知何处。只听得树林背后一声锣响，撞出四五百军来。当先一将，手提杆棒，望马脚便打。那匹马是千里龙驹，见棒来时，从头上跳过去了。史文恭正走之间，只见阴云冉冉，冷气飕飕，黑雾漫漫，狂风飒飒，虚空中一人当住去路。史文恭疑是神兵，勒马便回。东西南北四边，都是晁盖阴魂缠住。史文恭再回旧路，却撞着浪子燕青，又转过玉麒麟卢俊义来，喝一声："强贼待走那里去！"腿股上只一朴刀，搠下马来，便把绳索绑了，解投曾头市来。燕青牵了那匹千里龙驹，径到大寨。宋江看了大喜。仇人相见，分外眼明。心中一喜一怒：喜者得卢员外见功；怒者恨史文恭射杀晁天王，冤仇未曾报得。先把曾升就本处斩首，曾家一门老少，尽数不留。抄掳到金银财宝、米麦粮食，尽行装载上车，回梁山泊给散各部头领，犒赏三军。

且说关胜领军杀退青州军马，花荣领兵杀散凌州军马，都回来了。大小头领不缺一个，又得了这匹千里龙驹照夜玉狮子马，其馀物件尽不必说。陷车内囚了史文恭，便收拾军马，回梁山泊来。所过州县村坊，并无侵扰。

回到山寨忠义堂上，都来参见晁盖之灵。宋江传令，教圣手书生萧让作了祭文，令大小头领人人挂孝，个个举哀，将史文恭剖腹剜心，享祭晁盖已罢。宋江就忠义堂上与众弟兄商议立梁山泊之主。吴用便道："兄长为尊，卢员外为次，其馀众弟兄各依旧位。"宋江道："向者晁天王遗言：'但有人捉得史文恭者，不拣是谁，便为梁山泊之主。'今日卢员外生擒此贼，赴山祭献晁兄，报仇雪恨，正当为尊，不必多说。"卢俊义道："小弟德薄才疏，怎敢承当此位！若得居末,尚自过分。"宋江道:"非宋某多谦,有三件不如员外处:第一件,宋江身材黑矮,貌拙才疏;员外堂堂一表,凛凛一躯,有贵人之相。第二件,宋江出身小吏,犯罪在逃,感蒙众弟兄不弃,暂居尊位;员外出身豪杰之子,又无至恶之名,虽然有些凶险,累蒙天祐,以免此祸。第三件,宋江文不能安邦,武又不能附众,手无缚鸡之力,身无寸箭之功;员外力敌万人,通今博古,天下谁不望风而降。尊兄有如此才德,正当为山寨之主。他时归顺朝廷,建功立业,官爵升迁,能使弟兄们尽生光彩。宋江主张已定,休得推托。"卢俊义恭谦拜于地下,说道:"兄长枉自多谈,卢某宁死,实难从命。"吴用劝道:"兄长为尊,卢员外为次,人皆所伏。兄长若如是再三推让,恐冷了众人之心。"原来吴用已把眼视众人,故出此语。只见黑旋风李逵大叫道:"我在江州,舍身拚命,跟将你来,众人都饶让你一步。我自天也不怕,你只管让来让去做甚鸟！我便杀将起来,各自散火！"武松见吴用以目示人,也发作叫道:"哥哥手下许多军官,受朝廷诰命的,也只是让哥哥,他如何肯从别人?"刘唐便道:"我们起初七个上山,那时便有让哥哥为尊之意。今日却要让别人！"鲁智深大叫道:"若还兄长推让别人,洒家们各自都散！"宋江道:"你众人不必多说,我自有个道理,尽天意看是如何,方才可定。"吴用道:"有何高见,便请一言。"宋江道:"有两件事。"正是:教梁山泊内重添两个英雄,东平府中又惹一场灾祸。直教天罡尽数投忠义,地煞齐临水浒来。毕竟宋江说出那两件事来,且听下回分解。

第六十九回

东平府误陷九纹龙　宋公明义释双枪将

诗曰：

神龙失势滞飞升，得遇风雷便不情。

豪杰相逢鱼得水，英雄际会弟投兄。

千金伪买花娘俏，一让能成俊义名。

水战火攻人罕敌，绿林头领宋公明。

话说当下梁山泊忠义堂上，宋江打了曾头市，卢俊义捉得史文恭，祭献晁天王已了，宋江不负晁盖遗言，要把主位让与卢员外，众人不服。宋江又道："如此众志不定，于心不安。目今山寨钱粮缺少，梁山泊东有两个州府，却有钱粮：一处是东平府，一处是东昌府。我们自来不曾搅扰他那里百姓，今去问他借粮，公然不肯。今写下两个阄儿，我和卢员外各拈一处，如先打破城子的，便做梁山泊主，如何？"吴用道："也好，听从天命。"卢俊义道："休如此说，只是哥哥为梁山泊之主，某听从差遣。"此时不由卢俊义，当下便唤铁面孔目裴宣写下两个阄儿，焚香对天祈祷已罢，各拈一个。宋江拈着东平府，卢俊义拈着东昌府。众皆无语。

当日设筵，饮酒中间，宋江传令调拨人马。宋江部下：林冲、花荣、刘唐、史进、徐宁、燕顺、吕方、郭盛、韩滔、彭玘、孔明、孔亮、解珍、解宝、王矮虎、一丈青、张青、孙二娘、孙新、顾大嫂、石勇、郁保四、王定六、段景住,大小头领二十五员,马步军兵一万;水军头领三员,阮小二、阮小五、阮小七,领水军驾船接应。卢俊义部下:吴用、公孙胜、呼延灼、朱仝、雷横、索超、关胜、杨志、单廷圭、魏定国、宣赞、郝思文、燕青、杨林、欧鹏、凌振、马麟、邓飞、施恩、樊瑞、项充、李衮、时迁、白胜,大小头领二十五员,马步军兵一万;水军头领三员,李俊、童威、童猛,引水手驾船策应。其馀头领并中伤者,看守寨栅。宋江分俵已定。此是一时进兵,去打两处州郡。有诗为证:

尧舜推贤万古无,禹汤传后亦良图。

谁知聚啸山林者,揖让谦恭有盛谟。

且说宋江与众头领去打东平府,卢俊义与众头领去打东昌府,众多头领各自下山。此是三月初一日的话。日暖风和,草青沙软,正好厮杀。

却说宋江领兵前到东平府,离城只有四十里路,地名安山镇,扎住军马。宋江道:“东平府太守程万里和一个兵马都监,乃是河东上党郡人氏。此人姓董名平,善使双枪,人皆称为双枪将,有万夫不当之勇。虽然去打他城子,也和他通些礼数,差两个人,赍一封战书去那里下。若肯归降,免致动兵;若不听从,那时大行杀戮,使人无怨。谁敢与我先去下书?”只见部下走过一人,身长一丈,腰阔数围。那人是谁? 有诗为证:

不好资财惟好义,貌似金刚离古寺。

身长唤做险道神,此是青州郁保四。

郁保四道:“小人认得董平,情愿赍书去下。”又见部下转过一人,瘦小身材,叫道:“我帮他去。”那人是谁? 有诗为证:

蚱蜢头尖光眼目,鹭鸶瘦腿全无肉。

路遥行走疾如飞,扬子江边王定六。

这两个便道："我们不曾与山寨中出得些气力，今情愿去走一遭。"宋江大喜，随即写了战书，与郁保四、王定六两个去下。书上只说借粮一事。

且说东平府程太守，闻知宋江起军马到了安山镇住扎，便请本州兵马都监双枪将董平商议军情重事。正坐间，门人报道："宋江差人下战书。"程太守教唤至。郁保四、王定六当府厮见了，将书呈上。程万里看罢来书，对董都监说道："要借本府钱粮，此事如何？"董平听了大怒，叫推出去即便斩首。程太守谏道："不可！自古两国争战，不斩来使，于礼不当。只将二人各打二十讯棍，发回原寨，看他如何。"董平怒气未息，喝把郁保四、王定六一索捆翻，打得皮开肉绽，推出城去。两个回到大寨，哭告宋江说："董平那厮无理，好生眇视大寨！"

宋江见打了两个，怒气填胸，便要平吞州郡。先叫郁保四、王定六上车，回山将息。只见九纹龙史进起身说道："小弟旧在东平府时，与院子里一个娼妓有染，唤做李瑞兰，往来情熟。我如今多将些金银，潜地入城，借他家里安歇。约定时日，哥哥可打城池。只等董平出来交战，我便扒去更鼓楼上放起火来，里应外合，可成大事。"宋江道："最好！"史进随即收拾金银，安在包袱里，身边藏了暗器，拜辞起身。宋江道："兄弟善觑方便，我且顿兵不动。"

且说史进转入城中，径到西瓦子李瑞兰家。大伯见是史进，吃了一惊，接入里面，叫女儿出来厮见。李瑞兰生的甚是标格出尖。有诗为证：

> 万种风流不可当，梨花带雨玉生香。
> 翠禽啼醒罗浮梦，疑是梅花靓晓妆。

李瑞兰引去楼上坐了，遂问史进道："一向如何不见你头影①?听的你在梁山泊做了大王,官司出榜捉你。这两日街上乱哄哄地说宋江要来打城借粮,你如何却到这里?"史进道:"我实不瞒你说:我如今在梁山泊做了头领,不曾有功。如今哥哥要来打城借粮,我把你家备细说了。如今我特地来做细作,有一包金银相送与你,切不可走透了消息。明日事完,一发带你一家上山快活。"李瑞兰葫芦提应承,收了金银,且安排些酒肉相待,却来和大娘商量道:"他往常做客时,是个好人,在我家出入不妨。如今他做了歹人,倘或事发,不是耍处。"大伯说道:"梁山泊宋江这伙好汉,不是好惹的,但打城池,无有不破。若还出了言语,他们有日打破城子入来,和我们不干罢!"虔婆便骂道:"老蠢物!你省得甚么人事!自古道:蜂刺入怀,解衣去赶。天下通例,自首者即免本罪。你快去东平府里首告,拿了他去,省得日后负累不好。"李公道:"他把许多金银与我家,不与他担些干系,买我们做甚?"虔婆骂道:"老畜生!你这般说,却似放屁!我这行院人家,坑陷了千千万万的人,岂争他一个!你若不去首告,我亲自去衙前叫屈,和你也说在里面!"李公道:"你不要性发,且教女儿款住他,休得打草惊蛇,吃他走了。待我去报与做公的,先来拿了,却去首告。"

且说史进见这李瑞兰上楼来,觉得面色红白不定。史进便问道:"你家莫不有甚事,这般失惊打怪?"李瑞兰道:"却才上胡梯踏了个空,争些儿吃了一跤,因此心慌撩乱。"史进虽是英勇,又吃他瞒过了,更不猜疑。有诗为证:

> 可叹虔婆伎俩多,粉头无奈苦教唆。
>
> 早知暗里施奸狡,错用黄金买笑歌。

---

① 头影——犹今之所言"人影儿"、"面影"。

当下李瑞兰相叙间阔之情。争不过一个时辰,只听得胡梯边脚步响,有人奔上来。窗外呐声喊,数十个做公的抢到楼上,史进措手不及,正如鹰拿野雀,弹打斑鸠,把史进似抱头狮子绑将下楼来,径解到东平府里厅上。程太守看了大骂道:"你这厮胆包身体,怎敢独自个来做细作!若不是李瑞兰父亲首告,误了我一府良民。快招你的情由,宋江教你来怎地?"史进只不言语。董平便道:"两边公吏狱卒牢子,这等贼骨头,不打如何肯招!"程太守喝道:"与我加力打这厮!"又将冷水来喷,两边腿上各打一百大棍。史进由他拷打,不招实情。董平道:"且把这厮长枷木杻,送在死囚牢里,等拿了宋江,一并解京施行。"

却说宋江自从史进去了,备细写书与吴用知道。吴用看了宋公明来书,说史进去娼妓李瑞兰家做细作,大惊。急与卢俊义说知,连夜来见宋江,问道:"谁叫史进去来?"宋江道:"他自愿去。说这李行首是他旧日的表子,好生情重,因此前去。"吴用道:"兄长欠这些主张。若吴某在此,决不叫去。常言道:娼妓之家,讳'者扯丐漏走'五个字。得便熟闲,迎新送旧,陷了多少才人。更兼水性,无定准之意,纵有恩情,也难出虔婆之手。此人今去,必然吃亏。"宋江便问吴用请计。吴用便叫顾大嫂:"劳烦你去走一遭。可扮做贫婆,潜入城中,只做求乞的。若有些动静,火急便回。若是史进陷在牢中,你可去告狱卒,只说有旧情恩念,我要与他送一口饭。拽入牢中,暗与史进说知:'我们月尽①夜黄昏前后,必来打城。你可就水火之处,安排脱身之计。'月尽夜,你就城中放火为号,此间进兵,方好成事。兄长可先打汶上县,百姓必然都奔东平府。却叫顾大嫂杂在数内,乘势

---

① 月尽——指旧历每月的最后一天。

入城,便无人知觉。"吴用设计已罢,上马便回东昌府去了。宋江点起解珍、解宝,引五百馀人攻打汶上县。果然百姓扶老挈幼,鼠窜狼奔,都奔东平府来。有诗为证:

> 史进怆惶已就擒,当官拷掠究来音。
>
> 若非顾媪通消息,怎救圊中万死身。

欲避兵戈,逃生匿迹,合城纷扰,都不在话下。却说顾大嫂头髻蓬松,衣服蓝缕,杂在众人里面,挤入城来,绕街求乞。到于衙前,打听得果然史进陷在牢中,方知吴用智亮如神。次日,提着饭罐,只在司狱司前往来伺候。见一个年老公人从牢里出来,顾大嫂看着便拜,泪下如雨。那年老公人问道:"你这贫婆哭做甚么?"顾大嫂道:"牢中监的史大郎,是我旧的主人,自从离了,又早十年。只说道在江湖上做买卖,不知为甚事陷在牢里。眼见得无人送饭,老身叫化得这一口儿饭,特要与他充饥。哥哥怎生可怜见,引进则个,强如造七层宝塔。"那公人道:"他是梁山泊强人,犯着该死的罪,谁敢带你入去。"顾大嫂道:"便是一刀一剐,自教他瞑目而受。只可怜见引老身入去送这口儿饭,也显得旧日之情。"说罢又哭。那老公人寻思道:"若是个男子汉,难带他入去。一个妇人家有甚利害?"当时引顾大嫂直入牢中来,看见史进项带沉枷,腰缠铁索。史进见了顾大嫂,吃了一惊,则声不得。顾大嫂一头假啼哭,一头喂饭。别的节级便来喝道:"这是该死的歹人! 狱不通风,谁放你来送饭? 即忙出去,饶你两棍!"顾大嫂见监牢内人多,难说备细,只说得:"月尽夜打城,叫你牢中自挣扎。"史进再要问时,顾大嫂被小节级打出牢门。史进只记得"月尽夜"。

原来那个三月却是大尽。到二十九,史进在牢中与两个节级说话,问道:"今朝是几时?"那个小节级却错记了,回说道:"今朝是月尽夜,晚些买贴孤魂纸①来烧。"史进得了这话,巴不得晚。一个小节级吃的半醉,带史进到水火坑边。史进哄小节级道:"背后的是谁?"赚得他回头,挣脱了枷,只一枷梢,把那小节级面上正着一下,打倒在地。就拾砖头敲开木枷,睁着鹊眼,抢到亭心里。几个公人都酒醉了,被史进迎头打着,死的死了,走的走了。拔开牢门,只等外面救应。又把牢中应有罪人尽数放了,总有五六十人,就在牢内发喊起来,一齐走了。有人报知太守,程万里惊得面如土色,连忙便请兵马都监商议。董平道:"城中必有细作,且差多人围困了这贼!我却乘此机会,领军出城去捉宋江。相公便紧守城池,差数十个人围定牢门,休教走了。"董平上马点军去了。程太守便点起一应节级、虞候、押番,各执枪棒,去大牢前呐喊。史进在牢里不敢轻出,外厢的人又不敢进去。顾大嫂只叫得苦。

却说都监董平,点起兵马,四更上马,杀奔宋江寨来。伏路小军报知宋江。宋江道:"此必是顾大嫂在城中又吃亏了。他既杀来,准备迎敌!"号令一下,诸军都起。当时天色方明,却好接着董平军马,两下摆开阵势。董平出马,真乃英雄盖世,谋勇过人。有诗为证:

> 两面旗牌耀日月,简银铁铠似霜凝。
>
> 水磨凤翅头盔白,锦绣麒麟战袄青。
>
> 一对白龙争上下,两条银蟒递飞腾。
>
> 河东英勇风流将,能使双枪是董平。

原来董平心灵机巧,三教九流,无所不通,品竹调弦,无有不会,山东、河北皆号他为风流双枪将。宋江在阵前,看了董平这

---

① 孤魂纸——为死去的人烧化的纸钱。

表人品,一见便喜。又见他箭壶中插一面小旗,上写一联道:"英勇双枪将,风流万户侯"。宋江随即遣韩滔出马迎敌。韩滔得令,手执铁槊,直取董平。董平那对铁枪,神出鬼没,人不可当。宋江再教金枪手徐宁,仗钩镰枪前去交战,替回韩滔。徐宁得令,飞马便出,接住董平厮杀。两个在征尘影里,杀气丛中,斗到五十馀合,不分胜败。交战良久,宋江恐怕徐宁有失,便教鸣金收军。徐宁勒马回来,董平手举双枪,直追杀入阵来。宋江鞭梢一展,四下军兵一齐围住。宋江勒马,上高阜处看望,只见董平围在阵内。他若投东,宋江便把号旗望东指,军马向东来围他;他若投西,号旗便望西指,军马便向西来围他。董平在阵中横冲直撞,两枝枪,直杀到申牌已后,冲开条路,杀出去了。宋江不赶董平,驱兵大进。董平因见交战不胜,当晚收军回城去了。宋江连夜起兵,直抵城下,团团调兵围住。顾大嫂在城中未敢放火,史进又不得出来,两下拒住。

原来程太守有个女儿,十分大有颜色;董平无妻,累累使人去求为亲,程万里不允,因此日常间有些言和意不和。董平当晚领军入城,其日,使个就里的人,乘势来问这头亲事。程太守回说:"我是文官,他是武官,相赘为婿,正当其理。只是如今贼寇临城,事在危急,若还便许,被人耻笑。待得退了贼兵,保护城池无事,那时议亲,未为晚矣。"那人把这话却回复董平,董平虽是口里应道:"说得是。"只是心中踌躇,不十分欢喜,恐怕他日后不肯。

这里宋江连夜攻城得紧,太守催请出战。董平大怒,披挂上马,带领三军出城交战。宋江亲在阵前门旗下喝道:"量你这个寡将①,怎敢当吾!岂不闻古人有言:大厦将倾,非一木可支。

---

① 寡将——单人匹马,别无助手的意思。

你看我手下雄兵十万，猛将千员，替天行道，济困扶危。早来就降，免受一死。"董平大怒，回道："文面小吏，该死狂徒，怎敢乱言！"说罢，手举双枪，直奔宋江。左有林冲，右有花荣，两将齐出，各使军器，来战董平。约斗数合，两将便走，宋江军马佯败，四散而奔。董平要逞功劳，拍马赶来。宋江等却好退到寿张县界。宋江前面走，董平后面追，离城有十数里，前至一个村镇，两边都是草屋，中间一条驿道。董平不知是计，只顾纵马赶来。宋江因见董平了得，隔夜已使王矮虎、一丈青、张青、孙二娘四个，带一百馀人，先在草屋两边埋伏，却拴数条绊马索在路上，又用薄土遮盖，只等来时鸣锣为号，绊马索齐起，准备捉这董平。董平正赶之间，来到那里，只听得背后孔明、孔亮大叫："勿伤吾主！"恰好到草屋前，一声锣响，两边门扇齐开，拽起绳索。那马却待回头，背后绊马索齐起，将马绊倒，董平落马。左边撞出一丈青、王矮虎，右边走出张青、孙二娘，一齐都上，把董平捉了。头盔、衣甲、双枪、只马，尽数夺了。两个女头领，将董平捉住，用麻绳背剪绑了。两个女将各执钢刀，监押董平来见宋江。

却说宋江过了草房，勒住马，立在绿杨树下，迎见这两个女头领解着董平。宋江随即喝退两个女将："我教你去相请董将军，谁教你们绑缚他来！"二女将喏喏而退。宋江慌忙下马，自来解其绳索，便脱护甲锦袍与董平穿着，纳头便拜。董平慌忙答礼。宋江道："倘蒙将军不弃微贱，就为山寨之主。"董平答道："小将被擒之人，万死犹轻。若得容恕安身，实为万幸！"宋江道："敝寨地连水泊，素无扰害。今为缺少粮食，特来东平府借粮，别无他意。"董平道："程万里那厮，原是童贯门下门馆先生，得此美任，安得不害百姓。若是兄长肯容董平，今去赚开城门，杀入城中，共取钱粮，以为报效。"宋江大喜，便令一行人将过盔甲枪马，还了董平，披挂上马。董平在前，宋江军马在后，卷起旗幡，都到东平城下。董平军马在前，大叫："城上快开城门！"把门军士将火把照时，认得是董都监，随即大开城门，放下吊桥。董平拍马先入，砍断铁锁，背后宋江等长驱人马杀入城来。都到东平府里，急传将令，不许杀害百姓、放火烧人房屋。董平径奔私衙，杀了程太守一家人口，夺了这女儿。宋江先叫开放大牢，救出史进。便开府库，尽数取了金银财帛，大开仓廒，装载粮米上车，先使人护送去梁山泊金沙滩，交割与三阮头领，接递上山。史进自引人去西瓦子里李瑞兰家，把虔婆老幼，一门大小，碎尸万段。宋江将太守家私，俵散居民，仍给沿街告示，晓谕百姓："害民州官，已自杀戮。汝等良民，各安生理。"告示已罢，收拾回军。

大小将校再到安山镇，只见白日鼠白胜飞奔前来，报说东昌府交战之事，虚实胜败。宋江听罢，神眉剔竖，怪眼圆睁，大叫："众多兄弟，不要回山，且跟我来，再去这个去处降兵捉将！"正是：再施忠义轻舒手，复夺资储锦绣城。毕竟宋江再引军马投何处来，且听下回分解。

第 七 十 回

没羽箭飞石打英雄　宋公明弃粮擒壮士

诗曰：

> 龙虎山中降敕宣，锁魔殿上散霄烟。
> 致令煞曜离金阙，故使罡星下九天。
> 战马频嘶杨柳岸，征旗布满藕花船。
> 只因肝胆存忠义，留得清名万古传。

话说宋江打了东平府，收军回到安山镇，正待要回山寨，只见白胜前来报说："卢俊义去打东昌府，连输了两阵。城中有个猛将，姓张名清，原是彰德府人，虎骑出身，善会飞石打人，百发百中，人呼为没羽箭。手下两员副将：一个唤做花项虎龚旺，浑身上刺着虎斑，脖项上吞着虎头，马上会使飞枪；一个唤做中箭虎丁得孙，面颊连项都有疤痕，马上会使飞叉。卢员外提兵临境，一连十日，不出厮杀。前日张清出城交锋，郝思文出马迎敌，战无数合，张清便走，郝思文赶去，被他额角上打中一石子，跌下马来。却得燕青一弩箭，射中张清战马，因此救得郝思文性命。输了一阵。次日，混世魔王樊瑞引项充、李衮，舞牌去迎，不期被丁得孙从肋窝里飞出标叉，正中项充，因此又输了一阵。二人见在船中养病。军师特令小弟来请哥哥早去救应。"宋江见说了，叹曰："卢俊义直如此无缘！特地教吴学究、公孙胜帮他，只想要他见阵成功，山寨中也好眉目，谁想又逢敌手。既然如此，我等众弟兄引兵都去救应。"当时传令,便起三军。诸将上马,跟随宋江直到东昌境界。卢俊义等接着,具说前事,权且下寨。

正商议间,小军来报:"没羽箭张清搦战。"宋江领众便起,向平川旷野摆开阵势。大小头领一齐上马,随到门旗下。宋江在马上看对阵时,阵排一字,旗分五色。三通鼓罢,没羽箭张清出马。怎生打扮?有一篇《水调歌》,赞张清的英勇:

> 头巾掩映茜红缨,狼腰猿臂体彪形。锦衣绣袄,袍中微露透深青。雕鞍侧坐,青骢玉勒马轻迎。葵花宝镫,振响熟铜铃。倒拖雉尾,飞走四蹄轻。金环摇动,飘飘玉蟒撒朱缨。锦袋石子,轻轻飞动似流星。不用强弓硬弩,何须打弹飞铃。但着处,命归空。东昌马骑将,没羽箭张清。

宋江在门旗下见了喝采。张清在马上荡起征尘,往来驰走。门旗左边闪出那个花项虎龚旺。有诗为证:

> 手执标枪惯飞舞,盖世英雄诚未睹。
> 斑烂锦体兽吞头,龚旺名为花项虎。

又见张清阵内门旗影里,右边闪出这个中箭虎丁得孙。亦有诗为证:

> 虎骑奔波出阵门,双腮连项露疤痕。
> 到处人称中箭虎,手搦飞叉丁得孙。

三骑马来到阵前,张清手指宋江骂道:"水洼草贼,愿决一阵!"宋江问道:"谁可去战张清?"傍边恼犯这个英雄,忿怒跃马,手舞钩镰枪,出到阵前。宋江看时,乃是金枪手徐宁。宋江暗喜,便道:"此人正是对手!"徐宁飞马直取张清,两马相交,双枪并举。斗不到五合,张清便走,徐宁去赶。张清把左手虚提长枪,右手便向锦袋中摸出石子,扭回身,觑得徐宁面门较近,只一石子,可怜悍勇徐宁,石子眉心早中,翻身落马。龚旺、丁得孙便来捉人。宋江阵上人多,早有吕方、郭盛,两骑马,两枝戟,救回本阵。宋江等大惊,尽皆失色。再问:"那个头领接着厮杀?"宋江言未尽,马后一将飞出,看时,却是锦毛虎燕顺。宋江却待阻当,那骑马已自去了。燕顺接住张清,斗无数合,遮拦不住,拨回马便走。张清望后赶来,手取石子,看燕顺后心一掷,打在铠甲护镜上,铮然有声,伏鞍而走。宋江阵上一人大叫:"匹夫何足惧哉!"拍马提槊飞出阵去。宋江看时,乃是百胜将韩滔,不打话便战张清。两马方交,喊声大举,韩滔要在宋江面前显能,抖擞精神,大战张清。不到十合,张清便走。韩滔疑他飞石打来,不去追赶。张清回头不见赶来,翻身勒马便转。韩滔却待挺槊来迎,被张清暗藏石子,手起,望韩滔鼻凹里打中,只见鲜血迸流,逃回本阵。彭玘见了大怒:"量这等小辈,何足惧哉!"不等宋公明将令,手舞三尖两刃刀,飞马直取张清。两个未曾交马,被张清暗藏石子在手,手起,正中彭玘面额,丢了三尖两刃刀,奔马回阵。

　　宋江见输了数将,心内惊惶,便要将军马收转。只见卢俊义背后一人大叫:"今日将威折了,来日怎地厮杀!且看石子打得我么!"宋江看时,乃是丑郡马宣赞,拍马舞刀,直奔张清。张清便道:"一个来,一个走! 两个来,两个逃! 你知我飞石手段么?"宣赞道:"你打得别人,怎近得我!"说言未了,张清手起一石子,正中宣赞嘴边,翻身落马。龚旺、丁得孙却待来捉,怎当宋江阵上人多,众将救了回阵。

　　宋江见了,怒气在心,掣剑在手,割袍为誓:"我若不拿得此人,誓不回军!"呼延灼见宋江说誓,便道:"兄长此言,要我们弟兄何用!"就拍踢雪乌骓,直临阵前,大骂张清:"小儿得宠,一力一勇! 认得大将呼延灼么?"张清便道:"辱国败将之人,也遭我毒手!"言未绝,一石子飞来。呼延灼见石子飞来,急把鞭来隔时,却中在手腕上,早着一下,便使不动钢鞭,回归本阵。

宋江道:"马军头领,都被损伤。步军头领,谁敢捉这张清?"只见部下刘唐手拈朴刀,挺身出阵。张清见了大笑,骂道:"你那败将,马军尚且输了,何况步卒!"刘唐大怒,径奔张清。张清不战,跑马归阵。刘唐赶去,人马相迎。刘唐手疾,一朴刀砍去,却砍着张清战马。那马后蹄直踢起来,刘唐面门上扫着马尾,双眼生花,早被张清只一石子,打倒在地。急待挣扎,阵中走出军来,横拖倒拽,拿入阵中去了。宋江大叫:"那个去救刘唐?"只见青面兽杨志便舞刀直取张清。张清虚把枪来迎。杨志一刀刺去,张清镫里藏身,杨志却砍了个空。张清手拿石子,喝声道:"着!"石子从肋罗里飞将过去。张清又一石子,铮的打在盔上,吓得杨志胆丧心寒,伏鞍归阵。宋江看了,转转寻思:"若是今番输了锐气,怎生回梁山泊!谁与我出得这口气?"朱仝听得,目视雷横说道:"捉了刘唐去,却值甚的!一个不济事,我两个同去夹攻。"朱仝居左,雷横居右,两条朴刀,杀出阵前。张清笑道:"一个不济,又添一个!由你十个,更待如何!"全无惧色,在马上藏两个石子在手。雷横先到,张清手起,势如招宝七郎,石子来时,面门上怎生躲避,急待抬头看时,额上早中一石子,扑然倒地。朱仝急来快救,脖项上又一石子打着。关胜在阵上看见中伤,大挺神威,轮起青龙刀,纵开赤兔马,来救朱仝、雷横。刚抢得两个奔走还阵,张清又一石子打来,关胜急把刀一隔,正打着刀口,迸出火光。关胜无心恋战,勒马便回。

双枪将董平见了,心中暗忖:"吾今新降宋江,若不显我些武艺,上山去必无光彩。"手提双枪,飞马出阵。张清看见,大骂董平:"我和你邻近州府,唇齿之邦,共同灭贼,正当其理。你今缘何反背朝廷？岂不自羞！"董平大怒，直取张清。两马相交，军器并举。两条枪阵上交加，四双臂环中撩乱。约斗五七合，张清拨马便走。董平道："别人中你石子，怎近得我！"张清带住枪杆，去锦袋中摸出一个石子，手起处真如流星掣电，石子来吓得鬼哭神惊。董平眼明手快，拨过了石子。张清见打不着，再取第二个石子，又打将去，董平又闪过了。两个石子打不着，张清却早心慌。那马尾相衔，张清走到阵门左侧，董平望后心刺一枪来。张清一闪，镫里藏身，董平却搠了空，那条枪却搠将过来。董平的马和张清的马两厮并着，张清便撇了枪，双手把董平和枪连臂膊只一拖，却拖不动，两个搅做一块。宋江阵上索超望见，轮动大斧，便来解救。对阵龚旺、丁得孙两骑马齐出，截住索超厮杀。张清、董平又分拆不开，索超、龚旺、丁得孙三匹马搅做一团。林冲、花荣、吕方、郭盛四将，一齐尽出，两条枪、两枝戟来救董平、索超。张清见不是头，弃了董平，跑马入阵。董平不舍，直撞入去，却忘了提备石子。张清见董平追来，暗藏石子在手，待他马近，喝声道："着！"董平急躲，那石子抹耳根上擦过去了。董平便回。索超撇了龚旺、丁得孙，也赶入阵来。张清停住枪，轻取石子，望索超打来。索超急躲不迭，打在脸上，鲜血迸流，提斧回阵。

　　却说林冲、花荣把龚旺截住在一边，吕方、郭盛把丁得孙也截住在一边。龚旺心慌，便把飞枪摽将来，却摽不着花荣、林冲。龚旺先没了军器，被林冲、花荣活捉归阵。这边丁得孙不敢弃叉，死命抵敌吕方、郭盛，不提防浪子燕青在阵门里看见，暗忖道："我这里被他片时连打了一十五员大将！"手中弃了杆棒，身边取出弩弓，搭上弦，放一箭去，一声响，正中了丁得孙马蹄，那马便倒，却被吕方、郭盛捉过阵来。张清要来救时，寡不敌众，只得拿了刘唐，且回东昌府去。太守在城上看见张清前后打了梁山泊一十五员大将,虽然折了龚旺、丁得孙,也拿得这个刘唐,回到州衙,先把刘唐长枷送狱,却再商议。

张清神手拨天关,暗里能将石子攀。

一十五人都打坏,脚瘸手跛奔梁山。

且说宋江收军回寨,把龚旺、丁得孙先送上梁山泊。宋江再与卢俊义、吴用道:"我闻五代时,大梁王彦章,日不移影,连打唐将三十六员。今日张清无一时连打我一十五员大将,真是不在此人之下,也当是个猛将。"众人无语。宋江又道:"我看此人,全仗龚旺、丁得孙为羽翼。如今手足羽翼被擒,可用良策捉获此人。"吴用道:"兄长放心,小生见了此将出没,已自安排定了。虽然如此,且把中伤头领送回山寨,却教鲁智深、武松、孙立、黄信、李立,尽数引领水军,安排车仗船只,水陆并进,船骑相迎,赚出张清,便成大事。"吴用分拨已定。

再说张清在城内与太守商议道:"虽是赢得,贼势根本未除,暗使人去探听虚实,却作道理。"只见探事人来回报:"寨后西北上,不知那里将许多粮米,有百十辆车子,河内又有粮草船,大小约有五百馀只。水陆并进,船马同来,沿路有几头领监管。"太守道:"这厮们莫非有计?恐遭他毒手。再差人去打听,端的果是粮草也不是。"次日,小军回报说:"车上都是粮,尚且撒下米来。水中船只,虽是遮盖着,尽有米布袋露出将来。"张清道:"今晚出城,先截岸上车子,后去取他水中船只。太守助战,一鼓而得。"太守道:"此计甚妙,只可善觑方便。"叫军汉饱餐酒食,尽行披挂,捎驮锦袋。张清手执长枪,引一千军兵,悄悄地出城。

是夜月色微明,星光满天。行不到十里,望见一簇车子,旗上明写"水浒寨忠义粮"。张清看了,见鲁智深担着禅杖,皂直裰拽扎起来,当头先走。张清道:"这秃驴脑袋上着我一下石子!"

鲁智深担着禅杖，此时自望见了，只做不知，大踏步只顾走，却忘了提防他石子。正走之间，张清在马上喝声："着!"一石子正飞在鲁智深头上，打得鲜血迸流，望后便倒。张清军马一齐呐喊，都抢将来。武松急挺两口戒刀，死去救回鲁智深，撇了粮车便走。张清夺得粮车，见果是粮米，心中欢喜，不来追赶鲁智深，且押送粮车，推入城来。太守见了大喜，自行收管。张清道："再抢河中粮船。"太守道："将军善觑方便。"张清上马，转到南门，此时望见河港内粮船不计其数。张清便叫开城门，一齐呐喊，抢到河边。只见阴云布满，黑雾遮天，马步军兵回头看时，你我对面不见。此是公孙胜行持①道法。张清看见，心慌眼暗，却待要回，进退无路，四下里喊声乱起，正不知军兵从那里来。林冲引铁骑军兵，将张清连人和马都赶下水去了。河内却是李俊、张横、张顺、三阮、两童八个水军头领，一字儿摆在那里。张清便有三头六臂，也怎生挣扎得脱，被阮氏三雄捉住，绳缠索绑，送入寨中。

水军头领飞报宋江，吴用便催大小头领连夜打城。太守独自一个怎生支持得住，听得城外四面炮响，城门开了，吓得太守无路可逃。宋江军马杀入城中，先救了刘唐，次后便开仓库，就将钱粮一分发送梁山泊，一分给散居民。太守平日清廉，饶了不杀。

宋江等都在州衙里聚集，众人会面，只见水军头领早把张清解来。众多兄弟都被他打伤，咬牙切齿，尽要来杀张清。宋江见解将来，亲自直下堂阶迎接，便陪话道："误犯虎威，请勿挂意。"邀上厅来。说言未了，只见阶下鲁智深，使手帕包着头，拿着铁

---

① 行持——这里是使用的意思。

禅杖,径奔来要打张清。宋江隔住,连声喝退:"怎肯教你下手!"张清见宋江如此义气,叩头下拜受降。宋江取酒奠地①,折箭为誓:"众弟兄若要如此报仇,皇天不祐,死于刀剑之下!"众人听了,谁敢再言。也是天罡星合当聚会,自然义气相投。昔日老郎有一篇言语,赞张清道:

> 祖代英雄播英武,义胆忠肝咸若古。
>
> 披坚自可为干城,佐郡应须是公辅。
>
> 东昌骁将名张清,豪气凌霄真可数。
>
> 阵云冉冉飘征旗,劲气英英若痴虎。
>
> 龙鳞铁甲披凤毛,宫锦花袍明绣补。
>
> 坐骑一匹大宛驹,袖中暗器真难睹。
>
> 非鞭非简亦非枪,阵上陨石如星舞。
>
> 飞来猛将不能逃,中处应令倒旗鼓。
>
> 感人义气成大恩,此日归心甘受虏。
>
> 天降罡星大泊中,烨烨英声传水浒。

宋江在东昌府州衙堂上折箭盟誓已罢:"众弟兄勿得伤情!"众皆大笑。人各听令,尽皆欢喜,收拾军马,都要回山。只见张清在宋公明面前举荐:"东昌府一个兽医,复姓皇甫,名端。此人善能相马,知得头口寒暑病症,下药用针,无不痊可,真有伯乐②之才。原是幽州人氏,为他碧眼黄须,貌若番人③,以此人称为紫髯伯。梁山泊亦有用他处。可唤此人带引妻小,一同上山。乞取钧旨。"宋江闻言大喜:"我虽在中原,不晓其理。若果皇甫

---

① 奠地——发誓的时候,把酒泼在地面,以酒祭地,以示郑重。

② 伯乐——春秋时人,姓孙名阳,以善于相马著称。

③ 番人——旧时指少数民族或外国人。

端肯去相聚,大称予怀。"张清见宋江相爱甚厚,随即便去唤到兽
医皇甫端来,拜见宋江并众头领。大小众将看了,尽皆欢喜。有
篇七言古风诗,道皇甫端医术:

> 传家艺术无人敌,安骥年来有神力。
> 回生起死妙难言,拯瘥扶危更多益。
> 鄂公乌骓人尽夸,郭公骒骓来渥洼。
> 吐蕃枣骝号神驳,北地又羡拳毛𫘨。
> 骐骧骏驰皆经见,衔橛背鞍亦多变。
> 天闲十二旧驰名,手到病除能应验。
> 古人已往名不刊,只今又见皇甫端。
> 解治四百零八病,双瞳炯炯珠走盘。
> 天集忠良真有意,张清鹗荐诚良计。
> 梁山泊内添一人,号名紫髯伯乐裔。

宋江看了皇甫端一表非俗,碧眼重瞳,虬须过腹。皇甫端见
了宋江如此义气,心中甚喜,愿从大义。宋江大喜。

抚谕已了,传下号令,诸多头领,收拾车仗、粮食、金银,一齐
进发。鞍上将鞭敲金镫响,步下卒齐唱凯歌声。把这两府钱粮,
运回山寨。前后诸军都起,于路无话,早回到梁山泊忠义堂上。
宋江叫放出龚旺、丁得孙来,亦用好言抚慰,二人叩首拜降。又
添了皇甫端,在山寨专工医兽。董平、张清亦为山寨头领。宋江
欢喜,忙叫排宴庆贺,都在忠义堂上,各依次席而坐。宋江看了
众多头领,却好一百单八员。宋江开言说道:"我等弟兄,自从上
山相聚,但到处并无疏失,皆是上天护佑,非人之能。今来扶我
为尊,皆托众弟兄英勇。一者合当聚义,二乃我再有句言语,烦
你众兄弟共听。"吴用便道:"愿请兄长约束,共听号令。"

宋江对着众头领,开口说这个主意下来。正是,有分教:三

十六天罡临化地,七十二地煞闹中原。毕竟宋公明说出甚么主意,且听下回分解。

第七十一回

忠义堂石碣受天文　梁山泊英雄排座次

诗曰：

　　光耀飞离土窟间，天罡地煞降尘寰。

　　说时豪气侵肌冷，讲处英风透胆寒。

　　仗义疏财归水泊，报仇雪恨下梁山。

　　堂堂一卷天文字，付与诸公仔细看。

　　话说宋公明一打东平，两打东昌，回归山寨忠义堂上，计点大小头领共有一百八员，心中大喜，遂对众兄弟道："宋江自从闹了江州，上山之后，皆赖托众弟兄英雄扶助，立我为头。今者共聚得一百八员头领，心中甚喜。自从晁盖哥哥归天之后，但引兵马下山，公然保全，此是上天护佑，非人之能。纵有被掳之人，陷于缧绁，或是中伤回来，且都无事。被擒捉者，俱得天佑，非我等众人之能也。今者一百八人，皆在面前聚会，端的古往今来，实为罕有！如今兵刃到处，杀害生灵，无可禳谢大罪。我心中欲建一罗天大醮，报答天地神明眷佑之恩。一则祈保众兄弟身心安乐；二则惟愿朝廷早降恩光，赦免逆天大罪，众当竭力捐躯，尽忠报国，死而后已；三则上荐晁天王早生仙界，世世生生，再得相见。就行超度横亡恶死，火烧水溺，一应无辜被害之人，俱得善道。我欲行此一事，未知众弟兄意下若何？"众头领都称道："此是善果好事，哥哥主见不差。"吴用便道："先请公孙胜一清主行醮事,然后令人下山,四边邀请得道高士,就带醮器赴寨。仍使人收买一应香烛纸马,花果祭仪,素馔净食,并合用一应物件。"商议选定四月十五日为始,七昼夜好事。山寨广施钱财,督并干办。日期已近,向那忠义堂前,挂起长幡四首。堂上扎缚三层高台,堂内铺设七宝三清圣像。两班设二十八宿,十二宫辰,一切主醮星官真宰。堂外仍设监坛崔、卢、邓、窦神将。摆列已定,设放醮器齐备。请到道众,连公孙胜共是四十九员。

是日晴明的好,天和气朗,月白风清。宋江、卢俊义为首,吴用与众头领为次拈香,公孙胜作高功,主行斋事,关发一应文书符命,不在话下。当日醮筵,但见:

> 香腾瑞霭,花簇锦屏。一千条画烛流光,数百盏银灯散彩。对对高张羽盖,重重密布幢幡。风清三界步虚声,月冷九天垂沆瀣。金钟撞处,高功表进奏虚皇;玉珮鸣时,都讲登坛朝玉帝。绛绡衣星辰灿烂,芙蓉冠金碧交加。监坛神将狰狞,直日功曹勇猛。道士齐宣宝忏,上瑶台酌水献花;真人密诵灵章,按法剑踏罡布斗。青龙隐隐来黄道,白鹤翩翩下紫宸。

当日公孙胜与那四十八员道众,都在忠义堂上做醮,每日三朝,至第七日满散。宋江要求上天报应[1],特教公孙胜专拜青词[2],奏闻天帝,每日三朝。却好至第七日三更时分,公孙胜在虚皇坛第一层,众道士在第二层,宋江等众头领在第三层,众小头目并将校都在坛下,众皆恳求上苍,务要拜求报应。是夜三更时候,只听

---

① 报应——这里的意思是上天给的显示。

② 青词——道士祭神时,把请求的愿望写在青藤纸上,认为烧了这张纸,神就可以接受请求。这张写了请求文字的青藤纸,就叫做青词。

得天上一声响,如裂帛相似,正是西北乾方天门上。众人看时,直竖金盘,两头尖,中间阔,又唤做天门开,又唤做天眼开,里面毫光射人眼目,霞彩缭绕,从中间卷出一块火来,如栲栳之形,直滚下虚皇坛来。那团火绕坛滚了一遭,竟攒入正南地下去了。此时天眼已合,众道士下坛来,宋江随即叫人将铁锹锄头掘开泥土,跟寻火块。那地下掘不到三尺深浅,只见一个石碣,正面两侧各有天书文字。有诗为证:

蕊笈琼书定有无,天门开阖亦糊涂。

滑稽谁造丰亨论?至理昭昭敢厚诬。

当下宋江且教化纸满散。平明,斋众道士,各赠与金帛之物,以充衬资;方才取过石碣看时,上面乃是龙章凤篆蝌蚪之书,人皆不识。众道士内有一人,姓何,法讳玄通,对宋江说道:"小道家间祖上留下一册文书,专能辨验天书,那上面自古都是蝌蚪文字,以此贫道善能辨认。译将出来,便知端的。"宋江听了大喜,连忙捧过石碣,教何道士看了,良久说道:"此石都是义士大名,镌在上面。侧首一边是'替天行道'四字,一边是'忠义双全'四字,顶上皆有星辰南北二斗,下面却是尊号。若不见责,当以从头一一敷宣。"宋江道:"幸得高士指迷,拜谢不浅!若蒙先生见教,实感大德!唯恐上天见责之言,请勿藏匿,万望尽情剖露,休遗片言。"宋江唤过圣手书生萧让,用黄纸誊写。何道士乃言:"前面有天书三十六行,皆是天罡星;背后也有天书七十二行,皆是地煞星。下面注着众义士的姓名。"观看良久,教萧让从头至后,尽数抄誊。

石碣前面书梁山泊天罡星三十六员:

天魁星呼保义宋江　　　天罡星玉麒麟卢俊义

天机星智多星吴用　　　天闲星入云龙公孙胜

天勇星大刀关胜　　　　天雄星豹子头林冲

天猛星霹雳火秦明　　　　天威星双鞭呼延灼

天英星小李广花荣　　　　天贵星小旋风柴进

天富星扑天雕李应　　　　天满星美髯公朱仝

天孤星花和尚鲁智深　　　天伤星行者武松

天立星双枪将董平　　　　天捷星没羽箭张清

天暗星青面兽杨志　　　　天祐星金枪手徐宁

天空星急先锋索超　　　　天速星神行太保戴宗

天异星赤发鬼刘唐　　　　天杀星黑旋风李逵

天微星九纹龙史进　　　　天究星没遮拦穆弘

天退星插翅虎雷横　　　　天寿星混江龙李俊

天剑星立地太岁阮小二　　天竟星船火儿张横

天罪星短命二郎阮小五　　天损星浪里白跳张顺

天败星活阎罗阮小七　　　天牢星病关索杨雄

天慧星拚命三郎石秀　　　天暴星两头蛇解珍

天哭星双尾蝎解宝　　　　天巧星浪子燕青

石碣背面书地煞星七十二员：

地魁星神机军师朱武　　　地煞星镇三山黄信

地勇星病尉迟孙立　　　　地杰星丑郡马宣赞

地雄星井木犴郝思文　　　地威星百胜将韩滔

地英星天目将彭玘　　　　地奇星圣水将单廷圭

地猛星神火将魏定国　　　地文星圣手书生萧让

地正星铁面孔目裴宣　　　地阔星摩云金翅欧鹏

地阖星火眼狻猊邓飞　　　地强星锦毛虎燕顺

地暗星锦豹子杨林　　　　地轴星轰天雷凌振

地会星神算子蒋敬　　　　地佐星小温侯吕方

926

地祐星赛仁贵郭盛　　　地灵星神医安道全

地兽星紫髯伯皇甫端　　地微星矮脚虎王英

地慧星一丈青扈三娘　　地暴星丧门神鲍旭

地然星混世魔王樊瑞　　地猖星毛头星孔明

地狂星独火星孔亮　　　地飞星八臂那吒项充

地走星飞天大圣李衮　　地巧星玉臂匠金大坚

地明星铁笛仙马麟　　　地进星出洞蛟童威

地退星翻江蜃童猛　　　地满星玉幡竿孟康

地遂星通臂猿侯健　　　地周星跳涧虎陈达

地隐星白花蛇杨春　　　地异星白面郎君郑天寿

地理星九尾龟陶宗旺　　地俊星铁扇子宋清

地乐星铁叫子乐和　　　地捷星花项虎龚旺

地速星中箭虎丁得孙　　地镇星小遮拦穆春

地稽星操刀鬼曹正　　　地魔星云里金刚宋万

地妖星摸着天杜迁　　　地幽星病大虫薛永

地伏星金眼彪施恩　　　地僻星打虎将李忠

地空星小霸王周通　　　地孤星金钱豹子汤隆

地全星鬼脸儿杜兴　　　地短星出林龙邹渊

地角星独角龙邹润　　　地囚星旱地忽律朱贵

地藏星笑面虎朱富　　　地平星铁臂膊蔡福

地损星一枝花蔡庆　　　地奴星催命判官李立

地察星青眼虎李云　　　地恶星没面目焦挺

地丑星石将军石勇　　　地数星小尉迟孙新

地阴星母大虫顾大嫂　　地刑星菜园子张青

地壮星母夜叉孙二娘　　地劣星霍闪婆王定六

地健星险道神郁保四　　地耗星白日鼠白胜

地贼星鼓上蚤时迁　　　地狗星金毛犬段景住

当时何道士辨验天书,教萧让写录出来。读罢,众人看了,俱惊讶不已。宋江与众头领道:"鄙猥小吏,原来上应星魁。众多弟兄,也原来都是一会之人。今者上天显应,合当聚义。今已数足,上苍分定位数,为大小二等。天罡、地煞星辰,都已分定次序。众头领各守其位,各休争执,不可逆了天言。"众人皆道:"天地之意,物理数定,谁敢违拗!"宋江遂取黄金五十两酬谢何道士。其馀道众,收得经资,收拾醮器,四散下山去了。有诗为证:

忠义堂前启道场,敬伸丹悃醮虚皇。

精诚感得天书降,凤篆龙章仔细详。

月明风冷醮坛深,鸾鹤空中送好音。

地煞天罡排姓字,激昂忠义一生心。

且不说众道士回家去了,只说宋江与军师吴学究、朱武等计议。堂上要立一面牌额,大书"忠义堂"三字,断金亭也换个大牌扁,前面册立三关。忠义堂后建筑雁台一座,顶上正面大厅一所,东西各设两房。正厅供养晁天王灵位;东边房内,宋江、吴用、吕方、郭盛;西边房内,卢俊义、公孙胜、孔明、孔亮。第二坡左一带房内,朱武、黄信、孙立、萧让、裴宣;右一带房内,戴宗、燕青、张清、安道全、皇甫端。忠义堂左边,掌管钱粮仓廒收放,柴进、李应、蒋敬、凌振;右边花荣、樊瑞、项充、李衮。山前南路第一关,解珍、解宝守把;第二关,鲁智深、武松守把;第三关,朱仝、雷横守把。东山一关,史进、刘唐守把;西山一关,杨雄、石秀守把;北山一关,穆弘、李逵守把。六关之外置立八寨,有四旱寨,四水寨。正南旱寨,秦明、索超、欧鹏、邓飞;正东旱寨,关胜、徐宁、宣赞、郝思文;正西旱寨,林冲、董平、单廷圭、魏定国;正北旱寨,呼延灼、杨志、韩滔、彭玘。东南水寨,李俊、阮小二;西南水寨,张横、张顺;东北水寨,阮小五、童威;西北水寨,阮小七、童猛。其馀各有执事。从新置立旌旗等项,山顶上立一面杏黄旗,上书"替天行道"四字。忠义堂前绣字红旗二面:一书"山东呼保义",一书"河北玉麒麟"。外设飞龙飞虎旗,飞熊飞豹旗,青龙白虎旗,朱雀玄武旗,黄钺白旄,青幡皂盖,绯缨黑纛。中军器械外,又有四斗五方旗,三才九曜旗,二十八宿旗,六十四卦旗,周天九宫八卦旗,一百二十四面镇天旗。尽是侯健制造。金大坚铸造兵符印信。一切完备,选定吉日良时,杀牛宰马,祭献天地神明。挂上"忠义堂"、"断金亭"牌额,立起"替天行道"杏黄旗。堂前柱上,立朱红牌二面,各有金书七个字,道是:"常怀贞烈常忠义,不爱资财不扰民"。

宋江当日大设筵宴,亲捧兵符印信,颁布号令:

"诸多大小兄弟,各各管领,悉宜遵守,毋得违误,有伤义气。如有故违不遵者,定依军法治之,决不轻恕。

计开:

梁山泊总兵都头领二员:

呼保义宋江　　　玉麒麟卢俊义

梁山泊掌管机密军师二员:

智多星吴用　　　入云龙公孙胜

梁山泊掌管钱粮头领二员:

小旋风柴进　　　扑天雕李应

马军五虎将五员:

大刀关胜　　　豹子头林冲　　　霹雳火秦明

双鞭呼延灼　　　双枪将董平

马军八骠骑兼先锋使八员:

　　　　小李广花荣　　　金枪手徐宁　　　青面兽杨志
　　　　急先锋索超　　　没羽箭张清　　　美髯公朱仝
　　　　九纹龙史进　　　没遮拦穆弘
　　马军小彪将兼远探出哨头领一十六员：
　　　　镇三山黄信　　　病尉迟孙立　　　丑郡马宣赞
　　　　井木犴郝思文　　百胜将韩滔　　　天目将彭玘
　　　　圣水将单廷圭　　神火将魏定国　　摩云金翅欧鹏
　　　　火眼狻猊邓飞　　锦毛虎燕顺　　　铁笛仙马麟
　　　　跳涧虎陈达　　　白花蛇杨春　　　锦豹子杨林
　　　　小霸王周通
　　步军头领一十员：
　　　　花和尚鲁智深　　行者武松　　　　赤发鬼刘唐
　　　　插翅虎雷横　　　黑旋风李逵　　　浪子燕青
　　　　病关索杨雄　　　拚命三郎石秀　　两头蛇解珍
　　　　双尾蝎解宝
　　步军将校一十七员：
　　　　混世魔王樊瑞　　丧门神鲍旭　　　八臂那吒项充
　　　　飞天大圣李衮　　病大虫薛永　　　金眼彪施恩
　　　　小遮拦穆春　　　打虎将李忠　　　白面郎君郑天寿
　　　　云里金刚宋万　　摸着天杜迁　　　出林龙邹渊
　　　　独角龙邹润　　　花项虎龚旺　　　中箭虎丁得孙
　　　　没面目焦挺　　　石将军石勇
　　梁山泊四寨水军头领八员：
　　　　混江龙李俊　　　船火儿张横　　　浪里白跳张顺
　　　　立地太岁阮小二　短命二郎阮小五　活阎罗阮小七
　　　　出洞蛟童威　　　翻江蜃童猛

梁山泊四店打听声息,邀接来宾头领八员:

　　东山酒店　　　　小尉迟孙新　　　母大虫顾大嫂

　　西山酒店　　　　菜园子张青　　　母夜叉孙二娘

　　南山酒店　　　　旱地忽律朱贵　　鬼脸儿杜兴

　　北山酒店　　　　催命判官李立　　霍闪婆王定六

梁山泊总探声息头领一员:

　　神行太保戴宗

梁山泊军中走报机密步军头领四员:

　　铁叫子乐和　　　鼓上蚤时迁　　　金毛犬段景住

　　白日鼠白胜

守护中军马军骁将二员:

　　小温侯吕方　　　赛仁贵郭盛

守护中军步军骁将二员:

　　毛头星孔明　　　独火星孔亮

梁山泊专掌行刑刽子二员:

　　铁臂膊蔡福　　　一枝花蔡庆

专掌三军内探事马军头领二员:

　　矮脚虎王英　　　一丈青扈三娘

梁山泊一同参赞军务头领一员:

　　神机军师朱武

梁山泊掌管监造诸事头领一十六员:

　　掌管行文走檄调兵遣将一员　　　圣手书生萧让

　　掌管定功赏罚军政司一员　　　　铁面孔目裴宣

　　掌管考算钱粮支出纳入一员　　　神算子蒋敬

　　掌管专工监造大小战船一员　　　玉幡竿孟康

　　掌管专造一应兵符印信一员　　　玉臂匠金大坚

掌管专造一应旌旗袍袄一员　　　　通臂猿侯健

掌管专攻医兽一应马匹一员　　　　紫髯伯皇甫端

掌管专治诸疾内外科医士一员　　　神医安道全

掌管监督打造一应军器铁甲一员　　金钱豹子汤隆

掌管专造一应大小号炮一员　　　　轰天雷凌振

掌管专一起造修缉房舍一员　　　　青眼虎李云

掌管专一屠宰牛马猪羊牲口一员　　操刀鬼曹正

掌管专一排设筵宴一员　　　　　　铁扇子宋清

掌管监造供应一切酒醋一员　　　　笑面虎朱富

掌管专一筑梁山泊一应城垣一员　　九尾龟陶宗旺

掌管专一把捧帅字旗一员　　　　　险道神郁保四

宣和二年孟夏四月吉旦,梁山泊大聚会,分调人员告示。"

当日梁山泊宋公明传令已了,分调众头领已定,各各领了兵符印信,筵宴已毕,人皆大醉,众头领各归所拨寨分。中间有未定执事者,都于雁台前后驻扎听调。有篇言语单道梁山泊的好处。怎见得?

山分八寨,旗列五方。交情浑似股肱,义气真同骨肉。断金亭上,高悬石绿之碑;忠义堂前,特扁金书之额。总兵主将,山东豪杰宋公明;协赞军权,河北英雄卢俊义。施谋运计,吴加亮号智多星;唤雨呼风,入云龙是公孙胜。五虎将英雄猛烈,八骠骑悍勇当先。马步将军,弓箭枪刀遮路;水军将校,艨艟战舰相连。八寨军兵,守护山头港泊;四方酒肆,招邀远路来宾。掌管钱粮,廉干李应柴进;总驰飞报,太保神行戴宗。飞符走檄,萧让是圣手书生;定赏行刑,裴宣为铁面孔目。神算须还蒋敬,造船原有孟康。金大坚置印信兵符,通臂猿造衣袍铠甲。皇甫端专攻医兽,安道全惟务救人。打军器须是汤隆,造炮石全凭凌振。修缉房舍,李云善布碧瓦朱甍;屠宰猪羊,曹正惯习挑筋剔骨。宋清安排筵宴,朱富酝造香醪。陶宗旺筑补城垣,郁保四护持旌节。人人戮力,个个同心。休言啸聚山林,真可图王伯业。列两副仗义疏财金字障,竖一面替天行道杏黄旗。

梁山泊忠义堂上,号令已定,各各遵守。宋江拣了吉日良时,焚一炉香,鸣鼓聚众,都到堂上。宋江对众道:"今非昔比,我有片言。今日既是天罡地曜相会,必须对天盟誓,各无异心,死生相托,吉凶相救,患难相扶,一同保国安民。"众皆大喜。各人拈香已罢,一齐跪在堂上。宋江为首誓曰:"宋江鄙猥小吏,无学无能,荷天地之盖载,感日月之照临,聚弟兄于梁山,结英雄于水泊,共一百八人,上符天数,下合人心。自今已后,若是各人存心不仁,削绝大义,万望天地行诛,神人共戮,万世不得人身,亿载永沉末劫。但愿共存忠义于心,同著功勋于国,替天行道,保境安民。神天察鉴,报应昭彰。"誓毕,众皆同声共愿,但愿生生相会,世世相逢,永无断阻。当日歃血誓盟,尽醉方散。看官听说:这里方才是梁山泊大聚义处。起头分拨已定,话不重言。

原来泊子里好汉,但闲便下山,或带人马,或只是数个头领,各自取路去。途次中若是客商车辆人马,任从经过;若是上任官员,箱里搜出金银来时,全家不留。所得之物,解送山寨,纳库公用;其馀些小,就便分了。折莫便是百十里、三二百里,若有钱财广积,害民的大户,便引人去,公然搬取上山,谁敢阻当!但打听得有那欺压良善,暴富小人,积攒得些家私,不论远近,令人便去尽数收拾上山。如此之为,大小何止千百馀处。为是无人可以当抵,又不怕你叫起撞天屈来,因此不曾显露,所以无有说话。

再说宋江自盟誓之后，一向不曾下山，不觉炎威已过，又早秋凉，重阳节近。宋江便叫宋清安排大筵席，会众兄弟同赏菊花，唤做菊花之会。但有下山的兄弟们，不拘远近，都要招回寨来赴筵。至日肉山酒海，先行给散马、步、水三军，一应小头目人等，各令自去打团儿吃酒。且说忠义堂上遍插菊花，各依次坐，分头把盏。堂前两边筛锣击鼓，大吹大擂，笑语喧哗，觥筹交错，众头领开怀痛饮；马麟品箫唱曲，燕青弹筝，不觉日暮。宋江大醉，叫取纸笔来，一时乘着酒兴，作《满江红》一词。写毕，令乐和单唱这首词曲。道是：

> "喜遇重阳，更佳酿今朝新熟。见碧水丹山，黄芦苦竹。头上尽教添白发，鬓边不可无黄菊。愿樽前长叙弟兄情，如金玉。　　统豺虎，御边幅。号令明，军威肃。中心愿平虏，保民安国。日月常悬忠烈胆，风尘障却奸邪目。望天王降诏早招安，心方足。"

乐和唱这个词，正唱到"望天王降诏早招安"，只见武松叫道："今日也要招安，明日也要招安去，冷了弟兄们的心！"黑旋风便睁圆怪眼，大叫道："招安，招安！招甚鸟安！"只一脚，把桌子踢起，撷做粉碎。宋江大喝道："这黑厮怎敢如此无礼！左右与我推去斩讫报来！"众人都跪下告道："这人酒后发狂，哥哥宽恕！"宋江答道："众贤弟且起，把这厮推抢监下。"众人皆喜。有几个当刑小校，向前来请李逵。李逵道："你怕我敢挣扎？哥哥剐我也不怨，杀我也不恨。除了他，天也不怕！"说了，便随着小校去监房里睡。宋江听了他说，不觉酒醒，忽然发悲。吴用劝道："兄长既设此会，人皆欢乐饮酒。他是个粗卤的人，一时醉后冲撞，何必挂怀，且陪众兄弟尽此一乐。"宋江道："我在江州醉后误吟了反诗，得他气力来。今日又作《满江红》词，险些儿坏了他性命,早是得众弟兄谏救了!他与我身上情分最重,如骨肉一般,因此潸然泪下。"便叫武松:"兄弟,你也是个晓事的人。我主张招安,要改邪归正,为国家臣子,如何便冷了众人的心?"鲁智深便道:"只今满朝文武,俱是奸邪,蒙蔽圣聪,就比俺的直裰染做皂了,洗杀怎得干净?招安不济事!便拜辞了,明日一个个各去寻趁①罢。"宋江道:"众弟兄听说:今皇上至圣至明,只被奸臣闭塞,暂时昏昧。有日云开见日,知我等替天行道,不扰良民,赦罪招安,同心报国,竭力施功,有何不美?因此只愿早早招安,别无他意。"众皆称谢不已。当日饮酒,终不畅怀,席散各回本寨。有诗为证:

虎噬狼吞兴已阑,偶摅心愿欲招安。

武松不解公明意,直要纵横振羽翰。

且说次日清晨,众人来看李逵时,尚兀自未醒。众头领睡里唤起来,说道:"你昨日大醉,骂了哥哥,今日要杀你。"李逵道:"我梦里也不敢骂他。他要杀我时,便由他杀了罢。"众弟兄引着李逵,去堂上见宋江请罪。宋江喝道:"我手下许多人马,都似你这般无礼,不乱了法度!且看众兄弟之面,寄下你项上一刀。再犯,必不轻恕!"李逵喏喏连声而退,众人皆散。

一向无事,渐近岁终。纷纷雪落乾坤,顷刻银装世界,正是王猷访戴之时,袁安高卧之日。不觉雪晴,只见山下有人来报:"离寨七八里,拿得莱州解灯上东京去的一行人,在关外听候将令。"宋江道:"休要执缚,好生叫上关来。"没多时,解到堂前:两个公人,八九个灯匠,五辆车子。为头的这一个告道:"小人是莱

---

① 寻趁——寻找。这里指自找生活门路。

州承差公人,这几个都是灯匠。年例东京着落本州要灯三架,今年又添两架,乃是玉棚玲珑九华灯。"宋江随即赏与酒食,叫取出灯来看。那做灯匠人将那玉棚灯挂起,搭上四边结带,上下通计九九八十一盏,从忠义堂上挂起,直垂到地。宋江道:"我本待都留了你的,惟恐教你吃苦,不当稳便,只留下这碗九华灯在此,其馀的你们自解官去。酬烦之资,白银二十两。"众人再拜,恳谢不已,下山去了。宋江教把这碗灯点在晁天王孝堂内。次日对众头领说道:"我生长在山东,不曾到京师。闻知今上大张灯火,与民同乐,庆赏元宵,自冬至后,便造起灯,至今才完。我如今要和几个兄弟,私去看灯一遭便回。"吴用便谏道:"不可。如今东京做公的最多,倘有疏失,如之奈何?"宋江道:"我日间只在客店里藏身,夜晚入城看灯,有何虑焉。"众人苦谏不住,宋江坚执要行。

不争宋江要去看灯,有分教:舞榭歌台,翻为瓦砾之场;柳陌花街,变作战争之地。正是:猛虎直临丹凤阙,杀星夜犯卧牛城。毕竟宋江怎地去闹东京,且听下回分解。

第七十二回

柴进簪花入禁院　李逵元夜闹东京

诗曰：

圣主忧民记四凶，施行端的有神功。

等闲冒籍来宫内，造次簪花入禁中。

潜向御屏剜姓字，更乘明月展英雄。

纵横到处无人敌，谁向斯时竭寸衷？

话说当日宋江在忠义堂上，分拨去看灯人数："我与柴进一路，史进与穆弘一路，鲁智深与武松一路，朱仝与刘唐一路。只此四路人去，其馀尽数在家守寨。"李逵便道："说东京好灯，我也要去走一遭。"宋江道："你如何去得？"李逵守死①要去，那里执拗得他住。宋江道："你既然要去，不许你惹事，打扮做伴当跟我。"就叫燕青也走一遭，专和李逵作伴。

看官听说，宋江是个文面的人，如何去得京师？原来却得神医安道全上山之后，却把毒药与他点去了。后用好药调治，起了红疤；再要良金美玉，碾为细末，每日涂搽，自然消磨去了。那医书中说"美玉灭瘢"，正此意也。当日先叫史进、穆弘扮作客人去了，次后便使鲁智深、武松扮作行脚僧行去了，再后朱仝、刘唐也扮做客商去了。各人跨腰刀，提朴刀，都藏暗器，不必得说。

---

① 守死——执意。

　　且说宋江与柴进扮作闲凉官,再叫戴宗扮作承局,也去走一遭,有些缓急,好来飞报。李逵、燕青扮伴当,各挑行李下山。众头领都送到金沙滩钱行。军师吴用再三分付李逵道:"你闲常下山,好歹惹事;今番和哥哥去东京看灯,非比闲时。路上不要吃酒,十分小心在意,使不得往常性格。若有冲撞,弟兄们不好厮见,难以相聚了。"李逵道:"不索军师忧心,我这一遭并不惹事。"相别了,取路登程。抹过济州,路经滕州,取单州,上曹州来,前望东京万寿门外,寻一个客店安歇下了。宋江与柴进商议。此是正月十一日的话。宋江道:"明日白日里,我断然不敢入城。直到正月十四日夜,人物喧哗,此时方可入城。"柴进道:"小弟明日先和燕青入城中去探路一遭。"宋江道:"最好。"

　　次日,柴进穿一身整整齐齐的衣服,头上巾帻新鲜,脚下鞋袜干净;燕青打扮,便是不俗。两个离了店肆,看城外人家时,家家热闹,户户喧哗,都安排庆赏元宵,各作贺太平风景。来到城门下,并是没人阻当。果然好座东京去处!怎见得?

　　　　州名汴水,府号开封。逶迤接吴楚之邦,延亘连齐鲁之
　　　　地。周公建国,毕公皋改作京师;两晋春秋,梁惠王称
　　　　为魏国。层叠卧牛之势,按上界戊己中央;崔嵬伏虎之
　　　　形,象周天二十八宿。王尧九让华夷,太宗一迁基业。
　　　　元宵景致,鳌山排万盏华灯;夜月楼台,凤辇降三山琼
　　　　岛。金明池上三春柳,小苑城边四季花。十万里鱼龙
　　　　变化之乡,四百座军州辐辏之地。黎庶尽歌丰稔曲,娇
　　　　娥齐唱太平词。坐香车佳人仕女,荡金鞭公子王孙。
　　　　天街上尽列珠玑,小巷内遍盈罗绮。霭霭祥云笼紫阁,
　　　　融融瑞气罩楼台。

　　当下柴进、燕青两个入得城来,行到御街上,往来看玩。转

过东华门外,见酒肆茶坊,不计其数,往来锦衣花帽之人,纷纷济济,各有服色,都在茶坊酒肆中坐地。柴进引着燕青,径上一个小小酒楼,临街占个阁子。凭栏望时,见班直人等,多从内里出入,幞头边各簪翠叶花一朵。柴进唤燕青,附耳低言:"你与我如此如此。"燕青是个点头会意的人,不必细问,火急下楼,出得店门,恰好迎着个老成的班直官。燕青唱个喏,那人道:"面生,全不曾相识。"燕青说道:"小人的东人和观察是故交,特使小人来相请。"原来那班直姓王。燕青道:"莫非足下是张观察?"那人道:"我自姓王。"燕青随口应道:"正是教小人请王观察,贪慌忘记了。"那王观察跟随着燕青,来到楼上。燕青揭起帘子,对柴进道:"请到王观察来了。"燕青接了手中执色①,柴进邀入阁儿里相见。各施礼罢,王班直看了柴进半晌,却不认得,说道:"在下眼拙,失忘了足下。适蒙呼唤,愿求大名。"柴进笑道:"小弟与足下童稚之交,且未可说,兄长熟思之。"一壁便叫取酒食来,与观察小酌。酒保安排到肴馔果品,燕青斟酒,殷勤相劝。酒至半酣,柴进问道:"观察头上这朵翠花何意?"那王班直道:"今上天子庆贺元宵,我们左右内外,共有二十四班,通类有五千七八百人,每人皆赐衣袄一领,翠叶金花一枝,上有小小金牌一个,凿着'与民同乐'四字,因此每日在这里听候点视。如有宫花锦袄,便能勾入内里去。"柴进道:"在下却不省得。"又饮了数杯,柴进便叫燕青:"你自去与我旋一杯热酒来吃。"无移时,酒到了,柴进便起身与王班直把盏道:"足下饮过这杯小弟敬酒,方才达知姓氏。"王班直道:"在下实想不起,愿求大名。"王班直拿起酒来,一饮而尽。恰才吃罢,口角流涎,两脚腾空,倒在凳上。柴进慌忙

---

① 执色——指做仪仗用的器物。

去了巾帻衣服靴袜,却脱下王班直身上锦袄踢串鞋裤之类,从头穿了,带上花帽,拿了执色,分付燕青道:"酒保来问时,只说这观察醉了,那官人未回。"燕青道:"不必分付,自有道理支吾。"

且说柴进离了酒店,直入东华门去,看那内庭时,真乃人间天上。但见:

> 祥云笼凤阙,瑞霭罩龙楼。琉璃瓦砌鸳鸯,龟背帘垂翡翠。正阳门径通黄道,长朝殿端拱紫垣。浑仪台占算星辰,待漏院班分文武。墙涂椒粉,丝丝绿柳拂飞甍;殿绕栏楯,簇簇紫花迎步辇。恍疑身在蓬莱岛,仿佛神游兜率天。

柴进去到内里,但过禁门,为有服色,无人阻当。直到紫宸殿,转过文德殿,都看殿门,各有金锁锁着,不能勾进去。且转过凝晖殿,从殿边转将入去,到一个偏殿,牌上金书"睿思殿"三字,此是官家看书之处。侧首开着一扇朱红槅子,柴进闪身入去看时,见正面铺着御座,两边几案上,放着文房四宝:象管笔、花笺、龙墨、端溪砚。书架上尽是群书,各插着牙签,勿知其数。正面屏风上,堆青叠绿,画着山河社稷混一之图。转过屏风后面,但见素白屏风上,御书四大寇姓名,写着道:

"山东宋江,淮西王庆,河北田虎,江南方腊。"

柴进看了四大寇姓名,心中暗忖道:"国家被我们扰害,因此如常记心,写在这里。"便去身边拔出暗器,正把"山东宋江"那四个字刻将下来,慌忙出殿,随后早有人来。柴进便离了内苑,出了东华门,回到酒楼上,看那王班直时,尚未醒来,依旧把锦衣花帽服色等项,都放在阁儿内。柴进还穿了依旧衣服,唤燕青和酒保计算了酒钱,剩下十数贯钱,就赏了酒保。临下楼来,分付道:"我和王观察是弟兄,恰才他醉了,我替他去内里点名了回来。

他还未醒,我却在城外住,恐怕误了城门。剩下钱都赏你,他的服色号衣都在这里。"酒保道:"官人但请放心,男女自伏侍。"柴进、燕青离得酒店,径出万寿门去了。

王班直到晚起来,见了服色花帽都有,但不知是何意。酒保说柴进的话,王班直似醉如痴,回到家中。次日,有人来说:"睿思殿上不见'山东宋江'四个字。今日各门好生把得铁桶般紧,出入的人,都要十分盘诘。"王班直情知是了,那里敢说。

再说柴进回到店中,对宋江备细说内宫之中,取出御书大寇"山东宋江"四字,与宋江看罢,叹息不已。十四日晚,宋江引了一干人入城看灯。怎见得好个东京?有古乐府一篇,单道东京胜概:

> 一自梁王,初分晋地,双鱼正照夷门。卧牛城阔,相接四边村。多少金明陈迹,上林苑花发三春。绿杨外溶溶汴水,千里接龙津。潘樊楼上酒,九重宫殿,凤阙天阍。东风外,笙歌嘹亮堪闻。御路上公卿宰相,天街畔帝子王孙。堪图画,山河社稷,千古汴京尊。

故宋时,东京果是天下第一国都,繁华富贵,出在道君皇帝之时。当日黄昏,明月从东而起,天上并无云翳。宋江、柴进扮作闲凉官,戴宗扮作承局,燕青扮为小闲,只留李逵看房。四个人杂在社火队里,取路哄入封丘门来,遍玩六街三市,果然夜暖风和,正好游戏。转过马行街来,家家门前扎缚灯棚,赛悬灯火,照耀如同白日。正是:楼台上下火照火,车马往来人看人。四个转过御街,见两行都是烟月牌①。来到中间,见一家外悬青布幕,里挂斑竹帘,两边尽是碧纱窗,外挂两面牌,牌上各有五个

---

① 烟月牌——妓院的招牌。

字,写道:"歌舞神仙女,风流花月魁"。宋江见了,便入茶坊里来吃茶。问茶博士道:"前面角妓①是谁家?"茶博士道:"这是东京上厅行首②,唤做李师师。间壁便是赵元奴家。"宋江道:"莫不是和今上打得热的?"茶博士道:"不可高声,耳目觉近。"宋江便唤燕青,附耳低言道:"我要见李师师一面,暗里取事。你可生个宛曲入去,我在此间吃茶等你。"宋江自和柴进、戴宗在茶坊里吃茶。

却说燕青径到李师师门首,揭开青布幕,掀起斑竹帘,转入中门,见挂着一碗鸳鸯灯,下面犀皮香桌儿上,放着一个博山古铜香炉,炉内细细喷出香来。两壁上挂着四幅名人山水画,下设四把犀皮一字交椅。燕青见无人出来,转入天井里面,又是一个大客位,铺着三座香楠木雕花玲珑小床,铺着落花流水紫锦褥,悬挂一架玉棚好灯,摆着异样古董。燕青微微咳嗽一声,只见屏风背后转出一个丫嬛来,见燕青道个万福,便问燕青:"哥哥高姓?那里来?"燕青道:"相烦姐姐请出妈妈来,小闲自有话说。"梅香入去不多时,转出李妈妈来。燕青请他坐了,纳头四拜。李妈妈道:"小哥高姓?"燕青答道:"老娘忘了,小人是张乙儿的儿子张闲的便是,从小在外,今日方归。"原来世上姓张、姓李、姓王的最多,那虔婆思量了半晌,又是灯下,认人不仔细,猛然省起,叫道:"你不是太平桥下小张闲么?你那里去了,许多时不来?"燕青道:"小人一向不在家,不得来相望。如今伏侍个山东客人,有的是家私,说不能尽。他是个燕南、河北第一个有名财主,今

---

① 角妓——艺妓。
② 上厅行首——官妓,入乐籍的妓女。上厅,指官衙。唐宋时,官场上有应酬会宴,官妓要随时应召侍候。

来此间做些买卖。一者就赏元宵,二者来京师省亲,三者就将货物在此做买卖,四者要求见娘子一面。怎敢说来宅上出入,只求同席一饮,称心满意。不是小闲卖弄,那人实有千百两金银,欲送与宅上。"那虔婆是个好利之人,爱的是金资,听的燕青这一席话,便动其心,忙叫李师师出来,与燕青厮见。灯下看时,端的有沉鱼落雁之容,闭月羞花之貌。燕青见了,纳头便拜。有诗为证:

少年声价冠青楼,玉貌花颜世罕俦。

万乘当时垂睿眷,何惭壮士便低头。

那虔婆说与备细,李师师道:"那员外如今在那里?"燕青道:"只在前面对门茶坊里。"李师师便道:"请过寒舍拜茶。"燕青道:"不得娘子言语,不敢擅进。"虔婆道:"快去请来。"燕青径到茶坊里,耳边道了消息。戴宗取些钱还了茶博士,三人跟着燕青,径到李师师家内。入得中门,相接请到大客位里。李师师敛手向前,动问起居道:"适间张闲多谈大雅,今辱左顾,绮阁生光。"宋江答道:"山僻之客,孤陋寡闻,得睹花容,生平幸甚。"李师师便邀请坐,又问道:"这位官人是足下何人?"宋江道:"此是表弟叶巡检。"就叫戴宗拜了李师师。宋江、柴进居左客席而坐,李师师右边主位相陪。奶子奉茶至,李师师亲手与宋江、柴进、戴宗、燕青换盏。不必说那盏茶的香味,细欺雀舌,香胜龙涎。茶罢,收了盏托,欲叙行藏,只见奶子来报:"官家来到后面。"李师师道:"其实不敢相留。来日驾幸上清宫,必然不来,却请诸位到此,少叙三杯,以洗泥尘。"宋江喏喏连声,带了三人便行。出得李师师门来,与柴进道:"今上两个表子,一个李师师,一个赵元奴。虽然见了李师师,何不再去赵元奴家走一遭?"

宋江径到茶坊间壁,揭起帘幕,张闲便请赵婆出来说话。燕青道："我这两位官人，是山东巨富客商，要见娘子一面，一百两花银相送。"赵婆道："恰恨我女儿没缘，不快在床，出来相见不得。"宋江道："如此却再来求见。"赵婆相送出门，作别了。四个且出小御街，径投天汉桥来看鳌山。正打从樊楼前过，听得楼上笙簧聒耳，鼓乐喧天，灯火凝眸，游人似蚁。宋江、柴进也上樊楼，寻个阁子坐下，取些酒食肴馔，也在楼上赏灯饮酒。吃不到数杯，只听得隔壁阁子内，有人作歌道：

"浩气冲天贯斗牛，英雄事业未曾酬。

手提三尺龙泉剑，不斩奸邪誓不休！"

宋江听得，慌忙过来看时，却是九纹龙史进、没遮拦穆弘，在阁子内吃得大醉，口出狂言。宋江走近前去喝道："你这两个兄弟，吓杀我也！快算还酒钱，连忙出去。早是遇着我，若是做公的听得，这场横祸不小！谁想你这两个兄弟，也这般无知粗糙！快出城，不可迟滞。明日看了正灯，连夜便回。只此十分好了，莫要弄得决撒了。"史进、穆弘默默无言，便叫酒保算还了酒钱。两个下楼，取路先投城外去了。

宋江与柴进四人，微饮三杯，少添春色。戴宗计算还了酒钱，四人拂袖下楼，径往万寿门，来客店内敲门。李逵困眼睁开，对宋江道："哥哥不带我来也罢了，既带我来，却教我看房，闷出鸟来，你们都自去快活！"宋江道："为你生性不善，面貌丑恶，不争带你入城，只恐因而惹祸。"李逵便道："则不带我去便了，何消得许多推故。几曾见我那里吓杀了别人家小的大的？"宋江道："只有明日十五日这一夜，带你入去，看罢了正灯，连夜便回。"李逵呵呵大笑。

过了一夜，次日正是上元节候，天色晴明得好，看看傍晚，庆赏元宵的人不知其数。古人有一篇《绛都春》词，单道元宵景致：

融和初报。乍瑞霭霁色,皇都春早。翠幰竞飞,玉勒争驰都门道。鳌山彩结蓬莱岛,向晚色双龙衔照。绛霄楼上,彤芝盖底,仰瞻天表。　　缥缈。风传帝乐,庆玉殿共赏,群仙同到。迤逦御香,飘满人间开嬉笑。一点星球小,渐隐隐鸣梢声杳。游人月下归来,洞天未晓。

这一篇词,称颂着道君皇帝庆赏元宵,与民同乐。此时国富民安,士农乐业。当夜宋江与同柴进,依前扮作闲凉官,引了戴宗、李逵、燕青,五个人径从万寿门来。是夜虽无夜禁,各门头目军士,全副披挂,都是戎装惯带,弓弩上弦,刀剑出鞘,摆布得甚是严整。高太尉自引铁骑马军五千,在城上巡禁。宋江等五个,向人丛里挨挨抢抢,直到城里,先唤燕青附耳低言:"与我如此如此,只在夜来茶坊里相等。"燕青径往李师师家叩门。李妈妈、李行首都出来接见燕青,便说道:"烦达员外休怪,官家不时间来此私行,我家怎敢轻慢!"燕青道:"主人再三上复妈妈,启动了花魁娘子。山东海僻之地,无甚希罕之物,便有些出产之物,将来也不中意,只教小人先送黄金一百两,与娘子打些头面器皿,权当人事。随后别有罕物,再当拜送。"李妈妈问道:"如今员外在那里?"燕青道:"只在巷口,等小人送了人事,同去看灯。"世上虔婆爱的是钱财,见了燕青取出那火炭也似金子两块,放在面前,如何不动心。便道:"今日上元佳节,我母子们却待家筵数杯。若是员外不弃,肯到贫家少叙片时,不知肯来也不?"燕青道:"小人去请,无有不来。"说罢,转身回到茶坊,说与宋江这话头,随即都到李师师家。宋江教戴宗同李逵只在门前等。

三个人入到里面大客位里,李师师接着,拜谢道:"员外识荆之初,何故以厚礼见赐?却之不恭,受之太过。"宋江答道:"山僻村野,绝无罕物,但送些小微物,表情而已,何劳花魁娘子致谢。"

李师师邀请到一个小小阁儿里,分宾坐定。奶子侍婢捧出珍异果子,济楚菜蔬,希奇按酒,甘美肴馔,尽用定器,摆一春台。李师师执盏向前拜道:"夙世有缘,今夕相遇二君。草草杯盘,以奉长者。"宋江道:"在下山乡,虽有贯伯浮财,未曾见此富贵。花魁风流蕴藉,名播寰宇,求见一面,如登天之难,何况促膝笑谈,亲赐杯酒!"李师师道:"员外见爱,奖誉太过,何敢当此!"都劝罢酒,叫奶子将小小金杯巡筛。但是李师师说些街市俊俏的话,皆是柴进回答,燕青立在边头,和哄取笑。

酒行数巡,宋江口滑,揎拳裸袖,点点指指,把出梁山泊手段来。柴进笑道:"表兄从来酒后如此,娘子勿笑。"李师师道:"酒以合欢,何拘于礼。"丫嬛说道:"门前两个伴当,一个黄髭须,且是生的怕人,在外面喃喃讷讷地骂。"宋江道:"与我唤他两个入来。"只见戴宗引着李逵到阁子前。李逵看见宋江、柴进与李师师对坐饮酒,自肚里有五分没好气,睁圆怪眼,直瞅他三个。李师师便问道:"这汉是谁?恰似土地庙里对判官立地的小鬼。"众人都笑,李逵不省得他说。宋江答道:"这个是家生的孩儿小李。"那师师笑道:"我倒不打紧,辱没了太白学士。"宋江道:"这厮却有武艺,挑得三二百斤担子,打得三五十人。"李师师叫取大银赏锺,各与三锺。戴宗也吃三锺。燕青只怕他口出讹言,先打抹他和戴宗依原去门前坐地。宋江道:"大丈夫饮酒,何用小杯。"就取过赏锺,连饮数锺。李师师低唱苏东坡大江西水词。宋江乘着酒兴,索纸笔来,磨得墨浓,蘸得笔饱,拂开花笺,对李师师道:"不才乱道一词,尽诉胸中郁结,呈上花魁尊听。"当时宋江落笔,遂成乐府词一首。道是:

　　"天南地北,问乾坤何处,可容狂客?借得山东烟水寨,来买凤城春色。翠袖围香,绛绡笼雪,一笑千金值。神仙体态,薄幸如何消得！ 想芦叶滩头,蓼花汀畔,皓月空凝碧。六六雁行连八九,只等金鸡消息。义胆包天,忠肝盖地,四海无人识。离愁万种,醉乡一夜头白。"

写毕,递与李师师,反复看了,不晓其意。宋江只要等他问其备细,却把心腹衷曲之事告诉。只见奶子来报:"官家从地道中来至后门。"李师师忙道:"不能远送,切乞恕罪。"自来后门接驾。奶子丫嬛连忙收拾过了杯盘什物,扛过台桌,洒扫亭轩。宋江等都未出来,却闪在黑暗处,张见李师师拜在面前,奏道:"起居圣上龙体劳困。"只见天子头戴软纱唐巾,身穿滚龙袍,说道:"寡人今日幸上清宫方回,教太子在宣德楼赐万民御酒,令御弟在千步廊买市。约下杨太尉,久等不至,寡人自来。爱卿近前,与朕攀话。"有诗为证:

铁锁星桥烂不收,翠华深夜幸青楼。

六宫多少如花女,却与倡淫贱辈游。

宋江在黑地里说道:"今番挫过,后次难逢。俺三个何不就此告一道招安赦书,有何不好?"柴进道:"如何使得！便是应允了,后来也有翻变。"三个正在黑地里商量。却说李逵见了宋江、柴进和那美色妇人吃酒,却教他和戴宗看门,头上毛发倒竖起来,一肚子怒气正没发付处,只见杨太尉揭起帘幕,推开扇门,径走入来,见了李逵,喝问道:"你这厮是谁,敢在这里?"李逵也不回应,提起把交椅望杨太尉劈脸打来。杨太尉倒吃了一惊,措手不及,两交椅打翻地下。戴宗便来救时,那里拦当得住。李逵扯下书画来,就蜡烛上点着,东烨西烨,一面放火,香桌椅凳,打得粉碎。宋江等三个听得,赶出来看时,见黑旋风褪下半截衣裳,正在那里行凶。四个扯出门外去时,李逵就街上夺条棒,直打出小御街来。宋江见他性起,只得和柴进、戴宗先赶出城,恐关了禁门,脱身不得,只留燕青看守着他。李师师家火起,惊得赵官家一道烟走了。邻佑人等一面救火,一面救起杨太尉。这话都不必说。

城中喊起杀声,震天动地。高太尉在北门上巡警,听得了这话,带领军马,便来追赶。李逵正打之间,撞着穆弘、史进,四人各执枪棒,一齐助力,直打到城边。把门军士急待要关门,外面鲁智深轮着铁禅杖,武行者使起双戒刀,朱仝、刘唐手拈着朴刀,早杀入城来,救出里面四个。方才出得城门,高太尉军马恰好赶到城外来。八个头领不见宋江、柴进、戴宗,正在那里心慌。原来军师吴用,已知此事,定教大闹东京,克时定日,差下五员虎将,引领带甲马军一千骑,是夜恰好到东京城外等接,正逢着宋江、柴进、戴宗三人。带来的空马,就教上马,随后八人也到。正都上马时,于内不见了李逵,高太尉军马要冲将出来。宋江手下的五虎将关胜、林冲、秦明、呼延灼、董平,突到城边,立马于濠堑上,大叫道:"梁山泊好汉全伙在此!早早献城,免汝一死!"高太尉听得,那里敢出城来,慌忙教放下吊桥,众军上城提防。宋江便叫燕青分付道:"你和黑厮最好,你可略等他一等,随后与他同来。我和军马众将先回,星夜还寨,恐怕路上别有枝节。"

不说宋江等军马去了,且说燕青立在人家房檐下看时,只见李逵从店里取了行李,拿着双斧,大吼一声,跳出店门,独自一个,要去打这东京城池。正是:声吼巨雷离店肆,手提大斧劈城门。毕竟黑旋风李逵怎地去打城,且听下回分解。

第七十三回

黑旋风乔捉鬼　梁山泊双献头

诗曰:

蛇藉龙威事不诬,奸欺暗室古谁无。

只知行劫为良策,翻笑彝伦是畏途。

狄女怀中诛伪鬼,牛头山里戮凶徒。

李逵救得良人女,真是梁山大丈夫。

话说当下李逵从客店里抢将出来,手搦双斧,要奔城边劈门,被燕青抱住腰胯,只一交,擦个脚稍天。燕青拖将起来,望小路便走,李逵只得随他。为何李逵怕燕青?原来燕青小厮扑天下第一,因此宋公明着令燕青相守李逵。李逵若不随他,燕青小厮扑,手到一交。李逵多曾着他手脚,以此怕他,只得随顺。燕青和李逵不敢从大路上走,恐有军马追来,难以抵敌,只得大宽转奔陈留县路来。李逵再穿上衣裳,把大斧藏在衣襟底下;又因没了头巾,却把焦黄发分开,绾做两个丫髻。行到天明,燕青身边有钱,村店中买些酒肉吃了,拽开脚步趱行。

次日天晓,东京城中,好场热闹。高太尉引军出城,追赶不上自回。李师师只推不知,杨太尉也自归来将息。抄点城中被伤人数,计有四五百人,推倒跌损者,不计其数。高太尉会同枢密院童贯,都到太师府商议,启奏早早调兵剿捕。

　　且说李逵和燕青两个,在路行到一个去处,地名唤做四柳村,不觉天晚。两个便投一个大庄院来,敲开门,直进到草厅上。庄主狄太公出来迎接,看见李逵绾着两个丫髻,却不见穿道袍,面貌生得又丑,正不知是甚么人。太公随口问燕青道:"这位是那里来的师父?"燕青笑道:"这师父是个跷蹊人,你们都不省得他。胡乱趁些晚饭吃,借宿一夜,明日早行。"李逵只不做声。太公听得这话,倒地便拜李逵,说道:"师父可救弟子则个!"李逵道:"你要我救你甚事,实对我说。"那太公道:"我家一百馀口,夫妻两个,嫡亲止有一个女儿,年二十馀岁。半年之前,着了一个邪祟:只在房中茶饭,并不出来讨吃。若还有人去叫他,砖石乱打出来,家中人多被他打伤了。累累请将法官来,也捉他不得。"李逵道:"太公,我是蓟州罗真人的徒弟,会得腾云驾雾,专能捉鬼。你若舍得东西,我与你今夜捉鬼。如今先要一猪一羊,祭祀神将。"太公道:"猪羊我家尽有,酒自不必得说。"李逵道:"你拣得膘肥的宰了,烂煮将来,好酒更要几瓶,便可安排今夜三更与你捉鬼。"太公道:"师父如要书符纸札,老汉家中也有。"李逵道:"我的法只是一样,都没甚么鸟符,身到房里,便揪出鬼来。"燕青忍笑不住。老儿只道他是好话,安排了半夜,猪羊都煮得熟了,摆在厅前。李逵叫讨大碗,滚热酒十瓶价做一巡筛。明晃晃点着两枝蜡烛,焰焰烧着一炉好香。李逵掇条凳子,坐在当中,并不念甚言语,腰间拔出大斧,砍开猪羊,大块价扯将下来吃。又叫燕青道:"小乙哥,你也来吃些。"燕青冷笑,那里肯来吃。李逵吃得饱了,饮过五六碗好酒,惊得太公呆了。李逵便叫众庄客:"恁们①都来散福。"拈指间,散了残肉。李逵道:"快舀桶汤来,

---

　　①　恁(nín)们——你们。

与我们洗手洗脚。"无移时,洗了手脚,问太公讨茶吃了。又问燕青道:"你曾吃饭也不曾?"燕青道:"吃得饱了。"李逵对太公道:"酒又醉,肉又饱,明日要走路程,老爷们去睡。"太公道:"却是苦也! 这鬼几时捉得?"有诗为证:

　　　　绿酒乌猪尽力噇,奸夫淫女正同床。
　　　　山翁谬认为邪祟,断送绸缪两命亡。

李逵道:"你真个要我捉鬼? 着人引我去你女儿房里去。"太公道:"便是神道如今在房中,砖石乱打出来,谁人敢去!"李逵拔两把板斧在手,叫人将火把远远照着。李逵大踏步直抢到房边,只见房内隐隐的有灯。李逵把眼看时,见一个后生搂着一个妇人,在那里说话。李逵一脚踢开了房门,斧到处,只见砍得火光爆散,霹雳交加。定睛打一看时,原来把灯盏砍翻了。那后生却待要走,被李逵大喝一声,斧起处早把后生砍翻。这婆娘便攒入床底下躲了。李逵把那汉子先一斧砍下头来,提在床上,把斧敲着床边喝道:"婆娘,你快出来! 若不攒出来时,和床都剁的粉碎。"婆娘连声叫道:"你饶我性命,我出来!"却才攒出头来,被李逵揪住头发,直拖到死尸边,问道:"我杀的这厮是谁?"婆娘道:"是我奸夫王小二。"李逵又问道:"砖头饭食,那里得来?"婆娘道:"这是我把金银头面与他,三二更从墙上运将入来。"李逵道:"这等腌臜婆娘,要你何用!"揪到床边,一斧砍下头来,把两个人头拴做一处,再提婆娘尸首,和汉子身尸相并。李逵道:"吃得饱,正没消食处。"就解下上半截衣裳,拿起双斧,看着两个死尸,一上一下,恰似发擂的乱剁了一阵。李逵笑道:"眼见这两个不得活了。"插起大斧,提着人头,大叫出厅前来:"两个鬼我都捉了。"撇下人头。满庄里人都吃一惊,都来看时,认得这个是太公的女儿,那个人头无人认得。数内一个庄客,相了一回,认出道:

"有些象东村头会粘雀儿的王小二。"李逵道:"这个庄客倒眼乖。"太公道:"师父怎生得知?"李逵道:"你女儿躲在床底下,被我揪出来问时,说道:他是奸夫王小二,吃的饮食都是他运来。问了备细,方才下手。"太公哭道:"师父,留得我女儿也罢。"李逵骂道:"打脊老牛!女儿偷了汉子,兀自要留他!你怎地哭时,倒要赖我不谢将。我明日却和你说话。"燕青寻了个房,和李逵自去歇息。

太公却引人点着灯烛,入房里去看时,照见两个没头尸首,剁做十来段,丢在地下。太公、太婆烦恼啼哭,便叫人扛出后面去烧化了。李逵睡到天明,跳将起来,对太公道:"昨夜与你捉了鬼,你如何不谢将?"太公只得收拾酒食相待。李逵、燕青吃了便行,狄太公自理家事。除却奸淫,有诗为证:

> 恶性掀腾不自由,房中剁却两人头。
>
> 痴翁犹自伤情切,独立西风哭未休。

且说李逵和燕青离了四柳村,依前上路。此时草枯地阔,木落山空,于路无话。两个因宽转梁山泊北,到寨尚有七八十里,巴不到山,离荆门镇不远。当日天晚,两个奔到一个大庄院敲门。燕青道:"俺们寻客店中歇去。"李逵道:"这大户人家,却不强似客店多少!"说犹未了,庄客出来回话道:"我主太公正烦恼哩,你两个别处去歇。"李逵直走入去,燕青拖扯不住,直到草厅上。李逵口里叫道:"过往客人,借宿一宵,打甚鸟紧,便道太公烦恼!我正要和烦恼的说话。"里面太公张时,看见李逵生得凶恶,暗地教人出来接纳,请去厅外侧首,有间耳房,叫他两个安歇。造些饭食,与他两个吃,着他里面去睡。多样时,搬出饭来,两个吃了,就便歇息。李逵当夜没些酒,在土炕子上翻来复去睡不着,只听得太公、太婆在里面哽哽咽咽的哭。李逵心焦,那双眼怎地得合。巴到天明,跳将起来,便向厅前问道:"你家甚么人哭这一夜,搅得老爷睡不着?"太公听了,只得出来答道:"我家有个女儿,年方一十八岁,吃人抢了去,以此烦恼。"李逵骂道:"打脊老牛!男大须婚,女大须嫁,烦恼做甚么?"太公道:"不是与他,强夺了去。"李逵道:"又来作怪!夺你女儿的是谁?"太公道:"我与你说他姓名,惊得你屁滚尿流。他是梁山泊头领宋江,有一百单八个好汉,不算小军。"李逵道:"我且问你,他是几个来?"太公道:"两日前,他和一个小后生,各骑着一匹马来。"李逵便叫:"燕小乙哥,你来听这老儿说的话。俺哥哥原来口是心非,不是好人了也。"燕青道:"大哥莫要造次,定没这事。"李逵道:"他在东京兀自去李师师家去,到这里怕不做出来!"李逵道:"你庄里有饭,讨些我们吃。"对太公说道:"我便是梁山泊黑旋风李逵,这个便是浪子燕青。既是宋江夺了你的女儿,我去讨来还你。"太公拜谢了。

　　李逵、燕青径望梁山泊来,路上无话。直到忠义堂上,宋江见了李逵、燕青回来,便问道:"兄弟,你两个那里来?错了许多路,如今方到。"李逵那里应答,睁圆怪眼,拔出大斧,先砍倒了杏黄旗,把"替天行道"四个字扯做粉碎。众人都吃一惊。宋江喝道:"黑厮又做甚么?"李逵拿了双斧,抢上堂来,径奔宋江。当有关胜、林冲、秦明、呼延灼、董平五虎将,慌忙拦住,夺了大斧,揪下堂来。宋江大怒,喝道:"这厮又来作怪!你且说我的过失!"李逵气做一团,那里说得出。有诗为证:

　　　　依草凶徒假姓名,花颜闺女强抬行。

　　　　李逵不细穷来历,浪说公明有此情。

　　且说燕青向前道:"哥哥听禀一路上备细。他在东京城外客店里跳将出来,拿着双斧,要去劈门。被我一交撷翻,拖将起来,说与他:'哥哥已自去了,独自一个风甚么?'恰才信小弟说。不敢从大路走,他又没了头巾,把头发绾做两个丫髻。正来到四柳村狄太公庄上,他去做法官捉鬼,正拿了他女儿并奸夫两个,都剁做肉酱。后来却从大路西边上山,他定要大宽转。将近荆门镇,当日天晚了,便去刘太公庄上投宿。只听得太公两口儿一夜啼哭,他睡不着,巴得天明,起去问他。刘太公说道:两日前梁山泊宋江,和一个年纪小的后生,骑着两匹马,来庄上来。老儿听得说是替天行道的人,因此叫这十八岁的女儿出来把酒,吃到半夜,两个把他女儿夺了去。李逵大哥听了这话,便道是实。我再三解说道:'俺哥哥不是这般的人。多有依草附木,假名托姓的,在外头胡做。'李大哥道:'我见他在东京时,兀自恋着唱的李师师不肯放,不是他是谁?'因此来发作。"宋江听罢,便道:"这般屈事,怎地得知! 如何不说?"李逵道:"我闲常把你做好汉,你原来却是畜生! 你做得这等好事!"宋江喝道:"你且听我说:我和三二千军马回来,两匹马落路时,须瞒不得众人。若还得一个妇人,必然只在寨里,你却去我房里搜看!"李逵道:"哥哥,你说甚么鸟闲话! 山寨里都是你手下的人,护你的多,那里不藏过了。我当初敬你是个不贪色欲的好汉,你原正是酒色之徒,杀了阎婆惜便是小样,去东京养李师师便是大样。你不要赖,早早把女儿送还老刘,倒有个商量。你若不把女儿还他时,我早做早杀了你,晚做晚杀了你。"

宋江道:"你且不要闹攘,那刘太公不死,庄客都在,俺们同去面对。若还对番了,就那里舒着脖子受你板斧;如若对不番,你这厮没上下,当得何罪?"李逵道:"我若还拿你不着,便输这颗头与你。"宋江道:"最好,你众兄弟都是证见。"便叫铁面孔目裴宣写了赌赛军令状二纸,两个各书了字。宋江的把与李逵收了,李逵的把与宋江收了。李逵又道:"这后生不是别人,只是柴进。"柴进道:"我便同去。"李逵道:"不怕你不来。若到那里对番了之时,不怕你柴大官人,是米大官人,也吃我几斧!"柴进道:"这个不妨。你先去那里等,我们前去时,又怕有蹊跷。"李逵道:"正是。"便唤了燕青:"俺两个依前先去。他若不来,便是心虚,回来罢休不得!"有诗为证:

> 李逵闹攘没干休,要砍梁山寨主头。
>
> 欲辩是非分彼此,刘家庄上问来由。

燕青与李逵再到刘太公庄上,太公接见,问道:"好汉,所事如何?"李逵道:"如今我那宋江,他自来教你认他。你和太婆并庄客,都仔细认他。若还是时,只管实说,不要怕他,我自替你做主。"只见庄客报道:"有十数骑马来到庄上了。"李逵道:"正是了。"侧边屯住了人马,只教宋江、柴进入来。宋江、柴进径到草厅上坐下。李逵提着板斧,立在侧边,只等老儿叫声是,李逵便要下手。那刘太公近前来拜了宋江。李逵问老儿道:"这个是夺你女儿的不是?"那老儿睁开尪羸① 眼,打拍老精神,定睛看了道:"不是。"宋江对李逵道:"你却如何?"李逵道:"你两个先着眼瞅他,这老儿惧怕你,便不敢说是。"宋江道:"你便叫满庄人都来认我。"李逵随即叫众庄客人等认时,齐声叫道:"不是。"宋江道:"刘太公,我便是梁山泊宋江,这位兄弟便是柴进。你的女儿多是吃假名托姓的骗将去了。你若打听得出来,报上山寨,我与你做主。"宋江对李逵道:"这里不和你说话,你回来寨里,自有辩理。"宋江、柴进自与一行人马,先回大寨去了。

---

① 尪羸(wāng léi)——瘦弱。这里用来形容老眼昏花。

燕青道:"李大哥,怎地好?"李逵道:"只是我性紧上做错了事。既然输了这颗头,我自一刀割将下来,你把去献与哥哥便了。"燕青道:"你没来由寻死做甚么!我教你一个法则,唤做负荆请罪。"李逵道:"怎地是负荆?"燕青道:"自把衣服脱了,将麻绳绑缚了,脊梁上背着一把荆杖,拜伏在忠义堂前,告道:'由哥哥打多少。'他自然不忍下手。这个唤做负荆请罪。"李逵道:"好却好,只是有些惶恐,不如割了头去干净。"燕青道:"山寨里都是你弟兄,何人笑你?"李逵没奈何,只得同燕青回寨来负荆请罪。有诗为证:

三家对证已分明,方显公平正大情。

此日负荆甘请罪,可怜噂沓愧馀生。

却说宋江、柴进先归到忠义堂上,和众弟兄们正说李逵一事,只见黑旋风脱得赤条条地,背上负着一把荆杖,跪在堂前,低着头,口里不做一声。宋江笑道:"你那黑厮怎地负荆? 只这等饶了你不成?"李逵道:"兄弟的不是了,哥哥拣大棍打几十罢!"宋江道:"我和你赌砍头,你如何却来负荆?"李逵道:"哥哥既是不肯饶我,把刀来割这颗头去,也是了当。"众人都替李逵陪话。宋江道:"若要我饶他,只教他捉得那两个假宋江,讨得刘太公女儿来还他,这等方才饶你。"李逵听了,跳将起来说道:"我去,瓮中捉鳖,手到拿来。"宋江道:"他是两个好汉,又有两副鞍马,你只独自一个,如何近傍得他? 再叫燕青和你同去。"燕青道:"哥哥差遣,小弟愿往。"便去房中取了弩子,绰了齐眉杆棒,随着李逵,再到刘太公庄上。

燕青细问他来情,刘太公说道:"日平西时来,三更里去了,不知所在,又不敢跟去。那为头的,生的矮小,黑瘦面皮;第二个夹壮身材,短须大眼。"二人问了备细,便叫:"太公放心,好歹要救女儿还你。我哥哥宋公明的将令，务要我两个寻将来，不敢违误。"便叫煮下干肉，做起蒸饼，各把料袋装了，拴在身边，离了刘太公庄上。先去正北上寻，但见荒僻无人烟去处，走了一两日，绝不见些消耗。却去正东上，又寻了两日，直到凌州高唐界内，又无消息。李逵心焦面热，却回来望西边寻去，又寻了两日，绝无些动静。

当晚两个且向山边一个古庙中供床上宿歇。李逵那里睡得着，扒起来坐地。只听得庙外有人走的响，李逵跳将起来，开了庙门看时，只见一条汉子，提着把朴刀，转过庙后土岗子上去。李逵在背后跟去。燕青听得，拿了弩弓，提了杆棒，随后赶来，叫道："李大哥不要赶，我自有道理。"是夜，月色朦胧，燕青递杆棒与了李逵，远远望见那汉，低着头只顾走。燕青赶近，搭上箭，弩弦稳放，叫声："如意子不要误我！"只一箭，正中那汉的右腿，扑地倒了。李逵赶上，劈衣领揪住，直拿到古庙中，喝问道："你把刘太公的女儿抢的那里去了？"那汉告道："好汉，小人不知此事，不曾抢甚刘太公女儿。小人只是这里剪径，做些小买卖，那里敢大弄，抢夺人家子女。"李逵把那汉捆做一块，提起斧来喝道："你若不实说，砍你做二十段。"那汉叫道："且放小人起来商议。"燕青道："汉子，我且与你拔了这箭。"放将起来，问道："刘太公女儿端的是甚么人抢了去？只是你这里剪径的，你岂可不知些风声？"那汉道："小人胡猜，未知真实。离此间西北上，约有十五里，有一座山，唤做牛头山，山上旧有一个道院。近来新被两个强人，一个姓王名江，一个姓董名海，这两个都是绿林中草贼，先把道士道童都杀了，随从只有五七个伴当，占住了道院，专一下来打劫，但到处只称是宋江，多敢是这两个抢了去。"有诗为证：

　　寻贼潜居古庙堂，风寒月冷转凄凉。

夜深偶获山林客,说出强徒是董王。

燕青道:"这话有些来历。汉子,你休怕我,我便是梁山泊浪子燕青,他便是黑旋风李逵。我与你调理箭疮,你便引我两个到那里去。"那人道:"小人愿往。"燕青去寻朴刀还了他,又与他扎缚了疮口。趁着月色微明,燕青、李逵扶着他,走过十五里来路。到那山看时,苦不甚高,果似牛头之状,形如卧牛之势。三个上这山来,天尚未明。来到山头看时,团团一遭土墙,里面约有二十来间房子。李逵道:"我与你先跳将入去。"燕青道:"且等天明却理会。"李逵那里忍耐得,腾地跳将过去了。只听得里面有人喝声,门开处,早有人出来,便挺朴刀来奔李逵。燕青生怕撅撒了事,挂着杆棒,也跳过墙来。那中箭的汉子一道烟走了。燕青见这出来的好汉正斗李逵,潜身暗行,一棒正中那好汉脸颊骨上,倒入李逵怀里来,被李逵后心只一斧,砍翻在地。只见里面绝不见一个人出来。燕青道:"这厮必有后路走了。我与你去截住后门,你却把着前门,不要胡乱入去。"

且说燕青来到后门墙外,伏在黑暗处,只见后门开处,早有一条汉子,拿了钥匙来开后面墙门。燕青转将过去,那汉见了,绕房檐便走出前门来。燕青大叫:"前面截住。"李逵抢将过来,只一斧劈胸膛砍倒,便把两颗头都割下来,拴做一处。李逵性起,砍将入去,泥神也似都推倒了。那几个伴当躲在灶前,被李逵赶去,一斧一个,都杀了。来到房中看时,果然见那个女儿在床上呜呜的啼哭。看那女子,云鬓花颜,其实艳丽。有诗为证:

> 弓鞋窄窄剪春罗,香沁酥胸玉一窝。

> 丽质难禁风雨骤,不胜幽恨蹙秋波。

燕青问道:"你莫不是刘太公女儿?"那女子答道:"奴家正是刘太公女儿。十数日之前,被这两个贼掳在这里,每夜轮一个将

奴家奸宿。奴家昼夜泪雨成行，要寻死处，被他监看得紧。今日
得将军搭救，便是重生父母，再养爹娘。"燕青道："他有那两匹马
在那里放着？"女子道："只在东边房内。"燕青备上鞍子，牵出门
外，便来收拾房中积攒下的黄白之资，约有三五千两。燕青便叫
那女子上了马，将金银包了，和人头抓了，拴在一匹马上。李逵
缚了个草把，将窗下残灯，把草房四边点着烧起。他两个开了墙
门，步送女子下山，直到刘太公庄上。爹娘见了女子，十分欢喜，
烦恼都没了，尽来拜谢两位头领。燕青道："你不要谢我两个，你
来寨里拜谢俺哥哥宋公明。"两个酒食都不肯吃，一家骑了一匹
马，飞奔山上来。

　　回到寨中，红日衔山之际，都到三关之上。两个牵着马，驮
着金银，提了人头，径到忠义堂上，拜见宋江。燕青将前事一一
说了一遍，宋江大喜，叫把人头埋了，金银收拾库中，马放去战马
群内喂养。次日，设筵宴与燕青、李逵作贺。刘太公也收拾金银
上山，来到忠义堂上，拜谢宋江。宋江那里肯受，与了酒饭，教送
下山回庄去了，不在话下。梁山泊自此无话。

　　不觉时光迅速，看看鹅黄着柳，渐渐鸭绿生波。桃腮乱簇红
英，杏脸微开绛蕊。山前花，山后树，俱各萌芽；洲上苹，水中芦，
都回生意。谷雨初晴，可是丽人天气；禁烟才过，正当三月韶华。
宋江正坐，只见关下解一伙人到，预先报上山来，说道："拿得一
伙牛子，有七八个车箱，又有几束哨棒。"宋江看时，这伙人都是
彪形大汉，跪在堂前告道："小人等几个，直从凤翔府来，今上泰
安州烧香。目今三月二十八日，天齐圣帝降诞之辰，我们都去台
上使棒，一连三日，何止有千百对在那里。今年有个扑手好汉，
是太原府人氏，姓任名原，身长一丈，自号擎天柱，口出大言，说

道：'相扑世间无对手，争跤天下我为魁。'闻他两年曾在庙上争跤，不曾有对手，白白地拿了若干利物。今年又贴招儿，单搦天下人相扑。小人等因这个人来，一者烧香，二乃为看任原本事，三来也要偷学他几路好棒。伏望大王慈悲则个。"宋江听了，便叫小校："快送这伙人下山去，分毫不得侵犯。今后遇有往来烧香的人，休要惊吓他，任从过往。"那伙人得了性命，拜谢下山去了。

只见燕青起身禀复宋江，说无数句，话不一席，有分教：哄动了泰安州，大闹了祥符县。正是：东岳庙中双虎斗，嘉宁殿上二龙争。毕竟燕青说出甚么话来，且听下回分解。

第七十四回

燕青智扑擎天柱　李逵寿张乔坐衙

古风一首：

> 罡星飞出东南角，四散奔流绕寥廓。
>
> 徽宗朝内长英雄，弟兄聚会梁山泊。
>
> 中有一人名燕青，花绣遍身光闪烁。
>
> 凤凰踏碎玉玲珑，孔雀斜穿花错落。
>
> 一团俊俏真堪夸，万种风流谁可学。
>
> 锦体社内夺头筹，东岳庙中相赛博。
>
> 功成身退避嫌疑，心明机巧无差错。
>
> 世间无物堪比论，金风未动蝉先觉。

话说这一篇诗，单道着燕青。他虽是三十六星之末，果然机巧心灵，多见广识，了身达命①，都强似那三十五个。当日燕青禀宋江道："小乙自幼跟着卢员外，学得这身相扑，江湖上不曾逢着对手。今日幸遇此机会，三月二十八日又近了，小乙并不要带一人，自去献台②上，好歹攀他擿一跤。若是输了擿死，永无怨心；倘或赢时，也与哥哥增些光彩。这日必然有一场好闹，哥哥却使人救应。"宋江说道："贤弟，闻知那人身长一丈，貌若金刚，

---

① 了身达命——指了悟人生，通达事理。
② 献台——擂台。

约有千百斤气力。你这般瘦小身材,总有本事,怎地近傍得他。"
燕青道:"不怕他长大身材,只恐他不着圈套。常言道:相扑的有
力使力,无力斗智。非是燕青敢说口,临机应变,看景生情,不到
的输与他那呆汉。"卢俊义便道:"我这小乙,端的自小学成好一
身相扑,随他心意叫他去,至期卢某自去接应他回来。"宋江问
道:"几时可行?"燕青答道:"今日是三月二十四日了,来日拜辞
哥哥下山,路上略宿一宵,二十六日赶到庙上,二十七日在那里
打探一日,二十八日却好和那厮放对。"当日无事。

　　次日,宋江置酒与燕青送行。众人看燕青时,打扮得村村朴
朴,将一身花绣,把衲袄包得不见,扮做山东货郎,腰里插着一把
串鼓儿,挑一条高肩杂货担子。诸人看了都笑。宋江道:"你既
然装做货郎担儿,你且唱个山东货郎转调歌与我众人听。"燕青
一手拈串鼓,一手打板,唱出货郎太平歌,与山东人不差分毫来
去。众人又笑。酒至半酣之后,燕青辞了众头领下山,过了金沙
滩,取路望泰安州来。有诗为证:

　　　　骁勇燕青不可扳,当场铁扑有机关。

　　　　欲寻敌手相论较,特地驱驰上泰山。

　　当日天晚,正待要寻店安歇,只听得背后有人叫道:"燕小乙
哥,等我一等!"燕青歇下担子看时,却是黑旋风李逵。燕青道:
"你赶来怎地?"李逵道:"你相伴我去荆门镇走了两遭,我见你独
自个来,放心不下,不曾对哥哥说知,偷走下山,特来帮你。"燕青
道:"我这里用你不着,你快早早回去。"李逵焦躁起来,说道:"你
便是真个了得的好汉! 我好意来帮你,你倒翻成恶意。我却偏
鸟要去!"燕青寻思怕坏了义气,便对李逵说道:"和你去不争,那
里圣帝生日,都有四山五岳的人聚会,认的你的颇多。你依的我
三件事,便和你同去。"李逵道:"依得。"燕青道:"从今路上和你

前后各自走，一脚到客店里，入得店门，你便自不要出来，这是第一件。第二件，到得庙上客店里，你只推病，把被包了头脸，假做打鼾睡，便不要做声。第三件，当日庙上，你挨在稠人中看争跤时，不要大惊小怪。大哥，依得么？"李逵道："有甚难处！都依你便了。"当晚两个投客店安歇。次日五更起来，还了房钱，同行到前面，打火吃了饭。燕青道："李大哥，你先走半里，我随后来也。"那条路上只见烧香的人来往不绝，多有讲说任原的本事，"两年在泰岳无对，今年又经三年了。"燕青听得，有在心里。申牌时候，将近庙上，傍边众人都立定脚，仰面在那里看。燕青歇下担儿，分开人丛，也挨向前看时，只见两条红标柱，恰似坊巷牌额一般相似。上立一面粉牌，写道："太原相扑擎天柱任原"；傍边两行小字道："拳打南山猛虎，脚踢北海苍龙"。燕青看了，便扯匾担将牌打得粉碎，也不说甚么，再挑了担儿，望庙上去了。看的众人多有好事的，飞报任原，说今年有劈牌放对的。

　　且说燕青前面迎着李逵，便来寻客店安歇。原来庙上好生热闹，不算一百二十行经商买卖，只客店也有一千四五百家，延接天下香官①。到菩萨圣节之时，也没安着人处，许多客店都歇满了。燕青、李逵只得就市稍头赁一所客店安下，把担子歇了，取一床夹被教李逵睡着。店小二来问道："大哥是山东货郎，来庙上赶趁，怕敢出房钱不起？"燕青打着乡谈说道："你好小觑人！一间小房值得多少，便比一间大房钱，没处去了，别人出多少房钱，我也出多少还你。"店小二道："大哥休怪，正是要紧的日脚，先说得明白最好。"燕青道："我自来做买卖，倒不打紧，那里不去歇了。不想路上撞见了这个乡中亲戚，见患气病，因此只得要讨

---

①　香官——问庙宇进香的客人。

你店中歇。我先与你五贯铜钱,央及你就锅中替我安排些茶饭,临起身一发酬谢你。"小二哥接了铜钱,自去门前安排茶饭,不在话下。有诗为证:

李逵平昔性刚强,相伴燕青上庙堂。

只恐途中闲惹事,故令推病卧枯床。

没多时候,只听得店门外热闹,二三十条大汉走入店里来,问小二哥道:"劈牌定对的好汉在那房里安歇?"店小二道:"我这里没有。"那伙人道:"都说在你店中。"小二哥道:"只有两眼房,空着一眼,一眼是个山东货郎扶着一个病汉赁了。"那一伙人道:"正是那个货郎儿劈牌定对。"店小二道:"休道别人取笑!那货郎儿是一个小小后生,做得甚用!"那伙人齐道:"你只引我们去张一张。"店小二指道:"那角落头房里便是。"众人来看时,见紧闭着房门;都去窗子眼里张时,见里面床上,两个人脚厮抵睡着。众人寻思不下,数内有一个道:"既是敢来劈牌,要做天下对手,不是小可的人。怕人算他,以定是假装做害病的。"众人道:"正是了。都不要猜,临期便见。"不到黄昏前后,店里何止三二十伙人来打听,分说得店小二口唇也破了。当晚搬饭与二人吃,只见李逵从被窝里钻出头来,小二哥见了吃一惊,叫声:"阿也!这个是争跤的爷爷了!"燕青道:"争跤的不是他,他自病患在身。我便是径来争跤的。"小二哥道:"你休要瞒我,我看任原吞得你在肚里。"燕青道:"你休笑我,我自有法度教你们大笑一场,回来多把利物赏你。"小二哥看他两个吃了晚饭,收了碗碟,自去厨头洗刮,心中只是不信。

次日,燕青和李逵吃了些早饭,分付道:"哥哥,你自拴了房门高睡。"燕青却随了众人来到岱岳庙里看时,果然是天下第一。但见:

庙居岱岳，山镇乾坤，为山岳之至尊，乃万神之领袖。山头伏槛，直望见弱水蓬莱；绝顶攀松，尽都是密云薄雾。楼台森耸，疑是金乌展翅飞来；殿角棱层，定觉玉兔腾身走到。雕梁画栋，碧瓦朱檐。凤扉亮槅映黄纱，龟背绣帘垂锦带。遥观圣像，九旒冕舜目尧眉；近睹神颜，衮龙袍汤肩禹背。九天司命，芙蓉冠掩映绛绡衣；炳灵圣公，赭黄袍偏称蓝田带。左侍下玉簪珠履，右侍下紫绶金章。阖殿威严，护驾三千金甲将；两廊勇猛，勤王十万铁衣兵。五岳楼相接东宫，仁安殿紧连北阙。蒿里山下，判官分七十二司；白骡庙中，土神按二十四气。管火池铁面太尉，月月通灵；掌生死五道将军，年年显圣。御香不断，天神飞马报丹书；祭祀依时，老幼望风皆获福。嘉宁殿祥云杳霭，正阳门瑞气盘旋。万民朝拜碧霞君，四远归依仁圣帝。

　　当时燕青游玩了一遭，却出草参亭，参拜了四拜，问烧香的道："这相扑任教师在那里歇？"便有好事人说："在迎恩桥下那个大客店里便是。他教着三二百个上足徒弟。"燕青听了，径来迎恩桥下看时，见桥边栏杆子上，坐着二三十个相扑子弟，面前遍插铺金旗牌，锦绣帐额，等身靠背。燕青闪入客店里去看，见任原坐在亭心上，真乃有揭谛仪容，金刚貌相。坦开胸脯，显存孝打虎之威；侧坐胡床，有霸王拔山之势。在那里看徒弟相扑。数内有人认得燕青曾劈牌来，暗暗报与任原。只见任原跳将起来，搠着膀子，口里说道："今年那个合死的，来我手里纳命。"燕青低了头，急出店门，听得里面都笑。急回到自己下处，安排些酒食，与李逵同吃了一回。李逵道："这们睡，闷死我也。"燕青道："只有今日一晚，明日便见雌雄。"当时闲话，都不必说。

三更前后,听得一派鼓乐响,乃是庙上众香官与圣帝上寿。四更前后,燕青、李逵起来,问店小二先讨汤洗了面,梳光了头,脱去了里面衲袄,下面牢拴了腿绷护膝,區扎起了熟绢水裩,穿了多耳麻鞋,上穿汗衫,搭膊系了腰。两个吃了早饭,叫小二分付道:"房中的行李,你与我照管。"店小二应道:"并无失脱,早早得胜回来。"只这小客店里,也有三二十个烧香的,都对燕青道:"后生,你自斟酌,不要枉送了性命。"燕青道:"当下小人喝采之时,众人可与小人夺些利物。"众人都有先去了的。李逵道:"我带了这两把板斧去也好。"燕青道:"这个却使不得,被人看破,误了大事。"当时两个杂在人队里,先到廊下做一块儿伏了。那日烧香的人,真乃亚肩叠背,偌大一个东岳庙,一涌便满了,屋脊梁上,都是看的人。朝着嘉宁殿,扎缚起山棚,棚上都是金银器皿,锦绣段匹。门外拴着五头骏马,全副鞍辔。知州禁住烧香的人,看这当年相扑献圣。一个年老的部署①,拿着竹批,上得献台,参神已罢,便请今年相扑的对手出马争跤。

说言未了,只见人如潮涌,却早十数对哨棒过来,前面列着四把绣旗,那任原坐在轿上,这轿前轿后,三二十对花胳膊的好汉,前遮后拥,来到献台上。部署请下轿来,开了几句温暖的呵会②。任原道:"我两年到岱岳,夺了头筹,白白拿了若干利物,今年必用脱膊。"说罢,见一个拿水桶的上来。任原的徒弟都在献台边,一周遭都密密地立着。且说任原先解了搭膊,除了巾帻,虚笼着蜀锦袄子,喝了一声参神喏,受了两口神水,脱下锦袄,百十万人齐喝一声采。看那任原时,怎生打扮?

①　部署——对拳棒教师或摆台比武主持人的俗称。
②　呵会——见面时说的客套话。

头绾一窝穿心红角子,腰系一条绛罗翠袖。三串带儿
拴十二个玉蝴蝶牙子扣儿,主腰上排数对金鸳鸯短褶
衬衣。护膝中有铜裆铜裤,缴臁内有铁片铁环。扎腕
牢拴,踢鞋紧系。世间架海擎天柱,岳下降魔斩将人。

那部署道:"教师两年在庙上不曾有对手,今年是第三番了。
教师有甚言语,安复天下众香官?"任原道:"四百座军州,七千馀
县治,好事香官恭敬圣帝,都助将利物来。任原两年白受了,今
年辞了圣帝还乡,再也不上山来了。东至日出,西至日没,两轮
日月,一合乾坤,南及南蛮,北济幽燕,敢有和我争利物的么?"说
犹未了,燕青捺着两边人的肩臂,口中叫道:"有,有!"从人背上
直飞抢到献台上来。众人齐发声喊。那部署接着问道:"汉子,
你姓甚名谁? 那里人氏? 你从何处来?"燕青道:"我是山东张货
郎,特地来和他争利物。"那部署道:"汉子,性命只在眼前,你省
得么? 你有保人也无?"燕青道:"我是保人,死了要谁偿命!"部
署道:"你且脱膊下来看。"燕青除了头巾,光光的梳着个角儿,脱
下草鞋,赤了双脚,蹲在献台一边,解了腿绷护膝,跳将起来,把
布衫脱将下来,吐个架子。则见庙里的看官,如搅海翻江相似,
迭头价喝采,众人都呆了。任原看了他这花绣急健身材,心里倒
有五分怯他。

殿门外月台上,本州太守坐在那里弹压,前后皂衣公吏,环
列七八十对,随即使人来叫燕青下献台,直到面前。太守见了他
这身花绣,一似玉亭柱上铺着软翠,心中大喜,问道:"汉子,你是
那里人家? 因何到此?"燕青道:"小人姓张,排行第一,山东莱州
人氏。听得任原搦天下人相扑,特来和他争跤。"知州道:"前面
那匹全副鞍马,是我出的利物,把与任原;山棚上应有物件,我主
张分一半与你,你两个分了罢。我自抬举你在我身边。"燕青道:

"相公,这利物倒不打紧,只要撇翻他,教众人取笑,图一声喝
采。"知州道:"他是金刚般一条大汉,你敢近他不得!"燕青道:
"死而无怨。"再上献台来,要与任原定对。部署问他先要了文
书,怀中取出相扑社条,读了一遍,对燕青道:"你省得么?不许
暗算。"燕青冷笑道:"他身上都有准备,我单单只这个水裈儿,暗
算他甚么?"知州又叫部署来分付道:"这般一个汉子,俊俏后生,
可惜了。你去与他分了这扑。"部署随即上献台,又对燕青道:
"汉子,你留了性命还乡去,我与你分了这扑。"燕青道:"你好不
晓事!知是我赢我输?"众人都和起来。只见分开了数万香官,
两边排得似鱼鳞一般,廊庑屋脊上也都坐满,只怕遮着了这对相
扑。任原此时,有心恨不得把燕青丢去九霄云外,跌死了他。部
署道:"既然你两个要相扑,今年且赛这对献圣。都要小心着,各
各在意。"净净地献台上只三个人。

此时宿雾尽收,旭日初起。部署拿着竹批,两边分付已了,
叫声:"看扑。"这个相扑,一来一往,最要说得分明。说时迟,那
时疾,正如空中星移电挚相似,些儿迟慢不得。当时,燕青做一
块儿蹲在右边,任原先在左边立个门户,燕青则不动掸。初时,
献台上各占一半,中间心里合交。任原见燕青不动掸,看看逼过
右边来。燕青只瞅他下三面。任原暗忖道:"这人必来算我下三
面,你看我不消动手,只一脚踢这厮下献台去。"有诗为证:

> 百万人中较艺强,轻生捐命等寻常。
>
> 试看两虎相吞啖,必定中间有一伤。

任原看看逼将入来,虚将左脚卖个破绽,燕青叫一声:"不要
来!"任原却待奔他,被燕青去任原左胁下穿将过去。任原性起,
急转身又来拿燕青,被燕青虚跃一跃,又在右胁下钻过去。大汉
转身终是不便,三换换得脚步乱了。燕青却抢将入去,用右手扭

住任原,探左手插入任原交裆,用肩胛顶住他胸脯,把任原直托将起来,头重脚轻,借力便旋,五旋旋到献台边,叫一声:"下去!"把任原头在下,脚在上,直撺下献台来。这一扑,名唤做鹁鸽旋。数万香官看了,齐声喝采。那任原的徒弟们,见撅翻了他师父,先把山棚拽倒,乱抢了利物。众人乱喝打时,那二三十徒弟抢入献台来,知州那里治押得住。

　　不想傍边恼犯了这个太岁,却是黑旋风李逵看见了,睁圆怪眼,倒竖虎须,面前别无器械,便把杉刺子撅葱般拔断,拿两条杉木在手,直打将来。香官数内有人认得李逵的,说将出名姓来,外面做公的人齐入庙里,大叫道:"休教走了梁山泊黑旋风!"那知州听得这话,从顶门上不见了三魂,脚底下疏失了七魄,便投后殿走了。四下里的人涌并围将来,庙里香官各自奔走。李逵看任原时,跌得昏晕,倒在献台边,口内只有些游气。李逵揭块石板,把任原头打得粉碎。两个从庙里打将出来,门外弓箭乱射入来,燕青、李逵只得爬上屋去,揭瓦乱打。不多时,只听得庙门前喊声大举,有人杀将入来。当头一个头领,白范阳毡笠儿,身穿白段子袄,跨口腰刀,挺条朴刀,那汉是北京玉麒麟卢俊义。后面带着史进、穆弘、鲁智深、武松、解珍、解宝七条好汉,引一千馀人,杀开庙门,入来策应。燕青、李逵见了,便从屋上跳将下来,跟着大队便走。李逵又去客店里拿了双斧,赶来厮杀。这府里整点得官军来时,那伙好汉已自去得远了。官兵已知梁山泊人众难敌,不敢来追赶。

　　却说卢俊义便叫收拾李逵回去,行了半日,路上又不见了李逵。卢俊义又笑道:"正是招灾惹祸!必须使人寻他上山。"穆弘道:"我去寻他回寨。"卢俊义道:"最好。"

　　且不说卢俊义引众还山,却说李逵手持双斧,直到寿张县。当日午衙方散,李逵来到县衙门口,大叫入来:"梁山泊黑旋风爹爹在此!"吓得县中人手脚都麻木了,动撺不得。原来这寿张县贴着梁山泊最近,若听得"黑旋风李逵"五个字,端的医得小儿夜啼惊哭,今日亲身到来,如何不怕!

　　当时李逵径去知县椅子上坐了,口中叫道:"着两个出来说话,不来时便放火。"廊下房内众人商量,只得着几个出去答应,"不然,怎地得他去。"数内两个吏员出来厅上,拜了四拜,跪着道:"头领到此,必有指使。"李逵道:"我不来打搅你县里人,因往这里经过,闲耍一遭。请出你知县来,我和他厮见。"两个去了,出来回话道:"知县相公却才见头领来,开了后门,不知走往那里去了。"李逵不信,自转入后堂房里来寻,却见有那幞头衣衫匣子在那里放着。李逵扭开锁,取出幞头,插上展角,将来带了,把绿袍公服穿上,把角带系了,再寻朝靴,换了麻鞋,拿着槐简①,走出厅前,大叫道:"吏典人等,都来参见!"众人没奈何,只得上去答应。李逵道:"我这般打扮,也好么?"众人道:"十分相称。"李逵道:"你们令史祗候,都与我排衙了便去。若不依我,这县都翻做白地。"众人怕他,只得聚集些公吏人来,擎着牙杖骨朵,打了三通擂鼓,向前声喏。李逵呵呵大笑,又道:"你众人内,也着两个来告状。"吏人道:"头领在此坐地,谁敢来告状。"李逵道:"可知人不来告状。你这里自着两个装做告状的来告,我又不伤他,只是取一回笑耍。"公吏人等商量了一回,只得着两个牢子,装做

---

①　槐简——槐木手板。手板(又叫"笏")是古代官吏上朝或谒见上司时手执的狭长板子,用以记事或指划。不同品级的官吏所用手板的质地也不同,宋代六品至九品官执木手板。

厮打的来告状，县门外百姓都放来看。两个跪在厅前，这个告道："相公可怜见，他打了小人。"那个告："他骂了小人，我才打他。"李逵道："那个是吃打的？"原告道："小人是吃打的。"又问道："那个是打了他的？"被告道："他先骂了，小人是打他来。"李逵道："这个打了人的是好汉，先放了他去。这个不长进的，怎地吃人打了？与我枷号在衙门前示众。"李逵起身，把绿袍抓扎起，槐简揣在腰里，掣出大斧，直看着枷了那个原告人，号令在县门前，方才大踏步去了，也不脱那衣靴。县门前看的百姓，那里忍得住笑。正在寿张县前，走过东，走过西，忽听得一处学堂读书之声，李逵揭起帘子，走将入去，吓得那先生跳窗走了。众学生们哭的哭，叫的叫，跑的跑，躲的躲。李逵大笑出门来，正撞着穆弘。穆弘叫道："众人忧得你苦，你却在这里风！快上山去！"那里由他，拖着便走。李逵只得离了寿张县，径奔梁山泊来。有诗为证：

> 牧民县令古贤良，想是腌臜没主张。
> 怪杀李逵无道理，琴堂闹了闹书堂。

　二人渡过金沙滩，到得寨里，众人见了李逵这般打扮，都笑。到得忠义堂上，宋江正与燕青庆喜，只见李逵放下绿襕袍，去了双斧，摇摇摆摆，直至堂前，执着槐简，来拜宋江。拜不得两拜，把这绿襕袍踏裂，绊倒在地，众人都笑。宋江骂道："你这厮忒大胆，不曾着我知道，私走下山，这是该死的罪过！但到处，便惹起事端。今日对众兄弟说过，再不饶你！"李逵喏喏连声而退。梁山泊自此人马平安，都无甚事，每日在山寨中教演武艺，操练人马，令会水者上船习学。各寨中添造军器、衣袍、铠甲、枪刀、弓箭、牌弩、旗帜，不在话下。

　　且说泰安州备将前事申奏东京,进奏院中又有收得各处州县申奏表文,皆为宋江等反乱骚扰一事,大卿类总启奏。是日景阳钟响,都来到待漏院中,伺候早朝,面奏天子。此时道君皇帝有一个月不曾临朝视事。当日早朝,正是:三下静鞭鸣御阁,两班文武列金阶。圣主临朝,百官拜罢,殿头官喝道:"有事出班早奏,无事卷帘退朝。"进奏院卿出班奏曰:"臣院中收得各处州县累次表文,皆为宋江等部领贼寇,公然直进府州,劫掠库藏,抢掳仓廒,杀害军民,贪厌无足。所到之处,无人可敌。若不早为剿捕,日后必成大患。伏乞陛下圣鉴。"天子乃云:"去年上元夜,此寇闹了京国,今年又往各处骚扰,何况那里附近州郡。我已累次差遣枢密院进兵,至今不见回奏。"傍有御史大夫崔靖出班奏曰:"臣闻梁山泊上立一面大旗,上书'替天行道'四字,此是曜民之术。民心既伏,不可加兵。即目辽兵犯境,各处军马遮掩不及,若要起兵征伐,深为不便。以臣愚意,此等山间亡命之徒,皆犯官刑,无路可避,遂乃啸聚山林,恣为不道。若降一封丹诏,光禄寺颁给御酒珍羞,差一员大臣,直到梁山泊好言抚谕,招安来降,假此以敌辽兵,公私两便。伏乞陛下圣鉴。"天子云:"卿言甚当,正合朕意。"便差殿前太尉陈宗善为使,赍擎丹诏御酒,前去招安梁山泊大小人数。是日朝散,陈太尉领了诏敕,回家收拾。

　　不争陈太尉捧诏招安,有分教:千千金戈铁骑,密布山头;簇簇战舰艨艟,平铺水面。误冲邪祟,恼犯魔王。正是:香醪翻做烧身药,丹诏应为引战书。毕竟陈太尉怎地去招安宋江,且听下回分解。

第七十五回

活阎罗倒船偷御酒　黑旋风扯诏谤徽宗

诗曰：

祸福渊潜未易量，两人行事太猖狂。

售奸暗抵黄封酒，纵恶明撕彩凤章。

爽口物多终作疾，快心事过必为殃。

距埋犇辐成虚谬，到此翻为傀儡场。

话说陈宗善领了诏书，回到府中，收拾起身。多有人来作贺："太尉此行，一为国家干事，二为百姓分忧，军民除害。梁山泊以忠义为主，只待朝廷招安，太尉可着些甜言美语，加意抚恤。留此清名，以传万代。"正话间，只见太师府干人来请，说道："太师相邀太尉说话。"陈宗善上轿，直到新宋门大街太师府前下轿。干人直引进节堂内书院中，见了太师，侧边坐下。茶汤已罢，蔡太师问道："听得天子差你去梁山泊招安，特请你来说知：到那里不要失了朝廷纲纪，乱了国家法度。你曾闻《论语》有云：'行己有耻，使于四方，不辱君命，可谓使矣。'"陈太尉道："宗善尽知，承太师指教。"蔡京又道："我叫这个干人跟随你去。他多省得法度，怕你见不到处，就与你提拨。"陈太尉道："深感恩相厚意。"辞了太师，引着干人，离了相府，上轿回家。方才歇定，门吏来报："高殿帅下马。"陈太尉慌忙出来迎接，请到厅上坐定。叙问寒温已毕，高太尉道："今日朝廷商量招安宋江一事，若是高俅在内，

973

必然阻住。况此贼辈,累辱朝廷,罪恶滔天,今更赦宥罪犯,引入京城,必成后患。欲待回奏,玉音已出,且看大意何如。若还此寇仍昧良心,怠慢圣旨,太尉早早回京,不才奏过天子,整点大军,亲身到彼,剪草除根,是吾之愿。太尉此去,下官手下有个虞候,能言快语,问一答十,好与太尉提拨事情。"陈太尉谢道:"感蒙殿帅忧心。"高俅起身,陈太尉送至府前,上马去了。

次日,蔡太师府张干办,高殿帅府李虞候,二人都到了。陈太尉拴束马匹,整点人数,十将捧十瓶御酒装在龙凤担内挑了,前插黄旗。陈太尉上马,亲随五六人,张干办、李虞候都乘马匹,丹诏背在前面,引一行人出新宋门。以下官员亦有送路的,都回去了。迤逦来到济州,太守张叔夜接着,请到府中,设筵相待。动问招安一节,陈太尉都说了备细。张叔夜道:"论某愚意,招安一事最好。只是一件:太尉到那里须是陪些和气,用甜言美语抚恤他众人。好共歹,只要成全大事,太尉留个清名于万古。他数内有几个性如烈火的汉子,倘或一言半语冲撞了他,便坏了大事。"张干办、李虞候道:"放着我两个跟着太尉,定不致差迟。太守,你只管教小心和气,须坏了朝廷纲纪。小辈人常压着不得一半,若放他头起,便做模样。"张叔夜道:"这两个是甚么人?"陈太尉道:"这一个人是蔡太师府内干办,这一个是高太尉府虞候。"张叔夜道:"只好教这两位干办不去罢。"陈太尉道:"他是蔡府、高府心腹人,不带他去,必然疑心。"张叔夜道:"下官这话,只是要好,恐怕劳而无功。"张干办道:"放着我两个,万丈水无涓滴漏。"张叔夜再不敢言语,一面安排筵宴,送至馆驿内安歇。有诗为证:

> 一封丹诏下青云,特地招安水浒军。
>
> 可羡明机张叔夜,预知难以策华勋。

且说次日,济州先使人去梁山泊报知。却说宋江每日在忠义堂上聚众相会,商议军情,早有细作人报知此事,未见真实,心中甚喜。当日,有一人同济州报信的直到忠义堂上,说道:"朝廷今差一个太尉陈宗善,赍到十瓶御酒,赦罪招安丹诏一道,已到济州城内,这里准备迎接。"宋江大喜,遂取酒食并彩段二表里,花银十两,打发报信人先回。宋江与众人道:"我们受了招安,得为国家臣子,不枉吃了许多时磨难,今日方成正果。"吴用说道:"论吴某的意,这番必然招安不成;纵使招安,也看得俺们如草芥。等这厮引将大军来,到教他着些毒手,杀得他人亡马倒,梦里也怕,那时方受招安,才有些气度。"宋江道:"你们若如此说时,须坏了'忠义'二字。"林冲道:"朝廷中贵官来时,有多少装幺①。中间未必是好事。"关胜便道:"诏书上必然写着些唬吓的言语,来惊我们。"徐宁又道:"来的人必然是高太尉门下。"宋江道:"你们都休要疑心,且只顾安排接诏。"先令宋清、曹正准备筵席,委柴进都管提调,务要十分齐整。铺设下太尉幕次,列五色绢段,堂上堂下,搭彩悬花。先使裴宣、萧让、吕方、郭盛预前下山,离二十里伏道迎接。水军头领准备大船傍岸。吴用传令:"恁们尽依我行。不如此,行不得。"

　　且说萧让引着三个随行,带引五六人,并无寸铁,将着酒果,在二十里外迎接。陈太尉当日在途中,张干办、李虞候不乘马匹,在马前步行,背后从人,何止三二百。济州的军官约有十数骑,前面摆列导引人马,龙凤担内挑担御酒,骑马的背着诏匣。济州牢子前后也有五六十人,都要去梁山泊内,指望觅个小富贵。萧让、裴宣、吕方、郭盛在半路上接着,都俯伏跪在道傍迎接。那张干办便问道:"你那宋江大似谁? 皇帝诏敕到来,如何不亲自来接? 甚

---

　　① 装幺——装腔作势。

是欺君！你这伙本是该死的人，怎受得朝廷招安！请太尉回去。"萧让、裴宣、吕方、郭盛俯伏在地，请罪道："自来朝廷不曾有诏到寨，未见真实，宋江与大小头领都在金沙滩迎接。万望太尉暂息雷霆之怒，只要与国家成全好事，恕免则个。"李虞候便道："不成全好事，也不愁你这伙贼飞上天去了！"有诗为证：

贝锦生谗自古然，小人凡事不宜先。

九天恩雨今宣布，抚谕招安未十全。

当时吕方、郭盛道："是何言语？只如此轻看人！"萧让、裴宣只得恳请他。捧去酒果，又不肯吃。众人相随来到水边，梁山泊已摆着三只战船在彼，一只装载马匹，一只装裴宣等一干人，一只请太尉下船，并随从一应人等。先把诏书、御酒放在船头上，那只船正是活阎罗阮小七监督。

当日阮小七坐在船梢上，分拨二十馀个军健棹船，一家带一口腰刀。陈太尉初下船时，昂昂而已，旁若无人，坐在中间。阮小七招呼众人把船棹动，两边水手齐唱起歌来。李虞候便骂道："村驴！贵人在此，全无忌惮！"那水手那里采他，只顾唱歌。李虞候拿起藤条来打，两边水手众人并无惧色，有几个为头的回话道："我们自唱歌，干你甚事！"李虞候道："杀不尽的反贼，怎敢回我话！"便把藤条去打，两边水手都跳在水里去了。阮小七在梢上说道："直这般打我水手下水里去了，这船如何得去！"只见上流头两只快船下来接。原来阮小七预先积下两舱水，见后头来船相近，阮小七便去拔了楔子，叫一声"船漏了"，水早滚上舱里来，急叫救时，船里有一尺多水。那两只船帮将拢来，众人急救陈太尉过船去。各人且把船只顾摇开，那里来顾御酒、诏书。两只快船先行去了。

阮小七叫上水手来，舀了舱里水，把展布都拭抹了，却叫水手道："你且掇一瓶御酒过来,我先尝一尝滋味。"一个水手便去担中取一瓶酒出来,解了封头,递与阮小七。阮小七接过来,闻得喷鼻馨香。阮小七道："只怕有毒。我且做个不着①,先尝些个。"也无碗瓢,和瓶便呷,一饮而尽。阮小七吃了一瓶道："有些滋味。一瓶那里济事,再取一瓶来!"又一饮而尽。吃得口滑,一连吃了四瓶。阮小七道："怎地好?"水手道："船梢头有一桶白酒在那里。"阮小七道："与我取舀水的瓢来,我都教你们到口。"将那六瓶御酒,都分与水手众人吃了,却装上十瓶村醪水白酒,还把原封头缚了,再放在龙凤担内,飞也似摇着船来。

　　赶到金沙滩,却好上岸。宋江等都在那里迎接,香花灯烛,鸣金擂鼓,并山寨里村乐,一齐都响。将御酒摆在桌子上,每一桌令四个人抬,诏书也在一个桌子上抬着。陈太尉上岸,宋江等接着,纳头便拜。宋江道："文面小吏,罪恶迷天,曲辱贵人到此,接待不及,望乞恕罪。"李虞候道："太尉是朝廷大贵人,大臣来招安你们,非同小可,如何把这等漏船,差那不晓事的村贼乘驾,险些儿误了大贵人性命!"宋江道："我这里有的是好船,怎敢把漏船来载贵人。"张干办道："太尉衣襟上兀自湿了,你如何要赖!"宋江背后,五虎将紧随定,不离左右,又有八骠骑将簇拥前后。见这李虞候、张干办在宋江前面指手划脚,你来我去,都有心要杀这厮,只是碍着宋江一个,不敢下手。

　　当日宋江请太尉上轿,开读诏书,四五次才请得上轿。牵过两匹马来与张干办、李虞候骑,这两个男女,不知身已多大,装煞臭么。宋江央及得上马行了,令众人大吹大擂,迎上三关来。宋江等一百馀个头领都跟在后面,直迎至忠义堂前,一齐下马,请

---

　　① 做个不着——这里是拼着吃些苦头的意思。

太尉上堂。正面放着御酒、诏匣,陈太尉、张干办、李虞候立在左边,萧让、裴宣立在右边。宋江叫点众头领时,一百七人,于内单只不见了李逵。此时是四月间天气,都穿夹罗战袄,跪在堂上,拱听开读。陈太尉于诏书匣内取出诏书,度与萧让。裴宣赞礼,众将拜罢。萧让展开诏书,高声读道:

> "制曰:文能安邦,武能定国。五帝凭礼乐而有封疆,三皇用杀伐而定天下。事从顺逆,人有贤愚。朕承祖宗之大业,开日月之光辉,普天率土,罔不臣伏。近为宋江等辈,啸聚山林,劫掳郡邑。本欲用彰天讨,诚恐劳我生民。今差太尉陈宗善前来招安。诏书到日,即将应有钱粮、军器,马匹、船只,目下纳官,拆毁巢穴,率领赴京,原免本罪。倘或仍昧良心,违戾诏制,天兵一至,龆龀不留。故兹诏示,想宜知悉。
>
> 宣和三年孟夏四月　　　　日诏示。"

萧让却才读罢,宋江已下皆有怒色。只见黑旋风李逵从梁上跳将下来,就萧让手里夺过诏书,扯的粉碎,便来揪住陈太尉,拽拳便打。此时宋江、卢俊义大横身抱住,那里肯放他下手。恰才解拆得开,李虞候喝道:"这厮是甚么人? 敢如此大胆!"李逵正没寻人打处,劈头揪住李虞候便打,喝道:"写来的诏书是谁说的话?"张干办道:"这是皇帝圣旨。"李逵道:"你那皇帝正不知我这里众好汉,来招安老爷们,倒要做大! 你的皇帝姓宋,我的哥哥也姓宋,你做得皇帝,偏我哥哥做不得皇帝! 你莫要来恼犯着黑爹爹,好歹把你那写诏的官员尽都杀了!"众人都来解劝,把黑旋风推下堂去。宋江道:"太尉且宽心,休想有半星儿差池。且取御酒教众人沾恩。"随即取过一副嵌宝金花锺,令裴宣取一瓶御酒,倾在银酒海内看时,却是村醪白酒;再将九瓶都打开倾在酒海内，却是一般的淡薄村醪。众人见了，尽都骇然，一个个都走下堂去了。鲁智深提着铁禅杖，高声叫骂："入娘撮鸟，忒杀是欺负人！把水酒做御酒来哄俺们吃！"赤发鬼刘唐也挺着朴刀杀上来，行者武松掣出双戒刀，没遮拦穆弘、九纹龙史进一齐发作。六个水军头领都骂下关去了。

宋江见不是话，横身在里面拦当，急传将令，叫轿马护送太尉下山，休教伤犯。此时四下大小头领，一大半闹将起来。宋江、卢俊义只得亲身上马，将太尉并开诏一干人数，护送下三关，再拜伏罪："非宋江等无心归降，实是草诏的官员不知我梁山泊里弯曲。若以数句善言抚恤，我等尽忠报国，万死无怨。太尉若回得朝廷，善言则个。"急急送过渡口。这一干人吓的屁滚尿流，飞奔济州去了。有诗为证：

太尉承宣出帝乡，为招忠义欲归降。

卑身辱国难成事，反被无端骂一场。

却说宋江回到忠义堂上，再聚众头领筵席。宋江道："虽是朝廷诏旨不明，你们众人也忒性躁。"吴用道："哥哥你休执迷，招安须自有日。如何怪得众弟兄们发怒，朝廷忒不将人为念。如今闲话都打叠起，兄长且传将令，马军拴束马匹，步军安排军器，水军整顿船只。早晚必有大军前来征讨，一两阵杀得他人亡马倒，片甲不回，梦着也怕，那时却再商量。"众人道："军师言之极当。"是日散席，各归本帐。

且说陈太尉回到济州，把梁山泊开诏一事诉与张叔夜，张叔夜道："敢是你们多说甚言语来？"陈太尉道："我几曾敢发一言！"张叔夜道："既是如此，枉费了心力，坏了事情。太尉急急回京，奏知圣上，事不宜迟。"陈太尉、张干办、李虞候一行人从，星夜回京来，见了蔡太师，备说梁山泊贼寇扯诏毁谤一节。蔡京听了，大怒道:"这伙草寇,安敢如此无礼! 堂堂宋朝天下,如何教你这伙横行!"陈太尉哭道:"若不是太师福荫,小官粉骨碎身在梁山泊。今日死里逃生,再见恩相。"太师随即叫请童枢密,高、杨二太尉,都来相府商议军情重事。无片时,都请到太师府白虎堂内。众官坐下,蔡太师教唤过张干办、李虞候,备说梁山泊扯诏毁谤一事。杨太尉道:"这伙贼徒,如何主张招安他! 当初是那一个官奏来?"高太尉道:"那日我若在朝内,必然阻住,如何肯行此事。"童枢密道:"鼠窃狗盗之徒,何足虑哉! 区区不才,亲引一支军马,克时定日,扫清水泊而回。"众官道:"来日奏闻。"当下都散。

次日早朝,众官都在御阶伺候。只见殿上净鞭三下响,文武两班齐,三呼万岁,君臣礼毕。蔡太师出班,将此事上奏天子。天子大怒,问道:"当日谁奏寡人,主张招安?"侍臣给事中奏道:"此日是御史大夫崔靖所言。"天子教拿崔靖送大理寺问罪。天子又问蔡京道:"此贼为害多时,差何人可以收剿?"蔡太师奏道:"非以重兵,不能收伏。以臣愚意,必得枢密院官亲率大军前去剿捕,可以刻日取胜。"天子教宣枢密使童贯,问道:"卿肯领兵收捕梁山泊草寇?"童贯跪下奏曰:"古人有云:孝当竭力,忠则尽命。臣愿效犬马之劳,以除心腹之患。"高俅、杨戬亦皆保举。天子随即降下圣旨,赐与金印、兵符,拜东厅枢密使童贯为大元帅,任从各处选调军马,前去剿捕梁山泊贼寇,拣日出师起行。

不是童贯引大军来,有分教:千千铁骑,布满山川;万万战船,平铺绿水。正是:只凭飞虎三千骑,卷起貔貅百万兵。毕竟童贯领了大军怎地出师,且听下回分解。

第 七 十 六 回

吴加亮布四斗五方旗　宋公明排九宫八卦阵

诗曰：

  廊庙徽猷岂不周，山林却有过人谋。

  凤无六翮难高举，虎入深山得自由。

  四斗五方排阵势，九宫八卦运兵筹。

  陷兵损将军容失，犬马从知是寇仇。

  话说枢密使童贯，受了天子统军大元帅之职，径到枢密院中，便发调兵符验，要拨东京管下八路军州，各起军一万，就差本处兵马都监统率；又于京师御林军内选点二万，守护中军。枢密院下一应事务，尽委副枢密使掌管。御营中选两员良将为左羽、右翼。号令已定，不旬日之间诸事完备。一应接续军粮，并是高太尉差人趱运。那八路军马？

   睢州兵马都监段鹏举　 郑州兵马都监陈翥

   陈州兵马都监吴秉彝　 唐州兵马都监韩天麟

   许州兵马都监李明　 邓州兵马都监王义

   洳州兵马都监马万里　 嵩州兵马都监周信

御营中选到左羽、右翼良将二员为中军，那二人？

   御前飞龙大将酆美　 御前飞虎大将毕胜

  童贯掌握中军为主帅，号令大小三军齐备，武库拨降军器，选定吉日出师。高太尉、杨太尉设筵饯行，朝廷着仰中书省一面赏军。且说童贯已令众将次日先驱军马出城,然后拜辞天子,飞身上马,出这新曹门外,五里短亭,只见高、杨二太尉为首,率领众官先在那里等候。童贯下马,高太尉执盏擎杯,与童贯道:"枢密相公此行,与朝廷必建大功,早奏凯歌。此寇潜伏水洼,不可轻进,只须先截四边粮草,坚固寨栅,诱此贼下山。先差的当的人打听消息,贼情动静,然后可以进兵。那时一个个生擒活捉,庶不负朝廷委用。望乞枢密相公裁之。"童贯道:"重蒙教诲,刻骨铭心,不敢有忘。"各饮罢酒。杨太尉也来执锺,与童贯道:"枢相素读兵书,深知韬略,剿擒此寇,易如反掌。争奈此贼潜伏水泊,地利未便,枢相到彼,必有良策。"童贯道:"下官到彼,见机而作,自有法度。"高、杨二太尉一齐进酒,贺道:"都门之外,悬望凯旋。"相别之后,各自上马。

不说高、杨二太尉并众官回京。有各衙门合属官员送路的,不知其数,或回,或送半路途回京,皆不必说。大小三军一齐进发,人人要斗,个个欲争,一行人马各随队伍,甚是严整。前军四队,先锋总领行军;后军四队,合后将军监督;左右八路军马,羽翼旗牌催督;童贯镇握中军,总统马步羽林军二万,都是御营选拣的人。童贯执鞭,指点军兵进发。怎见得军容整肃?但见:

> 兵分九队,旗列五方。绿沉枪,点钢枪,鸦角枪,布遍野光芒;青龙刀,偃月刀,雁翎刀,生满天杀气。雀画弓,铁胎弓,宝雕弓,对插飞鱼袋内;射虎箭,狼牙箭,柳叶箭,齐攒狮子壶中。挦车弩,漆抹弩,脚登弩,排满前军;开山斧,偃月斧,宣花斧,紧随中队。竹节鞭,虎眼鞭,水磨鞭,齐悬在肘上;流星锤,鸡心锤,飞抓锤,各带在身边。方天戟豹尾翩翩,丈八矛珠缠错落。龙文剑掣一汪秋水,虎头牌画几缕春云。先锋猛勇,领拔山开

路之精兵；元帅英雄，统喝水断桥之壮士。左统军振举威风，有斩将夺旗之手段；右统军恢弘胆略，怀安邦济世之才能。碧油幢下，东厅枢密总中军；宝纛旗边，护驾亲军为羽翼。震天鼙鼓摇山岳，映日旌旗避鬼神。

　　当日童贯离了东京，军马上路。正是：枪刀流水急，人马撮风行。兵行五十里屯住。次日又起行，迤逦前进，不一二日已到济州界分。太守张叔夜出城迎接，大军屯住城外。只见童贯引轻骑入城，至州衙前下马，张叔夜邀请至堂上，拜罢，起居已了，侍立在面前。童枢密道："水洼草贼，杀害良民，邀劫商旅，造恶非止一端。往往剿捕，盖为不得其人，致容滋蔓。吾今统率大军十万，战将百员，刻日要扫清山寨，擒拿众贼，以安兆民。"张叔夜答道："枢相在上：此寇潜伏水泊，虽然是山林狂寇，中间多有智谋勇烈之士。枢相勿以怒气自激，引军长驱；必用良谋，可成功绩。"童贯听了大怒，骂道："都似你这等畏惧懦弱匹夫，畏刀避剑，贪生怕死，误了国家大事，以致养成贼势。吾今到此，有何惧哉！"张叔夜那里敢再言语，且备酒食供送。童枢密随即出城，次日驱领大军，近梁山泊下寨。

　　且说宋江等已有细作人探知多日了。宋江与吴用已自铁桶般商量下计策，只等大军到来。告示诸将，各要遵依，毋得差错。

　　再说童枢密调拨军兵，点差睢州兵马都监段鹏举为正先锋，郑州都监陈翥为副先锋，陈州都监吴秉彝为正合后，许州都监李明为副合后，唐州都监韩天麟、邓州都监王义二人为左哨，洳州都监马万里、嵩州都监周信二人为右哨，龙虎二将酆美、毕胜为中军羽翼。童贯为元帅，统领大军，全身披挂，亲自监督。战鼓三通，诸军尽起，行不过十里之外，尘土起处，早有敌军哨路，来的渐近。鸾铃响处，约有三十馀骑哨马，都戴青包巾，各穿绿战

袄,马上尽系着红缨,每边拴挂数十个铜铃,后插一把雉尾,都是
钏银细杆长枪,轻弓短箭。为头的战将是谁?怎生打扮?但见:

> 枪横鸦角,刀插蛇皮。销金的巾帻佛头青,挑绣的战袍
> 鹦哥绿。腰系绒绦真紫色,足穿气袴软香皮。雕鞍后
> 对悬锦袋,内藏打将的石子;战马边紧挂铜铃,后插招
> 风的雉尾。骠骑将军没羽箭,张清哨路最当先。

马上来的将军,号旗上写得分明:"巡哨都头领没羽箭张
清"。左有龚旺,右有丁得孙,直哨到童贯军前,相离不远,只隔
百十步,勒马便回。前军先锋二将不得军令,不敢乱动,报至中
军主帅。童贯亲到军前,观犹未尽,张清又哨将来。童贯欲待遣
人追战,左右说道:"此人鞍后锦袋中都是石子,去不放空,不可
追赶。"张清连哨了三遭,不见童贯进兵,返回。行不到五里,只
见山背后锣声响动,早转出五百步军来。当先四个步军头领,乃
是黑旋风李逵、混世魔王樊瑞、八臂那吒项充、飞天大圣李衮,直
奔前来。但见:

> 人人虎体,个个彪形。当先两座恶星神,随后二员真杀
> 曜。李逵手持双斧,樊瑞腰掣龙泉。项充牌画玉爪狻
> 猊,李衮牌描金睛猁犸。五百人绛衣赤袄,一部从红旆
> 朱缨。青山中走出一群魔,绿林内迸开三昧火。

那五百步军就山坡下一字儿摆开,两边团牌齐齐扎住。童
贯领军在前见了,便将玉麈尾一招,大队军马冲击前去。李逵、
樊瑞引步军分开两路,都倒提着蛮牌,趱过山脚便走。童贯大军
赶出山嘴,只见一派平川旷野之地,就把军马列成阵势,遥望李
逵、樊瑞,度岭穿林,都不见了。童贯中军立起攒木将台,令拨法
官二员上去,左招右展,一起一伏,摆作四门斗底阵。阵势才完,
只听得山后炮响,就后山飞出一彪军马来。前面先锋摆布已定,

只等敌军到来相战。童贯令左右拢住战马,自上将台看时,只见山东一路军马涌出来,前一队军马红旗,第二队杂采旗,第三队青旗,第四队又是杂采旗;只见山西一路人马也涌来,前一队人马是杂采旗,第二队白旗,第三队是杂采旗,第四队皂旗。旗背后尽是黄旗。大队军将,急先涌来,占住中央,里面列成阵势。远观未实,近睹分明。正南上这队人马,尽都是火焰红旗,红甲红袍,朱缨赤马,前面一把引军红旗,上面金销南斗六星,下绣朱雀之状。那把旗招展动处,红旗中涌出一员大将,怎生结束?但见:

　　盔顶朱缨飘一颗,猩猩袍上花千朵。

　　狮蛮带束紫玉团,狻猊甲露黄金锁。

　　狼牙木棍铁钉排,龙驹遍体胭脂抹。

　　红旗招展半天霞,正按南方丙丁火。

号旗上写得分明:"先锋大将霹雳火秦明"。左右两员副将,左手是圣水将单廷珪,右边是神火将魏定国。三员大将手搦兵器,都骑赤马,立于阵前。东壁一队人马尽是青旗,青甲青袍,青缨青马,前面一把引军青旗,上面金销东斗四星,下绣青龙之状。那把旗招展动处,青旗中涌出一员大将,怎生打扮?但见:

　　蓝靛包巾光满目,翡翠征袍花一簇。

　　铠甲穿连兽吐环,宝刀闪烁龙吞玉。

　　青骢遍体粉团花,战袄护身鹦鹉绿。

　　碧云旗动远山明,正按东方甲乙木。

号旗上写得分明:"左军大将大刀关胜"。左右两员副将,左手是丑郡马宣赞,右手是井木犴郝思文。三员大将手搦兵器,都骑青马,立于阵前。西壁一队人马尽是白旗,白甲白袍,白缨白马,前面一把引军白旗,上面金销西斗五星,下绣白虎之状。那

把旗招展动处,白旗中涌出一员大将,怎生结束?但见:

　　漠漠寒云护太阴,梨花万朵叠层琛。

　　素色罗袍光闪闪,烂银铠甲冷森森。

　　赛霜骏马骑狮子,出白长枪搠绿沉。

　　一簇旗幡飘雪练,正按西方庚辛金。

　　号旗上写得分明:"右军大将豹子头林冲"。左右两员副将,左手是镇三山黄信,右手是病尉迟孙立。三员大将手搠兵器,都骑白马,立于阵前。后面一簇人马尽是皂旗,黑甲黑袍,黑缨黑马,前面一把引军黑旗,上面金销北斗七星,下绣玄武之状。那把旗招展动处,黑旗中涌出一员大将,怎生打扮?但见:

　　堂堂卷地乌云起,铁骑强弓势莫比。

　　皂罗袍穿龙虎躯,乌油甲挂豺狼体。

　　鞭似乌龙搠两条,马如泼墨行千里。

　　七星旗动玄武摇,正按北方壬癸水。

　　号旗上写得分明:"合后大将双鞭呼延灼"。左右两员副将,左手是百胜将韩滔,右手是天目将彭玘。三员大将手持兵器,都骑黑马,立于阵前。东南方门旗影里,一队军马,青旗红甲,前面一把引军绣旗,上面金销巽卦,下绣飞龙。那把旗招展动处,捧出一员大将,怎生结束?但见:

　　摆甲披袍出战场,手中拈着两条枪。

　　雕弓鸾凤壶中插,宝剑沙鱼鞘内藏。

　　束雾衣飘黄锦带,腾空马顿紫丝缰。

　　青旗红焰龙蛇动,独据东南守巽方。

　　号旗上写得分明:"虎军大将双枪将董平"。左右两员副将,左手是摩云金翅欧鹏,右手是火眼狻猊邓飞。手持兵器,都骑战马,立于阵前。西南方门旗影里,一队军马,红旗白甲,前面一把

引军绣旗,上面金销坤卦,下绣飞熊。那把旗招展动处,捧出一员大将,怎生打扮? 但见:

当先涌出英雄将,赳赳威风添气象。

鱼鳞铁甲紧遮身,凤翅金盔拴护项。

冲波战马似龙形,开山大斧如弓样。

红旗白甲火光飞,正据西南坤位上。

号旗上写得分明:"骠骑大将急先锋索超"。左右两员副将,左手是锦毛虎燕顺,右手是铁笛仙马麟。三员大将手持兵器,都骑战马,立于阵前。东北方门旗影里,一队军马,皂旗青甲,前面一把引军绣旗,上面金销艮卦,下绣飞豹。那把旗招展动处,捧出一员大将,怎生结束? 但见:

虎坐雕鞍胆气昂,弯弓插箭鬼神慌。

朱缨银盖遮刀面,绒缕金铃贴马旁。

盔顶穰花红错落,甲穿柳叶翠遮藏。

皂旗青甲烟云内,东北天山守艮方。

号旗上写得分明:"骠骑大将九纹龙史进"。左右两员副将,左手是跳涧虎陈达,右手是白花蛇杨春。三员大将手持兵器,都骑战马,立于阵前。西北方门旗影里,一队军马,白旗黑甲,前面一把引军旗,上面金销乾卦,下绣飞虎。那把旗招展动处,捧出一员大将,怎生打扮? 但见:

雕鞍玉勒马嘶风,介胄棱层黑雾濛。

豹尾壶中银镞箭,飞鱼袋内铁胎弓。

甲边翠缕穿双凤,刀面金花嵌小龙。

一簇白旗飘黑甲,天门西北是乾宫。

号旗上写得分明:"骠骑大将青面兽杨志"。左右两员副将,左手是锦豹子杨林,右手是小霸王周通。三员大将手持兵器,都骑战马，立于阵前。八方摆布的铁桶相似，阵门里马军随马队，步军随步队，各持钢刀大斧，阔剑长枪，旗幡齐整，队伍威严。去那八阵中央，只见团团一遭都是杏黄旗，间着六十四面长脚旗，上面金销六十四卦，亦分四门。南门都是马军，正南上黄旗影里，捧出两员上将，一般结束。怎生披挂？但见：

熟铜锣间花腔鼓，簇簇攒攒分队伍。

饯金铠甲赭黄袍，剪绒战袄葵花舞。

垓心两骑马如龙，阵内一双人似虎。

周围绕定杏黄旗，正按中央戊己土。

那两员首将都骑黄马，上首是美髯公朱仝，下手是插翅虎雷横。一遭人马尽都是黄旗，黄袍铜甲，黄马黄缨。中央阵四门，东门是金眼彪施恩，西门是白面郎君郑天寿，南门是云里金刚宋万，北门是病大虫薛永。那黄旗中间，立着那面"替天行道"杏黄旗，旗杆上拴着四条绒绳，四个长壮军士晃定。中间马上有那一个守旗的壮士，怎生模样？但见：

冠簪鱼尾圈金线，甲皱龙鳞护锦衣。

凛凛身躯长一丈，中军守定杏黄旗。

这个守旗的壮士便是险道神郁保四。那簇黄旗后，便是一丛炮架，立着那个炮手轰天雷凌振，引着副手二十馀人，围绕着炮架。架子后，一带都摆着挠钩套索，准备捉将的器械。挠钩手后，又是一遭杂采旗幡，团团便是七重围子手，四面立着二十八面绣旗，上面销金二十八宿星辰，中间立着一面堆绒绣就、真珠圈边、脚缀金铃、顶插雉尾、鹅黄帅字旗。那一个守旗的壮士怎生模样？但见：

铠甲斜拴海兽皮，绛罗巾帻插花枝。

茜红袍袄香绵甲，定守中军帅字旗。

　　这个守旗的壮士便是没面目焦挺。去那帅字旗边,设立两个护旗的将士,都骑战马,一般结束。但见:

　　　　一个战袍披锦绮,一个铠甲绣狻猊。一个稳把骅骝跨,
　　　　一个能将骏马骑。一个钢枪威气重,一个利剑雪光飞。
　　　　一个紧护中军帐,一个常依宝纛旗。

　　这两个守护帅旗的壮士,一个是毛头星孔明,一个是独火星孔亮。马前马后,排着二十四个把狼牙棍的铁甲军士。后面两把领战绣旗,两边排着二十四枝方天画戟。左手十二枝画戟丛中,捧着一员骁将,怎生打扮?但见:

　　　　踞鞍立马天风里,铠甲辉煌光焰起。
　　　　麒麟束带称狼腰,獬豸吞胸当虎体。
　　　　冠上明珠嵌晓星,鞘中宝剑藏秋水。
　　　　方天画戟雪霜寒,风动金钱豹子尾。

　　绣旗上写得分明:“小温侯吕方”。那右手十二枝画戟丛中,也捧着一员骁将,怎生打扮?但见:

　　　　三叉宝冠珠灿烂,两条雉尾锦斓斑。
　　　　柿红战袄遮银镜,柳绿征裙压绣鞍。
　　　　束带双跨鱼獭尾,护心甲挂小连环。
　　　　手持画杆方天戟,飘动金钱五色幡。

　　绣旗上写得分明:“赛仁贵郭盛”。两员将各持画戟,立马两边。画戟中间一簇钢叉,两员步军骁将,一般结束。但见:

　　　　虎皮磕脑豹皮裩,衬甲衣笼细织金。手内钢叉光闪闪,
　　　　腰间利剑冷森森。冲剑窟,入刀林。弟兄端的有胸襟。
　　　　两只盖地包天胆,一对诛龙斩虎人。

　　一个是两头蛇解珍,一个是双尾蝎解宝。弟兄两个各执着三股莲花叉,引着一行步战军士,守护着中军。随后两匹锦鞍马

上,两员文士,掌管定赏功罚罪的人。左手那一个怎生打扮?但
见:

> 乌纱唐帽通犀带,素白罗襕干皂靴。
>
> 慷慨胸中藏秀气,纵横笔下走龙蛇。

这个乃是梁山泊掌文案的秀士圣手书生萧让。右手那一个
怎生打扮?但见:

> 绿纱巾插玉螳螂,香皂罗衫紫带长。
>
> 为吏敢欺萧相国,声名寰海把名扬。

这个乃是梁山泊掌吏事的豪杰铁面孔目裴宣。这两个马
后,摆着紫衣持节的人二十四个,当路将二十四把麻札刀。那刀
林中立着两个锦衣三串行刑刽子,怎生结束?但见:

> 一个皮主腰干红簇就,一个罗踢串彩色装成。一个双
> 环扑兽戗金明,一个头巾畔花枝掩映。一个白纱衫遮
> 笼锦体,一个皂秃袖半露鸦青。一个将漏尘斩鬼法刀
> 擎,一个把水火棍手中提定。

上首是铁臂膊蔡福,下手是一枝花蔡庆。弟兄两个立于阵
前,左右都是擎刀手。背后两边摆着二十四枝金枪银枪,每边设
立一员大将领队。左边十二枝金枪队里,马上一员骁将,手执金
枪,侧坐战马。怎生打扮?但见:

> 锦鞍骏马紫丝缰,金翠花枝压鬓傍。
>
> 雀画弓悬一弯月,龙泉剑挂九秋霜。
>
> 绣袍巧制鹦哥绿,战服轻裁柳叶黄。
>
> 顶上缨花红灿烂,手执金丝铁杆枪。

这员骁将乃是梁山泊金枪手徐宁。右手十二枝银枪队里,
马上一员骁将,手执银枪,也侧坐骏马。怎生披挂?但见:

> 蜀锦鞍鞴宝镫光,五明骏马玉玎珰。

虎筋弦扣雕弓硬，燕尾梢攒羽箭长。

绿锦袍明金孔雀，红鞓带束紫鸳鸯。

参差半露黄金甲，手执银丝铁杆枪。

这员骁将乃是梁山泊小李广花荣。两势下都是风流威猛二将，金枪手，银枪手，各带皂罗巾，鬓边都插翠叶金花。左手十二个金枪手穿绿，右手十二个银枪手穿紫。背后又是锦衣对对，花帽双双，绯袍簇簇，绣袄攒攒。两壁厢碧幢翠幕，朱幡皂盖，黄钺白旄，青萍紫电，两行二十四把钺斧，二十四对鞭挝。中间一字儿三把销金伞盖，三匹绣鞍骏马，正中马前立着两个英雄。左手那个壮士，端的是仪容济楚，世上无双。有《西江月》为证：

头巾侧一根雉尾，束腰下四颗铜铃。黄罗衫子晃金明，飘带绣裙相称。　兜小袜麻鞋嫩白，压腿绗护膝深青。旗标令字号神行，百十里登时取应。

这个便是梁山泊能行快走的头领神行太保戴宗，手持鹅黄令字绣旗，专管大军中往来飞报军情、调兵遣将一应事务。右手那个对立的壮士，打扮得出众超群，人中罕有。也有《西江月》为证：

褐衲袄满身锦簇，青包巾遍体金销。鬓边一朵翠花娇，鸂鶒玉环光耀。　红串绣裙裹肚，白裆素练围腰。落生弩子棒头挑，百万军中偏俏。

这个便是梁山泊风流子弟，能干机密的头领浪子燕青，背着强弩，插着利箭，手提着齐眉杆棒，专一护持中军。远望着中军，去那右边销金青罗伞盖底下，绣鞍马上坐着那个道德高人，有名羽士。怎生打扮？有《西江月》为证：

如意冠玉簪翠笔，绛绡衣鹤舞金霞。火神朱履映桃花，环珮玎珰斜挂。　背上雌雄宝剑，匣中微喷光华。

青罗伞盖拥高牙,紫骝马雕鞍稳跨。

这个便是梁山泊呼风唤雨,役使鬼神,行法真师入云龙公孙胜,马上背着两口宝剑,手中按定紫丝缰。去那左边销金青罗伞盖底下,锦鞍马上坐着那个足智多谋全胜军师。怎生打扮?有《西江月》为证:

> 白道服皂罗沿襈,紫丝绦碧玉钩环。手中羽扇动天关,
> 头上纶巾微岸。　　贴里暗穿银甲,垓心稳坐雕鞍。
> 一双铜链挂腰间,文武双全师范。

这个便是梁山泊能通韬略,善用兵机,有道军师智多星吴学究,马上手擎羽扇,腰悬两条铜链。去那正中销金大红罗伞盖底下,那照夜玉狮子金鞍马上,坐着那个有仁有义统军大元帅。怎生打扮?但见:

> 凤翅盔高攒金宝,浑金甲密砌龙鳞。锦征袍花朵簇阳
> 春,锟吾剑腰悬光喷。绣腿绷绒圈翡翠,玉玲珑带束麒
> 麟。真珠伞盖展红云,第一位天罡临阵。

这个正是梁山泊主,济州郓城县人氏,山东及时雨呼保义宋公明,全身结束,自仗锟吾宝剑,坐骑金鞍白马,立于阵前监战,掌握中军。马后大戟长戈,锦鞍骏马,整整齐齐三五十员牙将,都骑战马,手执枪刀,全副弓箭。马后又设二十四枝画角,全部军鼓大乐。阵后又设两队游兵,伏于两侧,以为护持。中军羽翼,左是没遮拦穆弘,引兄弟小遮拦穆春,管领马步军一千五百人;右是赤发鬼刘唐,引着九尾龟陶宗旺,管领马步军一千五百人,伏在两胁。后阵又是一队阴兵,簇拥着马上三个女头领,中间是一丈青扈三娘,左边是母大虫顾大嫂,右边是母夜叉孙二娘;押阵后是他三个丈夫,中间矮脚虎王英,左是小尉迟孙新,右是菜园子张青,总管马步军兵二千。那座阵势,非同小可。怎见

得好阵？但见：

　　明分八卦，暗合九宫。占天地之机关，夺风云之气象。
前后列龟蛇之状，左右分龙虎之形。出奇正之甲兵，按
阴阳之造化。丙丁前进，如万条烈火烧山；壬癸后随，
似一片乌云覆地。左势下盘旋青气，右手下贯串白光。
金霞遍满中央，黄道全依戊己。东西有序，南北多方。
四维有二十八宿之分，周回有六十四卦之变。先锋猛
勇，合后英雄。左统军皆夺旗斩将之徒，右统军尽举鼎
拔山之辈。盘盘曲曲，乱中队伍变长蛇；整整齐齐，静
里威仪如伏虎。马军则一冲一突，步卒是或后或前。
人人果敢，争前出阵夺头功；个个才能，掠阵监军擒大
将。休夸八阵成功，谩说六韬取胜。孔明施妙计，李靖
播神机。

　　枢密使童贯在阵中将台上，定睛看了梁山泊兵马，无移时摆
成这个九宫八卦阵势，军马豪杰，将士英雄，惊得魂飞魄散，心胆
俱落，不住声道："可知但来此间收捕的官军便大败而回，原来如
此利害！"看了半晌，只听得宋江军中催战的锣鼓不住声发擂。
童贯且下将台，骑上战马，再出前军，来诸将中问道："那个敢厮
杀的出去打话？"先锋队里转过一员猛将，挺身跃马而出，就马上
欠身禀童贯道："小将愿往，乞取钧旨。"看乃是郑州都监陈翥，白
袍银甲，青马绛缨，使一口大杆刀，见充副先锋之职。童贯便教
军中金鼓旗下发三通擂，将台上把红旗招展兵马。陈翥从门旗
下飞马出阵，两军一齐呐喊。陈翥兜住马，横着刀，厉声大叫：
"无端草寇，背逆狂徒，天兵到此，尚不投降，直待骨肉为泥，悔之
何及！"宋江正南阵中，先锋头领虎将秦明，飞马出阵，更不打话，
舞起狼牙棍直取陈翥。两马相交，兵器并举，一个使棍的当头便

打，一个使刀的劈面砍来，四条臂膊交加，八只马蹄撩乱。二将来来往往，翻翻复复，斗了二十馀合。秦明卖个破绽，放陈翥赶将入来，一刀却砍个空。秦明趁势手起棍落，把陈翥连盔带顶，正中天灵，陈翥翻身死于马下。秦明的两员副将单廷圭、魏定国，飞马直冲出阵来，先抢了那匹好马，接应秦明去了。

东南方门旗里，虎将双枪将董平见秦明得了头功，在马上寻思："大军已踏动锐气，不就这里抢将过去，捉了童贯，更待何时！"大叫一声，如阵前起个霹雳，两手持两条枪，把马一拍，直撞过阵来。童贯见了，勒回马望中军便走。西南方门旗里，骠骑将急先锋索超也叫道："不就这里捉了童贯，更待何时！"手轮大斧杀过阵来。中央秦明见了两边冲杀过去，也招动本队红旗军马，一齐抢入阵中，来捉童贯。正是：从前作过事，没幸一齐来。直使数只皂雕追紫燕，一群猛虎唊羊羔。毕竟枢使童贯性命如何，且听下回分解。

第七十七回

梁山泊十面埋伏　宋公明两赢童贯

诗曰:

> 红日无光气障霾,纷纷戈戟两边排。
> 征鼙倒海翻江振,铁骑追风卷地来。
> 四斗五方旗影扬,九宫八卦阵门开。
> 奸雄童贯摧心胆,却似当年大会垓。

话说当日宋江阵中,前部先锋三队军马赶过对阵,大刀阔斧,杀得童贯三军人马,大败亏输,星落云散,七损八伤,军士抛金弃鼓,撇戟丢枪,觅子寻爷,呼兄唤弟,折了万馀人马,退三十里外扎住。吴用在阵中鸣金收军,传令道:"且未可尽情追杀,略报个信与他。"梁山泊人马都收回山寨,各自献功请赏。

且说童贯输了一阵,折了人马,早扎寨栅安歇下,心中忧闷,会集诸将商议。酆美、毕胜二将道:"枢相休忧!此寇知得官军到来,预先摆布下这座阵势。官军初到,不知虚实,因此中贼奸计。想此草寇,只是倚山为势,多设军马,虚张声势。一时失了地利。我等且再整练马步将士,停歇三日,养成锐气,将息战马。三日后,将全部军将分作长蛇之阵,俱是步军杀将去。此阵如常山之蛇,击首则尾应,击尾则首应,击中则首尾皆应,都要连络不断。决此一阵,必见大功。"童贯道:"此计大妙,正合吾意。"即时传下将令,整肃三军,训练已定。

第三日五更造饭,军将饱食,马带皮甲,人披铁铠,大刀阔斧,弓弩上弦。正是:枪刀流水急,人马撮风行。大将酆美、毕胜当先引军,浩浩荡荡,杀奔梁山泊来。八路军马分于左右,前面发三百铁甲哨马,前去探路。回来报与童贯中军知道,说:"前日战场上,并不见一个军马。"童贯听了心疑,自来前军问酆美、毕胜道:"退兵如何?"酆美答道:"休生退心,只顾冲突将去。长蛇阵摆定,怕做甚么?"官军迤逦前行,直进到水泊边,竟不见一个军马,但见隔水茫茫荡荡,都是芦苇烟火。远远地遥望见水浒寨山顶上,一面杏黄旗在那里招展,亦不见些动静。童贯与酆美、毕胜勒马在万军之前,遥望见对岸水面上芦林中一只小船,船上一个人,头戴青箬笠,身披绿蓑衣,斜倚着船,背岸西独自钓鱼。童贯的步军,隔着岸叫那渔人问道:"贼在那里?"那渔人只不应。童贯叫能射弓的放箭。两骑马直近岸边滩头来;近水兜住马,攀弓搭箭,望那渔人后心飕地一箭去。那枝箭正射到箬笠上,当地一声响,那箭落下水里去了。这一个马军放一箭,正射到蓑衣上,当地一声响,那箭也落下水里去了。那两个马军,是童贯军中第一惯射弓箭的,两个吃了一惊,勒回马,上来欠身禀童贯道:"两箭皆中,只是射不透,不知他身上穿着甚的。"童贯再拨三百能射硬弓的哨路马军,来滩头摆开,一齐望着那渔人放箭。那乱箭射去,渔人不慌,多有落在水里的,也有射着船上的。但射着蓑衣箬笠的,都落下水里去。童贯见射他不死,便差会水的军汉,脱了衣甲,赴水过去捉那渔人。早有三五十人赴将开去。那渔人听得船尾水响,知有人来,不慌不忙,放下鱼钓,取棹竿担在身边。近船来的,一棹竿一个,太阳上着的,脑袋上着的,面门上着的,都打下水里去了。后面见沉了几个,都赴转岸上,去寻衣甲。童贯看见大怒,教拨五百军汉下水去,定要拿这渔人,若有回来的一刀两段。五百军人脱了衣甲,呐声喊,一齐都跳下水里,赴将过去。那渔人回转船头,指着岸上童贯,大骂道:"乱国贼臣,害民的禽兽!来这里纳命,犹自不知死哩!"童贯大怒,喝教马军放箭。那渔人呵呵大笑,说道:"兀那里有军马到了!"把手指一指,弃了簑衣箬笠,翻身攒入水底下去了。那五百军正赴到船边,只听得在水中乱叫,都沉下去了。那渔人正是浪里白跳张顺,头上箬笠,上面是箬叶裹着,里面是铜打成的;簑衣里面,一片熟铜打就,披着如龟壳相似,可知道箭矢射不入。张顺攒下水底,拔出腰刀,只顾排头价戳人,都沉下去,血水滚将起来。有乖的赴了开去,逃得性命。童贯在岸上看得呆了,身边一将指道:"山顶上那把黄旗,正在那里磨动。"

　　童贯定睛看了,不解何意,众将也没做道理处。酆美道:"把三百铁甲哨马分作两队,教去两边山后出哨,看是如何。"却才分到山前,只听得芦苇中一个轰天雷炮飞起,火烟撩乱。两边哨马齐回来报:"有伏兵到了!"童贯在马上,那一惊不小!酆美、毕胜两边差人教军士休要乱动,数十万军都掣刀在手,前后飞马来叫道:"如有先走的,便斩!"按住三军人马。童贯且与众将立马望时,山背后鼓声震地,喊杀喧天,早飞出一彪军马,都打着黄旗,当先有两员骁将领兵。怎见得那队军马整齐?好似:

　　　　黄旗拥出万山中,烁烁金光射碧空。

　　　　马似怒涛冲石壁,人如烈火撼天风。

　　　　鼓声震动森罗殿,炮力掀翻泰华宫。

　　　　剑队暗藏插翅虎,枪林飞出美髯公。

　　两骑黄鬃马上两员英雄头领,上首美髯公朱仝,下首插翅虎雷横,带领五千人马,直杀奔官军。童贯令大将酆美、毕胜当先迎敌。两个得令,便骤马挺枪出阵,大骂:"无端草贼,不来投降,更待何时!"雷横在马上大笑,喝道:"匹夫,死在眼前尚且不知,怎敢与吾决战!"毕胜大怒,拍马挺枪,直取雷横,雷横也使枪来迎。两马相交,军器并举,二将约战到二十馀合,不分胜败。酆美见毕胜战久不能取胜,拍马舞刀径来助战。朱仝见了,大喝一声,飞马轮刀来战酆美。四匹马两对儿在阵前厮杀,童贯看了,喝采不迭。斗到间深里,只见朱仝、雷横卖个破绽,拨回马头,望本阵便走。酆美、毕胜两将不舍,拍马追将过去。对阵军发声喊,望山后便走,童贯叫尽力追赶过山脚去。只听得山顶上画角齐鸣,众军抬头看时,前后两个炮直飞起来。童贯知有伏兵,把军马约住,教不要去赶。

只见山顶上闪出那把杏黄旗来,上面绣着"替天行道"四字。童贯趱过山那边看时,见山头上一簇杂采绣旗开处,显出那个郓城县盖世英雄山东呼保义宋江来,背后便是军师吴用、公孙胜、花荣、徐宁、金枪手、银枪手众多好汉。童贯见了大怒,便差人马上山来拿宋江。大军人马分为两路,却待上山,只听得山顶上鼓乐喧天,众好汉都笑。童贯越添心上怒,咬碎口中牙,喝道:"这贼怎敢戏吾!我当自擒这厮。"酆美谏道:"枢相,彼必有计,不可亲临险地。且请回军,来日却再打听虚实,方可进兵。"童贯道:"胡说!事已到这里,岂可退军!教星夜与贼交锋,今已见贼,势不容退。"语犹未绝,只听得后军呐喊。探子报道:"正西山后,冲出一彪军来,把后军杀开做两处。"童贯大惊,带了酆美、毕胜,急回来救应后军时,东边山后鼓声响处,又早飞出一队人马来。一半是红旗,一半是青旗,捧着两员大将,引五千军马杀将来。那红旗军随红旗,青旗军随青旗,队伍端的整齐。但见:

对对红旗间翠袍,争飞战马转山腰。

日烘旗帜青龙见,风摆旌旗朱雀摇。

二队精兵皆勇猛,两员上将最英豪。

秦明手舞狼牙棍,关胜斜横偃月刀。

那红旗队里头领是霹雳火秦明,青旗队里头领是大刀关胜。二将在马上杀来,大喝道:"童贯早纳下首级!"童贯大怒,便差酆美来战关胜,毕胜去斗秦明。童贯见后军发喊甚紧,又教鸣金收军,且休恋战,延便且退。朱仝、雷横引黄旗军又杀将来,两下里夹攻,童贯军兵大乱。酆美、毕胜保护着童贯,逃命而走。正行之间,刺斜里又飞出一彪人马来,接住了厮杀。那队军马,一半是白旗,一半是黑旗,黑白旗中,也捧着两员虎将,引五千军马,拦住去路。这队军端的整齐。但见:

炮似轰雷山石裂,绿林深处显戈矛。

素袍兵出银河涌,玄甲军来黑气浮。

两股鞭飞风雨响,一条枪到鬼神愁。

左边大将呼延灼,右手英雄豹子头。

那黑旗队里头领是双鞭呼延灼,白旗队里头领是豹子头林冲。二将在马上大喝道:"奸臣童贯,待走那里去?早来受死!"一冲直杀入军中来。那睢州都监段鹏举接住呼延灼交战,洳州都监马万里接着林冲厮杀。这马万里与林冲斗不到数合,气力不加,却待要走,被林冲大喝一声,慌了手脚,着了一矛,戳在马下。段鹏举看见马万里被林冲搠死,无心恋战,隔过呼延灼双鞭,霍地拨回马便走。呼延灼奋勇赶将入来,两军混战。童贯只教夺路且回。只听得前军喊声大举,山背后飞出一彪步军,直杀入垓心里来。当先一僧、一行者,领着军兵,大叫道:"休教走了童贯!"那和尚不修经忏,专好杀人,单号花和尚,双名鲁智深;这行者,景阳冈曾打虎,水浒寨最英雄,有名行者武松。鲁智深一条禅杖,武行者两口戒刀,杀入阵来。怎见得?有《西江月》

为证：

> 鲁智深一条禅杖，武行者两口钢刀。钢刀飞出火光飘，
> 禅杖来如铁炮。　　禅杖打开脑袋，钢刀截断人腰。
> 两般兵器不相饶，百万军中显耀。

童贯众军被鲁智深、武松引领步军一冲，早四分五落。官军人马前无去路，后没退兵，只得引酆美、毕胜撞透重围，杀条血路，奔过山背后来。正方喘息，又听得炮声大震，战鼓齐鸣，看两员猛将当先，一簇步军拦路。怎见得？

> 人人勇欺子路，个个貌若天神。钢刀铁槊乱纷纷，战鼓
> 绣旗相称。左手解珍出众，右手解宝超群。数千铁甲
> 虎狼军，搅碎长蛇大阵。

来的步军头领解珍、解宝，各拈五股钢叉，引领步军杀入阵内。童贯人马遮拦不住，突围而走。五面马军步军，一齐追杀，赶得官军星落云散。酆美、毕胜力保童贯而走。见解珍、解宝弟兄两个，挺起钢叉直冲到马前，童贯急忙拍马望刺斜里便走。背后酆美、毕胜赶来救应，又得唐州都监韩天麟、邓州都监王义，四个并力杀出垓心。方才进步，喘息未定，只见前面尘起，叫杀连天，绿茸茸林子里，又早飞出一彪人马。当先两员猛将，拦住去路。那两员是谁？但见：

> 一个开山大斧吞龙口，一个出白银枪蟒吐梢。一个咬
> 碎银牙冲大阵，一个睁圆怪眼跃天桥。一个董平紧要
> 拿童贯，一个舍命争先是索超。

这两员猛将，双枪将董平，急先锋索超，两个更不打话，飞马直取童贯。王义挺枪去迎，被索超手起斧落，砍于马下。韩天麟来救，被董平一枪搠死。酆美、毕胜死保护童贯，奔马逃命。四下里金鼓乱响，正不知何处军来。童贯拢马上坡看时，四面八

方,四队军马,两胁两队步军,栲栳圈,簸箕掌,梁山泊军马大队齐齐杀来,童贯军马如风落云散,东零西乱。正看之间,山坡下一簇人马出来,认的旗号是陈州都监吴秉彝,许州都监李明。这两个引着些断枪折戟,败残军马,踅转琳琅山躲避。看见招呼时,正欲上坡,急调人马,又见山侧喊声起来,飞过一彪人马赶出,两把认旗招展,马上两员猛将,各执兵器,飞奔官军。这两个是谁? 有《临江词》为证:

> 盔上长缨飘火焰,纷纷乱撒猩红。胸中豪气吐长虹。战袍裁蜀锦,铠甲镀金铜。　　两口宝刀如雪练,垓心抖擞威风。左冲右突显英雄。军班青面兽,史进九纹龙。

这两员猛将,正是杨志、史进,两骑马,两口刀,却好截住吴秉彝、李明两个军官厮杀。李明挺枪向前来斗杨志,吴秉彝使方天戟来战史进。两对儿在山坡下一来一往,盘盘旋旋,各逞平生武艺。童贯在山坡上勒住马,观之不定。四个人约斗到三十馀合,吴秉彝用戟奔史进心坎上戳将来,史进只一闪,那枝戟从肋窝里放个过。吴秉彝连人和马抢近前来,被史进手起刀落,只见一条血颓光连肉,顿落金鏊在马边,吴秉彝死于坡下。李明见先折了一个,却待也要拨回马走时,被杨志大喝一声,惊得魂消魄散,胆颤心寒,手中那条枪,不知颠倒。杨志把那口刀从顶门上劈将下来,李明只一闪,那刀正剁着马的后胯下。那马后蹄迸将下去,把李明闪下马来。弃了手中枪,却待奔走,这杨志手快,随复一刀,砍个正着。可怜李明半世军官,化作南柯一梦。两员官将皆死于坡下。杨志、史进追杀败军,正如砍瓜截瓠相似。

童贯和酆美、毕胜在山坡上看了,不敢下来,身无所措。三个商量道:“似此如何杀得出去?”酆美道:“枢相且宽心,小将望见正南上,尚兀自有大队官军扎住在那里,旗幡不倒,可以解救。

毕都统保守枢相在山头,酆美杀开条路,取那枝军马来保护枢相出去。"童贯道:"天色将晚,你可善觑方便,疾去早来。"酆美提着大杆刀,飞马杀下山来,冲开条路,直到南边。看那队军马时,却是嵩州都监周信,把军兵团团摆定,死命抵住。垓心里看见那酆美来,便接入阵内,问:"枢相在那里?"酆美道:"只在前面山坡上,专等你这枝军马去救护杀出来。事不宜迟,火速便起。"周信听说罢,便教传令,马步军兵都要相顾,休失队伍,齐心并力。二员大将当先,众军助喊,杀奔山坡边来。行不到一箭之地,刺斜里一枝军到,酆美舞刀径出迎敌,认得是睢州都监段鹏举,三个都相见了,合兵一处杀到山坡下。毕胜下坡,迎接上去。见了童贯,一处商议道:"今晚便杀出去好,却捱到来朝去好?"酆美道:"我四人死保枢相,则就今晚杀透重围出去,可脱贼寇。"

看看近夜,只听得四边喊声不绝,金鼓乱鸣。约有二更时候,星月光亮,酆美当先,众军官簇拥童贯在中间,一齐并力杀下山坡来。只听得四下里乱叫道:"不要走了童贯!"众官军只望正南路冲杀过来。看看混战到四更左右,杀出垓心,童贯在马上以手加额,顶礼天地神明道:"惭愧!脱得这场大难!"催赶出界,奔济州去。却才欢喜未尽,只见前面山坡边一带,火把不计其数,背后喊声又起。看见火把光中,两员好汉拈着两条朴刀,引出一员骑白马的英雄大将,在马上横着一条点钢枪。那人是谁?有《临江仙》词一首为证:

> 马步军中惟第一,偏他数内为尊。上天降下恶星辰。眼
> 珠如点漆,面部似镌银。　　丈二钢枪无敌手,独骑战
> 马侵寻。人材武艺两绝伦。梁山卢俊义,河北玉麒麟。

那马上的英雄大将,正是玉麒麟卢俊义;马前这两个使朴刀的好汉,一个是病关索杨雄,一个是拚命三郎石秀。在火把光

中，引着三千馀人，抖擞精神，拦住去路。卢俊义在马上大喝道："童贯不下马受缚，更待何时！"童贯听得，对众道："前有伏兵，后有追兵，似此如之奈何？"酆美道："小将舍条性命，以报枢相。汝等众官，紧保枢相，夺路望济州去，我自战住此贼。"酆美拍马舞刀，直奔卢俊义。两马相交，斗不到数合，被卢俊义把枪只一逼，逼过大刀，抢入身去，劈腰提住，一脚蹬开战马，把酆美活捉去了。杨雄、石秀便来接应，众军齐上，横拖倒拽捉了去。毕胜和周信、段鹏举，舍命保童贯，冲杀拦路军兵，且战且走。背后卢俊义赶来。童贯败军忙忙似丧家之犬，急急如漏网之鱼，天晓脱得追兵，望济州来。正走之间，前面山坡背后，又冲出一队步军来，那军都是铁掩心甲，绛红罗头巾，当先四员步军头领。毕竟是谁？但见：

> 黑旋风持两把大斧，丧门神仗一口龙泉。项充、李衮在傍边，手舞团牌体健。斩虎须投大穴，诛龙必向深渊。
> 三军威势振青天，恶鬼眼前活见。

这李逵轮两把板斧，鲍旭仗一口宝剑，项充、李衮各舞蛮牌遮护，却似一团火块，从地皮上滚将来，杀得官军四分五落而走。童贯与众将且战且走，只逃性命。李逵直砍入马军队里，把段鹏举马脚砍翻，掀将下来，就势一斧，劈开脑袋，再复一斧，砍断咽喉，眼见得段鹏举不活了。且说败残官军将次捱到济州，真乃是头盔斜掩耳，护项半兜腮，马步三军没了气力，人困马乏。奔到一条溪边，军马都且去吃水，只听得对溪一声炮响，箭矢如飞蝗一般射将过来。官军急上溪岸去，树林边转出一彪军马来。为头马上三个英雄是谁？但见：

> 铜铃奋勇敢争征，飞石飞叉众莫能。
> 二虎相随没羽箭，东昌骠骑是张清。

原来这没羽箭张清和龚旺、丁得孙,带领三百馀骑马军。那一队骁骑马军,都是铜铃面具,雉尾红缨,轻弓短箭,绣旗花枪,三将为头,直冲将来。嵩州都监周信见张清军马少,便来迎敌。毕胜保着童贯而走。周信纵马挺枪来迎,只见张清左手约住枪,右手似招宝七郎之形,口中喝一声道:"着!"去周信鼻凹上只一石子打中,翻身落马。龚旺、丁得孙傍边飞马来相助,将那两条叉戳定咽喉,好似霜摧边地草,雨打上林花,周信死于马下。童贯止和毕胜逃命,不敢入济州,引了败残军马,连夜投东京去了。于路收拾逃难军马下寨。

原来宋江有仁有德,素怀归顺之心,不肯尽情追杀。惟恐众将不舍,要追童贯,火急差戴宗传下将令,布告众头领,收拾各路军马步卒,都回山寨请功。各处鸣金收军而回。鞍上将都敲金镫,步下卒齐唱凯歌,纷纷尽入梁山泊,个个同回宛子城。宋江、吴用、公孙胜先到水浒寨中忠义堂上坐下,令裴宣验看各人功赏。卢俊义活捉酆美,解上寨来,跪在堂前。宋江自解其缚,请入堂内上坐,亲自捧杯陪话,奉酒压惊。众头领都到堂上。是日杀牛宰马,重赏三军。留酆美住了两日,备办鞍马,送下山去。酆美大喜。宋江陪话道:"将军,阵前阵后冒渎威严,切乞恕罪!宋江等本无异心,只要归顺朝廷,与国家出力,被至不公不法之人,逼得如此。望将军回朝,善言解救,倘得他日重见恩光,生死不忘大德。"酆美拜谢不杀之恩,登程下山。宋江令人直送出界。酆美放回京,不在话下。

宋江回到忠义堂上,再与吴用等众头领商议。原来今次用此十面埋伏之计,都是吴用机谋布置,杀得童贯胆寒心碎,梦里也怕,大军三停折了二停。吴用道:"童贯回去京师,奏了官家,如何不再起兵来。必得一人,直投东京探听虚实,回报山寨,预作准备。"宋江道："军师此论，允合吾心。怎弟兄中不知那个敢去?"只见坐次之中一个人应道："兄弟愿往。"众人看了，都道："须是他去，必干大事。"

不是这个人来，有分教：济州城外，造数百只艨艟战船；梁山泊中，添万馀石军粮米麦。正是：冲阵马亡青嶂下，戏波船陷绿蒲中。毕竟梁山泊是谁人前去打听，且听下回分解。

第七十八回

十节度议取梁山泊　宋公明一败高太尉

赋曰：

　　寨名水浒，泊号梁山。周回港汊数千条，四方周围八百里。东连海岛，西接咸阳，南通大冶金乡，北跨青齐兖郡。有七十二段港汊，藏千百只战舰艨艟；建三十六座雁台，屯百千万军粮马草。声闻宇宙，五千骁骑战争夫；名达天庭，三十六员英勇将。跃洪波，迎雪浪，混江龙与九纹龙；踏翠岭，步青山，玉麒麟共青面兽。逢山开路，索超原是急先锋；遇水叠桥，刘唐号为赤发鬼。小李广开弓有准，病关索枪法无双。黑旋风善会偷营，船火儿偏能劫寨。花和尚岂解参禅，武行者何曾受戒！焚烧屋宇，多应短命二郎；杀戮生灵，除是立地太岁。心雄难比两头蛇，毒害怎如双尾蝎？阮小七号活阎罗，秦明性如霹雳火。假使官军万队，穆弘出阵没遮拦；纵饶铁骑千层，万马怎当董一撞。朱仝面如重枣，时人号作云长；林冲燕颔虎须，满寨称为翼德。李应俊似扑天雕，雷横猛如插翅虎。燕青能减灶屯兵，徐宁会平川布阵。呼风噀雨，公孙胜似入云龙；抢鼓夺旗，石秀众中偏拚命。张顺赴得三十里水面，驰名浪里白跳；戴宗走得五百里程途，显号神行太保。关胜刀长九尺，轮来手上焰光生；呼延灼鞭重十斤，使动耳边风雨响。没羽箭当头怎躲，小旋风弓马熟闲。设计施谋，众伏智多吴学究；运筹帷幄，替天行道宋公明。大闹山东，纵横河北。步斗两赢童贯，水战三败高俅。非图坏国贪财，岂敢欺天罔地。施恩报国，幽州城下杀辽兵；仗义兴师，清溪洞里擒方腊。千年事迹载皇朝，万古清名标史记。

后有诗为证：

去时三十六，回来十八双。

纵横千万里，谈笑却还乡。

再说梁山泊好汉自从两赢童贯之后，宋江、吴用商议，必用着一个人去东京探听消息虚实，上山回报，预先准备军马交锋。言之未绝，只见神行太保戴宗道："小弟愿往。"宋江道："探听军情，多亏杀兄弟一个。虽然贤弟去得，必须也用一个相帮去最好。"李逵便道："兄弟帮哥哥去走一遭。"宋江笑道："你便是那个不惹事的黑旋风！"李逵道："今番去时，不惹事便了。"宋江喝退，一壁再问："有那个兄弟敢去走一遭？"赤发鬼刘唐禀道："小弟帮戴宗哥哥去如何？"宋江大喜道："好。"当日两个收拾了行装，便下山去。

且不说戴宗、刘唐来东京打听消息，却说童贯和毕胜沿路收聚得败残军马四万馀人，比到东京，于路教众多管军的头领，各自部领所属军马，回营寨去了，只带御营军马入城来。童贯卸了戎装衣甲，径投高太尉府中去商议。两个见了，各叙礼罢，请入后堂深处坐定。童贯把大折两阵，结果了八路军官并许多军马，酆美又被活捉去了，似此如之奈何，一一都告诉了。高太尉道："枢相不要烦恼，这件事只瞒了今上天子便了，谁敢胡奏！我和

你去告禀太师,再作个道理。"有诗为证:

> 怀私挟诈恨奸雄,诡计邪谋怎建功?
>
> 数万儿郎遭败劫,却连党恶蔽宸聪。

　　童贯和高俅上了马,径投蔡太师府内来。已有报知:"童枢密回了。"蔡京料道不胜,又听得和高俅同来,蔡京教唤入书院里来厮见。童贯拜了太师,泪如雨下。蔡京道:"且休烦恼,我备知你折了军马之事。"高俅道:"贼居水泊,非船不能征进,枢密只以马步军征剿,因此失利,中贼诡计。"童贯诉说折兵败阵之事。蔡京道:"你折了许多军马,费了许多钱粮,又折了八路军官,这事怎敢教圣上得知!"童贯再拜道:"望乞太师遮盖,救命则个!"蔡京道:"明日只奏道:'天气暑热,军士不伏水土,权且罢战退兵。'倘或震怒,说道:'似此心腹大患,不去剿灭,后必为殃。'如此时,恁众官却怎地回答?"高俅道:"非是高俅夸口,若还太师肯保高俅领兵,亲去那里征剿,一鼓可平。"蔡京道:"若是太尉肯自去,可知是好。明日便当保奏太尉为帅。"高俅又禀道:"只有一件,须得圣旨任便起军,并随造船只,或是拘刷原用官船、民船,或备官价收买木料,打造战船,水陆并进,船骑同行,方可指日成功。"蔡京道:"这事容易。"正话间,门吏报道:"郾美回来了。"童贯大喜。太师教唤进来,问其缘故。郾美拜罢,叙说:"宋江但是活捉上山去的,尽数放回,不肯杀害,又与盘缠,令回乡里,因此小将得见钧颜。"高俅道:"这是贼人诡计,故意慢我国家。今后不点近处军马,直去山东、河北拣选得用的人,跟高俅去。"蔡京道:"既然如此计议定了,来日内里相见,面奏天子。"各自回府去了。

　　次日五更三点,都在侍班阁子里相聚。朝鼓响时,各依品从,分列丹墀,拜舞起居已毕,文武分班列于玉阶之下。只见殿头官手执净鞭喝道:"有事出奏,无事卷帘退班。"只见蔡太师出班奏道："昨遣枢密使童贯,统率大军征进梁山泊草寇。近因炎热,军马不伏水土,抑且贼居水洼,非船不行,马步军兵急不能进。因此权且罢战,各回营寨暂歇,别候圣旨。"天子乃云："似此炎热,再不复去矣!"蔡京奏道："童贯可于泰乙宫听罪,别令一人为帅,再去征伐,乞请圣旨。"天子曰："此寇乃是腹心大患,不可不除。谁与寡人分忧?"高俅出班奏曰："微臣不才,愿效犬马之劳,去剿此寇,伏取圣旨。"天子云："既然卿肯与寡人分忧,任卿择选军马。"高俅又奏："梁山泊方圆八百馀里,非仗舟船,不能前进。臣乞圣旨,于梁山泊近处,采伐木植,命督工匠造船,或用官钱收买民船,以为战伐之用。"天子曰："委卿执掌,从卿处置,可行即行,慎勿害民。"高俅奏道："微臣安敢! 只容宽限,以图成功。"天子命取锦袍金甲,赐与高俅,另选吉日出师。

当日百官朝退,童贯、高俅送太师到府,便唤中书省关房掾史,传奉圣旨,定夺拨军。高太尉道："前者有十节度使,多曾与国家建功,或征鬼方国,或伐西夏,并大金、大辽等处,武艺精熟,请降指使,差拨为将。"有诗为证:

　　十路英雄用计深,分头截杀更难禁。

　　高俅原不知行止,却要亲征奏捷音。

当时蔡太师依允,便拨十道札付文书,仰各各部领所属精兵一万,前赴济州取齐,听候调用。那十个节度使非同小可,每人领军一万,克期并进。那十路军马?

　　河南河北节度使王焕　　　上党太原节度使徐京
　　京北弘农节度使王文德　　颍州汝南节度使梅展
　　中山安平节度使张开　　　江夏零陵节度使杨温
　　云中雁门节度使韩存保　　陇西汉阳节度使李从吉
　　琅玡彭城节度使项元镇　　清河天水节度使荆忠

原来这十路军马,都是曾经训练精兵,更兼这十节度使,旧
日都是在绿林丛中出身,后来受了招安,直做到许大官职,都是
精锐勇猛之人,非是一时建了些少功名。当日中书省定了程限,
发十道公文,要这十路军马如期都到济州,迟慢者定依军令处
置。金陵建康府有一枝水军,为头统制官唤做刘梦龙。那人初
生之时,其母梦见一条黑龙飞入腹中,感而遂生。及至长大,善
知水性,曾在西川峡江讨贼有功,升做军官都统制,统领一万五
千水军,棹船五百只,守住江南。高太尉要取这支水军并船只,
星夜前来听调。又差一个心腹人,唤做牛邦喜,也做到步军校
尉,教他去沿江上下,并一应河道内,拘刷船只,都要来济州取
齐,交割调用。高太尉帐前牙将极多,于内两个最了得:一个唤
做党世英,一个唤做党世雄,弟兄二人见做统制官,各有万夫不
当之勇。高太尉又去御营内,选拨精兵一万五千,通共各处军马
一十三万。先于诸路差官供送粮草,沿途交纳。高太尉连日整
顿衣甲,制造旌旗,未及发程。有诗为证:

匿奸罔上非忠荩,好战全违旧典章。

不事怀柔服强暴,只驱良善敌刀枪。

却说戴宗、刘唐在东京住了几日,打听得备细消息,星夜回
还山寨,报说此事。宋江听得高太尉亲自领兵,调天下军马一十
三万,十节度使统领前来,心中惊恐,便与吴用商议。吴用道:
"仁兄勿忧。昔日诸葛孔明用三千兵卒,破曹操十万军马。小生
也久闻这十节度的名,多与朝廷建功。只是当初无他的敌手,以
此只显他的豪杰。如今放着这一班好弟兄,如狼似虎的人,那十
节度已是背时的人了,兄长何足惧哉!比及他十路军来,先教他
吃我一惊。"宋江道:"军师如何惊他?"吴用道:"他十路军马都到
济州取齐,我这里先差两个快赚杀的,去济州相近,接着来军,先

杀一阵。这是报信与高俅知道。"宋江道:"叫谁去好?"吴用道:
"差没羽箭张清、双枪将董平,此二人可去。"宋江差二将各带一
千军马,前去巡哨济州,相迎截杀各路军马;又拨水军头领,准备
泊子里夺船。山寨中头领,预先调拨已定,且不细说,下来便知。

再说高太尉在京师俄延了二十馀日,天子降敕,催促起军。
高俅先发御营军马出城,又选教坊司歌儿舞女三十馀人,随军消
遣。至日祭旗,辞驾登程,却好一月光景。时值初秋天气,大小
官员都在长亭饯别。高太尉戎装披挂,骑一匹金鞍战马,前面摆
着五匹玉辔雕鞍从马,左右两边排着党世英、党世雄弟兄两个,
背后许多殿帅统制官、统军提辖、兵马防御、团练等官,参随在
后。那队伍军马,十分摆布得整齐。怎见得?

> 飞龙旗缨头颼颼,飞虎旗火焰纷纷,飞熊旗彩色辉辉,
> 飞豹旗光华衮衮。青旗按东方甲乙,如堆蓝叠翠遮天;
> 白旗按西方庚辛,似积雪凝霜向日;红旗按丙丁前进,
> 火云队堆满山前;皂旗按壬癸后随,杀气弥漫阵后;黄
> 旗按中央戊己,镇太将台散乱金霞。七重围子手,前后
> 遮拦;八面引军旗,左右招颼。一簇枪林似竹,一攒剑
> 洞如麻。嘶风战马荡金鞍,开路征夫披铁铠。却似韩
> 侯临魏地,正如王剪出秦关。

那高太尉部领大军出城,来到长亭前下马,与众官作别。饮
罢饯行酒,攀鞍上马,登程望济州进发。于路上纵容军士,尽去
村中纵横掳掠,黎民受害,非止一端。

却说十路军马,陆续都到济州。有节度使王文德,领着京兆
等处一路军马,星夜奔济州来,离州尚有四十馀里。当日催动人
马,赶到一个去处,地名凤尾坡,坡下一座大林。前军却好抹过
林子,只听得一棒锣声响处,林子背后,山坡脚边,转出一彪军马

来,当先一将拦路。那员将顶盔挂甲,插箭弯弓,去那弓袋箭壶内,侧插着小小两面黄旗,旗上各有五个金字,写道:"英雄双枪将,风流万户侯。"两手搦两杆钢枪。此将乃是梁山泊第一个惯冲头阵的勇将董平,因此人称为董一撞。董平勒定战马,截住大路,喝道:"来的是那里兵马?不早早下马受缚,更待何时!"这王文德兜住马,呵呵大笑道:"瓶儿罐儿,也有两个耳朵。你须曾闻我等十节度使,累建大功,名扬天下,上将王文德么?"董平大笑,喝道:"只你便是杀晚爷①的大顽②!"王文德听了大怒,骂道:"反国草寇,怎敢辱吾!"拍马挺枪,直取董平,董平也挺双枪来迎。两将斗到三十合,不分胜败。王文德料道赢不得董平,喝一声:"少歇再战!"各归本阵。王文德分付众军,休要恋战,且冲过去。王文德在前,三军在后,大发声喊,杀将过去。董平后面引军追赶。将过林子,正走之间,前面又冲出一彪军马来。为首一员上将,正是没羽箭张清,在马上大喝一声:"休走!"手中拈定一个石子打将来,望王文德头上便着。急待躲时,石子打中盔顶,王文德伏鞍而走,跑马奔逃。两将赶来,看看赶上,只见侧首冲过一队军来。王文德看时,却是一般的节度使杨温军马,齐来救应。因此董平、张清不敢来追,自回去了。

两路军马,同入济州歇定。太守张叔夜接待各路军马。数日之间,前路报来,高太尉大军到了。十节度出城迎接,都参见了太尉,一齐护送入城,把州衙权为帅府,安歇下了。高太尉传下号令,教十路军马,都向城外屯驻,伺候刘梦龙水军到来,一同进发。这十路军马,各自都来下寨,近山砍伐木植,人家搬掳门

---

① 晚爷——继父。
② 大顽——大笨蛋。顽,愚昧痴妄。

窗,搭盖窝铺,十分害民。高太尉自在城中帅府内,定夺征进人马。无银两使用者,都充头哨出阵交锋;有银两者,留在中军,虚功滥报。似此奸弊,非止一端。有诗为证:

　　无钱疲卒当头阵,用幸精强殿后军。

　　正法废来真可笑,贪夫赃吏竞纷纷。

　　高太尉在济州不过一二日,刘梦龙战船到了,参见太尉。高俅随即便唤十节度使,都到厅前,共议良策。王焕等禀复道:"太尉先教马步军去探路,引贼出战,然后即调水路战船去劫贼巢,令其两下不能相顾,可获群贼矣。"高太尉从其所言。当时分拨王焕、徐京为前部先锋,王文德、梅展为合后收军,张开、杨温为左军,韩存保、李从吉为右军,项元镇、荆忠为前后救应使。党世雄引领三千精兵,上船协助刘梦龙水军船只,就行监战。诸军尽皆得令,整束了三日,请高太尉看阅诸路军马。高太尉亲自出城,一一点看了,便遣大小三军并水军,一齐进发,径望梁山泊来。

　　且说董平、张清回寨说知备细。宋江与众头领统率大军,下山不远,早见官军到来。前军射住阵脚,两边拒定人马。只见先锋王焕出阵,使一条长枪,在马上厉声高叫:"无端草寇,敢死村夫,认得大将王焕么?"对阵绣旗开处,宋江亲自出马,与王焕声喏道:"王节度,你年纪高大了,不堪与国家出力。当枪对敌,恐有些一差二误,枉送了你一世清名。你回去罢,另教年纪小的出来战。"王焕听得大怒,骂道:"你这厮是个文面俗吏,安敢抗拒天兵!"宋江答道:"王节度,你休逞好手。我这一般儿替天行道的好汉,不到得输与你!"王焕便挺枪戳将过来。宋江马后早有一将,銮铃响处,挺枪出阵。宋江看时,却是豹子头林冲,来战王焕。两马相交,众军助喊。高太尉自临阵前,勒住马看。只听得两军呐喊喝采,果是马军踏镫抬身看,步卒掀盔举眼观。两个施逞诸路枪法。但见：

> 一个屏风枪，势如霹雳；一个水平枪，勇若奔雷。一个
> 朝天枪，难防难躲；一个钻风枪，怎敌怎遮。这个枪使
> 得疾如孙策，那个枪使得猛似霸王。这个恨不得枪戳
> 透九霄云汉，那个恨不得枪刺透九曲黄河。一个枪如
> 蟒离岩洞，一个枪似龙跃波津。一个使枪的雄似虎吞
> 羊，一个使枪的俊如雕扑兔。这个使枪的英雄盖尽梁
> 山泊，那个使枪的威风播满宋乾坤。

　　王焕大战林冲，约有七八十合，不分胜败。两边各自鸣金，
二骑分开，各归本阵。只见节度使荆忠到前军，马上欠身，禀复
高太尉道："小将愿与贼人决一阵，乞请钧旨。"高太尉便教荆忠
出马交战。宋江马后銮铃响处，呼延灼来迎。荆忠使一口大杆
刀，骑一匹瓜黄马。二将交锋，约斗二十合，被呼延灼卖个破绽，
隔过大刀，顺手提起钢鞭来，只一下，打个衬手，正着荆忠脑袋，
打得脑浆迸流，眼珠突出，死于马下。高俅看见折了一个节度
使，火急便差项元镇骤马挺枪，飞出阵前，大喝："草贼，敢战吾
么？"宋江马后双枪将董平撞出阵前，来战项元镇。两个斗不到
十合，项元镇霍地勒回马，拖了枪便走。董平拍马去赶，项元镇
不入阵去，绕着阵脚，落荒而走。董平飞马去追，项元镇带住枪，
左手拈弓，右手搭箭，拽满弓，翻身背射一箭。董平听得弓弦响，
抬手去隔，一箭正中右臂，弃了枪，拨回马便走。项元镇挂着弓，
拈着箭，倒赶将来。呼延灼、林冲见了，两骑马各出，救得董平归
阵。高太尉挥指大军混战。宋江先教救了董平回山，后面军马
遮拦不住，都四散奔走。高太尉直赶到水边，却调人去接应水路
船只。

　　且说刘梦龙和党世雄布领水军，乘驾船只，迤逦前投梁山泊

深处来,只见茫茫荡荡,尽是芦苇兼葭,密密遮定港汊。这里官船樯篙不断,相连十馀里水面。正行之间,只听得山坡上一声炮响,四面八方小船齐出。那官船上军士,先有五分惧怯,看了这等芦苇深处,尽皆慌了。怎禁得芦苇里面埋伏着小船齐出,冲断大队,官船前后不相救应,大半官军弃船而走。梁山泊好汉看见官军阵脚乱了,一齐鸣鼓摇船,直冲上来。刘梦龙和党世雄急回船时,原来经过的浅港内,都被梁山泊好汉用小船装载柴草,砍伐山中木植,填塞断了,那橹桨竟摇不动。众多军卒,尽弃了船只下水。刘梦龙脱下戎装披挂,爬过水岸,拣小路走了。这党世雄不肯弃船,只顾教水军寻港汊深处,摇动了行去。不到二里,只见前面三只小船,船上是阮氏三雄,各人手执蓼叶枪,挨近船边来。众多驾船军士,都跳下水里去了。党世雄自持铁槊,立在船头上,与阮小二交锋。阮小二也跳下水里去,阮小五、阮小七两个逼近身来。党世雄见不是头,撇了铁槊,也跳下水去了。只见水底下钻过船火儿张横来,一手揪住头发,一手提定腰胯,的溜溜丢上芦苇根头。先有十数个小喽啰躲在那里,挠钩套索搭住,活捉上水浒寨来。

　　却说高太尉见水面上船只,都纷纷滚滚乱投山边去了,船上缚着的尽是刘梦龙水军的旗号,情知水路里又折了一阵,忙传钧令,且教收兵回济州去,别作道理。五军比及要退,又值天晚,只听得四下里火炮不住价响,宋江军马不知几路杀将来。高太尉只叫得:"苦了也!"正是:欢喜未来愁又至,才逢病退又遭殃。有分教:一枚太尉,翻为阴陵失路① 之人;十路雄兵,变作赤壁

---

① 阴陵失路——楚、汉相争时,楚霸王项羽被刘邦打败,又在阴陵(今安徽定远县西北)迷了路,导致最后覆亡。

鏖兵① 之客。只教步卒无门归大寨,水军逃路到华胥。毕竟高太尉并十路军兵怎地脱身,且听下回分解。

---

① 赤壁鏖(áo)兵——三国时,孙权、刘备曾在赤壁(在今湖北省)火烧曹操战船,大破曹兵。

第七十九回

刘唐放火烧战船　宋江两败高太尉

《西江月》：

　　软弱安身之本，刚强惹祸之胎。无争无竞是贤才，亏我
些儿何碍。　　钝斧锤砖易碎，快刀劈水难开。但看
发白齿牙衰，惟有舌根不坏。

　　话说当下高太尉望见水路军士，情知不济，正欲回军，只听
得四边炮响，急收聚众将，夺路而走。原来梁山泊只把号炮四下
里施放，却无伏兵。只吓得高太尉心惊胆战，鼠窜狼奔，连夜收
军回济州。计点步军，折陷不多；水军折其大半，战船没一只回
来。刘梦龙逃难得回，军士会水的逃得性命，不会水的都淹死于
水中。高太尉军威折挫，锐气衰残，且向城中屯驻军马，等候牛
邦喜拘刷船到；再差人赍公文去催，不论是何船只，堪中的尽数
拘拿，解赴济州，整顿征进。

　　却说水浒寨中，宋江先和董平上山，拔了箭矢，唤神医安道
全用药调治。安道全使金枪药敷住疮口，在寨中养病。吴用收
住众头领上山。水军头领张横解党世雄到忠义堂上请功，宋江
教且押去后寨软监着。将夺到的船只，尽数都收入水寨，分派与
各头领去了。

　　再说高太尉在济州城中，会集诸将，商议收剿梁山之策。数
内上党节度使徐京禀道：“徐某幼年游历江湖，使枪卖药之时，曾

与一人交游。那人深通韬略,善晓兵机,有孙、吴之才调,诸葛之智谋,姓闻名焕章,见在东京城外安仁村教学。若得此人来为参谋,可以敌吴用之诡计。"高太尉听说,便差首将一员,赍带段匹鞍马,星夜回东京,礼请这教村学秀才闻焕章,来为军前参谋。便要早赴济州,一同参赞军务。那员首将回京去不得三五日,城外报来:"宋江军马,直到城边搦战。"高太尉听了大怒,随即点就本部军兵,出城迎敌,就令各寨节度使同出交锋。

却说宋江军马见高太尉提兵至近,急慌退十五里外平川旷野之地。高太尉引军赶去,宋江军马已向山坡边摆成阵势。红旗队里捧出一员猛将,怎生披挂?但见:

> 戴一顶插交角,嵌金花,光挣挣铁幞头;拴一条长数尺,飞红霞,云彩彩红抹额;披一副黑扑扑,齐臻臻,退光漆,烈龙鳞,戗金乌油甲;系一条攒八宝,嵌七珍,金雀舌,双獭尾,玲珑碧玉带;穿一领按北方,如泼墨,结乌云,飘黑雾,俏身皂罗袍;着一对绿兜根,金落缝,走云芽,盘双凤,踏山麂皮靴;悬一张射双雕,落孤雁,鹊画宝雕弓;攒一壶穿银盔,透铁铠,点钢凿子箭;挽两条苍龙梢,排竹节,水磨打将鞭;骑一匹恨天低,嫌地窄,千里乌骓马。正是:斜按铁枪临阵上,浑如黑杀降凡间。

认旗上写的分明,乃是"双鞭呼延灼",兜住马,横着枪,立在阵前。高太尉看见,道:"这厮便是统领连环马时,背反朝廷的。"便差云中节度使韩存保出马迎敌。这韩存保善使一枝方天画戟。两个在阵前更不打话,一个使戟去搠,一个用枪来迎。使戟的不放半分闲,使枪的岂饶些子空。两个战到五十馀合,呼延灼卖个破绽,闪出去,拍着马望山坡下便走。韩存保紧要干功,跑着马赶来。八个马蹄翻盏撒钹相似,约赶过五七里,无人之处,看看赶上，呼延灼勒回马，带转枪，舞起双鞭来迎。两个又斗十数合之上。用双鞭分开画戟，回马又走。韩存保寻思："这厮枪又近不得我，鞭又赢不得我，我不就这里赶上捉了这贼，更待何时！"抢将近来，赶转一两山嘴，有两条路，竟不知呼延灼何处去了。

　　韩存保勒马上坡来望时，只见呼延灼绕着一条溪走。存保大叫："泼贼，你走那里去！快下马来受降，饶你命！"呼延灼不走，大骂存保。韩存保却大宽转来抄呼延灼后路，两个却好在溪边相迎着。一边是山，一边是溪，只中间一条路，两匹马盘旋不得。呼延灼道："你不降我，更待何时！"韩存保道："你是我手里败将，倒要我降你！"呼延灼道："我漏你到这里，正要活捉你。你性命只在顷刻。"韩存保道："我正来活捉你！"两个旧气又起。韩存保挺着长戟，望呼延灼前心两胁软肚上，雨点般戳将来。呼延灼用枪左拨右逼，摔风般搠入来。两个又斗了三十来合。正斗到浓深处，韩存保一戟望呼延灼软胁搠来，呼延灼一枪望韩存保前心刺去，两个各把身躯一闪，两边军器都从胁下搠来。呼延灼挟住韩存保戟杆，韩存保扭定呼延灼枪杆，两个都在马上你扯我拽，挟住腰胯，用力相挣。韩存保的马后蹄先塌下溪里去了，呼延灼连人和马也拽下溪里去了，两个在水中扭做一块。那两匹马溅起水来，一人一身水。呼延灼弃了手里的枪，挟住他的戟杆，急去掣鞭时，韩存保也撇了他的枪杆，双手按住呼延灼两条臂，你揪我扯，两个都滚下水里去。那两匹马进星也似跑上岸来，望山边去了。两个在溪水中都滚没了军器，头上戴的盔没了，身上衣甲飘零。两个只把空拳来在水中厮打，一递一拳，正在深水里，又拖上浅水里来。正解拆不开，岸上一彪军马赶到，为头的是没羽箭张清。众人下手活捉了韩存保。差人急去寻那走了的两匹战马,只见那马却听得马嘶人喊,也跑回来寻队,因此收住。又去溪中捞起军器还呼延灼,带湿上马,却把韩存保背剪缚在马上,一齐都奔峪口。有诗为证:

> 两人交战更跷蹊,脱马缠绵浸碧溪。
>
> 可惜韩存英勇士,生擒活捉不堪题。

只见前面一彪军马,来寻韩存保,两家却好当住。为头两员节度使,一个是梅展,一个是张开。因见水渌渌地马上缚着韩存保,梅展大怒,舞三尖两刃刀直取张清。交马不到三合,张清便走,梅展赶来。张清轻舒猿臂,款扭狼腰,只一石子飞来,正打中梅展额角,鲜血迸流,撇了手中刀,双手掩面。张清急便回马,却被张开搭上箭,拽满弓,一箭射来。张清提马头一提,正射中马眼,那马便倒。张清跳在一边,拈着枪便来步战。那张清原来只有飞石打将的本事,枪法上却慢。张开先救了梅展,次后来战张清,马上这条枪,神出鬼没。张清只办得架隔,遮拦不住,拖了枪便走入马军队里躲闪。张开枪马到处,杀得五六十马军四分五落,再夺得韩存保。却待回来,只见喊声大举,峪口两彪军到,一队是霹雳火秦明,一队是大刀关胜。两个猛将杀来,张开只保得梅展走了,那里顾得众军。两路杀入来,又夺了韩存保。张清抢了一匹马,呼延灼使尽气力,只好随众厮杀。一齐掩击到官军队前,乘势冲动。退回济州。梁山泊军马也不追赶,只将韩存保连夜解上山寨来。

宋江等坐在忠义堂上,见缚到韩存保来,喝退军士,亲解其索,请坐厅上,殷勤相待。韩存保感激无地。就请出党世雄相见,一同管待。宋江道:"二位将军,切勿相疑。宋江等并无异心,只被滥官污吏逼得如此。若蒙朝廷赦罪招安,情愿与国家出力。"韩存保道:"前者陈太尉赍到招安诏敕来山,如何不乘机会去邪归正？"宋江答道："便是朝廷诏书写得不明，更兼用村醪倒换御酒，因此弟兄众人心皆不伏。那两个张干办、李虞候，擅作威福，耻辱众将。"韩存保道："只因中间无好人维持，误了国家大事。"宋江设筵管待已了，次日具备鞍马，送出谷口。

这两个在路上说宋江许多好处，回到济州城外，却好晚了。次早入城来见高太尉，说宋江把二将放回之事。高俅大怒道："这是贼人诡计，慢我军心！你这二人有何面目见吾？左右，与我推出斩讫报来。"王焕等众官都跪下告道："非干此二人之事，乃是宋江、吴用之计。若斩此二人，反被贼人耻笑。"高太尉被众人苦告，饶了两个性命，削去本身职事，发回东京泰乙宫听罪。这两个解回京师。

原来这韩存保是韩忠彦的侄儿，忠彦乃是国老太师，朝廷官员多有出他门下。有个门馆① 教授，姓郑名居忠，原是韩忠彦抬举的人，见任御史大夫。韩存保把上件事告诉他。居忠上轿，带了存保，来见尚书余深，同议此事。余深道："须是禀得太师，方可面奏。"二人来见蔡京，说："宋江本无异心，只望朝廷招安。"蔡京道："前者毁诏谤上，如此无礼，不可招安，只可剿捕。"二人禀说："前番招安，皆为去人不布朝廷德意，用心抚恤，不用嘉言，专说利害，以此不能成事。"蔡京方允。约至次日早朝，道君天子升殿，蔡京奏准，再降诏敕，令人招安。天子曰："见今高太尉使人来请安仁村闻焕章为军前参谋，早赴边庭委用，就差此人为使前去。如肯来降，悉免本罪；如仍不伏，就着高俅定限，日下剿捕尽绝还京。"蔡太师写成草诏，一面取闻焕章赴省筵宴。原来这闻焕章是有名文士，朝廷大臣多有知识的，各备酒食迎接，席终

---

① 门馆——指聘请教书先生教授自己子弟的私塾。

各散。一边收拾起行。有诗为证：

> 教学先生最有才，天书特地召将来。
>
> 展开说地谈天口，便使恩光被草莱。

且不说这里闻焕章辞驾，同天使来，却说高太尉在济州，心中烦恼。门吏报道："牛邦喜到来。"高太尉便教唤至，拜罢，问道："船只如何？"邦喜禀道："于路拘刷得大小船一千五百馀只，都到闸下。"太尉大喜，赏了牛邦喜。便传号令，教把船都放入阔港，每三只一排钉住，上用板铺，船尾用铁环锁定；尽数拨步军上船，其余马军，近水护送船只。比及编排得军士上船，训练得熟，已得半月之久，梁山泊尽都知了。吴用唤刘唐受计，掌管水路建功。众多水军头领，各各准备小船，船头上排排钉住铁叶，船舱里装载芦苇干柴，柴中灌着硫黄焰硝引火之物，屯住在小港内。却教炮手凌振于四望高山上，放炮为号。又于水边树木丛杂之处，都缚旌旗于树上，每一处都设金鼓火炮，虚屯人马，假设营垒。请公孙胜作法祭风。旱地上分三队军马接应。梁山泊吴用指画已了。

却说高太尉在济州催起军马，水路统军却是牛邦喜，又同刘梦龙并党世英这三个掌管。高太尉披挂了，发三通擂鼓，水港里船开，旱路上马发，船行似箭，马去如飞，杀奔梁山泊来。先说水路里船只，连篙不断，金鼓齐鸣，迤逦杀入梁山深处，并不见一只船。看看渐近金沙滩，只见荷花荡里两只打鱼船，每只船上只有两个人，拍手大笑。头船上刘梦龙便叫放箭乱射，渔人都跳下水底去了。刘梦龙催动战船，渐近金沙滩头。一带阴阴的都是细柳，柳树上拴着两头黄牛，绿莎草上睡着三四个牧童。远远地又有一个牧童，倒骑着一头黄牛，口中呜呜咽咽吹着一管笛子来。刘梦龙便教先锋悍勇的首先登岸，那几个牧童跳起来呵呵大笑，都穿入柳阴深处去了。前队五七百人抢上岸去，那柳阴树中一声炮响，两边战鼓齐鸣。左边就冲出一队红甲军，为头是霹雳火秦明；右边冲出一队黑甲军，为头是双鞭将呼延灼。各带五百军马，截出水边。刘梦龙急招呼军士下船时，已折了大半军校。牛邦喜听得前军喊起，便教后船且退。只听得山顶上连珠炮响，芦苇中飕飕有声，却是公孙胜披发仗剑，踏罡布斗，在山顶上祭风。初时穿林透树，次后走石飞沙，须臾白浪掀天，顷刻黑云覆地，红日无光，狂风大作。刘梦龙急教棹船回时，只见芦苇丛中，藕花深处，小港狭汊，都棹出小船来，钻入大船队里，鼓声响处，一齐点着火把。原来这小船上，都是吴用主意授计与刘唐，尽使水军头领，装载芦苇干柴硫黄焰硝，杂以油薪。霎时间大火竟起，烈焰飞天，四分五落，都穿在大船内，前后官船，一齐烧着。怎见得火起？但见：

> 黑烟迷绿水，红焰起清波。风威卷荷叶满天飞，火势燎芦林连梗断。神号鬼哭，昏昏日色无光；岳撼山崩，浩浩波声鼎沸。舰航遮洋尽倒，柁橹艨艟皆休。先锋将魄散魂飞，合后兵心惊胆裂。荡桨的首先落水，点篙的无路逃生。船尾旌旗，不见青红交杂；柁楼剑戟，难排霜刃争叉。副将忙举哀声，主帅先寻死路。却似骊山顶上，周幽王褒姒戏诸侯；有若夏口三江，施妙策周郎破曹操。千千条火焰连天起，万万道烟霞贴水飞。

当时刘梦龙见满港火飞，战船都烧着了，只得弃了头盔衣甲，跳下水去，又不敢傍岸，拣港深水阔处，赴将开去逃命。芦林里面，一个人独驾着小船，直迎将来。刘梦龙便钻入水底下去，却好有一个人拦腰抱住，拖上船来。撑船的是出洞蛟童威，拦腰抱的是混江龙李俊。却说牛邦喜见四下官船队里火着，也弃了戎装披挂，却待下水，船梢上钻起一个人来，拿着挠钩，劈头搭住，倒拖下水里去。那人是船火儿张横。这梁山泊内水面上，杀得尸横遍野，血溅波心，焦头烂额者不计其数。只有党世英摇着小船，正走之间，芦林两边弩箭弓矢齐发，射死水中。众多军卒会水的，逃得性命回去；不会水的，尽皆淹死；生擒活捉者，都解投大寨。李俊捉得刘梦龙，张横捉得牛邦喜，欲待解上山寨，惟恐宋江又放了，两个好汉自商量，把这二人就路边结果了性命，割下首级送上山来。

　　再说高太尉引领马军在水边策应，只听得连珠炮响，鼓声不绝，料道是水面上厮杀，骤着马前来，靠山临水探望。只见纷纷军士，都从水里逃命，爬上岸来。高俅认得是自家军校，问其缘故，说被放火烧尽船只，俱各不知所在。高太尉听了，心内越慌。但望见喊声不断，黑烟满空，急引军回旧路时，山前鼓声响处，冲出一队马军拦路。当先急先锋索超，轮起开山大斧，骤马抢近前来。高太尉身边节度使王焕，挺枪便出与索超交战。斗不到五合，索超拨回马便走。高太尉引军追赶，转过山嘴，早不见索超。正走间，背后豹子头林冲引军赶来，又杀一阵。再走不过六七里，又是青面兽杨志引军赶来，又杀一阵。又奔不到八九里，背后美髯公朱仝赶上来又杀一阵。这是吴用使的追赶之计，不去前面拦截，只在背后赶杀。败军无心恋战，只顾奔走，救护不得后军，因此高太尉被追赶得慌，飞奔济州。比及入得城时，已自三更，又听得城外寨中火起，喊声不绝。原来被石秀、杨雄埋伏下五百步军，放了三五把火，潜地去了。惊得高太尉魂不附体，连使人探视，回报"去了"，方才放心。整点军马，折其大半。有诗为证：

　　　　赤壁鏖兵事可徵，高俅计拙亦无凭。

　　雄兵返败梁山泊,回首羞将大府登。

　　高俅正在纳闷间,远探报道:"天使到来。"高俅遂引军马并节度使出城迎接。见了天使,就说降诏招安一事。都与闻焕章参谋使相见了,同进城中帅府商议。高太尉先讨抄白备诏观看。待不招安来,又连折了两阵,拘刷得许多船只,又被尽行烧毁;待要招安来,恰又羞回京师。心下踌躇数日,主张不定。不想济州有一个老吏,姓王名瑾,那人平生赳毒,人尽呼为剜心王,却是太守张叔夜拨在帅府供给的吏。因见了诏书抄白,更打听得高太尉心内迟疑不决,遂来帅府呈献利便事件,禀说:"贵人不必沉吟,小吏看见诏上已有活路。这个写草诏的翰林待诏,必与贵人好,先开下一个后门了。"高太尉见说大惊,便问道:"你怎见得先开下后门?"王瑾禀道:"诏书上最要紧是中间一行,道是:'除宋江、卢俊义等大小人众所犯过恶,并与赦免。'这一句是囫囵话。如今开读时,却分作两句读,将'除宋江'另做一句,'卢俊义大小人众所犯过恶,并与赦免'另做一句。赚他漏到城里,捉下为头宋江一个,把来杀了,却将他手下众人,尽数拆散,分调开去。自古道:蛇无头而不行,鸟无翅而不飞。但没了宋江,其馀的做得甚用!此论不知太尉恩相贵意若何?"高俅大喜,随即升王瑾为帅府长史,便请闻参谋说知此事,一同计议。闻焕章谏道:"堂堂天使,只可以正理相待,不可行诡诈于人。倘或宋江以下,有智谋之人识破,翻变起来,深为未便。"高太尉道:"非也!自古兵书有云:'兵行诡道。'岂可用得正大?"闻参谋道:"然虽'兵行诡道',这一事是天子圣旨,乃以取信天下。自古王言如纶如綍,因此号为玉音,不可移改。今若如此,后有知者,难以此为准信。"高太尉道:"且顾眼下,却又理会。"遂不听闻焕章之言,先遣一人往梁山泊报知,令宋江等全伙,前来济州城下,听天子诏敕,赦免罪犯。未知真假何如？有诗为证：

远捧泥书出大邦，谆谆天语欲招降。

高俅轻信奸人语，要构阴谋杀宋江。

却说宋江又赢了高太尉这一阵，烧了的船，令小校搬运做柴；不曾烧的，拘收入水寨；但是活捉的军将，尽数陆续放回济州。当日宋江与大小头领，正在忠义堂上商议事务，小校报道："济州府差人上山来，报道：'朝廷特遣天使颁降诏书，赦罪招安，加官赐爵。特来报喜。'"宋江听罢，喜从天降，笑逐颜开，便叫请那报事人到堂上。问时，那人说道："朝廷降诏，特来招安。高太尉差小人前来报请大小头领，都要到济州城下行礼，开读诏书。并无异议，勿请疑惑。"宋江叫请军师商议定了，且取银两段匹，赏赐来人，先发付回济州去了。宋江传下号令，大小头领，尽教收拾，便去听开读诏书。卢俊义道："兄长且未可性急，诚恐这是高太尉的见识，兄长且不可便去！"宋江道："你们若如此疑心时，如何能勾归正？众人好歹去走一遭。"吴用笑道："高俅那厮被我们杀得胆寒心碎，便有十分的计策也施展不得。放着众弟兄一班好汉，不要疑心，只顾跟随宋公明哥哥下山。我这里先差黑旋风李逵引着樊瑞、鲍旭、项充、李衮，将带步军一千，埋伏在济州东路；再差一丈青扈三娘，引着顾大嫂、孙二娘、王矮虎、孙新、张青，将带马军一千，埋伏在济州西路。若听得连珠炮响，杀奔北门来取齐。"吴用分调已定，众头领都下山，只留水军头领看守寨栅。

只因高太尉要用诈术，诱引这伙英雄下山，不听闻参谋谏劝。谁想只就济州城下，翻为九里山前；梁山泊边，变作三江夏口。却似狼临犬队，虎入羊群。正是：只因一纸君王诏，惹起全班壮士心。毕竟众好汉怎地大闹济州，且听下回分解。

第 八 十 回

张顺凿漏海鳅船　宋江三败高太尉

诗曰：

乾坤日月如梭急，万死千生如瞬息。

只因政化多乖违，奋剑挥刀动白日。

梁山义士真英豪，矢心忠义凌云霄。

朝廷遣将非仁义，致令壮士心劳忉。

高俅不奉朝廷意，狡狯紫心竟妖魅。

诏书违戾害心萌，济州黎庶肝涂地。

仁存方寸不在多，机关万种将如何？

九重天远岂知得，纷纷寰海兴干戈。

　　话说高太尉在济州城中，帅府坐地，唤过王焕等众节度商议，传令将各路军马，拔寨收入城中；教见在节度使，俱各全副披挂，伏于城内；各寨军士，尽数准备，摆列于城中；城上俱各不竖旌旗，只于北门上立黄旗一面，上书"天诏"二字。高俅与天使众官，都在城上，只等宋江到来。

　　当日梁山泊中，先差没羽箭张清，将带五百哨马，到济州城边，周回转了一遭，望北去了。须臾，神行太保戴宗，步行来探了一遭。人报与高太尉，亲自临月城①上女墙边，左右从者百馀

---

① 月城——在城门外修筑的用来掩护城门的半圆形小城，又叫瓮城。

人,大张麾盖,前设香案。遥望北边,宋江军马到来。前面金鼓五方旌旗,众头领簸箕掌,栲栳圈,雁翅一般摆列将来。当先为首宋江、卢俊义、吴用、公孙胜,在马上欠身,与高太尉声喏。高太尉见了,使人在城上叫道:"如今朝廷赦你们罪犯,特来招安,如何披甲前来?"宋江使戴宗至城下回复道:"我等大小人员,未蒙恩泽,不知诏意若何,未敢去其介胄。望太尉周全,可尽唤在城百姓耆老,一同听诏,那时承恩卸甲。"高太尉出令,教唤在城耆老百姓,尽都上城听诏。无移时纷纷滚滚,尽皆到了。宋江等在城下,看见城上百姓老幼摆满,方才勒马向前。鸣鼓一通,众将下马。鸣鼓二通,众将步行到城边。背后小校牵着战马,离城一箭之地,齐齐地伺候着。鸣鼓三通,众将在城下拱手,共听城上开读诏书。那天使读道:

"制曰:人之本心,本无二端;国之恒道,俱是一理。作善则为良民,造恶则为逆党。为恶党者,此非正命,深可悯焉。朕闻梁山泊聚众已久,不蒙善化,未复良心。今差天使颁降诏书,除宋江,卢俊义等大小人众所犯过恶,并与赦免。其为首者,诣京谢恩;协随助者,各归乡间。毋违朕意,以负汝怀。呜呼,速沾雨露,以就去邪归正之心;毋犯雷霆,当效革故鼎新之意。故兹诏示,想宜悉知。

宣　和　　年　　月　　日。"

当时军师吴用正听读到"除宋江"三字,便目视花荣道:"将军听得么?"却才读罢诏书,花荣大叫:"既不赦我哥哥,我等投降则甚!"搭上箭,拽满弓,望着那个开诏使臣道:"看花荣神箭!"一箭射中面门,众人急救。城下众好汉一齐叫声:"反!"乱箭望城上射来。高太尉回避不迭。四门突出军马来,宋江军中一声鼓响,一齐上马便走。城中官军追赶,约有五六里回来。只听得后军炮响,东有李逵引步军杀来,西有扈三娘引马军杀来,两路军兵,一齐合到。城内官军只怕有埋伏,都急退时,宋江全伙却回身卷杀将来,三面夹攻。城中军马大乱,急急奔回,杀死者多。宋江收军,不教追赶,自回梁山泊去了。

　　却说高太尉在济州写表,申奏朝廷,称说宋江贼寇射死天使,不伏招安。外写密书,送与蔡太师、童枢密、杨太尉,烦为商议,教太师奏过天子,沿途接应粮草,星夜发兵前来,并力剿捕群贼。

　　却说蔡太师收得高太尉密书,径自入朝奏知天子。天子闻奏,龙颜不悦,云:"此寇数辱朝廷,累犯大逆!"随次降敕,教诸路各助军马,并听高太尉调遣。杨太尉已知节次失利,再于御营司选拨二将,就于龙猛、虎翼、捧日、忠义四营内,各选精兵五百,共计二千,跟随两个上将,去助高太尉杀贼。这两员将军是谁? 一个是八十万禁军都教头,官带左义卫亲军指挥使,护驾将军丘岳;一个是八十万禁军副教头,官带右义卫亲军指挥使,车骑将军周昂。这两个将军,累建奇功,名闻海外,深通武艺,威镇京师,又是高太尉心腹之人。当时杨太尉点定二将,限目下起身。来辞蔡太师,蔡京分付道:"小心在意,早建大功,必当重用。"二将辞谢了,去四营内一个个选拣长身体健,腰细膀阔,山东、河北,能登山,惯赴水,那一等精锐军汉,拨与二将。这丘岳、周昂辞了众省院官,去辞杨太尉,禀说明日出城。杨太尉各赐与二将五匹好马,以为战阵之用,就教披挂,列布出城,教东京百姓看这队军马。二人谢了太尉,各自回营,收拾起身。

　　次日,军兵拴束了行程,都在御营司前伺候。丘岳、周昂二将,分做四队:龙猛、虎翼二营一千军,有二千馀骑军马,丘岳总领;捧日、忠义二营一千军,也有二千馀骑军马,周昂总领;又有一千步军,分与二将随从。丘岳、周昂到辰牌时分,摆列出城,杨太尉亲自在城门上看军。且休说小校威雄,亲随勇猛,去那两面绣旗下,一丛战马之中,簇拥着护驾将军丘岳。怎生打扮?但见:

戴一顶缨撒火,锦兜鍪,双凤翅照天盔;披一副绿绒穿,红锦套,嵌连环锁子甲;穿一领翠沿边,珠络缝,荔枝红,圈金绣戏狮袍;系一条衬金叶,玉玲珑,双獭尾,红鞓钉盘螭带;着一双簇金线,海驴皮,胡桃纹,抹绿色云根靴;弯一张紫檀靶,泥金梢,龙角面,虎筋弦宝雕弓;悬一壶紫竹杆,朱红扣,凤尾翎,狼牙金点钢箭;挂一口七星装,沙鱼鞘,赛龙泉,欺巨阙霜锋剑;横一把撒朱缨,水磨杆,龙吞头,偃月样三停刀;骑一匹快登山,能跳涧,背金鞍,摇玉勒胭脂马。

那丘岳坐在马上,昂昂奇伟,领着左队人马,东京百姓看了,无不喝采。随后便是右队捧日、忠义两营军马,端的整齐。去那两面绣旗下,一丛战马之中,簇拥着车骑将军周昂。怎生打扮?但见:

戴一顶吞龙头,撒青缨,珠闪烁烂银盔;披一副损枪尖,坏箭头,衬香绵熟钢甲;穿一领绣牡丹,飞双凤,圈金线绛红袍;系一条称狼腰,宜虎体,嵌七宝麒麟带;着一双起三尖,海兽皮,倒云根虎尾靴;弯一张雀画面,龙角靶,紫综绣六钧弓;攒一壶皂雕翎,铁梨杆,透唐猊凿子箭;使一柄欺袁达,赛石丙,劈开山金蘸斧;骑一匹负千斤,高八尺,能冲阵火龙驹;悬一条简银杆,四方棱,赛金光劈楞简;好似南天六丁将,浑如西岳巨灵神。

这周昂坐在马上,亭亭威猛,领着右队人马,来到城边。与丘岳下马来,拜辞杨太尉,作别众官,离了东京,取路望济州进发。

且说高太尉在济州和闻参谋商议,比及添拨得军马到来,先使人去近处山上,砍伐木植大树,附近州县,拘刷造船匠人,就济州城外搭起船场,打造战船。一面出榜招募敢勇水手军士。济州城中客店内,歇着一个客人,姓叶名春,原是泗州人氏,善会造船。因来山东,路经梁山泊过,被他那里小伙头目劫了本钱,流落在济州,不能勾回乡。知得高太尉要伐木造船,征进梁山泊,以图取胜,将纸画成船样,来见高太尉。拜罢,禀道:"前者恩相以船征进,为何不能取胜?盖因船只皆是各处拘刷将来的,使风摇橹,俱不得法;更兼船小底尖,难以用武。叶春今献一计,若要收伏此寇,必须先造大船数百只。最大者名为大海鳅船,两边置二十四部水车,船中可容数百人。每车用十二个人踏动,外用竹笆遮护,可避箭矢。船面上竖立弩楼,另造划车①,摆布放于上。如要进发,垛楼上一声梆子响,二十四部水车,一齐用力踏动,其船如飞,他将何等船只可以拦当!若是遇着敌军,船面上伏弩齐发,他将何物可以遮护!其第二等船,名为小海鳅船,两边只用十二部水车,船中可容百十人。前面后尾,都钉长钉,两边亦立弩楼,仍设遮洋笆片。这船却行梁山泊小港,当住这厮私路伏兵。若依此计,梁山之寇,指日唾手可平。"高太尉听说,看了图样,心中大喜。便叫取酒食衣服,赏了叶春,就着他监造战船都作头。连日晓夜催并,砍伐木植,限日定时,要到济州交纳。各路府州县,均派合用造船物料。如若违限二日,笞四十,每三日加一等。若违限五日外者,定依军令处斩。各处逼迫,守令催

---

① 划车——装在船上用来撞击敌船的一种器械。

督，百姓亡者数多，万民嗟怨。有诗为证：

> 井蛙小见岂知天，可慨高俅听谲言。
>
> 毕竟鳅船难取胜，伤财劳众更徒然。

且不说叶春监造海鳅等船，却说各处添拨水军人等，陆续都到济州。高太尉俱各分拨各寨节度使下听调，不在话下。只见门吏报道："朝廷差遣丘岳、周昂二将到来。"高太尉令众节度使出城迎接。二将到帅府参见了太尉，亲赐酒食，抚慰已毕。一面差人赏军，一面管待二将。二将便请太尉将令，引军出城搦战。高太尉道："二公且消停数日，待海鳅船完备，那时水陆并进，船骑双行，一鼓可平贼寇。"丘岳、周昂禀道："某等觑梁山泊草寇如同儿戏！太尉放心，必然奏凯还京。"高俅道："二将若果应口，吾当奏知天子前，必当重用。"是日宴散，就帅府前上马，回归本寨，且把军马屯驻听调。

不说高太尉催促造船征进，却说宋江与众头领自从济州城下叫反杀人，奔上梁山泊来，却与吴用等商议道："两次招安，都伤犯了天使，越增的罪恶重了，如何是好？朝廷必然又差军马来讨罪。"便差小喽啰下山，去探事情如何，火急回报。不数日，只见小喽啰探知备细，报上山来。忠义堂上宋江与军师吴用等相论：高俅近日招募一水军，叫叶春为作头，打造大小海鳅船数百只；东京又新遣差两个御前指挥使到来助战，一个姓丘名岳，一个姓周名昂，二将英勇；各路又添拨到许多人马，前来助战。宋江便与吴用计议道："似此大船，飞游水面，如何破得？"吴用笑道："有何惧哉！只消得几个水军头领便了。旱路上交锋，自有猛将应敌。然虽如此，料这等大船，要造必在数旬间方得成就，目今尚有四五十日光景。先教一两个弟兄，去那造船厂里，先薅恼他一遭，后却和他慢慢地放对。"宋江道："此言最好。可教鼓上矗时迁、金毛犬段景住这两个走一遭。"吴用道："再叫张青、孙新扮作拽树民夫,杂在人丛里,入船厂去。却叫顾大嫂、孙二娘,扮做送饭妇人,和一般的妇人杂将入去。却教时迁、段景住接应前后。"唤到堂上,听令已了。这两个欢喜无限,分投下山,自去行事。

却说高太尉晓夜催促,督造船只,朝暮捉拿民夫供役。那济州东路上一带,都是船厂,攒造大海鳅船百只,何止匠人数千,纷纷攘攘。那等蛮军,都拔出刀来,唬吓民夫,无分星夜,要攒完备。

是日,时迁、段景住先到了厂内。两个商量道："眼见的孙、张二夫妻,只是去船厂里放火,我和你也去那里,不显我和你高强。我们只伏在这里左右。等他船厂里火发,我便却去城门边伺候,必然有救军出来,乘势闪将入去,就城楼上放起火来。你便却去城西草料场里,也放起把火来,教他两下里救应不迭,教他这场惊吓不小。"两个自暗暗地相约了,身边都藏了引火的药头,各自去寻个安身之处。

却说张青、孙新两个,来到济州城下,看见三五百人拽木头入船厂里去。张、孙二人,杂在人丛里,也去拽木头投厂里去。厂门口约有二百来军汉,各带腰刀,手拿棍棒,打着民夫,尽力拖拽入厂里面交纳。团团一遭,都是排栅,前后搭盖茅草厂屋,有三二百间。张青、孙新入到里面看时,匠人数千,解板的在一处,钉船的在一处,捻①船的在一处,匠人民夫,乱滚滚往来,不记其数。这两个径投做饭的笆棚下去躲避。孙二娘、顾大嫂两个,穿了些腌腌臜臜衣服,各提着个饭罐,随着一般送饭的妇人,打

---

①　捻(niàn)——用麻絮油灰嵌塞船缝。

哄入去。看看天色渐晚,月色光明,众匠人大半尚兀自在那里挣
攒^① 未办的工程。有诗为证:

> 战船打造役生灵,枉费工夫用不成。

> 内外不知谁放火,可怜烧得太无情。

当晚约有二更时分,孙新、张青在左边船厂里放火,孙二娘、
顾大嫂在右边船厂里放火,两势下火起,草屋焰腾腾地价烧起
来。船厂内民夫工匠,一齐发喊,拔翻排栅,各自逃生。高太尉
正睡间,忽听得人报道:"船场里火起!"急忙起来,差拨官军出城
救应。丘岳、周昂二将,各引本部军兵,出城救火。去不多时,城
楼上一把火起。高太尉听了,亲自上马引军上城救火时,又见报
道:"西草场内,又一把火起,照耀浑如白日。"丘、周二将引军去
西草场中救护时,只听得鼓声振地,喊杀连天。原来没羽箭张
清,引着五百骠骑马军在那里埋伏,看见丘岳、周昂引军来救应,
张清便直杀将来,正迎着丘岳、周昂军马。张清大喝道:"梁山泊
好汉全伙在此!"丘岳大怒,拍马舞刀,直取张清。张清手搦长枪
来迎,不过三合,拍马便走。丘岳要逞功劳,随后赶来,大喝:"反
贼休走!"张清按住长枪,轻轻去锦袋内偷取个石子在手,扭回身
躯,看丘岳来得较近,手起喝声道:"着!"一石子正中丘岳面门,
翻身落马。周昂见了,便和数个牙将,死命来救丘岳。周昂战住
张清,众将救得丘岳上马去了。张清与周昂战不到数合,回马便
走。周昂不赶,张清又回来,却见王焕、徐京、杨温、李从吉四路
军到。张清手招引了五百骠骑军,竟回旧路去了。这里官军恐
有伏兵,不敢去赶,自收军兵回来,且只顾救火。三处火灭,天色
已晓。高太尉教看丘岳中伤如何。原来那一石子正打着面门,

---

① 挣攒(cuán)——赶做。又写作"挣趱"。

唇口里打落了四个牙齿,鼻子嘴唇都打破了。高太尉着令医人治疗,见丘岳重伤,恨梁山泊深入骨髓。一面使人唤叶春分付,教在意造船征进。船厂四围,都教节度使下了寨栅,早晚提备,不在话下。

却说张青、孙新夫妻四人,俱各欢喜;时迁、段景住两个,都回旧路。六人已自都有部从人马,迎接回梁山泊去了。都到忠义堂上,说放火一事。宋江大喜,设宴特赏六人。自此之后,不时间使人探视。

造船将完,看看冬到。其年天气甚暖,高太尉心中大喜,以为天助。叶春造船已都完办,高太尉催趱水军,都要上船演习本事。大小海鳅等船,陆续下水。城中帅府招募到四山五岳水手人等,约有一万馀人,先教一半去各船上学踏车,着一半学放弩箭。不过二十馀日,战船演习,已都完足了。叶春请太尉看船。有诗为证:

　　　　自古兵机在速攻,锋摧师老岂成功。

　　　　高俅卤莽无通变,经岁劳民造战艟。

是日,高俅引领众多节度使军官头目,都来看船。把海鳅船三百馀只,分布水面。选十数船只,遍插旌旗,筛锣击鼓。梆子响处,两边水车一齐踏动,端的是风飞电走。高太尉看了,心中大喜:"似此如飞船只,此寇将何拦截! 此战必胜!"随取金银段匹,赏赐叶春;其馀人匠,各给盘缠,疏放归家。次日,高俅令有司宰乌牛白马,果品猪羊,摆列金银钱纸,致祭水神。排列已了,众将请太尉行香。丘岳疮口已完,恨入心髓,只要活捉张清报仇。当同周昂与众节度使,一齐都上马,跟随高太尉到船边下马,随侍高俅致祭水神。焚香赞礼已毕,烧化楮帛。众将称贺已了,高俅叫取京师原带来的歌儿舞女,都令上船作乐侍宴。一面教军健车船演习,飞走水面,船上笙箫谩品,歌舞悠扬,游玩终夕不散。当夜就船中宿歇。次日,又设席面饮酌。一连三日筵宴,不肯开船。忽有人报道:"梁山泊贼人写一首诗,贴在济州城里土地庙前,有人揭得在此。"写道:

> "生擒杨戬与高俅,扫荡中原四百州。
>
> 便有海鳅船万只,俱来泊内一齐休!"

高太尉看了诗,大怒,便要起军征剿:"若不杀尽贼寇,誓不回军!"闻参谋谏道:"太尉暂息雷霆之怒。想此狂寇惧怕,特写恶言唬吓,不为大事。消停数日之间,拨定了水陆军马,那时征进未迟。目今深冬,天气和暖,此是天子洪福,元帅虎威也。"高俅听罢甚喜,遂入城中,商议拨军遣将。旱路上便调周昂、王焕同领大军,随行策应。却调项元镇、张开,总领军马一万,直至梁山泊山前那条大路上守住厮杀。原来梁山泊自古四面八方,茫茫荡荡,都是芦苇野水,近来只有山前这条大路,却是宋公明方才新筑的,旧不曾有。高太尉教调马军先进,截住这条路口,其馀闻参谋、丘岳、徐京、梅展、王文德、杨温、李从吉,长史王瑾,造船人叶春,随行牙将,大小军校,随从人等,都跟高太尉上船征进。闻参谋谏道:"主帅只可监督马军,陆路进发,不可自登水路,亲临险地。"高太尉道:"无伤!前番二次,皆不得其人,以致失陷了人马,折了许多船只。今番造得若干好船,我若不亲临监督,如何擒捉此寇!今次正要与贼人决一死战,汝不必多言。"闻参谋再不敢开口,只得跟随高太尉上船。高俅拨三十只大海鳅船与先锋丘岳、徐京、梅展管领,拨五十只小海鳅船开路,令杨温同长史王瑾、船匠叶春管领。头船上立两面大红绣旗,上书十四个金字道:"搅海翻江冲白浪,安邦定国灭洪妖。"中军船上,却是高太尉、闻参谋,引着歌儿舞女,自守中军队伍。向那三五十只大海鳅船上，摆开碧油幢、帅字旗、黄钺白旄、朱幡皂盖、中军器械。后面船上，便令王文德、李从吉压阵。此是十一月中时。马军得令先行。水军先锋丘岳、徐京、梅展三个，在头船上，首先进发，飞云卷雾，望梁山泊来。但见海鳅船：

> 前排箭洞，上列弩楼。冲波如蛟蜃之形，走水似鲲鲸之势。龙鳞密布，左右排二十四部绞车；雁翅齐分，前后列一十八般军器。青布织成皂盖，紫竹制作遮洋。往来冲击似飞梭，展转交锋欺快马。五方旗帜翻风，遍插垛楼；两下甲兵挺剑，皆潜复道。搅起掀天骇浪，掀翻滚雪洪涛。来时金鼓喧阗，到处波澜汹涌。荷叶池中风雨响，蒹葭丛里海鳅来。

当下三个先锋，催动船只，把小海鳅分在两边，当住小港，大海鳅船望中进发。众军诸将，正如蟹眼鹤顶，只望前面奔蹿，迤逦来到梁山泊深处。宋江、吴用，已知备细，预先布置已定，单等官军船只到来。只见远远地早有一簇船来，每只船上，只有十四五人，身上都有衣甲，当中坐着一个头领。前面三只船上，插着三把白旗，旗上写道："梁山泊阮氏三雄"。中间阮小二，左边阮小五，右边阮小七。远远地望见明晃晃都是戎装衣甲，却原来尽把金银箔纸糊成的。三个先锋见了，便叫前船上将火炮、火枪、火箭一齐打放。那三阮全然不惧，料着船近，枪箭射得着时，发声喊，都跳下水里去了。丘岳等夺得三只空船。又行不过三里来水面，见三只快船，抢风摇来。头只船上，只有十数个人，都把青黛、黄丹、土硃、泥粉抹在身上，头上披着发，口中打着唿哨，飞也似来。两边两只船上，都只五七个人，搽红画绿不等。中央是玉幡竿孟康，左边是出洞蛟童威，右边是翻江蜃童猛。这里先锋丘岳，又叫打放火器，只见对面发声喊，都弃了船，一齐跳下水里去了。又捉得三只空船。再行不得三里多路，又见水面上三只中等船来，每船上四把橹，八个人摇动，十馀个小喽啰打着一面红旗，簇拥着一个头领，坐在船头上，旗上写："水军头领混江龙李俊"。左边这只船上，坐着这个头领，手搦铁枪，打着一面绿旗，上写道："水军头领船火儿张横"。右边那只船上，立着那个好汉，上面不穿衣服，下腿赤着双脚，腰间插着几个铁凿，手中挽个铜锤，打着一面皂旗，银字，上书："头领浪里白跳张顺"。乘着船，高声说道："承谢送船到泊！"三个先锋听了，喝教放箭。弓弩响时，对面三只船上众好汉，都翻筋斗跳下水里去了。

此是暮冬天气，官军船上招来的水手军士，那里敢下水去。正犹豫间，只听得梁山泊顶上，号炮连珠价响，只见四分五落，芦苇丛中钻出千百只小船来，水面如飞蝗一般。每只船上，只三五个人，船舱中竟不知有何物。大海鳅船要撞时，又撞不得。水车正要踏动时，前面水底下都填塞定了车辐板，竟踏不动。弩楼上放箭时，小船上人一个个自顶片板遮护。看看逼将拢来，一个把挠钩搭住了舵，一个把板刀便砍那踏车的军士，早有五六十个扒上先锋船来。官军急要退时，后面又塞定了，急切退不得。前船正混战间，后船又大叫起来。高太尉和闻参谋在中军船上，听得大乱，急要上岸。只听得芦苇中金鼓大振，舱内军士一齐喊道："船底漏了！"滚滚走入水来。前船后船，尽皆都漏，看看沉下去。四下小船，如蚂蚁相似，望大船边来。高太尉新船，缘何得漏？却原来是张顺引领一班儿高手水军，都把锤凿在水底下凿透船底，四下里滚入水来。高太尉扒去舵楼上，叫后船救应，只见一个人从水底下钻将起来，便跳上舵楼来，口里说道："太尉，我救你性命！"高俅看时，却不认得。那人近前，便一手揪住高太尉巾帻，一手提住腰间束带，喝一声："下去！"把高太尉扑同地丢下水

里去。堪嗟架海擎天手,翻作生擒败阵人。有诗为证:

　　　攻战鳅船事已空,高俅人马竟无功。

　　　堂堂奉命勤王将,却被生擒落水中。

　　只见傍边两只小船,飞来救应,拖起太尉上船去。那个人便是浪里白跳张顺,水里拿人,浑如瓮中捉鳖,手到拈来。前船丘岳见阵势大乱,急寻脱身之计,只见傍边水手丛中,走出一个水军来。丘岳不曾提防,被他赶上,只一刀,把丘岳砍下船去。那个便是梁山泊锦豹子杨林。徐京、梅展见杀了先锋丘岳,两个奔来杀杨林。水军丛中,连抢出四个小头领来:一个是白面郎君郑天寿,一个是病大虫薛永,一个是打虎将李忠,一个是操刀鬼曹正,一发从后面杀来。徐京见不是头,便跳下水去逃命,不想水底下已有人在彼,又吃拿了。薛永将梅展一枪搠着腿股,跌下舱里去。原来八个头领来投充水军,尚兀自有三个在前船上:一个是青眼虎李云,一个是金钱豹子汤隆,一个是鬼脸儿杜兴。众节度使便有三头六臂,到此也施展不得。梁山泊宋江、卢俊义,已自各分水陆进攻。宋江掌水路,卢俊义掌旱路。

　　休说水路全胜,且说卢俊义引领诸将军马,从山前大路杀将出来,正与先锋周昂、王焕马头相迎。周昂见了,当先出马,高声大骂:"反贼认得俺么?"卢俊义大喝:"无名小将,死在目前,尚且不知!"便挺枪跃马,直奔周昂。周昂也轮动大斧,纵马来敌。两将就山前大路上交锋,斗不到二十馀合,未见胜败,只听得后队马军发起喊来。原来梁山泊大队军马,都埋伏在山前两下大林丛中,一声喊起,四面杀将出来。东南关胜、秦明,西北林冲、呼延灼,众多英雄,四路齐到。项元镇、张开那里拦当得住,杀开条路,先逃性命走了。周昂、王焕不敢恋战,拖了枪斧,拨回马,也随从项元镇、张开夺路而走,逃入济州城中,扎住军马,打听消息。

　　再说宋江掌水路，捉了高太尉，急教戴宗传令，不许杀害军士。中军大海鳅船上闻参谋等，并歌儿舞女，一应部从，尽掳过船，鸣金收军，解投大寨。宋江、吴用、公孙胜等，都在忠义堂上，见张顺水渌渌地解到高俅。宋江见了，慌忙下堂扶住，便取过罗段新鲜衣服，与高太尉从新换了，扶上堂来，请在正面而坐。宋江纳头便拜，口称死罪。高俅慌忙答礼，宋江叫吴用、公孙胜扶住。拜罢，就请上坐。再叫燕青传令下去："如若今后杀人者，定依军令处以重刑。"号令下去不多时，只见纷纷解上人来。童威、童猛解上徐京；李俊、张横解上王文德；杨雄、石秀解上杨温；三阮解上李从吉；郑天寿、薛永、李忠、曹正解上梅展；杨林解献丘岳首级；李云、汤隆、杜兴解献叶春、王瑾首级；解珍、解宝掳捉闻参谋并歌儿舞女，一应部从，解将到来。单单只走了四人：周昂、王焕、项元镇、张开。宋江都教换了衣服，从新整顿，尽皆请到忠义堂上，列坐相待。但是活捉军士，尽数放回济州。另教安排一只好船，安顿歌儿舞女，一应部从，令他自行看守。有诗为证：

　　　　奉命高俅欠取裁，被人活捉上山来。

　　　　不知忠义为何物，翻宴梁山啸聚台。

　　当时宋江便教杀牛宰马，大设筵宴。一面分投赏军，一面大吹大擂，会集大小头领，都来与高太尉相见。各施礼罢，宋江执盏擎杯，吴用、公孙胜执瓶捧案，卢俊义等侍立相待。宋江乃言道："文面小吏，安敢反逆圣朝！奈缘积累罪犯，逼得如此。二次虽奉天恩，中间委曲奸弊，难以屡陈。万望太尉慈悯，救拔深陷之人，得瞻天日，刻骨铭心，誓图死报。"高俅见了众多好汉，一个个英雄勇烈，智勇威严，尽是锦衣绣袄，不似上阵之时，先有五分惧怯，便道："宋公明，你等放心！高某回朝，必当重奏，请降宽恩大赦,前来招安,重赏加官,大小义士,尽食天禄,以为良臣。"宋江听了大喜,拜谢太尉。当日筵会,虽无炮凤烹龙,端的有肉山酒海,大小头领,轮番把盏,殷勤相劝。

高太尉大醉,酒后不觉失言,疏狂放荡,便道:"我自小学得一身相扑,天下无对。"卢俊义却也醉了,怪高太尉自夸天下无对,便指着燕青道:"我这个小兄弟,也会相扑,三番上岱岳争跤,天下无对。"高俅便起身来,脱了衣裳,要与燕青厮扑。众头领见宋江敬他是个天朝太尉,没奈何处,只得随顺听他说;不想要勒燕青相扑,正要灭高俅的嘴,都起身来道:"好,好!且看相扑!"众人都哄下堂去。宋江亦醉,主张不定。两个脱了衣裳,就厅阶上,宋江叫把软褥铺下。两个在剪绒毯上,吐个门户。高俅抢将入来,燕青手到,把高俅扭摔得定,只一跤,撷翻在地褥上做一块,半晌挣不起。这一扑,唤做守命扑。宋江、卢俊义慌忙扶起高俅,再穿了衣服,都笑道:"太尉醉了,如何相扑得成功!切乞恕罪!"高俅惶恐无限,却再入席,饮至夜深,扶入后堂歇了。有诗为证:

　　禽争兽攘共喧哗,醉后高俅尽自夸。
　　堪笑将军不持重,被人跌得眼睛花。

次日,又排筵会与高太尉压惊。高俅遂要辞回,与宋江等作别。宋江道:"某等淹留大贵人在此,并无异心。若有瞒昧,天地诛戮。"高俅道:"若是义士肯放高某回京,便将全家于天子前保奏义士,定来招安,国家重用。若更翻变,天所不盖,地所不载,死于枪箭之下!"宋江听罢,叩首拜谢。高俅又道:"义士,恐不信高某之言,可留下众将为当。"宋江道:"太尉乃大贵人之言,焉肯失信,何必拘留众将。容日各备鞍马,俱送回营。"高太尉谢了:"既承如此相款,深感厚意,只此告回。"宋江等众苦留。当日再排大宴,序旧论新,筵席直至更深方散。第三日,高太尉定要下山,宋江等相留不住,再设筵宴送行。高俅道:"义士可叫一个精细之人,跟随某去。我直引他面见天子,奏知你梁山泊衷曲之事,随即好降诏救。"宋江一心只要招安,便与吴用计议,教圣手书生萧让跟随太尉前去。吴用便道:"再教铁叫子乐和作伴,两个同去。"高太尉道:"既然义士相托,便留闻参谋在此为信。"宋江大喜。至第四日,宋江与吴用带二十馀骑,送高太尉等并众节度使下山,过金沙滩二十里外饯别,拜辞了高太尉,自回山寨。正是:眼观旌节至,耳听好消息。

却说高太尉等一行人马,望济州回来,先有人报知。济州先锋周昂、王焕、项元镇、张开,太守张叔夜等,出城迎接。高太尉进城,略住了数日,传下号令,收拾军马,教众节度使各自领兵回程暂歇,听候调用。高太尉自带了周昂并大小牙将头目,领了三军,同萧让、乐和一行部从,离了济州,迤逦望东京进发。太守张叔夜自回济州,紧守城池。

不因高太尉带领梁山泊两个人来,有分教:风流浪子,花阶柳陌遇君王;神圣公人,相府侯门寻俊杰。直教龙凤宴中知猛勇,虎狼丛里显英雄。毕竟高太尉回京怎地保奏招安宋江等众,且听下回分解。

第八十一回

燕青月夜遇道君　戴宗定计赚萧让

诗曰：

混沌初分气磅礴，人生禀性有愚浊。

圣君贤相共裁成，文臣武士登台阁。

忠良闻者尽欢忻，邪佞听时俱忿跃。

历代相传至宋朝，罡星煞曜离天角。

宣和年上乱纵横，梁山泊内如期约。

百单八位尽英雄，乘时播乱居山东。

替天行道存忠义，三度招安受帝封。

二十四阵破辽国，大小诸将皆成功。

清溪洞里擒方腊，雁行零落悲秋风。

事事集成忠义传，用资谈柄江湖中。

话说梁山泊好汉，水战三败高俅，尽被擒捉上山。宋公明不肯杀害，尽数放还。高太尉许多人马回京，就带萧让、乐和前往京师听候招安一事，却留下参谋闻焕章在梁山泊里。那高俅在梁山泊时，亲口说道："我回到朝廷，亲引萧让等面见天子，便当力奏，亲自保举，火速差人就便前来招安。"因此上就叫乐和为伴，与萧让一同去了，不在话下。

且说梁山泊众头目商议，宋江道："我看高俅此去，未知真实。"吴用笑道:"我观此人生的蜂目蛇形,是个转面无恩之人。他折了许多军马,废了朝廷许多钱粮,回到京师,必然推病不出,朦胧奏过天子,权将军士歇息,萧让、乐和软监在府里。若要等招安,空劳神力。"宋江道:"似此怎生奈何!招安犹可,又且陷了二人。"吴用道:"哥哥再选两个乖觉的人,多将金宝,前去京师探听消息,就行钻刺关节,斡运①衷情,达知今上,令高太尉藏匿不得,此为上计。"燕青便起身说道:"旧年闹了东京,是小弟去李师师家入肩②。不想这一场大闹,他家已自猜了八分。只有一件,他却是天子心爱的人,官家那里疑他?他自必然奏说:梁山泊知得陛下在此私行,故来惊吓。已是奏过了。如今小弟多把些金珠去那里入肩,枕头上关节最快,亦是容易。小弟可长可短,见机而作。"宋江道:"贤弟此去,须担干系。"戴宗便道:"小弟帮他去走一遭。"神机军师朱武道:"兄长昔日打华州时,尝与宿太尉有恩。此人是个好心的人。若得本官于天子前早晚题奏,亦是顺事。"宋江想起:"九天玄女之言'遇宿重重喜',莫非正应着此人身上?"便请闻参谋来堂上同坐。宋江道:"相公曾认得太尉宿元景么?"闻焕章道:"他是在下同窗朋友,如今和圣上寸步不离。此人极是仁慈宽厚,待人接物,一团和气。"宋江道:"实不瞒相公说,我等疑高太尉回京,必然不奏招安一节。宿太尉旧日在华州降香,曾与宋江有一面之识。今要使人去他那里打个关节,求他添力,早晚于天子处题奏,共成此事。"闻参谋答道:"将军既然如此,在下当修尺书奉去。"宋江大喜。随即教取纸笔来,一面焚起好香,取出玄女课,望空祈祷,卜得个上上大吉之兆。

---

① 斡运——诉说。
② 入肩——为谋划某件事而置身其间。

随即置酒与戴宗、燕青送行。收拾金珠细软之物两大笼子，书信随身藏了，仍带了开封府印信公文，两个扮作公人，辞了头领下山，渡过金沙滩，望东京进发。戴宗扢着雨伞，背着个包裹，燕青把水火棍挑着笼子，拽扎起皂衫，腰系着缠袋，脚下都是腿绷护膝，八搭麻鞋。于路上离不得饥餐渴饮，夜住晓行。

不则一日，来到东京，不由顺路入城，却转过万寿门来。两个到得城门边，把门军当住。燕青放下笼子，打着乡谈说道："你做甚么当我？"军汉道："殿帅府有钧旨：梁山泊诸色人等，恐有夹带入城，因此着仰各门，但有外乡客人出入，好生盘诘。"燕青笑道："你便是了事的公人，将着自家人，只管盘问。俺两个从小在开封府勾当，这门下不知出入了几万遭，你颠倒只管盘问，梁山泊人，眼睁睁的都放他过去了。"便向身边取出假公文，劈脸丢将去道："你看这是开封府公文不是？"那监门官听得，喝道："既是开封府公文，只管问他怎地！放他入去。"燕青一把抓了公文，揣在怀里，挑起笼子便走。戴宗也冷笑了一声。两个径奔开封府前来，寻个客店安歇了。有诗为证：

> 两挑行李奔东京，昼夜兼行不住程。
> 盘诘徒劳费心力，禁门安识伪批情。

次日，燕青换领布衫穿了，将搭膊系了腰，换顶头巾歪带着，只妆做小闲模样。笼内取了一帕子金珠，分付戴宗道："哥哥，小弟今日去李师师家干事。倘有些决撒，哥哥自快回去。"分付戴宗了当，一直取路，径投李师师家来。到的门前看时，依旧曲槛雕栏，绿窗朱户，比先时又修的好。燕青便揭起斑竹帘子，便从侧首边转将入来，早闻的异香馥郁。入到客位前，见周回吊挂名贤书画，阶檐下放着三二十盆怪石苍松；坐榻尽是雕花香楠木小床，坐褥尽铺锦绣。燕青微微地咳嗽一声，丫嬛出来见了，便传报李妈妈出来。看见是燕青，吃了一惊，便道："你如何又来此间？"燕青道："请出娘子来，小人自有话说。"李妈妈道："你前番连累我家坏了房子，你有话便说。"燕青道："须是娘子出来，方才说的。"李师师在窗子后听了多时，转将出来。燕青看时，别是一般风韵。但见容貌似海棠滋晓露，腰肢如杨柳裊东风，浑如阆苑琼姬，绝胜桂宫仙姊。有诗为证：

> 芳容丽质更妖娆，秋水精神瑞雪标。
>
> 凤眼半弯藏琥珀，朱唇一颗点樱桃。
>
> 露来玉指纤纤软，行处金莲步步娇。
>
> 白玉生香花解语，千金良夜实难消。

当下李师师轻移莲步，款蹙湘裙，走到客位里面。燕青起身，把那帕子放在桌上，先拜了李妈妈四拜，后拜李行首两拜。李师师谦让道："免礼。俺年纪幼小，难以受拜。"燕青拜罢，起身道："前者惊恐，小人等安身无处。"李师师道："你休瞒我！你当初说道是张闲，那两个是山东客人，临期闹了一场。不是我巧言奏过官家，别的人时，却不满门遭祸！他留下词中两句，道是：'六六雁行连八九，只等金鸡消息。'我那时便自疑惑，正待要问，谁想驾到。后又闹了这场，不曾问的。今喜你来，且释我心中之疑。你不要隐瞒，实对我说知。若不明言，决无干休。"燕青道："小人实诉衷曲，花魁娘子休要吃惊。前番来的那个黑矮身材，为头坐的，正是呼保义宋江；第二位坐的，白俊面皮，三牙髭须，那个便是柴世宗嫡派子孙，小旋风柴进；这公人打扮，立在面前的，便是神行太保戴宗；门首和杨太尉厮打的，正是黑旋风李逵；小人是北京大名府人氏，人都唤小人做浪子燕青。当初俺哥哥来东京求见娘子，教小人诈作张闲，来宅上入肩。俺哥哥要见尊颜，非图买笑迎欢，只是久闻娘子遭际今上，以此亲自特来告诉衷曲,指望将替天行道、保国安民之心,上达天听,早得招安,免致生灵受苦。若蒙如此,则娘子是梁山泊数万人之恩主也。如今被奸臣当道,谗佞专权,闭塞贤路,下情不能上达,因此上来寻这条门路,不想惊吓娘子。今俺哥哥无可拜送,只有些少微物在此,万望笑留。"燕青便打开帕子,摊在桌上,都是金珠宝贝器皿。那虔婆爱的是财,一见便喜,忙叫奶子收拾过了,便请燕青,教进里面小阁儿内坐地,安排好细食茶果,殷勤相待。原来李师师家,皇帝不时间来,因此上公子王孙,富豪子弟,谁敢来他家讨茶吃。

　　且说当时铺下盘馔酒肴果子,李师师亲自相待。燕青道:"小人是个该死的人,如何敢对花魁娘子坐地!"李师师道:"休恁地说! 你这一般义士,久闻大名。只是奈缘中间无有好人与你们众位作成,因此上屈沉水泊。"燕青道:"前番陈太尉来招安,诏书上并无抚恤的言语,更兼抵换了御酒。第二番领诏招安,正是诏上要紧字样,故意读破句读:'除宋江,卢俊义等大小人众所犯过恶,并与赦免。'因此上又不曾归顺。童枢密引将军来,只两阵杀的片甲不归。次后高太尉役天下民夫,造船征进,只三阵,人马折其大半。高太尉被俺哥哥活捉上山,不肯杀害,重重管待,送回京师,生擒人数,尽都放还。他在梁山泊说了大誓,如回到朝廷,奏过天子,便来招安。因此带了梁山泊两个人来,一个是秀才萧让,一个是能唱乐和,眼见的把这二人藏在家里,不肯令他出来。损兵折将,必然瞒着天子。"李师师道:"他这等破耗钱粮,损折兵将,如何敢奏! 这话我尽知了。且饮数杯,别作商议。"燕青道:"小人天性不能饮酒。"李师师道:"路远风霜,到此开怀,也饮几杯,再作计较。"燕青被央不过,一杯两盏,只得陪侍。

　　原来这李师师是个风尘妓女,水性的人,见了燕青这表人物,能言快说,口舌利便,倒有心看上他。酒席之间,用些话来嘲惹他。数杯酒后,一言半语,便来撩拨。燕青是个百伶百俐的人,如何不省得。他却是好汉胸襟,怕误了哥哥大事,那里敢来承惹。李师师道:"久闻的哥哥诸般乐艺,酒边闲听,愿闻也好。"燕青答道:"小人颇学的些本事,怎敢在娘子跟前卖弄过!"李师师道:"我便先吹一曲,教哥哥听。"便唤丫嬛取箫来。锦袋内掣出那管凤箫,李师师接来,口中轻轻吹动,端的是穿云裂石之声。有诗为证:

俊俏烟花大有情,玉箫吹出凤凰声。

燕青亦自心伶俐,一曲穿云裂太清。

　　燕青听了,喝采不已。李师师吹了一曲,递过箫来,与燕青道:"哥哥也吹一曲与我听则个。"燕青却要那婆娘欢喜,只得把出本事来,接过箫,便呜呜咽咽也吹一曲。李师师听了,不住声喝采,说道:"哥哥原来恁地吹的好箫!"李师师取过阮来,拨个小小的曲儿教燕青听,果然是玉珮齐鸣,黄莺对啭,馀韵悠扬。燕青拜谢道:"小人也唱个曲儿伏侍娘子。"顿开喉咽便唱,端的是声清韵美,字正腔真。唱罢,又拜。李师师执盏擎杯,亲与燕青回酒,谢唱曲儿,口儿里悠悠放出些妖娆声嗽,来惹燕青。燕青紧紧的低了头,唯诺而已。数杯之后,李师师笑道:"闻知哥哥好身文绣,愿求一观如何?"燕青笑道:"小人贱体虽有些花绣,怎敢在娘子跟前揎衣裸体!"李师师说道:"锦体社家子弟,那里去问揎衣裸体。"三回五次,定要讨看,燕青只的脱膊下来。李师师看了,十分大喜,把尖尖玉手,便摸他身上,燕青慌忙穿了衣裳。李师师再与燕青把盏,又把言语来调他。燕青恐怕他动手动脚,难以回避,心生一计,便动问道:"娘子今年贵庚多少?"李师师答道:"师师今年二十有七。"燕青说道:"小人今年二十有五,却小两年。娘子既然错爱,愿拜为姐姐。"燕青便起身,推金山,倒玉柱,拜了八拜。那八拜,是拜住那妇人一点邪心,中间里好干大事。若是第二个在酒色之中的,也坏了大事。因此上单显燕青心如铁石,端的是好男子!

当时燕青又请李妈妈来,也拜了,拜做干娘。燕青辞回,李师师道:"小哥只在我家下,休去店中歇。"燕青道:"既蒙错爱,小人回店中取了些东西便来。"李师师道:"休教我这里专望。"燕青道:"店中离此间不远,少顷便到。"燕青暂别了李师师,径到客店中,把上件事和戴宗说了。戴宗道:"如此最好。只恐兄弟心猿意马,拴缚不定。"燕青道:"大丈夫处世,若为酒色而忘其本,此与禽兽何异!燕青但有此心,死于万剑之下。"戴宗笑道:"你我都是好汉,何必说誓。"燕青道:"如何不说誓!兄长必然生疑。"戴宗道:"你当速去,善觑方便,早干了事便回,休教我久等。宿太尉的书,也等你来下。"燕青收拾一包零碎金珠细软之物,再回李师师家,将一半送与李妈,将一半散与全家大小,无一个不欢喜。便向客位侧边,收拾一间房,教燕青安歇。合家大小,都叫叔叔。

也是缘法凑巧,至夜,却好有人来报:"天子今晚到来。"燕青听的,便去拜告李师师道:"姐姐做个方便,今夜教小弟得见圣颜,告的纸御笔赦书,赦了小乙罪犯,出自姐姐之德。"李师师道:"今晚教你见天子一面,你却把些本事动达天颜,赦书何愁没有。"看看天晚,月色朦胧,花香馥郁,兰麝芬芳。只见道君皇帝引着一个小黄门,扮作白衣秀士,从地道中径到李师师家后门来。到的阁子里坐下,便教前后关闭了门户,明晃晃点起灯烛荧煌。李师师冠梳插带,整肃衣裳,前来接驾。拜舞起居寒温已了,天子命:"去其整妆衣服,相待寡人。"李师师承旨,去其服色,迎驾入房。家间已准备下诸般细果,异品肴馔,摆在面前。李师师举杯上劝天子,天子大喜,叫:"爱卿近前,一处坐地。"李师师见天子龙颜大喜,向前奏道:"贱人有个姑舅兄弟,从小流落外方,今日才归,要见圣上,未敢擅便,乞取我王圣鉴。"天子道:"既然是你兄弟,便宜将来见寡人,有何妨。"奶子遂唤燕青直到房内,面见天子。燕青纳头便拜。官家看了燕青一表人物,先自大喜。李师师叫燕青吹箫,伏侍圣上饮酒。少顷,又拨一回阮,然后叫燕青唱曲。燕青再拜奏道:"所记无非是淫词艳曲,如何敢伏侍圣上!"官家道:"寡人私行妓馆,其意正要听艳曲消闷,卿当勿疑。"燕青借过象板,再拜罢圣上,对李师师道:"音韵差错,望姐姐见教。"燕青顿开喉咽,手擎象板,唱《渔家傲》一曲。道是:

> "一别家乡音信杳,百种相思,肠断何时了! 燕子不来花又老,一春瘦的腰儿小。　　薄幸郎君何日到? 想是当初,莫要相逢好! 着我好梦欲成还又觉,绿窗但觉莺声晓。"

燕青唱罢,真乃是新莺乍啭,清韵悠扬。天子甚喜,命教再唱。燕青拜倒在地,奏道:"臣有一只《减字木兰花》,上达圣听。"天子道:"好,寡人愿闻。"燕青拜罢,遂唱《减字木兰花》一曲。道是:

> "听哀告,听哀告,贱躯流落谁知道,谁知道! 极天罔地,罪恶难分颠倒!　　有人提出火坑中,肝胆常存忠孝,常存忠孝! 有朝须把大恩人报。"

燕青唱罢,天子失惊,便问:"卿何故有此曲?"燕青大哭,拜在地下。天子转疑,便道:"卿且诉胸中之事,寡人与卿理会。"燕青奏道:"臣有迷天之罪,不敢上奏。"天子曰:"赦卿无罪,但奏不妨。"燕青奏道:"臣自幼飘泊江湖,流落山东,跟随客商,路经梁山泊过,致被劫掳上山,一住三年,今日方得脱身逃命,走回京师。虽然见的姐姐,则是不敢上街行走。倘或有人认得,通与做公的,此时如何分说?"李师师便奏道:"我兄弟心中,只有此苦,望陛下做主则个!"天子笑道:"此事至容易!你是李行首兄弟,谁敢拿你!"燕青以目送情与李师师,李师师撒娇撒痴,奏天子道:"我只要陛下亲书一道赦书,赦免我兄弟,他才放心。"天子云:"又无御宝在此,如何写的?"李师师又奏道:"陛下亲书御笔,便强似玉宝天符。救济兄弟做的护身符时,也是贱人遭际圣时。"天子被逼不过,只得命取纸笔。奶子随即捧过文房四宝。燕青磨的墨浓,李师师递过紫毫象管,天子拂开花笺黄纸,横内大书一行。临写,又问燕青道:"寡人忘卿姓氏。"燕青道:"男女唤做燕青。"天子便写御书道云:"神霄玉府真主宣和羽士虚静道君皇帝,特赦燕青本身一应无罪,诸司不许拿问。"下面押个御书花字。燕青再拜,叩头受命。李师师执盏擎杯谢恩。

　　天子便问:"汝在梁山泊,必知那里备细。"燕青奏道:"宋江这伙,旗上大书'替天行道',堂设'忠义'为名,不敢侵占州府,不肯扰害良民,单杀贪官污吏,谗佞之人。只是早望招安,愿与国家出力。"天子乃曰:"寡人前者两番降诏,遣人招安,如何抗拒,不伏归降?"燕青奏道:"头一番招安诏书上,并无抚恤招谕之言,更兼抵换了御酒,尽是村醪,以此变了事情。第二番招安,故把诏书读破句读,要除宋江,暗藏弊幸,因此又变了事情。童枢密引军到来,只两阵杀的片甲不回。高太尉提督军马,又役天下民夫,修造战船征进,不曾得梁山泊一根折箭,只三阵,杀的手脚无措,军马折其二停,自己亦被活捉上山;许了招安,方才放回,又带了山上二人在此,却留下闻参谋在彼质当。"天子听罢,便叹

道:"寡人怎知此事!童贯回京时奏说:军士不伏暑热,暂且收兵
罢战。高俅回军奏道:病患不能征进,权且罢战回京。"李师师奏
说:"陛下虽然圣明,身居九重,却被奸臣闭塞贤路,如之奈何?"
天子嗟叹不已。约有更深,燕青拿了赦书,叩头安置,自去歇息。
天子与李师师上床同寝,共乐绸缪。有诗为证:

　　　清夜宫车暗出游,青楼深处乐绸缪。

　　　当筵诱得龙章字,逆罪滔天一笔勾。

　　当夜五更,自有内侍黄门接将去了。燕青起来,推道清早干
事,径来客店里,把说过的话,对戴宗一一说知。戴宗道:"既然
如此,多是幸事。我两个去下宿太尉的书。"燕青道:"饭罢便
去。"两个吃了些早饭,打挟了一笼子金珠细软之物,拿了书信,
径投宿太尉府中来。街坊上借问人时,说太尉在内里未归。燕
青道:"这早晚正是退朝时分,如何未归?"街坊人道:"宿太尉是
今上心爱的近侍官员,早晚与天子寸步不离,归早归晚,难以指
定。"正说之间,有人报道:"这不是太尉来也!"燕青大喜,便对戴
宗道:"哥哥,你只在此衙门前伺候,我自去见太尉去。"燕青近
前,看见一簇锦衣花帽从人,捧着轿子。燕青就当街跪下,便道:
"小人有书札上呈太尉。"宿太尉见了,叫道:"跟将进来。"燕青随
到厅前。太尉下了轿子,便投侧首书院里坐下。太尉叫燕青入
来,便问道:"你是那里来的干人?"燕青道:"小人从山东来,今有
闻参谋书札上呈。"太尉道:"那个闻参谋?"燕青便向怀中取出书
呈递上去。宿太尉看了封皮,说道:"我道是那个闻参谋,原来是
我幼年间同窗的闻焕章。"遂拆开书来看时,写道:

　　　"侍生闻焕章沐手百拜奉书太尉恩相钧座前:贱子自髫
　　年时出入门墙,已三十载矣。昨蒙高殿帅唤至军前,参谋大
　　事。奈缘劝谏不从,忠言不听,三番败绩,言之甚羞。高太

尉与贱子一同被掳,陷于缧绁。义士宋公明,宽裕仁慈,不忍加害。则今高殿帅带领梁山萧让、乐和赴京,欲请招安,留贱子在此质当。万望恩相不惜齿牙,早晚于天子前题奏,早降招安之典,俾令义士宋公明等早得释罪获恩,建功立业。非特国家之幸甚,实天下之幸甚也!立功名于万古,见义勇于千年。救取贱子,实领再生之赐。拂楮拳拳,幸垂昭察,不胜感激之至!

　　宣和四年春正月　　　　　日,闻焕章再拜奉上。"

宿太尉看了书大惊,便问道:"你是谁?"燕青答道:"男女是梁山泊浪子燕青。"随即出来取了笼子,径到书院里。燕青禀道:"太尉在华州降香时,多曾伏侍太尉来,恩相缘何忘了?宋江哥哥有些微物相送,聊表我哥哥寸心。每日占卜,课内只着求太尉提拔救济。宋江等满眼只望太尉来招安,若得恩相早晚于天子前题奏此事,则梁山泊十万人之众,皆感大恩!哥哥责着限次,男女便回。"燕青拜辞了,便出府来。宿太尉使人收了金珠宝物,已有在心。

　　且说燕青便和戴宗回店中商议:"这两件事都有些次第,只是萧让、乐和在高太尉府中,怎生得出?"戴宗道:"我和你依旧扮作公人,去高太尉府前伺候。等他府里有人出来,把些金银贿赂与他,赚得一个厮见,通了消息,便有商量。"当时两个换了结束,带将金银,径投太平桥来。在衙门前窥望了一回,只见府里一个年纪小的虞候,摇摆将出来。燕青便向前与他施礼,那虞候道:"你是甚人?"燕青道:"请干办到茶肆中说话。"两个到阁子内,与戴宗相见了,同坐吃茶。燕青道:"实不瞒干办说,前者太尉从梁山泊带来那两个人,一个跟的叫做乐和,与我这哥哥是亲眷,欲要见他一见,因此上相央干办。"虞候道:"你两个且休说! 节堂深处的勾当,谁理会的!"戴宗便向袖内取出一锭大银,放在桌子上,对虞候道:"足下只引的乐和出来相见一面,不要出衙门,便送这锭银子与足下。"那人见了财物,一时利动人心,便道:"端的有这两个人在里面。太尉钧旨,只教养在后花园里宿歇。我与你唤他出来,说了话,你休失信,把银子与我。"戴宗道:"这个自然。"那人便起身分付道:"你两个只在此茶坊里等我。"那人急急入府去了。未知如何,有诗为证:

> 虞候衙中走出来,便将金帛向前排。
> 燕青当下通消息,准拟更深有刬划。

戴宗、燕青两个在茶坊中等不到半个时辰,只见那小虞候慌慌出来说道:"先把银子来! 乐和已叫出在耳房里了。"戴宗与燕青附耳低言如此如此,就把银子与他。虞候得了银子,便引燕青耳房里来见乐和。那虞候道:"你两个快说了话便去。"燕青便与乐和道:"我同戴宗在这里,定计赚你两个出去。"乐和道:"直把我们两个养在后花园中,墙垣又高,无计可出。折花梯子尽都藏过了,如何能勾出来?"燕青道:"靠墙有树么?"乐和道:"傍墙一边,都是大柳树。"燕青道:"今夜晚间,只听咳嗽为号,我在外面,漾过两条索去。你就相近的柳树上,把索子绞缚了,我两个在墙外各把一条索子扯住,你两个就从索上盘将出来。四更为期,不可失误。"那虞候便道:"你两个只管说甚的,快去罢。"乐和自入去了,暗暗通报了萧让。燕青急急去与戴宗说知,当日至夜伺候。

且说燕青、戴宗两个,就街上买了两条粗索,藏在身边,先去高太尉府后看了落脚处。原来离府后是条河,河边却有两只空船缆着,离岸不远,两个便就空船里伏了。看看听的更鼓已打四更,两个便上岸来,绕着墙后咳嗽。只听的墙里应声咳嗽,两边都已会意,燕青便把索来漾将过去。约莫里面拴系牢了,两个在外面对绞定,紧紧地拽住索头。只见乐和先盘出来,随后便是萧让,两个都溜将下来,却把索子丢入墙内去了。四人再来空船内,伏到天色将晓,却去敲开客店门,房中取了行李,就店中打火,做了早饭吃,算了房宿钱。四个来到城门边,等门开时,一涌出来,望梁山泊回报消息。

　　不是这四个回来,有分教:宿太尉单奏此事,宋公明全受招安。正是:中贵躬亲颁凤诏,英雄朝贺在丹墀。毕竟宿太尉怎生奏请圣旨前去招安,且听下回分解。

第八十二回

梁山泊分金大买市　宋公明全伙受招安

诗曰：

燕青心胆坚如铁，外貌风流却异常。

花柳曲中逢妓女，洞房深处遇君王。

只因姓字题金榜，致使皇恩降玉章。

持本御书丹诏去，英雄从此作忠良。

话说燕青在李师师家遇见道君皇帝，告得一道本身赦书，次后见了宿太尉，又和戴宗定计，高太尉府中赚出萧让、乐和。四个人等城门开时，随即出城，径赶回梁山泊来，报知上项事务。

且说李师师当夜不见燕青来家，心中亦有些疑虑。却说高太尉府中亲随人，次日供送茶饭与萧让、乐和，就房中不见了二人，慌忙报知都管。都管便来花园中看时，只见柳树边拴着两条粗索，因此已知走了二人，只得报知太尉。高俅听罢，吃了一惊，越添忧闷，只在府中，推病不出。次日五更，道君皇帝设朝，受百官朝贺。

星斗依稀玉漏残，锵锵环珮列千官。

露凝仙掌金盘冷，月映瑶空贝阙寒。

禁柳绿连青琐闼，宫桃红压碧栏杆。

皇风清穆乾坤泰，千载君臣际会难。

当日天子驾坐文德殿，道："今日文武班齐么？"殿头官奏道：

"是日左文右武,都会集在殿下,俱各班齐。"天子宣命卷帘,旨令左右近臣宣枢密使童贯出班,问道:"你去岁统十万大军,亲为招讨,征进梁山泊,胜败如何?"童贯跪下,便奏道:"臣旧岁统率大军前去征进,非不效犬马力,奈缘暑热,军士不伏水土,患病者众,十死二三。臣见军马委顿,以此权且收兵振旅,各归本营操练。所有御林军于路伤喝者,计损太半。后蒙降诏,贼人假气游魂,未伏招抚。及高俅以戈船进征,亦中途抱病而返。"天子大怒,喝道:"汝这不才奸佞之臣!政不奏闻寡人,以致坏了国家大事。你去岁统兵征伐梁山泊,如何只两阵,被寇兵杀的人马辟易,片甲只骑无还,遂令王师败绩。次后高俅那厮,废了州郡多少钱粮,陷害了许多兵船,折了若干军马,自又被寇活捉上山。宋江等不忍诛之,以礼放还。大辱君命,岂不为天下僇笑①!寡人闻宋江等,不侵州府,不掠良民,只待招安,与国家出力。都是汝等嫉贤妒能之臣壅蔽,不使下情上达,何异城狐社鼠②也!汝掌管枢密,岂不自惭!本欲拿问以谢天下,姑且待后。"喝退一壁。童贯默默无言,退在一边。天子命宣翰林学士:"与寡人亲修丹诏,便差大臣前去,招抚梁山泊宋江等归还。"天子圣宣未了,有殿前太尉宿元景出班跪下,奏道:"臣虽不才,愿往一遭。"天子大喜:"寡人御笔亲书丹诏!"便叫抬上御案,拂开诏纸,天子就御案上亲书丹诏。左右近臣,捧过御宝,天子自行用讫。又命库藏官,教取金牌三十六面,银牌七十二面,红锦三十六匹,绿锦七十二匹,黄封御酒一百八瓶,尽付与宿太尉。又赠正从表里二十四,金字招安御旗一面,限次日便行。宿太尉就文德殿辞了天

---

①　僇(lù)笑——耻笑。

②　城狐社鼠——城墙上的狐狸,土地庙里的老鼠。比喻仗势作恶的小人。

子。百官朝罢,童枢密差颜回府,推病不敢入朝。高太尉闻知,恐惧无措,亦不敢入朝。正是:凤凰丹禁里,衔出紫泥书。有诗为证:

> 一封恩诏出明光,共喜怀柔迈汉唐。
> 珍重侍臣宣帝泽,会看水浒尽来王。

且说宿太尉打担了御酒、金银牌面、段匹表里之物,上马出城。打起御赐金字黄旗,众官相送出南薰门,投济州进发,不在话下。

却说燕青、戴宗、萧让、乐和四个,连夜到山寨,把上件事都说与宋公明并头领知道。燕青便取出道君皇帝御笔亲写赦书,与宋江等众人看了。吴用道:"此回必有佳音。"宋江焚起好香,取出九天玄女课来,望空祈祷祝告了,卜得个上上大吉之兆。宋江大喜:"此事必成!"再烦戴宗、燕青前去探听虚实,作急回报,好做准备。戴宗、燕青去了数日,回来报说:"朝廷差宿太尉亲赍丹诏,更有御酒、金银牌面、红绿锦段表里,前来招安,早晚到也。"宋江听罢大喜。在忠义堂上,忙传将令,分拨人员,从梁山泊直抵济州地面,扎缚起二十四座山棚,上面都是结彩悬花,下面陈设笙箫鼓乐。各处附近州郡,雇倩乐人,分拨于各山棚去处,迎接诏敕。每一座山棚上,拨一个小头目监管。一壁教人分投买办果品海味、按酒干食等项,准备筵宴茶饭席面。

且说宿太尉奉敕来梁山泊招安,一干人马,迤逦都到济州。太守张叔夜出郭迎接入城,馆驿中安下。太守起居宿太尉已毕。把过接风酒,张叔夜禀道:"朝廷颁诏敕来招安,已是二次,盖因不得其人,误了国家大事。今者太尉此行,必与国家立大功也。"宿太尉乃言:"天子近闻梁山泊一伙以义为主,不侵州郡,不害良民,专一替天行道。今差下官赍到天子御笔亲书丹诏,敕赐金牌三十六面,银牌七十二面,红锦三十六匹,绿锦七十二匹,黄封御酒一百八瓶,表里二十四匹,来此招安。礼物轻否?"张叔夜道:"这一般人,非在礼物轻重,要图忠义报国,扬名后代。若得太尉早来如此,也不教国家损兵折将,虚耗了钱粮。此一伙义士归降之后,必与朝廷建功立业。"宿太尉道:"下官在此专待,有烦太守亲往山寨报知,着令准备迎接。"张叔夜答道:"小官愿往。"随即上马出城,带了十数个从人,径投梁山泊来。到的山下,早有小头目接着,报上寨里来。宋江听罢,慌忙下山迎接。张太守上山,到忠义堂上。相见罢,张叔夜道:"义士恭喜!朝廷特遣殿前宿太尉,赍擎丹诏,御笔亲书,前来招安,敕赐金牌表里御酒段匹,见在济州城内。义士可以准备迎接诏旨。"宋江大喜,以手加额道:"实江等再生之幸!"当时留请张太守茶饭,张叔夜道:"非是下官拒意,惟恐太尉见怪回迟。"宋江道:"略奉一杯,非敢为礼。"托出一盘金银相送。张太守见了,便道:"叔夜更不敢受!"宋江道:"些少微物,何故推却?未足以为报谢,聊表寸心。若事毕之后,则当重酬。"张叔夜道:"深感义士厚意。且留于大寨,却来请领,未为晚矣。"太守可谓廉以律己者也。有诗为证:

　　风流太守来传信,便把黄金作饯行。

　　捧献再三原不受,一廉水月更分明。

　　宋江便差大小军师吴用、朱武并萧让、乐和四个,跟随张太守下山,直往济州来参见宿太尉。约至后日,众多大小头目离寨三十里外,伏道相迎。当时吴用等跟随太守张叔夜,连夜下山,直到济州。次日来馆驿中参见宿太尉,拜罢,跪在面前。宿太尉教平身起来,俱各命坐。四个谦让,那里敢坐。太尉问其姓氏,吴用答道:"小生吴用,在下朱武、萧让、乐和,奉兄长宋公明命,特来迎接恩相。兄长与弟兄,后日离寨三十里外,伏道相迎。"宿太尉大喜,便道:"加亮先生,间别久矣!自从华州一别之后,已经数载,谁想今日得与重会!下官知汝弟兄之心,素怀忠义,只被奸臣闭塞,谗佞专权,使汝众人下情不能上达。目今天子悉已知之,特命下官赍到天子御笔亲书丹诏,金银牌面,红绿锦段,御酒表里,前来招安。汝等勿疑,尽心受领。"吴用等再拜称谢道:"山野狂夫,有劳恩相降临,感蒙天恩,皆出乎太尉之赐也。众弟兄刻骨铭心,难以补报。"张叔夜一面设宴管待。

到第三日清晨,济州装起香车三座,将御酒另一处龙凤盒内抬着;金银牌面、红绿锦段,另一处扛抬;御书丹诏,龙亭内安放。宿太尉上了马,靠龙亭东行,太守张叔夜骑马在后相陪。吴用等四人乘马跟着,大小人伴,一齐簇拥。前面马上打着御赐销金黄旗,金鼓旗幡,队伍开路,出了济州,迤逦前行。未及十里,早迎着山棚。宿太尉在马上看了,见上面结采悬花,下面笙箫鼓乐,迫道迎接。再行不过数十里,又是结采山棚。前面望见香烟拂道,宋江、卢俊义跪在面前,背后众头领齐齐都跪在地下,迎接恩诏。宿太尉道:"都教上马。"一同迎至水边,那梁山泊千百只战船,一齐渡将过去,直至金沙滩上岸。三关之上,三关之下,鼓乐喧天,军士导从,仪卫不断,异香缭绕,直至忠义堂前下马。香车龙亭,抬放忠义堂上。中间设着三个几案,都用黄罗龙凤桌围围着。正中设万岁龙牌,将御书丹诏放在中间,金银牌面放在左边,红绿锦段放在右边,御酒表里亦放于前。金炉内焚着好香。宋江、卢俊义邀请宿太尉、张太守上堂设坐。左边立着萧让、乐和,右边立着裴宣、燕青。卢俊义等都跪在堂前。裴宣喝拜。拜罢,萧让开读诏文:

"制曰:朕自即位以来,用仁义以治天下,行礼乐以变海内,公赏罚以定干戈。求贤之心未尝少怠,爱民之心未尝少洽。博施济众，欲与天地均同；体道行仁，咸使黎民蒙庇。遐迩赤子，咸知朕心。切念宋江、卢俊义等，素怀忠义，不施暴虐。归顺之心已久，报效之志凛然。虽犯罪恶，各有所由，察其情恳，深可悯怜。朕今特差殿前太尉宿元景，赍捧诏书，亲到梁山水泊，将宋江等大小人员所犯罪恶尽行赦免。给降金牌三十六面，红锦三十六匹，赐与宋江等上头领；银牌七十二面，绿锦七十二匹，赐与宋江部下头目。赦书到日，莫负朕心，早早归降，必当重用。故兹诏敕，想宜悉知。

宣和四年春二月　　　日诏示。"

萧让读罢丹诏，宋江等山呼万岁，再拜谢恩已毕。宿太尉取过金银牌面，红绿锦段，令裴宣依次照名，给散已罢。叫开御酒，取过银酒海，都倾在里面，随即取过旋杓舀酒，就堂前温热，倾在银壶内。宿太尉执着金锺，斟过一杯酒来，对众头领道："宿元景虽奉君命，特赍御酒到此，命赐众头领，诚恐义士见疑。元景先饮此杯，与众义士看，勿得疑虑。"众头领称谢不已。宿太尉饮毕，再斟酒来，先劝宋江，宋江举杯跪饮。然后卢俊义、吴用、公孙胜陆续饮酒，遍劝一百单八名头领，俱饮一杯。

宋江传令，教收起御酒，却请太尉居中而坐，众头领拜复起居。宋江进前称谢道："宋江昨者西岳得识台颜，多感太尉恩厚，于天子左右力奏，救拔宋江等再见天日之光，铭心刻骨，不敢有忘。"宿太尉道："元景虽知义士等忠义凛然，替天行道，奈缘不知就里委曲之事，因此天子左右，未敢题奏，以致担误了许多时。前者收得闻参谋书，又蒙厚礼，方知有此衷情。其日天子在披香殿上，官家与元景闲论，问起义士，以此元景奏知此事。不期天子已知备细，与某所奏相同。次日，天子驾坐文德殿，就百官之前，痛责童枢密，深怪高太尉累次无功，亲命取过文房四宝，天子御笔亲书丹诏，特差宿某亲到大寨，启请众头领。烦望义士早早收拾朝京，休负圣天子宣召抚安之意。"众皆大喜，拜手称谢。宋江邀请闻参谋相见，宿太尉欣然交集，满堂欢喜。当请宿太尉居中上坐，张太守、闻参谋对席相陪。堂上堂下，皆列位次，大设筵宴，轮番把盏。厅前大吹大擂。虽无炮龙烹凤，端的是肉山酒海。当日尽皆大醉，各扶归幕次里安歇。次日，又排筵宴，彼各叙旧论新，讲说平生之怀。第三日，再排席面，请宿太尉游山，至暮尽醉方散，各归安歇。俟尔已经数日，宿太尉要回，宋江等坚意相留。宿太尉道："义士不知就里。元景奉天子敕旨而来，到此间数日之久，荷蒙英雄慨然归顺，大义俱全。若不急回，诚恐奸臣相妒，别生异议。"宋江等道："据某愚意，相留恩相游玩数日。太尉既然有此之念，不敢苦留，今日尽此一醉，来早拜送恩相下山。"当时会集大小头领，尽来集义饮宴。吃酒中间，众皆称谢，宿太尉又用好言抚恤，至晚方散。

次日清晨，安排车马。宋江亲捧一盘金珠，到宿太尉幕次内，再拜上献。宿太尉那里肯受。宋江再三献纳，方才收了，打挟在衣箱内。拴束行李鞍马，准备起程。其馀跟来人数，连日自是朱武、乐和管待，依例饮馔，酒量高低，并皆厚赠金银财帛，众人皆喜。仍将金宝赍送闻参谋、张太守，二公亦不肯受。宋江坚执奉承，才肯收纳。宋江遂令闻参谋跟同宿太尉回京师。梁山泊大小头领，俱金鼓细乐，相送太尉下山。渡过金沙滩，俱送过三十里外，众皆下马，与宿太尉把盏钱行相别。宋江当先，执盏擎杯道："太尉恩相回见天颜，善言保奏。"宿太尉回道："义士但且放心，只早早收拾朝京为上。军马若到京师来，可先使人到我府中通报。俺先奏闻天子，使人持节来迎，方见十分公气。"宋江道:"恩相容复:小可水洼,自从王伦上山开创之后,却是晁盖上山,今至宋江,已经数载,附近居民,扰害不浅。小可愚意,今欲罄竭资财,买市十日,收拾已了,便当尽数朝京,安敢迟滞。亦望太尉烦请将此愚衷,上达圣听,以宽限次。"宿太尉应允,别了众人,带了开诏一干人马,自投济州而去。

宋江等却回大寨,到忠义堂上鸣鼓聚众。大小头领坐下,诸多军校都到堂前。宋江传令:"众弟兄在此!自从王伦创立山寨以来,次后晁天王上山建业,如此兴旺。我自江州得众兄弟相救到此,推我为尊,已经数载。今日喜得朝廷招安,重见天日之面,早晚要去朝京,与国家出力,图个荫子封妻,共享太平之福。今来汝等众人,但得府库之物,纳于库中公用,其馀所得之资,并从均分,以义逢义,以仁达仁,并无争执。我一百八人,上应天星,生死一处。今者天子宽恩降诏,赦罪招安,大小众人,尽皆释其所犯。我等一百八人,早晚朝京面圣,莫负天子洪恩。汝等军校,也有自来落草的,也有随众上山的,亦有军官失陷的,亦有掳掠来的。今次我等受了招安,俱赴朝廷。你等如愿去的,作速上名进发;如不愿去的,就这里报名相辞,我自赍发你等下山,任从生理。"宋江号令已罢,着落裴宣、萧让,照数上名。号令一下,三军各各自去商议。当下辞去的也有三五千人,宋江皆赏钱物,赍发去了。愿随去充军者,作速报官。

次日宋江又令萧让写了告示,差人四散去贴,晓示临近州郡乡镇村坊,各各报知,仍请诸人到山,买市十日。其告示曰:

"梁山泊义士宋江等,谨以大义,布告四方:昨因哨聚山林,多扰四方百姓,今日幸蒙天子宽仁厚德,特降诏敕,赦免本罪,招安归降,朝暮朝觐。无以酬谢,就本身买市十日。

倘蒙不外，赍价前来，以一报答，并无虚谬。特此告知远近居民，勿疑辞避，惠然光临，不胜万幸。

　　宣和四年三月　　　　　　日，梁山泊义士宋江等谨请。"

　　萧让写毕告示，差人去附近州郡及四散村坊，尽行贴遍。发库内金珠、宝贝、彩段、绫罗、纱绢等项，分散各头领并军校人员。另选一分，为上国进奉。其馀堆集山寨，尽行招人买市十日，于三月初三日为始，至十三日终止。宰下牛羊，酝造酒醴，但到山寨里买市的人，尽以酒食管待，犒劳从人。至期，四方居民，担囊负笈，雾集云屯，俱至山寨。宋江传令，以一举十，俱各欢喜，拜谢下山。一连十日，每日如此。十日已外，住罢买市，号令大小，收拾赴京朝觐。宋江便要起送各家老小还乡，吴用谏道："兄长未可。且留众宝眷在此山寨，待我等朝觐面君之后，承恩已定，那时发遣各家老小还乡未迟。"宋江听罢道："军师言之极当。"再传将令，教头领即便收拾，整顿军士。宋江等随即火速起身，早到济州，谢了太守张叔夜。太守即设筵宴，管待众多义士，赏劳三军人马。宋江等辞了张太守，出城进发，带领众多军马，大小约有五七百人，径投东京来。先令戴宗、燕青前来京师宿太尉府中报知。太尉见说，随即便入内里奏知天子："宋江等众军马朝京。"天子闻奏大喜，便差太尉并御驾指挥使一员，手持旌旄节钺，出城迎接宋江。当下宿太尉领圣旨出郭。

　　且说宋江军马在路，甚是摆的整齐。前面打著两面红旗，一面上书"顺天"二字，一面上书"护国"二字。众头领都是戎装披挂。惟有吴学究纶巾羽扇，公孙胜鹤氅道袍，鲁智深烈火僧衣，武行者香皂直裰。其馀都是战袍金铠，本身服色。在路非止一日，前到京师城外，前逢御驾指挥使持节迎著军马。宋江闻知，领众头领前来参见宿太尉已毕，且把军马屯驻新曹门外，下了寨栅,听候圣旨。

且说宿太尉并御驾指挥使入城,至朝前面奏天子,说:"宋江等军马屯住新曹门外,听候我王圣旨。"天子乃曰:"寡人久闻梁山泊宋江等,有一百八人,上应天星,更兼英雄勇猛,人不可及。今已归降,作为良臣,到于京师。寡人来日引百官登宣德楼。可教宋江等众,俱以临敌披挂,本身戎装服色,休带大队人马,只将三五百步军马军进城,自东过西,寡人亲要观看。也教在城黎庶军民官僚知此英雄豪杰,为国良臣。然后却令卸其衣甲,除去军器,都穿所赐锦袍,从东华门而入,就文德殿朝见。"御驾指挥使领圣旨,直至行营寨前,口传圣旨与宋江等说知。

次日,宋江传令教铁面孔目裴宣,选拣彪形大汉五七百人,步军前面打着金鼓旗幡,后面摆着枪刀斧钺,中间竖着"顺天"、"护国"二面红旗,军士各悬刀剑弓矢,众人各各都穿本身披挂,戎装袍甲,摆成队伍,从东郭门而入。只见东京百姓军民,扶老挈幼,迫路观看,如睹天神。是时天子引百官在宣德楼上临轩观看。见前面摆列金鼓旗幡,枪刀斧钺,尽都摆列队伍;中有踏白^① 马军,打起"顺天"、"护国"二面红旗,外有二三十骑马上随军鼓乐;后面众多好汉,簇簇而行。解珍、解宝开路,朱武压后。怎见得一百八员英雄好汉入城朝觐?但见:

> 和风开御道,细雨润香尘。东方晓日初升,北阙珠帘半
> 卷。南薰门外,一百八员义士朝京;宣德楼中,万万岁
> 君王刮目。解珍、解宝,仗钢叉相对而行;孔明、孔亮,
> 执兵器齐肩而过。前列着邹渊、邹润,次分着李立、李
> 云。韩滔、彭玘显精神,薛永、施恩逞猛烈。单廷圭皂

---

① 踏白——宋代骑兵番号名。

袍闪烁,魏定国红甲光辉。宣赞紧对郝思文,凌振相随神算子。黄信左朝孙立,欧鹏右向邓飞。鲍旭、樊瑞仗双锋,郭盛、吕方持画戟。纱巾吏服,左手下铁面孔目裴宣;乌帽儒衣,右手下圣手书生萧让。丝缰玉勒,山东豪杰宋公明;画镫雕鞍,河北英雄卢俊义。吴加亮纶巾羽扇,公孙胜鹤氅道袍。豹子头与关胜连鞍,呼延灼同秦明共辔。花荣相连杨志,索超紧对董平。鲁智深烈火袈裟,武行者香皂直裰。柴进与李应相随趁,杨雄共石秀并肩行。徐宁不离张清,刘唐紧随史进。朱仝与雷横作伴,燕青和戴宗同行。李逵居左,穆弘在右。诸阮内阮二为尊,两张内李俊居长。陶宗旺共郑天寿为双,王矮虎与一丈青作配。项充、李衮,宋万、杜迁。菜园子相对小尉迟,孙二娘紧随顾大嫂。后面有蔡福、蔡庆、陈达、杨春,前头列童威、童猛、侯健、孟康。燕顺、杨林,对对挨肩;穆春、曹正,双双接踵。朱贵对连朱富,周通相接李忠。左有玉臂匠,右有铁笛仙。宋清相接乐和,焦挺追陪石勇。汤隆共杜兴作伴,得孙与龚旺同行。王定六面目狰狞,郁保四身躯长大。时迁乖觉,白胜高强。段景住马上超群,随后有三人压阵。安道全身披素服,皇甫端胸拂紫髯。神机朱武在中间,马上随军全乐部。护国旗盘旋瑞气,顺天旗招飐祥云。重重铠甲烁黄金,对对锦袍盘软翠。有如帝释,引天男天女下天宫;浑似海神,共龙子龙孙离洞府。正是:夹道万民齐束手,临轩帝主喜开颜。

且说道君天子,同百官在宣德楼上,看了梁山泊宋江等这一行部从,喜动龙颜,心中大悦。与百官道:"此辈好汉真英雄也!"

观看叹羡不已。命殿头官传旨，教宋江等各换御赐锦袍见帝。殿头官领命，传与宋江等。向东华门外，脱去戎装惯带，各穿御赐红绿锦袍，悬带金银牌面，各带朝天巾帻，抹绿朝靴。惟公孙胜将红锦裁成道袍，鲁智深缝做僧衣，武行者改作直裰，皆不忘君赐也。宋江、卢俊义为首，吴用、公孙胜为次，引领众人，从东华门而入。只见仪礼司整肃朝仪，陈设鸾驾。正是：

金殿当头紫阁重，仙人掌上玉芙蓉。太平天子朝元日，五色云车驾六龙。皇风清穆，温温霭霭气氤氲；丽日当空，郁郁蒸蒸云叆叇。微微隐隐，龙楼凤阙散满天香雾；霏霏拂拂，珠宫贝阙映万缕朝霞。文德殿灿灿烂烂，金碧交辉；未央宫光光彩彩，丹青炳焕。苍苍凉凉，日映着玉砌雕阑；袅袅英英，花簇着皇宫禁苑。紫扉黄阁，宝鼎内缥缥缈缈，沉檀齐爇；丹陛彤墀，玉台上明明朗朗，玉烛高焚。笼笼冬冬，振天鼓擂叠三通；铿铿鏓鏓，长乐钟撞百八下。枝枝杈杈，又刀手互相磕撞；摇摇曳曳，龙虎旗来往飞腾。锦裆花帽，擎着的是圆盖伞，方盖伞，上下开展；玉节龙旗，驾着的是大辂辇，玉辂辇，左右相陈。立金瓜，卧金瓜，三三两两；双龙扇，单龙扇，叠叠重重。群群队队，金鞍马，玉辔马，性貌驯习；双双对对，宝匣象，驾辕象，勇力狰狞。镇殿将军，长长大大甲披金；侍朝勋卫，齐齐整整刀晃银。严严肃肃，殿门内摆列着纠仪御史官；端端正正，姜擦边立站定近侍锦衣人。金殿上参参差差，齐开宝扇；画栋前轻轻款款，卷起珠帘。文楼上嘹嘹哕哕，报时鸡人三唱；玉阶下刮刮剌剌，肃静鞭响三声。济济楚楚，侍螭头，列簪缨，有五等之爵；巍巍荡荡，坐龙床，倚绣褥，瞻万

乘之尊。晴日照开青琐闼,天风吹下御炉香。千条瑞
霭浮金阙,一朵红云捧玉皇。

当日辰牌时候,天子驾升文德殿。仪礼司郎官引宋江等依
次入朝,排班行礼。殿头官赞拜舞起居,山呼万岁已毕,天子欣
喜,敕令宣上文德殿来,照依班次赐坐。命排御筵,敕光禄寺排
宴,良酝署进酒,珍羞署进食,掌醢署造饭,大官署供膳,教坊司
奏乐,天子亲御宝座陪宴宋江等。只见:

九重门启,鸣哕哕之鸾声;闾阖天开,睹巍巍之龙衮。
当重熙累洽之日,致星曜降附之时。光禄珍羞具陈,
大官水陆毕集。销金御帐,上有舞鹤飞鸾;织锦围屏,
中画盘龙走凤。合殿金花紫翠,满庭锦绣绮罗。楼台
宝座千层玉,案桌龙床一块金。筵开玳瑁,七宝器黄
金嵌就;炉列麒麟,百和香龙脑修成。玻璃盏间琥珀
锺,玛瑙杯联珊瑚斝。赤瑛盘内,高堆麒脯鸾肝;紫玉
碟中,满钉驼蹄熊掌。桃花汤洁,缕塞北之黄羊;银丝
脍鲜,剖江南之赤鲤。黄金盏满泛香醪,紫霞杯滟浮
琼液。宝瓶中金菊对芙蓉,争妍竞秀;玉沼内芳兰和
菡萏,荐馥呈芬。翠莲房掩映宝珠榴,锦带羹相称胡
麻饭。五俎八簋,百味庶羞。黄橙绿橘,合殿飘香。
雪藕冰桃,盈盘沁齿。糖浇就甘甜狮仙,面制成香酥
定胜。四方珍果,盘中色色绝新鲜;诸郡佳肴,席上般
般皆奇异。方当进酒五巡,正是汤陈三献。教坊司凤
鸾韶舞,礼乐司排长伶官。朝鬼门道,分明开说。头
一个装外的,黑漆幞头,有如明镜;描花罗襕,俨若生
成。虽不比持公守正,亦能辨律吕宫商。第二个戏色
的,系离水犀角腰带,裹红花绿叶罗巾。黄衣襕长衬

短勒靴,彩袖襟密排山水样。第三个末色的,裹结络球头帽子,着镟役叠胜罗衫。最先来提掇甚分明,念几段杂文真罕有。说的是敲金击玉叙家风;唱的是风花雪月梨园乐。第四个净色的,语言动众,颜色繁过。开呵公子笑盈腮,举口王侯欢满面。依院本填腔调曲,按格范打诨发科。第五个贴净的,忙中九伯,眼目张狂。队额角涂一道明创,劈门面搭两色蛤粉。裹一顶油油腻腻旧头巾,穿一领刺刺塌塌波戏袄。吃六棒枬板不嫌疼,打两杖麻鞭浑是耍。这五人引领著六十四回队舞优人,百二十名散做乐工,搬演杂剧,装孤打撺。个个青巾桶帽,人人红带花袍。吹龙笛,击鼍鼓,声震云霄;弹锦瑟,抚银筝,韵惊鱼鸟。悠悠音调绕梁飞,济济舞衣翻月影。吊百戏众口喧哗,纵谐语齐声喝采。妆扮的是太平年万国来朝,雍熙世八仙庆寿;搬演的是玄宗梦游广寒殿,狄青夜夺昆仑关。也有神仙道办,亦有孝子顺孙。观之者真可坚其心志,听之者足以养其性情。须臾间,八个排长簇拥着四个金翠美人,歌舞双行,吹弹并举。歌的是《朝天子》、《贺圣朝》、《感皇恩》、《殿前欢》,治世之音;舞的是《醉回回》、《活观音》、《柳青娘》、《鲍老儿》,淳正之态。歌喉似新莺宛啭,舞腰如细柳牵风。当殿上鱼水同欢,君臣共乐。果然道:百宝妆腰带,珍珠络臂韛;笑时花近眼,舞罢锦缠头。大宴已成,众乐齐举。主上无为千万寿,天颜有喜万方同。

有诗为证:

尧舜垂衣四恶摧,宋皇端拱叛臣归。

九重凤阙新开宴，十载龙墀旧赐衣。

盖世功名须早进，矢心忠义莫相违。

乾坤好作奇男子，珍重诗章足佩韦。

且说天子赐宋江等筵宴，至暮方散。谢恩已罢，宋江等俱各
簪花出内，在西华门外，各各上马，回归本寨。次日入城，礼仪司
引至文德殿谢恩，喜动龙颜，天子欲加官爵，敕令宋江等来日受
职。宋江等谢恩出内回寨，不在话下。

又说枢密院官具本上奏：“新降之人，未效功劳，不可辄便加
爵，可待日后征讨，建立功勋，量加官赏。见今数万之众，逼城下
寨，甚为不宜。陛下可将宋江等所部军马，原是京师有被陷之
将，仍还本处；外路军兵，各归原所；其馀之众，分作五路，山东、
河北，分调开去，此为上策。”次日，天子命御驾指挥使，直至宋江
营中，口传圣旨：“宋江等分开军马，各归原所。”众头领听的，心
中不悦，回道：“我等投降朝廷，都不曾见些官爵，便要将俺弟兄
等分遣调开。俺等众头领生死相随，誓不相舍。端的要如此，我
们只的再回梁山泊去！”宋江急忙止住，遂用忠言恳求来使，烦乞
善言回奏。那指挥使回到朝廷，那里敢隐蔽，只得把上项所言，
奏闻天子。天子大惊，急宣枢密院官计议。奏道：“这厮们虽降
朝廷，其心不改，终贻大患。以臣愚意，不若陛下传旨，赚入京
城，将此一百八人尽数剿除，然后分散他的军马，以绝国家之
患。”天子听罢，圣意沉吟未决。向那御屏风背后，转出一大臣，
紫袍象简，高声喝道：“四边狼烟未息，中间又起祸胎，都是汝等
忘家败国之臣，坏了圣朝天下！”正是：只凭立国安邦口，来救惊
天动地人。毕竟御屏风后喝的那员大臣是谁，且听下回分解。

第八十三回

宋公明奉诏破大辽　陈桥驿滴泪斩小卒

古风一首：

> 大鹏久伏北溟里，海运抟风九万里。
> 丈夫按剑居蓬蒿，时间谈笑鹰扬起。
> 县官失政群臣妒，天下黎民思乐土。
> 壮哉一百八英雄，任侠施仁聚山坞。
> 宋江意气天下稀，学究谋略人中奇。
> 折馘擒俘俱虎将，披坚执锐尽健儿。
> 艨艟战舰环湍濑，剑戟短兵布山寨。
> 三关部伍太森严，万姓闻风俱胆碎。
> 惟诛国蠹去贪残，替天行道民尽安。
> 只为忠贞同皎日，遂令天诏降梁山。
> 东风拂拂征袍舞，朱鹭翩翩动钲鼓。
> 黄封御酒远相颁，紫泥锦绮仍安抚。
> 承恩将校舒衷情，焚香再拜朝玉京。
> 天子龙颜动喜色，诸侯击节歌升平。
> 汴州城下屯枭骑，一心报国真嘉会。
> 尽归廊庙佐清朝，万古千秋尚忠义。

话说当年有大辽国王，起兵前来侵占山后九州边界。兵分四路而入，劫掳山东、山西，抢掠河南、河北。各处州县，申达表文,奏请朝廷求救。先经枢密院,然后得到御前。所有枢密童贯同太师蔡京、太尉高俅、杨戬,商议纳下表章不奏,只是行移邻近州府,催攒各处,径调军马,前去策应,正如担雪填井一般。此事人皆尽知,只瞒着天子一个。适来四个贼臣设计,教枢密童贯启奏,将宋江等众要行陷害。不期那御屏风后转出一员大臣来喝住,正是殿前都太尉宿元景。便向殿前启奏道:"陛下!宋江这伙好汉方始归降,百单八人,恩同手足,意若同胞。他们决不肯便拆散分开,虽死不舍相离。如何今又要害他众人性命!此辈好汉,智勇非同小可,倘或城中翻变起来,将何解救? 如之奈何?见今辽国兴兵十万之众,侵占山后九州所属县治,各处申达表文求救,累次调兵前去征剿交锋,如汤泼蚁。贼势浩大,所遣官军又无良策可退,每每只是折兵损将,惟瞒陛下不奏。以臣愚见,正好差宋江等全伙良将,部领所属军将人马,直抵本境,收伏辽国之贼。令此辈好汉建功进用,于国实有便益。微臣不敢自专,乞请圣鉴。"天子听罢宿太尉所奏,龙颜大喜,巡问众官,俱言有理。天子大骂枢密院童贯等官:"都是汝等谗佞之徒,误国之辈,妒贤嫉能,闭塞贤路,饰词矫情,坏尽朝廷大事! 姑恕情罪,免其追问。"天子亲书诏敕,赐宋江为破辽都先锋,其馀诸将,待建功加官受爵。就差太尉宿元景,亲赍诏敕,去宋江军前行营开读。天子朝退,百官皆散。

且说宿太尉领了圣旨出朝,径到宋江行寨军前开读。宋江等忙排香案,拜谢君恩,开读诏敕:

"制曰:舜有天下,举皋陶而四海咸服;汤有天下,举伊尹而万民俱安。朕自即位以来,任贤之心,夙夜靡怠。近得宋江等众,顺天护国,秉义全忠,如斯大才,未易轻任。今为辽兵侵境,逆虏犯边,敕加宋江为破辽兵马都先锋使,卢俊义为副先锋。其馀军将，如夺头功，表申奏闻，量加官爵。就统所部军马，克日兴师，直抵巢穴，伐罪吊民，扫清边界。所过州府，另敕应付钱粮。如有随处官吏人等，不遵将令者，悉从便益处治。故兹制示，想宜知悉。

　　宣和四年夏月　　　　日。"

　　当下宋江、卢俊义等，跪听诏敕已罢，众皆大喜。宋江等拜谢宿太尉道："某等众人，正欲如此与国家出力，立功立业，以为忠臣。今得太尉恩相力赐保奏，恩同父母。只有梁山泊晁天王灵位未曾安厝，亦有各家老小家眷，未曾发送还乡，所有城垣未曾拆毁，战船亦未曾将来。有烦恩相题奏，乞降圣旨，宽限旬日，还山了此数事，整顿器具枪刀甲马，便当尽忠报国。"宿太尉听罢大喜，回奏天子。即降圣旨，敕赐库内取金一千两，银五千两，采段五千匹，颁赐众将。就令太尉于库藏关支，去行营俵散与众将。原有老小者，赏赐给付与老小，养膳终身；原无老小者，给付本身，自行收受。宋江奉敕谢恩已毕，给散众人收讫。宿太尉回朝，分付宋江道："将军还山，可速去快来，先使人报知下官，不可迟误。"有诗为证：

　　　　兵阵堂堂已受降，佞臣潜地害忠良。

　　　　宿公力奏征骄虏，始得孤忠达庙廊。

　　再说宋江聚众商议，所带还山人数是谁。宋江与同军师吴用、公孙胜、林冲、刘唐、杜迁、宋万、朱贵、宋清、阮家三弟兄，马步水军一万馀人回去，其馀大队人马，都随卢先锋在京师屯扎。宋江与吴用、公孙胜等于路无话，回到梁山泊忠义堂上坐下，便传将令，教各家老小眷属，收拾行李，准备起程。一面叫宰杀猪羊牲口，香烛钱马，祭献晁天王；然后焚化灵牌，做个会众的筵席，管待众将。随即将各家老小，各各送回原所州县，上车乘马，俱已去了。然后教自家庄客,送老小宋太公并家眷人口,再回郓城县宋家村,复为良民。随即叫阮家三弟兄,拣选合用船只,其馀不堪用的小船,尽行给散与附近居民收用。山中应有屋宇房舍,任从居民搬拆。三关城垣,忠义等屋,尽行拆毁。一应事务,整理已了,收拾人马,火速还京。

一路无话,早到东京,卢俊义等接至大寨。先使燕青入城,报知宿太尉,要辞天子,引领大兵起程。宿太尉见报,入内奏知天子。次日,引宋江于武英殿朝见。天子龙颜欣悦,赐酒已罢,玉音问道:"卿等休辞道途跋涉,军马驱驰,与寡人征虏破辽,早奏凯歌而回,朕当重加录用。其众将校,量功加爵。卿勿怠焉!"宋江叩头称谢,端简启奏:"臣乃鄙猥小吏,误犯刑典,流递江州,醉后狂言,临刑弃市。众力救之,无处逃避,遂乃潜身水泊,苟延微命。所犯罪恶,万死难逃。今蒙圣上宽恤收录,大敷旷荡之恩,得蒙赦免本罪。臣披肝沥胆,尚不能补报皇上之恩。今奉诏命,敢不竭力尽忠,死而后已!"天子大喜,再赐御酒,教取描金鹊画弓箭一副,名马一匹,全副鞍辔,宝刀一口,赐与宋江。宋江叩首谢恩,辞陛出内,将领天子御赐宝刀鞍马弓箭,就带回营。传令诸军将校,准备起行。

且说徽宗天子次早令宿太尉传下圣旨,教中书省院官二员,就陈桥驿与宋江先锋犒劳三军。每名军士酒一瓶,肉一斤,对众关支,毋得克减。中书省得了圣旨,一面连更晓夜整顿酒肉,差官二员,前去给散。

再说宋江传令诸军,便与军师吴用计议,将军马分作二起进程。令五虎八彪将,引军先行,十骠骑将在后,宋江、卢俊义、吴用、公孙胜,统领中军。水军头领三阮、李俊、张横、张顺,带领童威、童猛、孟康、王定六并水手头目人等,撑驾战船,自蔡河内出

黄河,投北进发。宋江催趱三军。取陈桥驿大路而进。号令军将,毋得动扰乡民。有诗为证:

招摇旌旆出天京,受命专师事远征。

虎视龙骧从此去,区区北虏等闲平。

且说中书省差到二员厢官,在陈桥驿给散酒肉,赏劳三军。谁想这伙官员,贪滥无厌,徇私作弊,克减酒肉,都是那等谗佞之徒,贪爱贿赂的人。却将御赐的官酒,每瓶克减只有半瓶,肉一斤,克减六两。前队军马尽行给散过了,后军散到一队皂军之中,都是头上黑盔,身披玄甲,却是项充、李衮所管的牌手。那军汉中一个军校,接得酒肉过来看时,酒只半瓶,肉只十两,指着厢官骂道:"都是你这等好利之徒,坏了朝廷恩赏!"厢官喝道:"我怎得是好利之徒?"那军校道:"皇帝赐俺一瓶酒,一斤肉,你都克减了。不是我们争嘴,堪恨你这厮们无道理,佛面上去刮金!"厢官骂道:"你这大胆剐不尽杀不绝的贼! 梁山泊反性尚不改!"军校大怒,把这酒和肉劈脸都打将去。厢官喝道:"捉下这个泼贼!"那军校就团牌边掣出刀来。厢官指着手大骂道:"腌臜草寇,拔刀敢杀谁!"军校道:"俺在梁山泊时,强似你的好汉,被我杀了万千。量你这等赃官,何足道哉!"厢官喝道:"你敢杀我?"那军校走入一步,手起一刀飞去,正中厢官脸上剁着,扑地倒了。众人发声喊,都走了。那军汉又赶将入来,再剁了几刀,眼见的不能勾活了。众军汉簇住了不行。

当下项充、李衮飞报宋江。宋江听的大惊,便与吴用商议:"此事如之奈何?"吴学究道:"省院官甚是不喜我等,今又做出这件事来,正中了他的机会。只可先把那军校斩首号令,一面申复省院,勒兵听罪。急急可叫戴宗、燕青悄悄进城,备细告知宿太尉。烦他预先奏知委曲,令中书省院谗害不得,方保无事。"宋江计议定了,飞马亲到陈桥驿边。那军校立在死尸边不动。宋江自令人于馆驿内搬出酒肉,赏劳三军,都教进前。却唤这军校直到馆驿中,问其情节。那军校答道:"他千梁山泊反贼,万梁山泊反贼,骂俺们杀剐不尽,因此一时性起杀了他,专待将军听罪。"宋江道:"他是朝廷命官,我兀自惧他,你如何便把他来杀了?须是要连累我等众人。俺如今方始奉诏去破大辽,未曾见尺寸之功,倒做下这等的勾当,如之奈何?"那军校叩首伏死。宋江哭道:"我自从上梁山泊以来,大小兄弟,不曾坏了一个。今日一身入官,事不由我,当守法律。虽是你强气未灭,使不的旧时性格。"这军校道:"小人只是伏死。"宋江令那军校痛饮一醉,教他树下缢死,却斩头来号令。将厢官尸首,备棺椁盛贮,然后动文书申呈中书省院。院官都已知了,不在话下。有诗为证:

> 克减官人不自羞,被人刀砍一身休。
>
> 宋江军令多严肃,流泪军前斩卒头。

再说戴宗、燕青潜地进城,径到宿太尉府内,备细诉知衷情。当晚,宿太尉入内,将上项事务奏知天子。次日,皇上于文德殿设朝,龙楼振鼓,凤阁鸣钟,殿下净鞭三下响,阶前文武两班齐。当有中书省院官出班启奏:"新降将宋江部下兵卒,杀死省院差去监散酒肉命官一员,乞圣旨拿问。"天子曰:"寡人待不委你省院来,事却该你这衙门!盖因委用不得其人,以致惹起事端。赏军酒肉,必然大破小用,梁山军士虚受其名,以致如此。"省院等官又奏道:"御酒之物,谁敢克减!"是时天威震怒,喝道:"寡人已自差人暗行体察,深知备细,尔等尚自巧言令色,对朕支吾!寡人御赐之酒,一瓶克减半瓶,赐肉一斤,只有十两,以致壮士一怒,目前流血!"天子喝问:"正犯安在?"省院官奏道:"宋江已自将本犯斩首号令示众,申呈本院,勒兵听罪。"天子曰:"他既斩了正犯军士,待报听罪。宋江禁治不严之罪,权且纪录,待破辽回日,量功理会。"省院官默然无言而退。天子当时传旨,差官前去催督宋江提兵前去。所杀军校,就于陈桥驿枭首示众。

却说宋江正在陈桥驿勒兵听罪,只见驾上差官来到,着宋江等进兵征辽,违犯军校,枭首示众。宋江谢恩已毕,将军校首级挂于陈桥驿号令,将尸埋了。宋江大哭一场,垂泪上马,提兵望北而进。每日兵行六十里,扎营下寨。所过州县,秋毫无犯。沿路无话。将次相近大辽境界,宋江便请军师吴用商议道:"即日辽兵分作四路,侵犯大宋州郡。我等分兵前去征讨的是,只打城池的是?"吴用道:"若是分兵前去,奈缘地广人稀,首尾不能救应,不如只是打他几个城池,却再商量。若还攻击的紧,他自然收兵。"宋江道:"军师此计甚高。"随即唤过段景住来分付道:"你走北路甚熟,你可引领军马前进。近的是甚州县?"段景住禀道:"前面便是檀州,正是辽国紧要隘口。有条水路,港汊最深,唤做潞水,团团绕著城池。这潞水直通渭河,须用战船征进。宜先趱水军头领船只到了,然后水陆并进,船骑相连,可取檀州。"宋江听罢,便使戴宗催趱水军头领李俊等,晓夜趱船至潞水取齐。

却说宋江整点人马水军船只,约会日期,水陆并行,杀投檀州来。且说檀州城内守把城池番官,却是辽国洞仙侍郎孛董相公。手下四员猛将,一个唤做阿里奇,一个唤做咬儿惟康,一个唤做楚明玉,一个唤做曹明济。此四员战将,皆有万夫不当之勇。闻知宋朝差宋江全伙到来,一面写表申奏郎主[1],一面关报邻近蓟州、霸州、涿州、雄州求救,一面调兵出城迎敌。便差阿里

①　郎主——历史上北方少数民族称其君主为郎主。

奇、楚明玉两个,引兵三万,辞了总兵侍郎,领兵出战。

且说大刀关胜在于前部先锋,引军杀近檀州所属密云县来。县官闻的,飞报与两个番将,说道:"宋朝军马大张旗号,乃是梁山泊新受招安宋江这伙。"阿里奇听了,笑道:"既是这伙草寇,何足道哉!"传令教番兵扎掍① 已了,来日出密云县与宋江交锋。次日宋江听报辽兵来近,即时传令诸军将士:"首先交锋,要看个头势,休要失支脱节。"众将得令,欣然披挂上马。宋江、卢俊义俱各戎装擐带,亲在军前监战,远远望见辽兵盖地而来,黑洞洞地遮天蔽地,都是皂雕旗。两下齐把弓弩射住阵脚。只见对阵皂旗开处,正中间捧出一员番将,骑着一匹达马②,弯环踢跳。宋江看那番将时,怎生打扮?但见:

> 戴一顶三叉紫金冠,冠口内拴两根雉尾。穿一领衬甲白罗袍,袍背上绣三个凤凰。披一副连环镔铁铠,系一条嵌宝狮蛮带,着一对云根鹰爪靴,挂一条护项销金帕,带一张雀画铁胎弓,悬一壶雕翎鈚子箭。手搦梨花点钢枪,坐骑银色拳花马。

那番官面白唇红,须黄眼碧,身长九尺,力敌万人。旗号上写的分明:"大辽战将阿里奇"。宋江看了,与诸将道:"此番将不可轻敌。"言未绝,金枪手徐宁出战,横着钩镰枪,骤坐下马,直临阵前。番将阿里奇见了,大骂道:"宋朝合败,命草寇为将!敢来侵犯大国,尚不知死!"徐宁喝道:"辱国小将,敢出秽言!"两军呐喊,徐宁与阿里奇抢到垓心交战。两马相逢,手中兵器并举。二将斗不过三十馀合,徐宁敌不住番将,望本阵便走。花荣急取弓

---

① 扎掍——装束,准备。
② 达马——蒙古马。蒙古族又称鞑靼,鞑靼又作达旦、达达。

箭在手。那番将正赶将来，张清又早按住鞍鞒，探手去锦袋内取个石子，看着番将较亲，照面门上只一石子，却似流星飞坠，弩箭离弦，正中阿里奇左眼，翻筋斗落于马下。这里花荣、林冲、秦明、索超四将齐出，先抢了那匹好马，活捉了阿里奇归阵。副将楚明玉见折了阿里奇，急要向前去救时，被宋江大队军马前后掩杀将来，就弃了密云县，大败亏输，奔檀州来。宋江且不追赶，就在密云县屯扎下营。看番将阿里奇时，打破眉梢，损其一目，负痛身死。宋江传令，教把番官尸骸烧化，功绩簿上标写张清第一功。就将阿里奇连环镔铁铠、出白梨花枪、嵌宝狮蛮带、银色拳花马，并靴袍弓箭，都赐了张清。是日，且就密云县中，众皆作贺，设宴饮酒，不在话下。有诗为证：

　　　　大辽闰位非天命，累纵狼狐寇北疆。

　　　　阿里可怜无勇略，交锋时下一身亡。

　　次日，宋江升帐，传令起军，调兵遣将，都离密云县，直抵檀州来。却说檀州洞仙侍郎，听的报来，折了一员主将，坚闭城门，不出迎敌。又听的报有水军战船在于城下，遂乃引众番将上城观看。只见宋江阵中猛将，摇旗呐喊，耀武扬威，搦战厮杀。洞仙侍郎见了，说道："似此，怎不输了小将军阿里奇！"当下副将楚明玉答应道："小将军那里是输与那厮！蛮兵先输了，俺小将军赶将过去，被那里一个穿绿的蛮子一石子打下马去。那厮队里四个蛮子四条枪，便来攒住了。俺这壁厢措手不及，以此输与他了。"洞仙侍郎道："那个打石子的蛮子怎地模样？"左右有认得的，指着说道："城下兀那个带青包巾，见今披着小将军的衣甲，骑着小将军的马，那个便是。"洞仙侍郎攀着女墙边看时，只见张清已自先见了，趱马向前，见一石子飞来。左右齐叫一声躲时，那石子早从洞仙侍郎耳根边擦过，把耳轮擦了一片皮。洞仙侍

郎负疼道："这个蛮子直这般利害！"下城来一面写表申奏大辽郎
主，一面行报外境各州提备。

却说宋江引兵在城下，一连打了三五日，不能取胜，再引军
马回密云县屯住，帐中坐下，计议破城之策。只见戴宗报来，取
到水军头领，乘驾战船，都到潞水。宋江便唤李俊等到中军商
议，着戴宗传令下去。李俊等都到密云县中，帐前参见宋江。宋
江道："今次厮杀，不比在梁山泊时，可要先探水势深浅，然后方
可进兵。我看这条潞水，水势甚急，倘或一失，难以救应。尔等
可宜仔细，不可托大。将船只盖伏的好着，只扮作运粮船相似。
你等头领各带暗器，潜伏于船内。止着三五人撑驾摇橹，岸上着
两人牵拽，一步步捱到城下，把船泊在两岸，待我这里进兵。城
中知道，必开水门来抢粮船，尔等伏兵却起，夺他水门，可成大
功。"李俊等听令去了。只见探水小校报道："西北上有一彪军
马，卷杀而来，都打着皂雕旗，约有一万馀人，望檀州来了。"吴用
道："必是辽国调来救兵。我这里先差几将拦截厮杀，杀的散时，
免令城中得他壮胆。"宋江便差张清、董平、关胜、林冲，各带十数
个小头领，五千军马，飞奔前来。

原来大辽郎主闻知说是梁山泊宋江这伙好汉，领兵杀至檀
州，围了城子，特差这两个皇侄，前来救应。一个唤做耶律国珍，
一个唤做国宝。两个乃是辽国上将，又是皇侄，皆有万夫不当之
勇，引起一万番军，来救檀州。看看至近，迎着宋兵。两边摆开
阵势，两员番将一齐出马，都一般打扮。但见：

头戴妆金嵌宝三叉紫金冠，身披锦边珠嵌锁子黄金铠。
身上猩猩血染战红袍，袍上斑斑锦织金翅雕。腰系白
玉带，背插虎头牌。左边袋内插雕弓，右手壶中攒硬
箭。手中搦丈二绿沉枪，坐下骑九尺银鬃马。

那番将是弟兄两个，都一般打扮，都一般使枪。宋兵迎着，摆开阵势。双枪将董平出马，厉声高叫："来者甚处番官？"那耶律国珍大怒，喝道："水洼草寇，敢来犯吾大国，倒问俺那里来的！"董平也不再问，跃马挺枪直抢耶律国珍。那番官年少的将军，气性正刚，那里肯饶人一步，挺起钢枪直迎过来。二马相交，三枪乱举。二将正在征尘影里，杀气丛中，使双枪的另有枪法，使单枪的各有神机。两个斗过五十合，不分胜败。那耶律国宝见哥哥战了许多时，恐怕力怯，就中军筛起锣来。耶律国珍正斗到热处，听的鸣锣，急要脱身，被董平两条枪绞住，那里肯放。耶律国珍此时心忙，枪法慢了些，被董平右手逼过绿沉枪，使起左手枪来，望番将项根上只一枪，搠个正着。可怜耶律国珍金冠倒卓，两脚登空，落于马下。兄弟耶律国宝看见哥哥落马，便抢出阵来，一骑马一条枪，奔来救取。宋兵阵上，没羽箭张清见他过来，这里那得放空，在马上约住梨花枪，探只手去锦袋内抯出一个石子，那石子百发百中，把马一拍，飞出阵前。说时迟，那时快，这耶律国宝飞也似来，张清迎头扑将去，两骑马隔不的十来丈远近。番将不提防，只道他来交战。只见张清手起，喝声道："着！"那石子望耶律国宝面上打个正着，翻筋斗落马。关胜、林冲拥兵掩杀，辽兵无主，东西乱撺，只一阵杀散辽兵万馀人马。把两个番官全副鞍马，两面金牌，收拾宝冠袍甲，仍割下两颗首级。当时夺了战马一千馀匹，解到密云县来，见宋江献纳。宋江大喜，赏劳三军，书写董平、张清第二功，等打破檀州一并申奏。

宋江与吴用商议，到晚写下军帖，差调林冲、关胜引领一彪军马，从西北上去取檀州；再调呼延灼、董平也引一彪军马，从东北上进发；却教卢俊义引一彪军马，从西南上取路进兵。"我等中军，从东南上进发。只听的炮响，一齐进发。"却差炮手凌振、黑旋风李逵、混世魔王樊瑞、丧门神鲍旭,并牌手项充、李衮,将带滚牌军一千馀人,直至城下,施放号炮。至二更为期,水陆并进,各路军兵,都要厮应。号令已下,诸军各各准备取城。

且说洞仙侍郎正在檀州坚守,专望救兵到来。却有皇侄败残人马,逃命奔入城中,备细告说:"两个皇侄大王,耶律国珍被个使双枪的害了,耶律国宝被个戴青包巾的使石子打下马来拿去。"洞仙侍郎跌脚骂道:"又是这蛮子! 不争损了二位皇侄,教俺有甚面目去见郎主! 拿住那个青包巾的蛮子时,碎碎的割那厮。"至晚,番兵报洞仙侍郎道:"潞水河内有五七百只粮船泊在两岸,远远处又有军马来也。"洞仙侍郎听了道:"那蛮子不识俺的水路,错把粮船直行到这里。岸上人马一定是来寻粮船。"便差三员番将楚明玉、曹明济、咬儿惟康前来分付道:"那宋江等蛮子,今晚又调许多人马来也,却有若干粮船在俺河里。可教咬儿惟康引一千军马出城冲突,却教楚明玉、曹明济开放水门,从紧溜里放船出去,三停之内,截他二停粮船也好,便是汝等干大功也。"不知成败如何,有诗为证:

妙算从来迥不同,檀州城下列艨艟。

侍郎不识兵家意,反自开门把路通。

再说宋江人马,当晚黄昏左侧,李逵、樊瑞为首,将引步兵,在城下大骂番人。洞仙侍郎叫咬儿惟康催趱军马,出城冲杀。城门开处,放下吊桥,辽兵出城。却说李逵、樊瑞、鲍旭、项充、李衮五个好汉,引一千步军,尽是悍勇刀牌手,就吊桥边冲住,番军人马那里能勾出的城来。凌振却在军中搭起炮架,准备放炮,只等时候来到。由他城上放箭,自有牌手左右遮抵着。鲍旭却在后面呐喊,虽是一千馀人,却有万馀人的气象。洞仙侍郎在城中见军马冲突不出,急叫楚明玉、曹明济开了水门抢船。此时宋江水军头领,都已先自伏在船中准备,未曾动掸。见他水门开了,一片片绞起闸板,放出战船来。凌振得了消息,便先点起一个风火炮来。炮声响处,两边战船厮迎将来,抵敌番船。左边踊出李俊、张横、张顺,摇动战船杀来;右边踊出阮家三弟兄,使着战船,杀入番船队里。番将楚明玉、曹明济见战船踊跃而来,抵敌不住,料道有埋伏军兵,急待要回船,早被这里水手军兵都跳过船来,只得上岸而走。宋江水军那六个头领,先抢了水门。管门番将,杀的杀了,走的走了,这楚明玉、曹明济各自逃生去了。水门上预先一把火起,凌振又放一个车箱炮来,那炮直飞在半天里响。洞仙侍郎听的火炮连天声响,吓的魂不附体。李逵、樊瑞、鲍旭引领牌手项充、李衮等众,直杀入城。洞仙侍郎和咬儿惟康在城中看见城门已都被夺了,又见四路宋兵人马一齐都杀到来,只得上马,弃了城池,出北门便走。未及二里,正撞着大刀关胜、豹子头林冲两员上将拦住去路。洞仙侍郎怎生奈何,只得教咬儿惟康到此迎敌。正是:天罗密布难移步,地网高张怎脱身。毕竟洞仙侍郎怎生脱身,且听下回分解。

第八十四回

宋公明兵打蓟州城　卢俊义大战玉田县

诗曰：

> 志气冲天贯斗牛，更将逆虏尽平收。
> 檀州骁将俱心碎，辽国雄兵总泪流。
> 紫塞风高横剑戟，黄沙月冷照戈矛。
> 绝怜跃马男儿事，谈笑功成定九州。

话说洞仙侍郎见檀州已失，只得奔走出城，与同咬儿惟康保护而行，正撞着林冲、关胜大杀一阵，那里有心恋战，望刺斜里死命撞出去。关胜、林冲要抢城子，也不来追赶，且奔入城。却说宋江引大队军马入檀州，赶散番军，一面出榜安抚百姓军民，秋毫不许有犯。传令教把战船尽数收入城中。一面赏劳三军，及将在城辽国所用官员，有姓者仍前委用，无姓番官尽行发遣出城，还于沙漠。一面写表申奏朝廷，得了檀州。尽将府库财帛金宝，解赴京师。写书申呈宿太尉，题奏此事。天子闻奏，龙颜大喜，随即降旨，钦差枢密院同知赵安抚，统领二万御营军马，前来监战。

却说宋江等听的报来，引众将出郭远远迎接，入到檀州府内歇下，权为行军帅府。诸将头目尽来参见，施礼已毕。原来这赵安抚，祖是赵家宗派，为人宽仁厚德，作事端方。亦是宿太尉于天子前保奏，特差此人上边监督兵马。这赵安抚见了宋江仁德，十分欢喜,说道:"圣上已知你等众将好生用心,军士劳苦,特差下官前来军前监督,就赍赏赐金银段匹二十五车,但有奇功,申奏朝廷,请降官封。将军今已得了州郡,下官再当申达朝廷。众将皆须尽忠竭力,早成大功,班师回京,天子必当重用。"宋江等拜谢道:"请烦安抚相公镇守檀州,小将等分兵攻取辽国紧要州郡,教他首尾不能相顾。"一面将赏赐俵散军将,一面勒回各路军马听调,攻取大辽州郡。有杨雄禀道:"前面便是蓟州相近。此处是个大郡,钱粮极广,米麦丰盈,乃是辽国库藏。打了蓟州,诸处可取。"宋江听罢,便请军师吴用商议。

却说洞仙侍郎与咬儿惟康正往东走,撞见楚明玉、曹明济,引着些败残军马,忙忙似丧家之狗,急急如漏网之鱼,一同投奔蓟州。入的城来,见了御弟大王耶律得重,诉说宋江兵将浩大,内有一个使石子的蛮子十分了得。那石子百发百中,不放一个空,最会打人。两位皇侄并小将阿里奇,尽是被他石子打死了。耶律大王道:"既是这般,你且在这里帮俺杀那蛮子。"说犹未了,只见流星探马报将来,说道:"宋江兵分两路来打蓟州,一路杀至平峪县,一路杀至玉田县。"御弟大王听了,随即便叫洞仙侍郎:"将引本部军马,把住平峪县口,不要和他厮杀。俺先引兵,且拿了玉田县的蛮子,却从背后抄将过来,平峪县的蛮子走往那里去?"一边关报霸州、幽州,教两路军马前来接应。有诗为证:

　　　　败将残兵入蓟州,膻奴原自少机谋。

　　　　宋江兵势如云卷,扫穴犁庭始罢休。

当时御弟大王亲引大军,将带四个孩儿,飞奔玉田县来。

且说宋江、卢俊义,各引军三万,战将人马,各取州县。宋江引兵前至平峪县,见前面把住关隘,未敢进兵,就平峪县西屯住。却说卢俊义引许多战将,三万人马,前到玉田县,早与辽兵相近。

卢俊义便与军师朱武商议道:"目今与辽兵相接,只是吴人不识越境,到他地理生疏,何策可取?"朱武答道:"若论愚意,未知他地理,诸军不可擅进。可将队伍摆为长蛇之势,击首则尾应,击尾则首应,击中则首尾相应,循环无端。如此,则不愁地理生疏。"卢先锋大喜道:"军师所言,正合吾意。"遂乃催兵前进,远远望见辽兵盖地而来。怎见的辽兵?但见:

> 黑雾浓浓至,黄沙漫漫连。皂雕旗展一派乌云,拐子马荡半天杀气。青毡笠儿,似千池荷叶弄轻风;铁打兜鍪,如万顷海洋凝冻日。人人衣襟左掩,个个发搭齐肩。连环铁铠重披,刺纳战袍紧系。番军壮健,黑面皮碧眼黄须;达马咆哮,阔膀膊钢腰铁脚。羊角弓攒沙柳箭,虎皮袍衬窄雕鞍。生居边塞,长成会拽硬弓;世本朔方,养大能骑劣马。铜腔羯鼓军前打,芦叶胡笳马上吹。

那御弟大王耶律得重,领兵先到玉田县,将军马摆开阵势。宋军中朱武上云梯看了,下来回报卢先锋道:"番人布的阵,乃是五虎靠山阵,不足为奇。"朱武再上将台看,把号旗招动,左盘右旋,调拨众军,也摆一个阵势。卢俊义看了不识,问道:"此是何阵势?"朱武道:"此乃是鲲化为鹏阵。"卢俊义道:"何为鲲化为鹏?"朱武道:"北海有鱼,其名曰鲲,能化大鹏,一飞九万里。此阵远近看,只是个小阵;若来攻时,一发变做大阵,因此唤做鲲化为鹏。"卢俊义听了,称赞不已。对阵敌军鼓响,门旗开处,那御弟大王亲自出马,四个孩儿分在左右,都是一般披挂。但见:

> 头戴铁缦笠戗箭番盔,上拴纯黑球缨;身衬宝圆镜柳叶细甲,系条狮蛮金带。踏镫靴半弯鹰嘴,梨花袍锦绣盘龙。各挂强弓硬弩,都骑骏马雕鞍。腰间尽插锟吾剑,

手内齐拿扫帚刀。

中间马上御弟大王，两边左右四个小将军，身上两肩胛都悬着小小明镜，镜边对嵌着皂缨，四口宝刀，四骑快马，齐齐摆在阵前。那御弟大王背后，又是层层摆列，自有许多战将。那四员小将军高声大叫："汝等草贼，何敢犯吾边界！"卢俊义听的，便问道："两军临敌，那个英雄当先出战？"说犹未了，只见大刀关胜舞起青龙偃月刀，争先出马。那边番将耶律宗云，舞刀拍马来迎关胜。两个斗不上五合，番将耶律宗霖拍马舞刀便来协助。呼延灼见了，举起双鞭，直出迎住厮杀。那两个耶律宗电、耶律宗雷弟兄，挺刀跃马，齐出交战。这里徐宁、索超各举兵器相迎。四对儿在阵前厮杀，绞做一团，打做一块。正斗之间，没羽箭张清看见，悄悄的纵马趱向阵前。却有檀州败残的军士认的张清，慌忙报知御弟大王道："这对阵穿绿战袍的蛮子，便是惯飞石子的。他如今趱马出阵来，又使前番手段。"天山勇听了，便道："大王放心，教这蛮子吃俺一弩箭！"原来那天山勇马上惯使漆抹弩，一尺来长铁翎箭，有名唤做一点油。那天山勇在马上把了事环带住，趱马出阵，教两个副将在前面影射着。三骑马悄悄直趱至阵前。张清又先见了，偷取石子在手，看着那番将当头的只一石子，急叫"着"，却从盔上擦过。那天山勇却闪在这将马背后，安的箭稳，扣的弦正，觑着张清较亲，直射将来。张清叫声"阿也"，急躲时，射中咽喉，翻身落马。双枪将董平、九纹龙史进，将引解珍、解宝，死命去救回。卢先锋看了，急教拔出箭来，血流不止，项上便束缚兜住。随即叫邹渊、邹润扶张清上车子，护送回檀州，教神医安道全调治。车子却才去了，不在话下。有诗为证：

　　张清石子最通神，到处将人打得真。

　　此日却逢强弩手，当喉一箭便翻身。

　　只见阵前喊声又起,报道:"西北上有一彪军马飞奔杀来,并
不打话,横冲直撞,赶入阵中。"卢俊义见箭射了张清,无心恋战。
四将各佯输诈败,退回本阵。四个番将乘势赶来,西北上来的番
军刺斜里又杀将来,对阵的大队番军山倒也似踊跃将来,那里变
的阵法? 三军众将隔的七断八续,你我不能相救,只留卢俊义一
骑马一条枪,倒杀过那边去了。天色傍晚,四个小将军却好回
来,正迎着。卢俊义一骑马一条枪,力敌四个番将,并无半点惧
怯。约斗了一个时辰,卢俊义得便处卖个破绽,耶律宗霖把刀砍
将入来,被卢俊义大喝一声,那番将措手不及,着一枪刺下马去。
那三个小将军各吃了一惊,皆有惧色,无心恋战,拍马去了。卢
俊义下马,拔刀割了耶律宗霖首级,拴在马项下,翻身上马,望南
而行。又撞见一伙辽兵,约有一千馀人,被卢俊义又撞杀入去,
辽兵四散奔走。再行不到数里,又撞见一彪军马。此夜月黑,不
辨是何处的人马,只听的语音,却是宋朝人说话。卢俊义便问:
"来军是谁?"却是呼延灼答应。卢俊义大喜,合兵一处。呼延灼
道:"被辽兵冲散,不相救应。小将撞开阵势,和韩滔、彭玘直杀
到此。不知诸将如何。"卢俊义又说力敌四将:"被我杀了一个,
三个走了。次后又撞着一千馀人,亦被我杀散。来到这里,不想
迎着将军。"两个并马,带着从人,望南而行,不过十数里路,前面
早有军马拦路。呼延灼道:"黑夜怎地厮杀,待天明决一死战。"
对阵听的,便问道:"来者莫非呼延灼将军?"呼延灼认的声音是
大刀关胜,便叫道:"卢头领在此!"众头领都下马,且来草地上坐
下。卢俊义、呼延灼说了本身之事,关胜道:"阵前失利,你我不
相救应。我和宣赞、郝思文、单廷圭、魏定国五骑马寻条路走,然
后收拾的军兵一千馀人。来到这里,不识地理,只在此伏路,待
天明却行,不想撞着哥哥。"合兵一处。

众人捱到天晓，迤逦望南再行。将次到玉田县，见一彪人马哨路。看时，却是双枪将董平、金枪手徐宁，弟兄们都扎住玉田县中，辽兵尽行赶散，说道："侯健、白胜两个去报宋公明，只不见了解珍、解宝、杨林、石勇。"卢俊义教且进兵在玉田县内，计点众将军校，不见了五千余人，心中烦恼。巳牌时分，有人报道："解珍、解宝、杨林、石勇将领二千余人来了。"卢俊义又唤来问时，解珍道："俺四个倒撞过去了，深入重地，迷踪失路，急切不敢回转。今早又撞见辽兵，大杀了一场，方才到的这里。"卢俊义叫将耶律宗霖首级于玉田县号令，抚谕三军百姓。未到黄昏前后，军士们正要收拾安歇，只见伏路小校来报道："辽兵不知多少，四面把县围了。"卢俊义听的大惊，引了燕青上城看时，远近火把有十里厚薄。一个小将军当先指点，正是耶律宗云，骑着一匹劣马，在火把中间催趱三军。燕青道："昨日张清中他一冷箭，今日回礼则个。"燕青取出弩子，一箭射去，正中番将鼻凹。番将落马，众兵急救。番军早退五里。卢俊义县中与众将商议："虽然放了一冷箭，辽兵稍退，天明必来攻围，裹的铁桶相似，怎生救解？"朱武道："宋公明若得知这个消息，必然来救。里应外合，方可以免难。"正是：才离虎穴龙坑险，又撞天罗地网灾。未知交锋胜败何如，有诗为证：

　　一番遇敌一番惊，匹马单枪暮夜行。

　　四面天骄围古县，请看何计退胡兵。

众人捱到天明，望见辽兵四面摆的无缝。只见东南上尘土起处，兵马数万而来。众将皆望南兵，朱武道："此必是宋公明军马到了。等他收军齐望南杀去，这里尽数起兵，随后一掩。"且说对阵辽兵，从辰时直围到未牌，抵当不住，尽数收拾都去。朱武道："不就这里追赶，更待何时！"卢俊义当即传令，开县四门，尽领军马出城追杀。辽兵大败，杀的星落云散，七断八续。辽兵四散败走。宋江赶的辽兵去远，到天明鸣金收军，进玉田县。卢先锋合兵一处，诉说攻打蓟州。留下柴进、李应、李俊、张横、张顺、阮家三弟兄、王矮虎、一丈青、孙新、顾大嫂、张青、孙二娘、裴宣、萧让、宋清、乐和、安道全、皇甫端、童威、童猛、王定六，都随赵枢密在檀州守御。其馀诸将，分作左右二军。宋先锋总领左军人马，四十八员：军师吴用、公孙胜，林冲、花荣、秦明、杨志、朱仝、雷横、刘唐、李逵、鲁智深、武松、杨雄、石秀、黄信、孙立、欧鹏、邓飞、吕方、郭盛、樊瑞、鲍旭、项充、李衮、穆弘、穆春、孔明、孔亮、燕顺、马麟、施恩、薛永、宋万、杜迁、朱贵、朱富、凌振、汤隆、蔡福、蔡庆、戴宗、蒋敬、金大坚、段景住、时迁、郁保四、孟康；卢先锋总领右军人马，三十七员：军师朱武，关胜、呼延灼、董平、张清、索超、徐宁、燕青、史进、解珍、解宝、韩滔、彭玘、宣赞、郝思文、单廷圭、魏定国、陈达、杨春、李忠、周通、陶宗旺、郑天寿、龚旺、丁得孙、邹渊、邹润、李立、李云、焦挺、石勇、侯健、杜兴、曹正、杨林、白胜。分兵已罢，作两路来取蓟州：宋先锋引军取平峪县进发，卢俊义引兵取玉田县进发。赵安抚与二十三将镇守檀州，不在话下。原来这蓟州，却是大辽郎主差御弟耶律得重守把，部领四个孩儿，长子耶律宗云，次子耶律宗电，三子耶律宗雷，四子耶律宗霖，手下十数员战将，一个总兵大将唤做宝密圣，一个副总兵唤做天山勇，守住着蓟州城池。

且说宋江见军士连日辛苦，且教暂歇。攻打蓟州，自有计较了。先使人往檀州问张清箭疮如何，神医安道全使人回话道："虽然外损皮肉，却不伤内，请主将放心。调理的脓水乾时，自然无事。即目炎天，军士多病，已禀过赵枢密相公，遣萧让、宋清前往东京收买药饵，就向太医院关支暑药。皇甫端亦要关给官局内啖马的药材物料,都委萧让、宋清去了。就报先锋知道。"宋江听的,心中颇喜,再与卢先锋计较,先打蓟州。宋江道:"我未知你在玉田县受围时,已自先商量下计了。有公孙胜原是蓟州人,杨雄亦曾在那府里做节级,石秀、时迁亦在那里住的久远。前日杀退辽兵,我教时迁、石秀也只做败残军马,杂在里面,必然都投蓟州城内住扎。他两个若入的城中,自有去处。时迁曾献计道:'蓟州城有一座大寺,唤做宝严寺。廊下有法轮宝藏,中间大雄宝殿,前有一座宝塔,直耸云霄。'石秀说道:'我教他去宝藏顶上躲着,每日饭食,我自对付来与他吃。如要水火,直待夜间爬下来净手。只等城外哥哥军马打的紧急时,然后却就宝严寺塔上放起火来为号。'时迁自是个惯飞檐走壁的人,那里不躲了身子。石秀临期自去州衙内放火。他两个商量已定,自去了。我这里一面收拾进兵。"有诗为证:

> 朋计商量破蓟州,旌旗蔽日拥貔貅。

> 更将一把硝黄散,黑夜潜焚塔上头。

次日宋江引兵撤了平峪县,与卢俊义合兵一处,催起军马,径奔蓟州来。

且说御弟大王自折了两个孩儿,以自懊恨,便同大将宝密圣、天山勇、洞仙侍郎等商议道:"前次涿州、霸州两路救兵,各自分散前去。如今宋江合兵在玉田县,早晚进兵来打蓟州,似此怎生奈何?"大将宝密圣道:"宋江兵若不来,万事皆休;若是那伙蛮子来时,小将自出去与他相敌,若不活拿他几个,这厮们那里肯退!"洞仙侍郎道:"那蛮子队有那个穿绿袍的,惯使石子,好生利害,可以提防他。"天山勇道:"这个蛮子已被俺一弩箭射中脖子,多是死了也!"洞仙侍郎道:"除了这个蛮子,别的都不打紧。"正商议间,小校来报:"宋江军马杀奔蓟州来。"御弟大王连忙整点三军人马，火速出城迎敌。离城三十里外，与宋江对敌，各自摆开阵势。番将宝密圣横槊出马，宋江在阵前见了，便问道："斩将夺旗，乃见头功。"说犹未了，只见豹子头林冲便出阵前来，与番将宝密圣大战。两个斗了三十馀合，不分胜败。林冲要见头功，持丈八蛇矛斗到间深里，暴雷也似大叫一声，拨过长枪，用蛇矛去宝密圣脖项上刺中一矛，搠下马去。宋江大喜，两军发喊。番将天山勇见刺了宝密圣，横枪便出，宋江阵里徐宁挺钩镰枪直迎将来。二马相交，斗不到二十来合，被徐宁手起一枪，把天山勇搠于马下。宋江见连赢了二将，心中大喜，催军混战。辽兵见折了两员大将，心中惧怯，望蓟州奔走。宋江军马赶了十数里，收兵回来。

当日宋江扎下营寨，赏劳三军。次日传令，拔寨都起，直抵蓟州。第三日，御弟大王见折了二员大将，十分惊慌，又见报道宋军到了，忙与洞仙侍郎道："你可引这支军马出城迎敌，替俺分忧也好。"洞仙侍郎不敢不依，只得引了咬儿惟康、楚明玉、曹明济，领起一千军马，就城下摆开。宋江军马渐近城边，雁翅般排将来。门旗开处，索超横担大斧，出马阵前。番兵队里，咬儿惟康便抢出阵来。两个并不打话，二马相交，斗到二十馀合，番将终是胆怯，无心恋战，只得要走。原来那御弟大王耶律得重在城头上，看见咬儿惟康斗不上数合，拨回马望本阵便走，索超纵马赶上，双手轮起大斧，看着番将脑门上劈将下来，把这咬儿惟康脑袋劈做两半个。洞仙侍郎见了，慌忙叫楚明玉、曹明济快去策应。这两个已自八分胆怯，因吃逼不过，两个只得挺起手中枪，向前出阵。宋江军中九纹龙史进见番军中二将双出，便舞刀拍马直取二将。史进逞起英雄，手起刀落，先将楚明玉砍在马下；这曹明济急待要走，史进赶上，一刀也砍于马下。史进纵马杀入大辽军阵。宋江见了,鞭梢一指,驱兵大进,直杀到吊桥边。耶律得重见了,越添愁闷,便教紧闭城门,各将上城紧守,一面申奏大辽郎主,一面差人往霸州、幽州求救。有诗为证:

二将昂然犯敌锋,宋江兵拥一窝蜂。

可怜身死无人救,白骨谁为马鬣封。

且说宋江与吴用计议道:"似此城中紧守,如何摆布?"吴用道:"既城中已有石秀、时迁在里面,如何担阁的长远。教四面竖起云梯炮架,即便攻城。再教凌振将火炮四下里施放,打将入去。攻击的紧,其城必破。"宋江听罢,便道:"军师之言,正合吾意。"即便传令,四面连夜攻城。再说御弟大王见宋兵四下里攻击的紧,尽驱蓟州在城百姓上城守护。当下石秀在城中宝严寺内守了多日,不见动静,只见时迁来报道:"城外哥哥军马打的城子紧,我们不就这里放火,更待何时!"石秀见说了,便和时迁商议,先从宝塔上放起一把火来,然后去佛殿上烧着。时迁道:"你快去州衙内放火。在南门要紧的去处火着起来,外面见了,定然加力攻城,愁他不破!"两个商量了,都自有引火的药头,火刀火石,火筒烟煤,藏在身边。当日晚来,宋江军马打城甚紧。

却说时迁,他是个飞檐走壁的人,跳墙越城,如登平地。当时先去宝严寺塔上点起一把火来。那宝塔最高,火起时城里城外那里不看见,火光照的三十馀里远近,似火钻一般。然后却来佛殿上放火。那两把火起,城中鼎沸起来,百姓人民,家家老幼慌忙,户户儿啼女哭,大小逃生。石秀直扒去蓟州衙门庭屋上博风板里,点起火来。蓟州城中见三处火起,知有细作,百姓那里有心守护城池,已都阻当不住,各自逃归看家。没多时,山门里又一把火起,却是时迁出宝严寺来,又放了一把火。那御弟大王见了城中无半个更次,四五路火起,知宋江有人在城里,慌慌急急，收拾军马，带了老小并两个孩儿，装载上车，开北门便走。宋江见城中军马慌乱，催促军兵卷杀入城。城里城外，喊杀连天，早夺了南门。洞仙侍郎见寡不敌众，只得跟着御弟大王投北门而走。宋江引大队人马入蓟州城来，便传下将令，先教救灭了四边风火。天明，出榜安抚蓟州百姓。将三军人马，尽数收拾蓟州屯住，赏劳三军。诸将功绩簿上，标写石秀、时迁功次。便行文书，申复赵安抚知道："得了蓟州大郡，请相公前来驻扎。"赵安抚回文书来说道："我在檀州权且屯扎，教宋先锋且守住蓟州。即目炎暑，天气暄热，未可动兵。待到天气微凉，再作计议。"宋江得了回文，便教卢俊义分领原拨军将，于玉田县屯扎，其馀大队军兵，守住蓟州。待到天气微凉，别行听调。

　　却说御弟大王耶律得重与洞仙侍郎将带老小，奔回幽州，直至燕京，来见大辽郎主。且说辽国郎主升坐金殿，聚集文武两班臣僚，朝参已毕。有阁门大使奏道："蓟州御弟大王，回至门下。"郎主闻奏，忙教宣召。宣至殿下，那耶律得重与洞仙侍郎俯伏御阶之下，放声大哭。郎主道："俺的爱弟，且休烦恼。有甚事务，当以尽情奏知寡人。"那耶律得重奏道："宋朝童子皇帝，差调宋江领兵前来征讨，其军马势大，难以抵敌。送了臣的两个孩儿，杀了檀州四员番将。宋军席卷而来，又失陷了蓟州。特来殿前请死！"大辽国主听了，传圣旨道："卿且起来。俺的这里好生商议。"郎主道："引兵的那蛮子是甚人？这等喽啰！"班部中右丞相太师褚坚出班奏道："臣闻宋江这伙，原是梁山泊水浒寨草寇，却不肯杀害良民百姓，专一替天行道，只杀滥官污吏、诈害百姓的人。后来童贯、高俅引兵前去收捕，被宋江只五阵，杀的片甲不回。他这伙好汉，剿捕他不得，童子皇帝遣使三番降诏去招安他。后来都投降了，只把宋江封为先锋使，又不曾实授官职，其馀都是白身人①。今日差将他来便和俺们厮杀。道他有一百八人，应上天星宿。这伙人好生了得，郎主休要小觑了他！"大辽国主道："你这等话说时，恁地怎生是好？"班部丛中转过一员官，乃是欧阳侍郎，襕袍拂地，象简当胸，奏道："郎主万岁，为人子的合当尽孝，为人臣的合当尽忠。臣虽不才，愿献小计，可退宋兵。"郎主大喜道："你既有好的见识，当下便说。"

欧阳侍郎言无数句，话不一席，有分教：宋江成几阵大功，名标青史，事载丹书。直教人唱凯歌离紫塞，鞭敲金镫转京师。正是：护国谋成欺吕望，顺天功就赛张良②。毕竟辽国欧阳侍郎奏出甚事来，且听下回分解。

---

① 白身人——指没有官职名目的人。
② 张良——汉刘邦的重要谋士，在战争中多出奇谋，屡立功勋，后被封为留侯。

第 八 十 五 回

宋公明夜度益津关　吴学究智取文安县

《西江月》:

> 山后辽兵侵境,中原宋帝兴军。水乡取出众天星,奉诏
> 去邪归正。　　暗地时迁放火,更兼石秀同行。等闲
> 打破永平城,千载功勋可敬。

话说当下欧阳侍郎奏道:"宋江这伙都是梁山泊英雄好汉。如今宋朝童子皇帝,被蔡京、童贯、高俅、杨戬四个贼臣弄权,嫉贤妒能,闭塞贤路,非亲不进,非财不用,久后如何容的他们。论臣愚意,郎主可加官爵,重赐金帛,多赏轻裘肥马,臣愿为使臣,说他来降俺大辽国。郎主若得这伙军马来,觑中原如同反掌。臣不敢自专,乞郎主圣鉴不错。"大辽国主听罢,便道:"你也说的是。你就为使臣,将带一百八骑好马,一百八匹好段子,俺的敕命一道,封宋江为镇国大将军,总领辽兵大元帅,赐与金一提,银一秤,权当信物。教把众头目的姓名都抄将来,尽数封他官爵。"只见班部中兀颜都统军出来启奏郎主道:"宋江这一伙草贼,招安他做甚! 放着奴婢手下有二十八宿将军,十一曜大将,有的是强兵猛将,怕不赢他! 若是这伙蛮子不退呵,奴婢亲自引兵去剿杀这厮。"国主道:"你便是了的好汉,如插翅大虫,再添的这伙呵,你又加生两翅。你且休得阻当。"辽主不听兀颜之言,再有谁敢多言。原来这兀颜光都统军,正是辽国第一员上将,十八般武

艺无有不通,兵书战策尽皆熟闲。年方三十五六,堂堂一表,凛凛一躯,八尺有馀身材,面白唇红,须黄眼碧,威仪猛勇,力敌万人。上阵时仗条浑铁点钢枪,杀到浓处,不时掣出腰间铁简,使的铮铮有声,端的是有万夫不当之勇。

且不说兀颜统军谏奏,却说那欧阳侍郎领了辽国敕旨,将了许多礼物马匹,上了马,径投蓟州来。宋江正在蓟州作养军士,听的辽国有使命至,未审来意吉凶,遂取玄女之课,当下一卜,卜得个上上之兆。便与吴用商议道:"卦中上上之兆,多是辽国来招安我们。似此如之奈何?"吴用道:"若是如此时,正可将计就计,受了他招安。将此蓟州与卢先锋管了,却取他霸州。若更得了他霸州,不愁他辽国不破。即今取了他檀州,先去辽国一只左手。此事容易,只是放些先难后易,令他不疑。"有诗为证:

委质为臣志不移,宋江忠义亦堪奇。

辽人不识坚贞节,空把黄金事馈遗。

且说那欧阳侍郎已到城下,宋江传令教开城门,放他进来。欧阳侍郎入进城中,至州衙前下马,直到厅上。叙礼罢,分宾主而坐。宋江便问:"侍郎来意何干?"欧阳侍郎道:"有件小事,上达钧听,乞屏左右。"宋江遂将左右喝退,请进后堂深处说话。欧阳侍郎至后堂,欠身与宋江道:"俺大辽国久闻将军大名,争耐山遥水远,无由拜见威颜。又闻将军在梁山大寨,替天行道,众弟兄同心协力。今日宋朝奸臣们闭塞贤路,有金帛投于门下者,便得高官重用,无贿赂投于门下者,总有大功于国,空被沉埋,不得升赏。如此奸党弄权,谗佞侥幸,嫉贤妒能,赏罚不明,以致天下大乱。江南、两浙、山东、河北,盗贼并起,草寇猖狂,良民受其涂炭,不得聊生。今将军统十万精兵,赤心归顺,止得先锋之职,又无升授品爵。众弟兄勤劳报国,俱各白身之士。遂命引兵,直抵沙漠。受此劳苦,与国建功,朝廷又无恩赐。此皆奸臣之计。若将沿途掳掠金珠宝贝,令人馈送浸润与蔡京、童贯、高俅、杨戬四个贼臣,可保官爵恩命立至。若还不肯如此行事,将军纵使赤心报国,建大功勋,回到朝廷,反坐罪犯。欧某今奉大辽国主,特遣小官赍敕命一道,封将军为辽邦镇国大将军,总领兵马大元帅,赠金一提,银一秤,彩段一百八匹,名马一百八骑。便要抄录一百八位头领姓名赴国,照名钦授官爵。非来诱说将军,此是国主久闻将军盛德,特遣欧某前来预请将军,招安众将,同意归降。"宋江听罢,便答道:"侍郎言之极是。争奈宋江出身微贱,郓城小吏,犯罪在逃,权居梁山水泊,避难逃灾。宋天子三番降诏,赦罪招安。虽然官小职微,亦未曾立得功绩,以报朝廷赦罪之恩。今大辽郎主赐我以厚爵,赠之以重赏,然虽如此,未敢拜受,请侍郎且回。即今溽暑炎热,权且令军马停歇,暂且借国王这两座城子屯兵,守待早晚秋凉,再作商议。"欧阳侍郎道:"将军不弃,权且收下辽主金帛、彩段、鞍马,俺回去慢慢地再来说话,未为晚矣。"宋江道:"侍郎不知,我等一百八人,耳目最多。倘或走透消息,先惹其祸。"欧阳侍郎道:"兵权执掌,尽在将军手内,谁敢不从?"宋江道:"侍郎不知就里,我等弟兄中间,多有性直刚勇之士。等我调和端正,众所同心,却慢慢地回话,亦未为迟。"有诗为证:

> 金帛重驮出蓟州,薰风回首不胜羞。
>
> 辽主若问归降事,云在青山月在楼。

于是令备酒肴相待,送欧阳侍郎出城,上马去了。宋江却请军师吴用商议道:"适来辽国侍郎这一席话如何?"吴用听了,长叹一声,低首不语,肚里沉吟。宋江便问道:"军师何故叹气?"吴用答道:"我寻思起来,只是兄长以忠义为主,小弟不敢多言。我想欧阳侍郎所说这一席话,端的是有理。目今宋朝天子,至圣至明，果被蔡京、童贯、高俅、杨戬四个奸臣专权，主上听信。设使日后纵有功成，必无升赏。我等三番招安，兄长为尊，止得个先锋虚职。若论我小子愚意，从其大辽，岂不胜如梁山水寨！只是负了兄长忠义之心。"宋江听罢，便道："军师差矣。若从大辽，此事切不可题。纵使宋朝负我，我忠心不负宋朝，久后纵无功赏，也得青史上留名。若背正顺逆，天不容恕。吾辈当尽忠报国，死而后已。"吴用道："若是兄长存忠义于心，只就这条计上，可以取他霸州。目今盛暑炎天，且当暂停，将养军马。"宋江、吴用计议已定，且不与众人说。同众将屯驻蓟州，待过暑热。

　　次日，与公孙胜在中军闲话，宋江问道："久闻先生师父罗真人，乃盛世之高士。前番因打高唐州，要破高廉邪法，特地使戴宗、李逵来寻足下，说尊师罗真人术法，多有灵验。敢烦贤弟，来日引宋江去法座前焚香参拜，一洗尘俗。未知尊意若何？"公孙胜便道："贫道亦欲归望老母，参省本师，为见兄长连日屯兵未定，不敢开言。今日正欲要禀仁兄，不想兄长要去。来日清晨同往参礼本师，贫道就行省视亲母。"次日，宋江暂委军师掌管军马，收拾了名香净果，金珠彩段，将带花荣、戴宗、吕方、郭盛、燕顺、马麟六个头领，宋江与公孙胜，共八骑马，带领五千步卒，取路投九宫县二仙山来。宋江等在马上，离了蓟州，来到山峰深处。但见青松满径，凉气飀飀，炎暑全无，端的好座佳丽之山。公孙胜在马上道："有名唤做呼鱼鼻山。"宋江看那山时，但见：

　　　　四围嶻嶪，八面玲珑。重重晓色映晴霞，沥沥琴声飞瀑布。溪涧中漱玉飞琼，石壁上堆蓝叠翠。白云洞口，紫藤高挂绿萝垂；碧玉峰前，丹桂悬崖青蔓袅。引子苍猿献果，呼群麋鹿衔花。千峰竞秀，夜深白鹤听仙经；万壑争流，风暖幽禽相对语。地僻红尘飞不到，山深车马几曾来。

当下公孙胜同宋江，直至紫虚观前，众人下马，整顿衣巾。小校托着信香礼物，径到观里鹤轩前面。观里道众见了公孙胜，俱各向前施礼；道众同来见宋江，亦施礼罢。公孙胜便问："吾师何在？"道众道："师父近日只在后面退居静坐，倦于迎送，少曾到观。"公孙胜听了，便和宋公明径投后山退居内来。转进观后，崎岖径路，曲折阶衢。行不到一里之间，但见荆棘为篱，外面都是青松翠柏，篱内尽是瑶草琪花。中有三间雪洞，罗真人在内端坐诵经。童子知有客来，开门相接。公孙胜先进草庵鹤轩前，礼拜本师已毕，便禀道："弟子旧友山东宋公明，受了招安，今奉敕命，封先锋之职，统兵来破大辽。今到蓟州，特地要来参礼我师，见在此间。"罗真人见说，便教请进。宋江进得草庵，罗真人降阶迎接。宋江再三恳请罗真人坐受拜礼，罗真人道："将军做了国家大臣，腰金衣紫，受天子之命。贫道乃山野村夫，何敢当此？"宋江坚意谦让，要礼拜他，罗真人方才肯坐。宋江先取信香炉中焚爇，参礼了八拜，遂呼花荣等六个头领，俱各礼拜已了。

罗真人都教请坐，命童子烹茶献果已罢。动问行藏，罗真人乃曰："将军上应星魁天象，威镇中原，外合列曜，一同替天行道，今则归顺宋朝，此清名千秋不朽矣。徒弟公孙胜，本从贫道山中出家，以绝尘俗，正当其理。奈缘是一会下星辰，不由他不来。今蒙将军不弃，折节下问，出家人无可接见，幸勿督过。"宋江道："江乃郓城小吏，逃罪上山。感谢四方豪杰，望风而来，同声相应，同气相求，恩如骨肉，情若股肱。天垂景象，方知上应天星地曜，会合一处。宋朝天子三番降诏，赦罪招安，众等皆随宋江归顺大义。今奉诏命，统领大兵，征进大辽，径涉真人仙境，凤生有缘，得一瞻拜。万望真人愿赐指迷前程之事，不胜万幸。"罗真人道："将军少坐，当具素斋。天色已晚，就此荒山草榻，权宿一宵，来早回马，未知尊意若何？"宋江便道："宋江正欲我师指教，听其点悟愚迷，安忍便去。"随即唤从人托过金珠彩段，上献罗真人。罗真人乃曰："贫道僻居野叟，寄形宇内，纵使受此金珠，亦无用处。随身自有布袍遮体，绫锦彩段亦不曾穿。将军统数万之师，军前赏赐，日费何止千万。所赐之物，乞请纳回，贫道决无用处。盘中果木，小道可留。"宋江再拜，望请收纳，罗真人坚执不受。当即供献素斋。斋罢，又吃了茶。罗真人令公孙胜回家省视老母："明早却来，随将军回城。"当晚留宋江庵中闲话。宋江把心腹之事，备细告知罗真人，愿求指迷。罗真人道："将军一点忠义之心，与天地均同，神明必相护佑。他日生当封侯，死当庙食，决无疑虑。只是将军一生命薄，不得全美。"宋江告道："我师，莫非宋江此身不得善终？"罗真人道："非也。将军亡必正寝，尸必归坟。只是所生命薄，为人好处多磨，忧中少乐。得意浓时便当退步，勿以久恋富贵。"宋江再告："我师，富贵非宋江之意，但只愿的弟兄常常完聚，虽居贫贱，亦满微心，只求大家安乐。"罗真人笑道："大限到来，岂容汝等留恋乎！"宋江再拜，求罗真人法语。罗真人命童子取过纸笔，写下八句法语，度与宋江。那八句说道是：

　　　"忠心者少，义气者稀。幽燕功毕，明月虚辉。

　　　　始逢冬暮，鸿雁分飞。吴头楚尾，官禄同归。"

宋江看毕，不晓其意，再拜恳告："乞我师金口剖决，指引迷愚。"罗真人道："此乃天机，不可泄漏。他日应时，将军自知。夜深更静，请将军观内暂宿一宿，来早再与拜会。贫道当年寝寐，未曾还的，再欲赴梦去也，将军勿罪。"宋江收了八句法语，藏在身边，辞了罗真人，来观内宿歇。众道众接至方丈，宿了一宵。次日清晨,来参真人,其时公孙胜已到草庵里了。罗真人叫备素馔斋饭相待。早膳已毕,罗真人再与宋江道:"将军在上,贫道一言可禀:这个徒弟公孙胜,俗缘日短,道行渐长。若今日便留下,在此伏侍贫道,却不见了弟兄往日情分。从今日跟将军去干大功,如奏凯还京,此时方当徒弟相辞,却望将军还放。一者使贫道有传道之人,二乃免徒弟老母倚门之望。将军忠义之士,必举忠义之行。未知将军雅意肯纳贫道否?"宋江道:"师父法旨,弟子安敢不听。况公孙胜先生与江弟兄,去住从他,焉敢阻当。"罗真人同公孙胜都打个稽首,道:"谢承将军金诺。"当下众人拜辞罗真人,罗真人直送宋江等出庵相别。罗真人道:"将军善加保重,早得建节封侯。"宋江拜别,出到观前。所有乘坐马匹,在观中喂养,从人已牵在观外伺候。众道士送宋江等出到观外相别。宋江教牵马至半山平坦之处,与公孙胜等一同上马,再回蓟州。有诗为证:

> 兵隙乘骖访道流,紫虚仙观白云稠。
> 当坛乞得幽玄语,楚尾吴头事便休。

宋江等回来,一路无话,早到城中州衙前下马。黑旋风李逵接着,说道:"哥哥去望罗真人,怎生不带兄弟去走一遭?"戴宗道:"罗真人说你要杀他,好生怪你。"李逵道:"他也奈何的我也勾了!"众人都笑。宋江入进衙内,众人都到后堂。宋江取出罗真人那八句法语,递与吴用看详,不晓其意。众人反复看了,亦不省的。公孙胜道:"兄长,此乃是天机玄语,不可泄漏。收拾过了,终身受用,休得只顾猜疑。师父法语,过后方知。"宋江遂从其说,藏于天书之内。自此之后,屯驻军马在蓟州,一月有馀,并无军情之事。

至七月半后,檀州赵枢密行文书到来,说奉朝廷敕旨,催兵出战。宋江接得枢密院札付，便与军师吴用计议，前到玉田县，合会卢俊义等，操练军马，整顿军器，分拨人员已定，再回蓟州，祭祀旗纛，选日出师。闻左右报道："辽国有使来到。"宋江出接，却是欧阳侍郎，便请入后堂。叙礼已罢，宋江问道："侍郎来意如何？"欧阳侍郎道："乞退左右。"宋江随即喝散军士。侍郎乃言："俺大辽国主好生慕公之德。若蒙将军慨然归顺，肯助大辽，必当建节封侯，此乃小事耳。全望早成大义，免俺辽主悬望之心。"宋江答道："这里也无外人，亦当尽忠告诉。侍郎不知，前番足下来时，众军皆知其意，内中有一半人不肯归顺。若是宋江便随侍郎出幽州，朝见郎主时，有副先锋卢俊义，必然引兵追赶。若就那里城下厮并，不见了我弟兄们日前的义气。我今先带些心腹之人，不拣那座城子，借我躲避。他若引兵赶来，知我下落，那时却好回避他。他若不听，却和他厮并也未迟。他若不知我等下落时，他军马回报东京，必然别生支节。我等那时朝见郎主，引领大辽军马，却来和他厮杀，未为晚矣。"欧阳侍郎听了宋江这一席言语，心中大喜，便问道："俺这里紧靠霸州，有两个隘口：一个唤做益津关，两边都是险峻高山，中间只一条驿路；一个是文安县，两面都是恶山，过的关口，便是县治。这两座去处，是霸州两扇大门。将军若是如此，可往霸州躲避。本州是俺辽国国舅康里定安守把，将军可就那里与国舅同住，却看这里如何。"宋江道："若得如此，宋江星夜使人回家搬取老父，以绝根本。侍郎可暗地使人来引宋江去。只如此说，今夜我等收拾也。"欧阳侍郎大喜，别了宋江，出衙上马去了。未知行止真伪，有诗为证：

　　　　辽国君臣性持佞，说降刚去又还来。

　　　　宋江一志坚如铁，翻使谋心渐渐开。

　　当日宋江令人去请卢俊义、吴用、朱武到蓟州，一同计议智取霸州之策,下来便见。宋江酌量已定,卢俊义领令去了。吴用、朱武暗暗分付众将,如此如此而行。宋江带去人数,林冲、花荣、朱仝、刘唐、穆弘、李逵、樊瑞、鲍旭、项充、李衮、吕方、郭盛、孔明、孔亮,共计一十五员头领,止带一万来军校。拨定人数,只等欧阳侍郎来到便行。

望了两日,只见欧阳侍郎飞马而来,对宋江道:“俺大辽国主知道将军实是好心的人。既蒙归顺,怕他宋兵做甚么!俺大辽国有的是渔阳突骑、上谷雄兵相助。你既然要取老父,不放心时,且请在霸州与国舅作伴,俺却差人去取令大人未迟。”宋江听了,与侍郎道:“愿去的军将收拾已完备。几时可行?”欧阳侍郎道:“则今夜便行,请将军传令。”宋江随即分付下去,都教马摘銮铃,军卒衔枚疾走,当晚便行。一面管待来使。黄昏左侧,开城西门便出。欧阳侍郎引数十骑在前领路,宋江引一支军马随后便行。约行过二十徐里,只见宋江在马上猛然失声叫声:“苦也!”说道:“约下军师吴学究,同来归顺大辽郎主,不想来的慌速,不曾等的他来。军马慢行,却快使人取接他来。”当时已是三更左侧,前面已到益津关隘口。欧阳侍郎大喝一声:“开门!”当下把关的军将,开放关口,军马人将,尽数度关,直到霸州。

天色将晓,欧阳侍郎请宋江入城,报知国舅康里定安。原来这国舅是大辽郎主皇后亲兄,为人最有权势,更兼胆勇过人。将着两员侍郎,守住霸州。一个唤做金福侍郎,一个唤做叶清侍郎。听的报道宋江来降,便教军马且在城外下寨,只教为头的宋先锋请进城来。欧阳侍郎便同宋江入城,来见定安国舅。国舅见了宋江一表非俗,便乃降阶而接。请至后堂,叙礼罢,请在上坐。宋江答道:“国舅乃金枝玉叶,小将是投降之人,怎消受国舅殊礼重待!宋江将何报答?”定安国舅道:“多听得将军的名传寰海,威镇中原,声名闻于大辽。俺的国主好生慕爱,必当重用。"
宋江道:"小将比领国舅的福荫,宋江当尽心报答郎主大恩。"定
安国舅大喜,忙叫安排庆贺筵宴,一面又叫椎牛宰马,赏劳三军。
城中选了一所宅子,教宋江、花荣等安歇,方才教军马尽数入城
屯扎。花荣等众将,都来见了国舅等众多番将,同宋江一处安歇
已了。宋江便请欧阳侍郎分付道:"可烦侍郎差人报与把关的军
汉,怕有军师吴用来时,分付便可放他进关来,我和他一处安歇。
昨夜来的仓卒,不曾等候的他。我一时与足下只顾先来了,正忘
了他。军情主事,少他不得。更兼军师文武足备,智谋并优,六
韬三略,无有不会。"欧阳侍郎听了,随即便传下言语,差人去与
益津关、文安县二处把关军将说知:但有一个秀才模样的人,姓
吴名用,便可放他过来。

　　且说文安县得了欧阳侍郎的言语,便差人转出益津关上,报
知就里,说与备细。上关来望时,只见尘头蔽日,土雾遮天,有军
马奔上关来。把关将士准备擂木炮石,安排对敌。只见山前一
骑马上,坐着一人,秀才模样,背后一僧一行,却是行脚僧人、行
者,随后又有数十个百姓,都赶上关来。马到关前,高声大叫:
"我是宋江手下军师吴用,欲待来寻兄长,被宋兵追赶得紧,你可
开关救我。"把关将道:"想来正是此人。"随即开关放入吴学究
来。只见那两个行脚僧人、行者,也挨入关。关上人当住,那行
者早撞在门里了。和尚便道:"俺两个出家人,被军马赶的紧,救
咱们则个!"把关的军定要推出关去。那和尚发作,行者焦躁,大
叫道:"俺不是出家人,俺是杀人的太岁鲁智深、武松的便是!"花
和尚轮起铁禅杖,拦头便打。武行者掣出双戒刀,就便杀人,正
如砍瓜切菜一般。那数十个百姓便是解珍、解宝、李立、李云、杨
林、石勇、时迁、段景住、白胜、郁保四这伙人,早奔关里,一发夺

了关口。卢俊义引着军兵,都赶到关上,一齐杀入文安县来。把关的官员,那里迎敌的住。这伙都到文安县取齐。似此以伪乱真,有诗为证:

伪计归降妙莫穷,便开城郭纵奸雄。

公明反谍无端骂,混杀腥膻顷刻中。

却说吴用飞马奔到霸州城下,守门的番官报入城来。宋江与欧阳侍郎在城边相接,便教引见国舅康里定安。吴用说道:"吴用不合来的迟了些个,正出城来,不想卢俊义知觉,直赶将来,追到关前。小生今入城来,此时不知如何。"又见流星探马报来,说道:"宋兵夺了文安县,军马杀近霸州。"定安国舅便教点兵出城迎敌。宋江道:"未可调兵。等他到城下,宋江自用好言招抚他。如若不从,却和他厮并未迟。"只见探马又报将来说:"宋兵离城不远。"定安国舅与宋江一齐上城看望,见宋兵整整齐齐,都摆列在城下。卢俊义顶盔挂甲,跃马横枪,点军调将,耀武扬威,立马在门旗之下,高声大叫道:"只教反朝廷的宋江出来!"宋江立在城楼下女墙边,指着卢俊义说道:"兄弟,所有宋朝赏罚不明,奸臣当道,谗佞专权,我已顺了大辽国主。汝可回心,也来帮助我,同扶大辽郎主,不失了梁山许多时相聚之意。"卢俊义大骂道:"俺在北京安家乐业,你来赚我上山。宋天子三番降诏招安我们,有何亏负你处?你怎敢反背朝廷!你那黑矮无能之人,早出来打话,见个胜败输赢。"宋江大怒,喝教开城门,便差林冲、花荣、朱仝、穆弘四将齐出,活拿这厮。卢俊义一见了四将,约住军校,跃马横枪,直取四将,全无惧怯。林冲等四将,斗了二十馀合,拨回马头,望城中便走。卢俊义把枪一招,后面大队军马,一齐赶杀入来。林冲、花荣占住吊桥,回身再战,诈败佯输,诱引卢俊义抢入城中。背后三军,齐声呐喊。城中宋江等诸将,一齐兵

变,接应入城。四方混杀,人人束手,个个归心。定安国舅气的
目睁口呆,罔知所措,与众等侍郎束手被擒。宋江将引军到城
中,诸将都至州衙内来,参见宋江。宋江传令,先请上定安国舅
并欧阳侍郎、金福侍郎、叶清侍郎,并皆分坐,以礼相待。宋江
道:"汝辽国不知就里,看的俺们差矣!我这伙好汉,非比啸聚山
林之辈,一个个乃是列宿之臣,岂肯背主降辽。只要取汝霸州,
特地乘此机会。今已成功,国舅等请回本国,切勿忧疑,俺无杀
害之心。但是汝等部下之人,并各家老小,俱各还本国。霸州城
子已属天朝,汝等勿得再来争执。今后刀兵到处,无有再容。"宋
江号令已了,将城中应有番官,尽数驱遣起身,随从定安国舅,都
回幽州。宋江一面出榜安民,令副先锋卢俊义将引一半军马,回
守蓟州。宋江等一半军将,守住霸州。差人赍奉军帖,飞报赵枢
密,得了霸州。赵安抚听了大喜,一面写表申奏朝廷。

　　且说定安国舅与同三个侍郎,带领众人归到燕京,来见郎
主,备细奏说宋江诈降一事,"因此被那伙蛮子占了霸州"。大辽
郎主听了大怒,喝骂欧阳侍郎:"都是你这奴婢佞臣,往来搬斗,
折了俺霸州紧要的城池,教俺燕京如何保守?快与我解拿去斩
了!"班部中转出兀颜统军,启奏道:"郎主勿忧!量这厮何须国
主费力,奴婢自有个道理。且免斩欧阳侍郎,若是宋江知得,反
被他耻笑。"大辽国主准奏,赦了欧阳侍郎,再说兀颜统军如何收
伏这蛮子,恢复城池。只见兀颜统军奏道:"奴婢引起部下二十
八宿将军,十一曜大将,前去布下阵势,把这些蛮子一鼓儿平
收。"说言未绝,班部中却转出贺统军前来奏道:"郎主不用忧心,
奴婢自有个见识。常言道:杀鸡焉用牛刀。那里消得正统军自
去。只贺某聊施小计,教这一伙蛮子死无葬身之地。"郎主听了,
大喜道:"俺的爱卿,愿闻你的妙策。"

贺统军启口摇舌,说这妙计。有分教:卢俊义来到一个去处,马无料草,人绝口粮。直教三军人马几乎死,一代英雄咫尺休。毕竟贺统军对郎主道出甚计来,且听下回分解。

第八十六回

宋公明大战独鹿山　卢俊义兵陷青石峪

诗曰：

莫逞区区智力馀，天公原自有乘除。

谢玄真得擒王技，赵括徒能读父书。

青石兵如沙上雁，幽州势若釜中鱼。

败军损将深堪愧，辽主行当坐陷车。

话说贺统军，姓贺名重宝，是大辽国中兀颜统军部下副统军之职。身长一丈，力敌万人，善行妖法，使一口三尖两刃刀，见今守住幽州，就行提督诸路军马。当时贺重宝奏郎主道："奴婢这幽州地面，有个去处，唤做青石峪，只一条路入去，四面尽是高山，并无活路。臣拨十数骑人马，引这伙蛮子直入里面，却调军马外面围住，教这厮前无出路，后无退步，必然饿死。"兀颜统军道："怎生便得这厮们来？"贺统军道："他打了俺三个大郡，气满志骄，必然想着幽州。俺这里分兵去诱引他，他必然乘势来赶，引入陷坑山内，走那里去！"兀颜统军道："你的计策怕不济事，必还用俺大兵扑杀。且看你去如何。"

当下贺统军辞了国主，带了盔甲刀马，引了一行步从兵卒，回到幽州城内。将军点起，分作三队，一队守住幽州，二队望霸州、蓟州进发。传令已下，便驱遣两队军马出城，差两个兄弟前去领兵：大兄弟贺拆去打霸州，小兄弟贺云去打蓟州，都不要赢他,只佯输诈败,引入幽州境界,自有计策。

却说宋江等守住霸州,有人来报:"辽兵侵犯蓟州,恐有疏失,望调军兵救护。"宋江道:"既然来打,那有干罢之理。就此机会,去取幽州。"宋江留下些少军马,守定霸州,其馀大队军兵,拔寨都起,引军前去蓟州,会合卢俊义军马,约日进兵。

且说番将贺拆引兵霸州来,宋江正调军马出来,却好半里路接着。不曾斗的三合,贺拆引军败走,宋江不去追赶。却说贺云去打蓟州,正迎着呼延灼,不战自退。

宋江会合卢俊义,一同上帐,商议攻取幽州之策。吴用、朱武便道:"幽州分兵两路而来,此必是诱引之计,且未可行。"卢俊义道:"军师错矣!那厮连输了数次,如何是诱敌之计?当取不取,过后难取。不就这里去取幽州,更待何时!"宋江道:"这厮势穷力尽,有何良策可施。正好乘此机会。"遂不从吴用、朱武之言,引兵往幽州便进。将两处军马,分作大小三路起行。只见前军报来说:"辽兵在前拦住。"宋江遂到军前看时,山坡后转出一彪皂旗来。宋江便教前军摆开人马。只见那番军番将,盖地而来,皂雕旗分作四路,向山坡前摆开。宋江、卢俊义与众将看时,如黑云踊出千百万人马相似,簇拥着一员大将番官,横着三尖两刃刀,立马阵前。那番官怎生打扮?但见:

> 头戴明霜镔铁盔,身披耀日连环甲,足穿抹绿云根靴,
> 腰系龟背狻猊带,衬着锦绣绯红袍,执着铁杆狼牙棒,
> 手持三尖两刃八环刀,坐下四蹄双翼千里马。

前面引军旗上,写的分明:"大辽副统军贺重宝。"跃马横刀,出于阵前。宋江看了道:"辽国统军,必是上将。谁敢出马?"说犹未了,大刀关胜舞起青龙偃月刀,纵坐下赤兔马,飞出阵来,也不打话,便与贺统军相并。正似两条龙竞宝,一对虎争餐,一来

一往凤翻身,一上一下鸾展翅。刀斗刀,迸数丈寒光;马荡马,动半天杀气。关胜与贺统军斗到三十馀合,贺统军气力不加,拨回刀望本阵便走。关胜骤马追赶,贺统军引了败兵,奔转山坡。宋江便调军马追赶,约有四五十里,听的四下里战鼓齐响。宋江急叫回军时,山坡左边早撞过一彪番军拦路。宋江急分兵迎敌时,右手下又早撞出一支大辽军马,前面贺统军勒兵回来夹攻。宋江兵马四下救应不迭,被番兵撞做两段。

却说卢俊义引兵在后面厮杀时,不见了前面军马。急寻门路要杀回来,只见胁窝里又撞出番军来厮并。辽兵喊杀连天,四下里撞击,左右被番军围住在垓心。卢俊义调拨众将,左右冲突,前后卷杀,寻路出去。众将扬威耀武,抖擞精神,正奔四下里厮杀,忽见阴云闭合,黑雾遮天,白昼如夜,不分东西南北。卢俊义心慌,急引一支军马,死命杀出。大辽兵马听的前面鸾铃声响,纵马引军赶杀过去。至一山口,卢俊义听的里面人语马嘶,领兵赶将入去,只见狂风大作,走石飞沙,对面不见。卢俊义杀到里面,约莫二更前后,方才风静云开,复见一天星斗。众人打一看时,四面尽是高山,左右是悬崖峭壁,只见山川峻岭,无路可登。随行人马,只见徐宁、索超、韩滔、彭玘、陈达、杨春、周通、李忠、邹渊、邹润、杨林、白胜大小十二个头领,有五千军马。星光之下待寻归路,四下高山围匝,不能得出。卢俊义道:“军士厮杀了一日,神思困倦,且就这里权歇一宵,暂停战马,明日却寻归路。”未知脱离何如,有诗为证:

　　　　四山环绕路难通,原是阴陵死道中。

　　　　若要大军相脱释,除非双翼驾天风。

　　再说宋江正厮杀间,只见黑云四起,走石飞沙,军士对面都不相见。随军内却有公孙胜，在马上见了，知道此是妖法，急拔宝剑在手，就马上作用，口中念念有词，喝声道："疾！"把宝剑指点之处，只见阴云四散，狂风顿息，大辽军马，不战自退。遥望漫漫阴气，尽皆四边散了。宋江驱兵杀透重围，退到一座高山，迎着本部军马，且把粮车头尾相衔，权做寨栅。计点大小头领，于内不见了卢俊义等一十三人，并五千馀军马。至天明，宋江便遣呼延灼、林冲、秦明、关胜，各带军兵，四下里去寻了一日，不知些消息。回复宋江，宋江便取玄女课焚香占卜已罢，说道："大象不妨，只是陷在幽阴之处，急切难得出来。"宋江放心不下，遂遣解珍、解宝，扮作猎户，绕山来寻；又差时迁、石勇、段景住、曹正，四下里去打听消息。

且说解珍、解宝披上虎皮袍，挝了钢叉，只望深山里行。看看天色向晚，两个行到山中，四边只一望不见人烟，都是乱山叠障。解珍、解宝又行了几个山头，是夜月色朦胧，远远地望见山畔一点灯光。弟兄两个道："那里有灯光之处，必是有人家。我两个且寻去讨些饭吃。"望着灯光处拽开脚步奔将来。未得一里多路，来到一个去处，傍着树林，破二作三① 数间草屋下，破壁里闪出灯光来。解珍、解宝推开扇门，灯光之下，见是个婆婆，年老六旬之上。弟兄两个放下钢叉，纳头便拜。那婆婆道："我只道是俺孩儿来家，不想却是客人到此。客人休拜。你是那里猎户？怎生到此？"解珍道："小人原是山东人氏，旧日是猎户人家。因来此间做些买卖，不想正撞着军马热闹，连连厮杀，以此消折了本钱，无甚生理，弟兄两个只得来山中寻讨些野味养口。谁想不识路径，迷踪失迹，来到这里，投宅上暂宿一宵。望老奶奶收

---

① 破二作三——分二为三。这里是形容破旧、简陋的样子。

留则个。"那婆婆道："自古云：谁人顶着房子走哩。我家两个孩儿，也是猎户，敢如今便回来也。客人少坐，我安排些晚饭与你两个吃。"解珍、解宝谢道："多感老奶奶。"那婆婆入里面去了。弟兄两个，却坐在门前。不多时，只见门外两个人，扛着一个獐子入来，口里呼道："娘，娘，你在那里？"只见那婆婆出来道："孩儿，你们回了。且放下獐子，与这两位客人厮见。"解珍、解宝慌忙下拜。那两个答礼已罢，便问："客人何处？因甚到此？"解珍、解宝便把却才的话，再说一遍。那两个道："俺祖居在此。俺是刘二，兄弟刘三。父是刘一，不幸死了，止有母亲。专靠打猎营生，在此二三十年了。此间路径甚杂，俺们尚有不认的去处。你两个是山东人氏，如何到此间讨得衣饭吃？你休瞒我，你二位敢不是打猎户么？"解珍、解宝道："既到这里，如何藏的！实诉与兄长。"有诗为证：

峰峦重叠绕周遭，兵陷垓心不可逃。

二解欲知消息实，便将踪迹混渔樵。

当时解珍、解宝跪在地下，说道："小人们果是山东猎户，弟兄两个，唤做解珍、解宝。在梁山泊跟随宋公明哥哥许多时落草。今来受了招安，随着哥哥来破大辽。前日正与贺统军大战，被他冲散一支军马，不知陷在那里，特差小人弟兄两个来打探消息。"那两个弟兄笑道："你二位既是好汉，且请起，俺指与你路头。你两个且少坐，俺煮一腿獐子肉，暖杯社酒，安排请你二位。"没一个更次，煮的肉来，刘二、刘三管待解珍、解宝。饮酒之间，动问道："俺们久闻你梁山泊宋公明，替天行道，不损良民，直传闻到俺辽国。"解珍、解宝便答道："俺哥哥以忠义为主，誓不扰害善良，单杀滥官酷吏、倚强凌弱之人。"那两个道："俺们只听的说，原来果然如此。"尽皆欢喜，便有相爱不舍之情。解珍、解宝道："我那支军马，有十数个头领，三五千兵卒，正不知下落何处。我想也得好一片地来排陷他。"那两个道："你不知俺这北边去处。只此间是幽州管下，有个去处，唤做青石峪，只有一条路入去，四面尽是悬崖峭壁的高山。若是填塞了那条入去的路，再也出不来。多定只是陷在那里了，此间别无这般宽阔去处。如今你那宋先锋屯军之处，唤做独鹿山。这山前平坦地面，可以厮杀，若山顶上望时，都见四边来的军马。你若要救那支军马，舍命打开青石峪，方才可以救出。那青石峪口，必然多有军马截断这条路口。此山柏树极多，惟有青石峪口两株大柏树最大的好，形如伞盖，四面尽皆望见。那大树边，正是峪口。更提防一件，贺统军会行妖法，教宋先锋破他这一件要紧。"解珍、解宝得了这言语，拜谢了刘家弟兄两个，连夜回寨来。宋江见了，问道："你两个打听的些分晓么？"

　　解珍、解宝却把刘家弟兄的言语，备细说了一遍。宋江失惊，便请军师吴用商议。正说之间，只见小校报道："段景住、石勇引将白胜来了。"宋江道："白胜是与卢先锋一同失陷，他此来必是有异。"随即唤来帐下问时，段景住先说："我和石勇正在高山涧边观望，只见山顶上一个大毡包滚将下来。我两个看时，看滚到山脚下，却是一团毡衫，里面四围裹定，上用绳索紧拴。直到树边看时，里面却是白胜。"白胜便道："卢头领与小弟等一十三人，正厮杀间，只见天昏地暗，日色无光，不辨东西南北。只听的人语马嘶之间，卢头领便教只顾杀将入去，谁想深入重地。那里尽是四围高山，无计可出，又无粮草接济，一行人马，实是艰难。卢头领差小人从山顶上滚将下来，寻路报信，不想正撞着石勇、段景住二人。望哥哥早发救兵，前去接应，迟则诸将必然死矣。"有诗为证：

青石峪中人马陷，绝无粮草济饥荒。

暗将白胜重毡裹，滚下山来报宋江。

宋江听罢，连夜点起军马，令解珍、解宝为头引路，望这大柏树，便是峪口。传令教马步军兵，并力杀去，务要杀开峪口。人马行到天明，远远的望见山前两株大柏树，果然形如伞盖。当下解珍、解宝引着军马，杀到山前峪口。贺统军便将军马摆开，两个兄弟争先出战。宋江军将要抢峪口，一齐向前。豹子头林冲飞马先到，正迎着贺拆，交马只两合，从肚皮上一枪搠着，把那贺拆搠于马下。步军头领见马军先到赢了，一发都奔将入去。黑旋风李逵手轮双斧，一路里砍杀辽兵。背后便是混世魔王樊瑞，丧门神鲍旭，引着牌手项充、李衮，并众多蛮牌，直杀入辽兵队里。李逵正迎着贺云，抢到马下，一斧砍断马脚，当时倒了。贺云落马，李逵双斧如飞，连人带马，只顾乱剁。辽兵正拥将来，却被樊瑞、鲍旭两下众牌手撞住。贺统军见折了两个兄弟，便口中念念有词，作起妖法，不知道些甚么，只见狂风大起，就地生云，黑暗暗罩住山头，昏惨惨迷合峪口。正作用间，宋军中转过公孙胜来，在马上擎出宝剑在手，口中念不过数句，大喝一声道："疾！"只见四面狂风扫退浮云，现出明朗朗一轮红日。马步三军众将，向前舍死并杀辽兵。贺统军见作法不行，敌军冲突的紧，自舞刀拍马杀过阵来。只见两军一齐混战，宋江杀的辽兵东西乱窜。

马军追赶辽兵，步军便去扒开峪口。原来被这辽兵重重叠叠，将大块青石填塞住这条出路。步军扒开峪口，杀进青石峪内。卢俊义见了宋江军马，皆称惭愧。宋江传令，教且休赶辽兵，收军回独鹿山，将息被困人马。卢俊义见了宋江，放声大哭道："若不得仁兄垂救，几丧兄弟性命！"宋江、卢俊义同吴用、公

孙胜并马回寨,将息三军,解甲暂歇。次日,军师吴学究说道:
"可乘此机会,就好取幽州。若得了幽州,辽国之亡,唾手可待。"
宋江便叫卢俊义等一十三人军马,且回蓟州权歇。宋江自领大
小诸将军卒人等,离了独鹿山,前来攻打幽州。

贺统军正退回在城中,为折了两个兄弟,心中好生纳闷。又
听得探马报道:"宋江军马来打幽州。"番军越慌。众辽兵上城观
望,见东北下一簇红旗,西北下一簇青旗,两彪军马奔幽州来,即
报与贺统军。贺统军听的大惊,亲自上城来看时,认的是辽国来
的旗号,心中大喜。来的红旗军马,尽写银字。这支军乃是大辽
国驸马太真胥庆,只有五千馀人。这一支青旗军马,旗上都是金
字,尽插雉尾,乃是李金吾大将。原来那个番官,正受黄门侍郎、
左执金吾上将军,姓李名集,呼为李金吾。乃李陵之后,荫袭金
吾之爵,见在雄州屯扎,部下有一万来军马。侵犯大宋边界,正
是此辈。听的辽主折了城子,因此调兵前来助战。贺统军见了,
使人去报两路军马:"且休入城,教去山背后埋伏暂歇。待我军
马出城,一面等宋江兵来,左右掩杀。"贺统军传报已了,遂引军
兵出幽州迎敌。

宋江诸将已近幽州,吴用便道:"若是他闭门不出,便无准
备;若是他引兵出城迎敌,必有埋伏。我军可先分兵两路,作三
路而进:一路直往幽州进发,迎敌来军;两路如羽翼相似,左右护
持。若有埋伏军起,便教这两路军去迎敌。"正是:水来土掩,兵
至将迎。有诗为证:

堂堂金鼓振天台,知是援兵特地来。

莫向阵前干打哄,血流漂杵更堪哀。

宋江便拨调关胜,带宣赞、郝思文,领兵在左。再调呼延灼,
带单廷圭、魏定国,领兵在右。各领一万馀人,从山后小路,慢慢

而行。宋江等引大军前来,径往幽州进发。

却说贺统军引兵前来,正迎着宋江军马。两军相对,林冲出马与贺统军交战。斗不到五合,贺统军回马便走,宋江军马追赶。贺统军分兵两路,不入幽州,绕城而走。吴用在马上便叫:"休赶!"说犹未了,左边撞出太真驸马来,已有关胜恰好迎住;右边撞出李金吾来,又有呼延灼恰好迎住。正来三路军马遇住大战,杀的尸横遍野,流血成河。

贺统军情知辽兵不胜,欲回幽州时,撞过二将,接住便杀,乃是花荣、秦明,死战定。贺统军欲退回西门城边,又撞见双枪将董平,又杀了一阵。转过南门,撞见朱仝,接着又杀一阵。贺统军不敢入城,撞条大路,望北而去。不提防前面撞着镇三山黄信,舞起大刀,直取贺统军。贺统军心慌,措手不及,被黄信一刀正砍在马头上。贺统军弃马而走,不想胁窝里撞出杨雄、石秀,两个步军头领齐上,把贺统军拕翻在肚皮下。宋万挺枪,又赶将来。众人只怕争功坏了义气,就把贺统军乱枪戳死。那队辽兵已自先散,各自逃生。太真驸马见统军队里倒了帅字旗,军校漫散,情知不济,便引了这彪红旗军,从山背后走了。李金吾正战之间,不见了这红旗军,料道不济事,也引了这彪青旗军望山后退去。

宋江见这三路军兵尽皆退了,大驱宋军人马,奔来夺取幽州。不动声色,一鼓而收。来到幽州城内,扎驻三军,便出榜安抚百姓。随即差人急往檀州报捷,请赵枢密移兵蓟州把守,就取这支水军头领并船只,前来幽州听调。却教副先锋卢俊义,分守霸州。又得了四个大郡,赵安抚见了来文大喜,一面申奏朝廷,一面行移蓟、霸二州,说此大辽国渐渐危矣。便差水军头领,收拾进发。堪叹北方大郡,一时收复归宋。有诗为证:

胡雏卤莽亦机谋,三路军兵布列稠。

堪羡宋江能用武,等闲谈笑取幽州。

且说大辽国主升登宝殿,会集文武番官,左丞相幽西孛瑾,右丞相太师褚坚,统军大将等众,当廷商议:"即目宋江侵夺边界,占了俺四座大郡,如今又犯幽州,早晚必来侵犯皇城,燕京难保!贺统军弟兄三个已亡,幽州又失。汝等文武群臣,当国家多事之秋,如何处置?"有大辽国都统军兀颜光奏道:"郎主勿忧。前者奴婢累次只要自去领兵,往往被人阻当,以致养成贼势,成此大祸。伏乞亲降圣旨,任臣选调军马,会合诸处军兵,克日兴师,务要擒获宋江等头领,恢复原夺城池。"郎主准奏,遂赐出明珠虎牌,金印敕旨,黄钺白旄,朱幡皂盖,尽付与兀颜统军:"不问金枝玉叶,皇亲国戚,不拣是何军马,并听爱卿调遣。速便起兵,前去征进。"

兀颜统军领了圣旨兵符,便下教场,会集诸多番将,传下将令,调遣诸处军马,前来策应。却才传令已罢,有统军长子兀颜延寿,直至演武亭上禀父亲道:"父亲一面整点大军,孩儿先带数员猛将,会集太真驸马、李金吾将军二处军马,先到幽州,杀败这蛮子们八分。待父亲来时,瓮中捉鳖,一鼓扫清宋兵。不知父亲钧意如何?"兀颜统军道:"吾儿言见得是。与汝突骑五千,精兵二万,就做先锋。即便会同太真驸马、李金吾,刻下便行。如有捷音,羽檄飞报。"小将军欣然领了号令,整点三军人马,径奔幽州来。

不是这个兀颜小将军前来搦战,有分教:幽州城下,变为九里山前;湾水河边,翻作三江渡口。正是:万马奔驰天地怕,千军踊跃鬼神愁。毕竟兀颜小将军怎生搦战,且听下回分解。

第八十七回

宋公明大战幽州　呼延灼力擒番将

古风：

胡马嘶风荡尘土，旗帜翩翩杂钲鼓。

黄髯番将跨雕鞍，插箭弯弓排队伍。

摇缰纵马望南来，个个扬威并耀武。

刀诛北海赤须龙，剑斩南山白额虎。

梁山泊内众英雄，胸中劲气吞长虹。

一朝归顺遵大义，誓清天下诛群凶。

奉宣直抵幽燕界，累夺城池建大功。

兀颜统军真良将，神机妙策欺飞熊。

幽州城下决胜负，青草山川尘影红。

擒胡破虏容易事，尽在功名掌握中。

当时兀颜延寿将引二万馀军马，会合了太真驸马、李金吾二将，共领三万五千番军，整顿枪刀弓箭一应器械完备，摆布起身。早有探子来幽州城里报知宋江。宋江便请军师吴用商议："辽兵累败，今次必选精兵猛将前来厮杀。当以何策应之？"吴用道："先调兵出城布下阵势，待辽兵来，慢慢地挑战。他若无能，自然退去。"宋江道："军师高论至明。"随即调遣军马出城，离城十里，地名方山，地势平坦，靠山傍水排下九宫八卦阵势。

等候间，只见辽兵分做三队而来。兀颜小将军兵马是皂旗，

太真驸马是红旗,李金吾军是青旗。三军齐到,见宋江摆成阵
势。那兀颜延寿在父亲手下曾习得阵法,深知玄妙,见宋江摆下
九宫八卦阵势,便令青红旗二军,分在左右,扎下营寨。自去中
军竖起云梯,看了宋兵果是九宫八卦阵势,下云梯来,冷笑不止。
左右副将问道:"将军何故冷笑?"兀颜延寿道:"量他这个九宫八
卦阵,谁不省得! 他将此等阵势,瞒人不过,俺却惊他则个。"令
众军擂三通画鼓,竖起将台。就台上用两把号旗招展,左右列成
阵势已了。下将台来,上马,令首将哨开阵势,亲到阵前与宋江
打话。那小将军怎生结束? 但见:

> 戴一顶三叉如意紫金冠,穿一件蜀锦团花白银铠,足穿
> 四缝鹰嘴抹绿靴,腰系双环龙角黄鞓带。虬螭吞首打
> 将鞭,霜雪裁锋杀人剑。左悬金画宝雕弓,右插银嵌狼
> 牙箭。使一枝画杆方天戟,骑一匹铁脚枣骝马。

兀颜延寿勒马直到阵前,高声叫道:"你摆九宫八卦阵,待要
瞒谁! 你却识得俺的阵么?"宋江听的番将要斗阵法,叫军中竖
起云梯。宋江、吴用、朱武上云梯观望了辽兵阵势,三队相连,左
右相顾。朱武早已认得,对宋江道:"此辽兵之阵是太乙三才阵
也。"宋江留下吴用同朱武在将台上,自下云梯来,上马出到阵
前,挺鞭直指辽将喝道:"量你这太乙三才阵,何足为奇!"兀颜小
将军道:"你识吾阵,看俺变法,教汝不识。"勒马入中军,再上将
台,把号旗招展,变成阵势。吴用、朱武在将台上看了,此乃变作
河洛四象阵,使人下云梯来回复宋江知了。兀颜小将军再出阵
门,横戟问道:"还识俺阵否?"宋江答道:"此乃变出河洛四象
阵。"那兀颜小将军摇著头冷笑,再入阵中,上将台,把号旗左招
右展,又变成阵势。吴用、朱武在将台上看了,朱武道:"此乃变
作循环八卦阵。"再使人报与宋江知道。那小将军再出阵前高声

问道:"还能识吾阵否?"宋江笑道:"料然只是变出循环八卦阵,不足为奇。"小将军听了,心中自忖道:"俺这几个阵势都是秘传来的,不期却被此人识破。宋兵之中,必有人物。"兀颜小将军再入阵中,下马,上将台,将号旗招展,左右盘旋,变成个阵势,四边都无门路,内藏八八六十四队兵马。朱武再上云梯看了,对吴用说道:"此乃是武侯①　八阵图,藏了首尾,人皆不晓。"便着人请宋公明到阵中,上将台看这阵法:"休欺负他辽兵,这等阵图皆得传授。此四阵皆从一派传流下来,并无走移。先是太乙三才,生出河洛四象,四象生出循环八卦,八卦生出八八六十四卦,已变为八阵图。此是循环无比,绝高的阵法。"宋江下将台,上战马,直到阵前。小将军搠戟在地,勒马阵前,高声大叫:"能识俺阵否?"宋江喝道:"汝小将年幼学浅,如井底之蛙,只知此等阵法以为绝高。量这藏头八阵图法瞒谁?瞒吾大宋小儿也瞒不过!"兀颜小将军道:"你虽识俺阵法,你且排一个奇异的阵势,瞒俺则个。"宋江喝道:"只俺这九宫八卦阵势,虽是浅薄,你敢打么?"小将军大笑道:"量此等小阵,有何难哉!你军中休放冷箭,看咱打你这个小阵。"有诗为证:

　　　　九宫八卦已无敌,河洛四象真堪奇。

　　　　莫向阵前夸大口,交锋时下见危机。

　　且说兀颜小将军便传将令,直教太真驸马、李金吾各拨一千军:"待俺打透阵势,便来策应。"传令已罢,众军擂鼓。宋江也传下将令,教军中整擂三通战鼓,门旗两开,放打阵的小将入来。那兀颜延寿带本部下二十来员牙将,一千披甲马军,用手掐算当

---

　　①　武侯——指诸葛亮。诸葛亮字孔明,三国时蜀汉政治家、军事家,后任丞相,封武乡侯。

日属火,不从正南离位上来,带了军马转过右边,从西方兑位上,荡开白旗,杀入阵内。后面的被弓箭手射住,止有一半军马入的去,其馀都回本阵。

却说小将军走到阵里,便奔中军,只见中间白荡荡如银墙铁壁,团团围住小将军。那兀颜延寿见了,惊的面如土色,心中暗想:"阵里那得这等城子?"便教四边且打通旧路,要杀出阵来。众军回头看时,白茫茫如银海相似,满地只听的水响,不见路径。小将军甚慌,引军杀投南门来,只见千团火块,万缕红霞,就地而滚,并不见一个军马。小将军那里敢出南门,铲斜里杀投东门来,只见带叶树木,连枝山柴,交横塞满地下,两边都是鹿角,无路可进。却转过北门来,又见黑气遮天,乌云蔽日,伸手不见掌,如黑暗地狱相似。那兀颜小将军在阵内,四门无路可出,心中疑道:"此必是宋江行持妖法。休问怎生,只就这里死撞出去。"众军得令,齐声呐喊,杀将出去。旁边撞出一员大将,高声喝道:"孺子小将,走那里去!"兀颜小将军欲待来战,措手不及,脑门上早飞下一鞭来。那小将军眼明手快,便把方天戟来拦住,只听得双鞭齐下,早把戟杆折做两段。急待挣扎,被那将军扑入怀内,轻舒猿臂,款扭狼腰,把这兀颜小将军活捉过去。拦住后军,都喝下马来。众军黑天摸地,不辨东西,只得下马受降。拿住小将军的不是别人,正是虎军大将双鞭呼延灼。当时公孙胜在中军作法,见报捉了小将军,便收了法术,阵中仍复如旧,青天白日。

且说太真驸马并李金吾将军各引兵一千,只等阵中消息,便要来策应。却不想不见些动静,不敢杀过来。宋江出到阵前,高声喝道:"你那两军不降更待何时! 兀颜小将已被吾生擒在此。"喝令群刀手簇出阵前。李金吾见了,一骑马,一条枪,直赶过来要救兀颜延寿。却有霹雳火秦明正当前部,飞起狼牙棍,直取李金吾。二马相交，军器并举，两军齐声呐喊。李金吾先自心中慌了，手段缓急差迟，被秦明当头一棍，连盔透顶打的粉碎。李金吾攧下马来。太真驸马见李金吾输了，引军便回。宋江催兵掩杀，辽兵大败奔走。夺得战马三千馀匹，旗幡剑戟弃满山川。宋江引兵径望燕京进发，直欲长驱席卷，以复王封①。有诗为证：

　　矢心直欲退强兵，力殚机危竟不成。

　　生捉两员英勇将，败军残卒奔辽城。

　　却说辽兵败残人马逃回辽国，见了兀颜统军，俱说小将军去打宋兵阵势，被他活捉去了，其馀牙将，尽皆归降；李金吾亦被他那里一个秦明一棍打死，军卒四散逃走，不知下落；太真驸马逃的性命，不知去向。兀颜统军听了大惊，便道："吾儿自小习学阵法，颇知玄妙。宋江那厮把甚阵势捉了吾儿?"左右道："只是个九宫八卦阵势，又无甚希奇。俺这小将军布了四个阵势，都被那蛮子识破了。临了，对俺小将军说道：'你识我九宫八卦阵，你敢来打么?'俺小将军便领了千百骑马军从西门打将入去，被他强弓硬弩射住，只有一半人马能勾入去。不知怎生被他生擒活捉了。"兀颜统军道："量这个九宫八卦阵有甚难打，必是被他变了阵势。"众军道："俺们在将台上望见他阵中队伍不动，旗幡不改，只见上面一派黑云罩定阵中。"兀颜统军道："怎的必是妖术。吾不起军，这厮也来。若不取胜，吾当自刎。谁敢与吾作前部先锋，引兵前去?俺驱大队随后便来。"帐前转过二将齐出："某等两个愿为前部。"一个是大辽番官琼妖纳延；一个是燕京番将姓寇，双名镇远。兀颜统军大喜，便道："你两个小心在意，与吾引一万军兵作前部先

　　① 王封——国土。

锋,逢山开路,遇水叠桥。吾引大军随后便到。"

且不说琼、寇二将起身,作先锋开路。却说兀颜统军随即整点本部下十一曜大将,二十八宿将军,尽数出征。先说那十一曜大将:

> 太阳星御弟大王耶律得重,引兵五千;
>
> 太阴星天寿公主答里孛,引女兵五千;
>
> 罗睺星皇侄耶律得荣,引雄兵三千;
>
> 计都星皇侄耶律得华,引雄兵三千;
>
> 紫气星皇侄耶律得忠,引雄兵三千;
>
> 月孛星皇侄耶律得信,引雄兵三千;
>
> 东方青帝木星大将只儿拂郎,引兵三千;
>
> 西方太白金星大将乌利可安,引兵三千;
>
> 南方荧惑火星大将洞仙文荣,引兵三千;
>
> 北方玄武水星大将曲利出清,引兵三千;
>
> 中央镇星土星上将都统军兀颜光,总领各飞兵马首
>
>> 将五千,镇守中坛。

兀颜统军再点部下那二十八宿将军:

角木蛟孙忠	亢金龙张起	氐土貉刘仁
房日兔谢武	心月狐裴直	尾火虎顾永兴
箕水豹贾茂	斗木獬萧大观	牛金牛薛雄
女土蝠俞得成	虚日鼠徐威	危月燕李益
室火猪祖兴	壁水貐成珠那海	奎木狼郭永昌
娄金狗阿哩义	胃土雉高彪	昴日鸡顺受高
毕月乌国永泰	觜火猴潘异	参水猿周豹
井木犴童里合	鬼金羊王景	柳土獐雷春
星日马卜君保	张月鹿李复	翼火蛇狄圣

轸水蚓班古儿

那兀颜光整点就十一曜大将、二十八宿将军,引起大队军马精兵二十馀万,倾国而起,奉请大辽国主御驾亲征。

且不说兀颜统军兴起大队之师卷地而来。再说先锋琼、寇二将引一万人马,逢山开路,先来进兵。早有细作报与宋江,这场厮杀不小。宋江听了大惊,传下将令,一面教取卢俊义部下尽数军马,一面又取檀州、蓟州旧有人员都来听调。就请赵枢密前来监战。再要水军头目将带水手人员,尽数登岸,都到霸州取齐,陆路进发。水军头领护持赵枢密,在后而来,应有军马尽到幽州。宋江等接见赵枢密,参拜已罢。赵枢密道:"将军如此劳神,国之柱石,名传万载,不泯之德也。下官回朝,于天子前必当重保。"宋江答道:"无能小将,不足挂齿。上托天子洪福齐天,下赖元帅虎威,偶成小功,非人能也。今有探细人报来就里,闻知辽国兀颜统军起二十万军马,倾国而来。兴亡胜败,决此一战。特请枢相另立营寨,于十五里外屯扎,看宋江尽忠竭力,施犬马之劳,与众弟兄并力向前,决此一战。托天子盛德,早得取胜,以报朝廷。"赵枢密道:"将军善觑方便。孙子有云:'多算胜,少算不胜。'善加谋略,事事皆宜仔细。"宋江遂辞了赵枢密,与同卢俊义引起大兵,转过幽州地面所属永清县界,把军马屯扎,下了营寨。聚集诸将头领上帐同坐,商议军情大事。

宋江道:"今次兀颜统军亲引辽兵倾国而来,决非小可。死生胜负,在此一战。汝等众兄弟皆宜努力向前,勿生退悔。但得微功,上达朝廷,天子恩赏,必当共享,并无独善之理。"众皆起身都道:"兄长之命谁敢不依!尽心竭力,当报大恩。"正商议间,小校来报:"有辽国使人下战书来。"宋江教唤至帐下,将书呈上。宋江拆书看了,乃是辽国兀颜统军帐前先锋使琼、寇二将军,充前部兵马,相期来日决战。宋江就批书尾,回示来日决战。叫与来使酒食,放回本寨。来日天明,准决胜负。

此时秋尽冬来,军披重铠,马挂皮甲,尽皆得时。次日,五更造饭,平明拔寨,尽数起行。不到四五里,宋兵早与辽兵相迎。遥望皂雕旗影里,闪出两员先锋旗号来。战鼓喧天,门旗开处,那个琼先锋当先出马。怎生打扮?但见:

> 头戴鱼尾卷云镔铁冠,披挂龙鳞傲霜嵌缝铠,身穿石榴红锦绣罗袍,腰系荔枝七宝黄金带,足穿抹绿鹰嘴金线靴,腰悬炼银竹节熟钢鞭。左插硬弓,右悬长箭。马跨越岭巴山兽,枪搦翻江搅海龙。

当下那个琼妖纳延横枪跃马,立在阵前。宋江在门旗下看了琼先锋如此英雄,便问:“谁与此将交战?”当下九纹龙史进提刀跃马,出来与琼将军挑战。二骑战马相交,两般军器并举,鞍上人斗人,坐下马斗马,刀来枪去花一团,枪来刀去锦一簇,四条臂膊乱纵横,八只马蹄撩乱走。史进与琼妖纳延斗到二三十合,史进气力不加,拨回马望本阵便走,琼先锋纵马赶来。宋江阵上,小李广花荣正在宋江背后,见输了史进,便拈起弓,搭上箭,把马挨出阵前,觑的来马较近,飕的只一箭,正中琼先锋面门,翻身落马。史进听的背后坠马,霍地回身,复上一刀,结果了琼妖纳延。可怜能敌番官,到此须还丧命。

那寇先锋望见砍了琼先锋,怒从心上起,恶向胆边生,跃马挺枪,直出阵前,高声大骂:“贼将怎敢暗算吾兄!”当有病尉迟孙立飞马直出,径来奔寇镇远。军中战鼓喧天,耳畔喊声不绝。那孙立的金枪神出鬼没,寇先锋见了,先自八分胆丧。斗不过二十馀合,寇先锋勒回马便走,不敢回阵,恐怕撞动了阵脚,绕阵东北而走。孙立正要建功,那里肯放,纵马赶去。寇先锋去的远了。孙立在马上带住枪,左手拈弓,右手取箭,搭上箭,拽满弓,觑着寇先锋后心较亲,只一箭。那寇将军听的弓弦响,把身一倒,那枝箭却好射到,顺手只一绰,绰了那枝箭。孙立见了,暗暗地喝采。寇先锋冷笑道:"这厮卖弄弓箭!"便把那枝箭咬在口里,自把枪带住了事环上,急把左手取出硬弓,右手箭搭上弦,扭过身来,望孙立前心窝里一箭射来。孙立早已偷眼见了,在马上左来右去,那枝箭到胸前,把身望后便倒,那枝箭从身上飞过去了。这马收勒不住,只顾跑来。寇先锋把弓穿在臂上,扭回身且看孙立倒在马上。寇先锋想道:"必是中了箭。"原来孙立两腿有力,夹住宝镫,倒在马上,故作如此,却不坠下马来。寇先锋勒转马要来捉孙立。两个马头却好相迎着,隔不的丈尺来去,孙立却跳将起来,大喝一声:"不怎地拿你,你须走了!"寇先锋吃了一惊,便回道:"你只躲的我箭,须躲不的我枪!"望孙立胸前尽力一枪搠来。孙立挺起胸脯,受他一枪,枪尖到甲,略侧一侧,那枪从肋罗里放将过去,那寇将军却扑入怀里来。孙立就手提起腕上虎眼钢鞭,向那寇先锋脑袋上飞将下来,削去了半个天灵骨。那寇将军在镇远做了半世番官,死于孙立之手,尸骸落于马前。孙立提枪回来阵前。宋江大纵三军,掩杀过对阵来。辽兵无主,东西乱窜,各自逃生。

宋江正赶之间,听的前面连珠炮响。宋江便教水军头领先当住,一枝军卒人马把住水口。差花荣、秦明、吕方、郭盛骑马上山顶望时,只见垓垓攘攘①,番军人马盖地而来。吓的宋江三魂荡荡,七魄悠悠。正是:饶君便有张良计,到底难逃白虎危。毕竟来的大队番军是何处人马,且听下回分解。

---

① 垓垓攘攘——拥挤杂乱的样子。

第 八 十 八 回

颜统军阵列混天象　宋公明梦授玄女法

古风：

羊角风旋天地黑,黄沙漠漠云阴涩。

大辽兵发山岳摧,万里乾坤皆失色。

皂雕旗展乌云飞,沙柳箭发流星驰。

连环骏马超风急,虎臂强弓缩地追。

千池荷叶青毡笠,铁甲铺兵映寒日。

朱缨棍摆豹狼牙,宝雕弓挽乌龙脊。

胡笳共贺天山歌,鼓声振起白骆驼。

番王左右持钺斧,统军前后横金戈。

瀚海风翻动人马,乳酪香飘宴君罢。

海青放起鸿雁愁,豹子鸣时神鬼怕。

番奴平掩貂鼠袍,健儿戏舞鱼腹刀。

十万番兵耀英武,虎筋弦劲悲声号。

幽州城下人兵攘,连珠炮发轰天响。

神兵飞下九天来,四野茫茫万人仰。

当时宋江在高阜处看了辽兵势大,慌忙回马来到本阵。且教将军马退回永清县山口屯扎,便就帐中与卢俊义、吴用、公孙胜等商议道："今日虽是赢了他一阵,损了他两个先锋,我上高阜处观望辽兵,其势浩大,漫天遍地而来。此乃是大队番军人马,来日必用与他大战交锋,恐寡不敌众,如之奈何?"吴用道:"兵微将寡,古之善用兵者,能使寡敌众,斯为美矣。昔晋谢玄五万人马,战退苻坚百万雄兵,似此寡能敌众者多矣,先锋何为惧哉!可传令与三军众将,来日务要旗幡严整,弓弩上弦,刀剑出鞘,深栽鹿角,警守营寨,濠堑齐备,军器并施,整顿云梯炮石之类,预先伺候。还只摆九宫八卦阵势,如若他来打阵,依次而起。纵他有百万之众,安敢冲突!"宋江道:"军师言之甚妙。"随即传令已毕,各将三军尽皆听令。五更造饭,平明拔寨都起,前抵昌平县界,即将军马摆开阵势,扎下营寨。前面摆列马军,还是虎军大将秦明在前,呼延灼在后,关胜居左,林冲居右,东南索超,东北徐宁,西南董平,西北杨志。宋江守领中军,其馀众将各依旧职。后面步军,另作一处,做一阵在后,卢俊义、鲁智深、武松三个为主。数万之中,都是能征惯战之将,个个磨拳擦掌,准备厮杀。阵势已完,专候番军。

　　未及良久,遥望辽兵远远而来。前面六队番军人马,又号哨路,又号压阵。番兵六队,每队各有五百,左设三队,右设三队,循环往来,其势不定。前看游兵,次后大队盖地来时,前军尽是皂纛旗,一带有七座旗门,每门有千匹马,各有一员大将。怎生打扮?头顶黑盔,身披玄甲,上穿皂袍,坐骑乌马,手中一般军器,正按北方斗、牛、女、虚、危、室、壁。七门之内总设一员把总大将,按上界北方玄武水星。怎生打扮?头披青丝细发,黄抹额紧束乌云;身穿秃袖皂袍,银压铠半兜冷气。狮蛮带紧扣乌油甲,锦雕鞍稳跨乌骓马。挂一副走兽飞鱼沙柳硬弓长箭,擎一口三尖两刃四楞八环刀。乃是番将曲利出清,引三千披发黑甲人马,按北辰五气星君。皂旗下军兵不计其数。正是:冻云截断东方日,黑气平吞北海风。有诗为证:

兵按北方玄武象,黑旗黑铠黑刀枪。

乌云影里玄冥降,凛凛威风不可当。

左军尽是青龙旗,一带也有七座旗门,每门有千匹马,各有一员大将。怎生打扮?头戴四缝盔,身披柳叶甲,上穿翠色袍,下坐青鬃马,手拿一般军器,正按东方角、亢、氐、房、心、尾、箕。七门之内总设一员把总大将,按上界东方苍龙木星。怎生打扮?头戴狮子盔,身披狻猊铠。堆翠绣青袍,缕金碧玉带。坐雕鞍腰悬弓箭,踏宝镫鹰嘴花靴。手中月斧金丝杆,身坐龙驹玉块青。乃是番将只儿拂郎,引三千青色宝幡人马,按东震九气星君。青旗下左右围绕军兵不计其数。正似:翠色点开黄道路,青霞截断紫云根。有诗为证:

青龙驱阵下天曹,青盖青旗青战袍。

共向山前呈武勇,堂堂杀气拂云霄。

右军尽是白虎旗,一带也有七座旗门,每门有千匹马,各有一员大将。怎生打扮?头带水磨盔,身披烂银铠,上穿素罗袍,坐骑雪白马,各拿伏手①军器,正按西方奎、娄、胃、昴、毕、觜、参。七门之内总设一员把总大将,按上界西方咸池金星。怎生打扮?头顶兜鍪凤翅盔,身披花银双钩甲。腰间玉带进寒光,称体素袍飞雪练。骑一匹照夜玉狻猊马,使一枝纯钢银枣槊。乃是番将乌利可安,引三千白缨素旗人马,按西兑七气星君。白旗下前后护御军兵不计其数。正似:征驼卷尽阴山雪,番将斜披玉井冰。有诗为证:

太白分兵下九天,白云光拥素袍鲜。

巨灵翻海人难敌,扰得苍龙夜不眠。

---

① 伏手——称手,顺手。

　　后军尽是绯红旗，一带亦有七座旗门，每门有千匹马，各有一员大将。怎生打扮？头戴锒箱朱红漆笠，身披猩猩血染征袍，桃红锁甲现鱼鳞，冲阵龙驹名赤兔，各搦伏手军器，正按南方井、鬼、柳、星、张、翼、轸。七门之内总设一员把总大将，按上界南方朱雀火星。怎生打扮？头顶着绛冠，朱缨粲烂；身穿绯红袍，茜色光辉。甲披一片红霞，靴刺数条花缝。腰间宝带红鞓，臂挂硬弓长箭。手持八尺火龙刀，坐骑一匹胭脂马。乃是番将洞仙文荣，引三千红罗宝幡人马，按南离三气星君。红旗下朱缨绛衣军兵不计其数。正似：离宫走却六丁神，霹雳震开三昧火。有诗为证：

　　　　祝融飞令下南宫，十万貔貅烈火红。

　　　　闪闪赤云添涧谷，阵前谁敢去当锋？

　　阵前左有一队五千猛兵，人马尽是金缕弁冠，镀金铜甲，绯袍朱缨，火焰红旗，绛鞍赤马。簇拥着一员大将：头戴簇芙蓉如意缕金冠，身披结连环兽面锁子黄金甲，猩红烈火绣花袍，碧玉嵌金七宝带。使两口日月双刀，骑一匹五明赤马。乃是辽国御弟大王耶律得重，正按上界太阳星君。正似：金乌拥出扶桑国，火伞初离东海洋。有诗为证：

　　　　海神英武出扶桑，耶律提兵准太阳。

　　　　雄略嘉谋播辽国，源源兵阵远鹰扬。

　　阵前右设一队五千女兵，人马尽是银花弁冠，银钩锁甲，素袍素缨，白旗白马，银杆刀枪。簇拥着一员女将：头上凤钗对插青丝，红罗抹额乱铺珠翠，云肩巧衬锦裙，绣袄深笼银甲，小小花靴金镫稳，翩翩翠袖玉鞭轻。使一口七星宝剑，骑一匹银鬃白马。乃是辽国天寿公主答里孛，按上界太阴星君。正似：玉兔团团离海角，冰轮皎皎照瑶台。有诗为证：

貌似春烟笼芍药,颜如秋水浸芙蓉。

玉纤轻搦龙泉剑,到处交兵占上风。

两队阵中,团团一遭尽是黄旗簇簇,军将尽骑黄马,都披金甲。衬甲袍起一片黄云,绣包巾散半天黄雾。黄军队中有军马大将四员,各领兵三千,分于四角。每角上一员大将,团团守护:东南一员大将,青袍金甲,三叉金冠,兽面束带,全副弓箭,青缨宝枪,坐骑粉青马,立于阵前,按上界罗睺星君,乃是辽国皇侄耶律得荣;西南一员大将,紫袍银甲,宝冠束带,硬弓长箭,使一口宝刀,坐骑海骝马,立于阵前,按上界计都星君,乃是辽国皇侄耶律得华;东北一员大将,绿袍银甲,紫冠宝带,腰悬龙弓凤箭,手执方天画戟,坐骑五明黄马,立于阵前,按上界紫气星君,乃是辽国皇侄耶律得忠;西北一员大将,白袍铜甲,红抹额青丝乱撒,金厢带七宝妆成,腰悬雕箭画弓,手仗七星宝剑,坐骑踢雪乌骓马,立于阵前,按上界月孛星君,乃是辽国皇侄耶律得信。黄军阵内簇拥着那员上将,按上界中央镇星,左有执青旗,右有持白钺,前有擎朱幡,后有张皂盖。周回旗号按二十四气六十四卦,南辰,北斗,飞龙,飞虎,飞熊,飞豹,明分阴阳左右,暗合旋玑玉衡乾坤混沌之象。那员上将怎生打扮?头戴七宝紫金冠,耀日黄金龟背甲,西川蜀锦绣征袍,蓝田美玉玲珑带。左悬金画铁胎弓,右带凤翎铍子箭。足穿鹰嘴云根靴,坐骑铁脊银鬃马。锦雕鞍稳踏金镫,紫丝缰牢绊山鞍。腰间挂剑驱番将,手内挥鞭统大军。马前一将,擎着朱红画杆方天戟。这簇军马光辉,四边浑如金色,按中宫土星一气天君。乃是大辽国都统军大元帅兀颜光上将军。黄旗之后,中军是凤辇龙车,前后左右七重剑戟枪刀围绕。九重之内,又有三十六对黄巾力士推捧车驾。前有九骑金鞍骏马驾辕,后有八对锦衣力士随阵。辇上中间坐着大辽郎主,头戴冲天唐巾,身穿九龙黄袍,腰系蓝田玉带,足穿朱履朝靴。左右两个大臣:左丞相幽西孛瑾,右丞相太师褚坚,各戴貂蝉冠,火裙朱服,紫绶金章,象简玉带。龙床两边,金童玉女执简捧圭。龙车前后左右两边,簇拥护驾天兵。大辽国主自按上界北极紫微大帝,总领镇星。左右二丞相,按上界左辅右弼星君。正是:一天星斗离乾位,万象森罗降世间。有诗为证:

> 旗幡铠甲与刀枪,正按中央土德黄。

> 天意岂能人力胜,枉将生命苦相戕。

那辽国番军摆列天阵已定,正如鸡卵之形,屯扎定时,团团似覆盆之状。旗排四角,枪摆八方,循环无定,进退有则,摆下阵势。

再说宋江便教强弓硬弩射住阵脚,压阵轻骑。就中军竖起云梯将台,引吴用、朱武上台观望。宋江看了惊讶不已。吴用看了,也不识的。朱武看了,认的是天阵,便对宋江、吴用道:"此乃是太乙混天象阵也。"宋江问道:"如何攻击?"朱武道:"此天阵变化无穷,交加莫测,不可造次攻打。"宋江道:"若不打得开阵势,如何得他军退?"吴用道:"急切不知他阵内虚实,如何便去打的?"正商议间,兀颜统军在中军传令:"今日属金,可差亢金龙张起、牛金牛薛雄、娄金狗阿哩义、鬼金羊王景四将,跟随太白金星番将乌利可安,离阵攻打宋兵。"

宋江众将在阵前,望见对阵右军七门或开或闭,军中雷响,阵势团团,那引军旗在阵内自东转北,北转西,西投南。朱武见了,在马上道:"此乃是天盘左旋之象。今日属金,天盘左动,必有兵来。"说犹未了,五炮齐响,早见对阵踊出军来。中是金星,四下是四宿,引动五旗军马卷杀过来,势如山倒,力不可当。宋江军马措手不及,望后急退,大队压住阵脚。辽兵两面夹攻,宋军大败,急忙退兵回到本寨,辽兵也不来追赶。点视军中头领,孔亮伤刀,李云中箭,朱富着炮,石勇着枪,中伤军卒不计其数。随即发付上车,去后寨令安道全医治。宋江教前军下了铁蒺藜,深栽鹿角,坚守寨门。

宋江在中军纳闷,与卢俊义等商议:"今日折了一阵,如之奈何? 再若不出交战,必来攻打。"卢俊义道:"来日着两路军马撞住他那压阵军兵,再调两路军马撞那厮正北七门,却教步军从中间打将入去,且看里面虚实如何。"宋江道:"也是。"

次日,便依卢俊义之言,收拾起寨,前至阵前准备,大开寨门,引兵前进。遥望辽兵不远,六队压阵辽兵远探将来。宋江便差关胜在左,呼延灼在右,引本部军马撞退压阵辽兵,大队前进,与辽兵相接。宋江再差花荣、秦明、董平、杨志在左,林冲、徐宁、索超、朱仝在右,两队军兵来撞皂旗七门。果然撞开皂旗阵势,杀败皂旗人马,正北七座旗门,队伍不整。宋江阵中却转过李逵、樊瑞、鲍旭、项充、李衮五百牌手向前,背后鲁智深、武松、杨雄、石秀、解珍、解宝将带应有步军头目,撞杀入去。混天阵内,只听四面炮响,东西两军,正面黄旗军,撞杀将来。宋江军马抵当不住,转身便走,后面架隔不定,大败奔走,退回原寨。急点军时,折其大半。杜迁、宋万又带重伤,于内不见了黑旋风李逵。原来李逵杀的性起,只顾砍入他阵里去,被他挠钩搭住,活捉去了。宋江在寨中听的,心中纳闷。传令教先送杜迁、宋万去后寨,令安道全调治,带伤马匹叫牵去与皇甫端料理。

宋江又与吴用等商议:"今日又折了李逵,输了这一阵,似此怎生奈何?"吴用道:"前日我这里活捉的他那个小将军,是兀颜统军的孩儿,正好与他打换。"宋江道:"这番换了,后来倘若折将,何以解救?"吴用道:"兄长何故执迷,且顾眼下。"说犹未了,小校来报："有辽将遣使到来打话。"宋江唤入中军。那番官来与宋江厮见，说道："俺奉元帅将令，今日拿得你的一个头目，到俺总兵面前，不肯杀害，好生与他酒肉管待在那里。统军要送来与你换他孩儿小将军还他，如是将军肯时，便送那个头目来还。"宋江道："既是恁地，俺明日取小将军来到阵前，两相交换。"番官领了宋江言语，上马去了。有诗为证：

宋江前日擒王子，番将今朝捉李逵。

此是乾坤消息理，不须惆怅苦生悲。

宋江再与吴用商议道："我等无计破他阵势，不若取将小将军来，就这里解和这阵，两边各自罢战。"吴用道："且将军马暂歇，别生良策再来破敌，未为晚矣。"到晓，差人星夜去取兀颜小将军来，也差个人直往兀颜统军处，说知就里。

且说兀颜统军正在帐中坐地，小军来报："宋先锋使人来打话。"统军传令教唤入来。到帐前见了兀颜统军说道："俺的宋先锋拜意统军麾下，今送小将军回来，换俺这个头目。即今天气严寒，军士劳苦，两边权且罢战，待来春别作商议，俱免人马冻伤，请统军将令。"兀颜统军听了大喝道："无智辱子被汝生擒，纵使得活，有何面目见咱！不用相换，便拿下替俺斩了。若要罢战权歇，教你宋江束首来降，免汝一死；若不如此，吾引大兵一到，寸草不留！"大喝一声："退去！"使者飞马回寨报复，将这话诉与宋江。

宋江慌速，只怕救不得李逵，拔寨便起，带了兀颜小将军，直抵前军，隔阵大叫："可放过俺的头目来，我还你小将军。不罢战不妨，自与你对阵厮杀。"只见辽兵阵中，无移时把李逵一骑马送出阵前来，这里也牵一匹马送兀颜小将军出阵去。两家如此一言为定，两边一齐同收同放。李将军回寨，小将军也骑马过去了。当日两边都不厮杀,宋江退兵回寨,且与李逵贺喜。

宋江在帐中与诸将商议道:"辽兵势大,无计可破,使我忧煎,度日如年,怎生奈何?"呼延灼道:"我等来日可分十队军马,两路去当压阵军兵,八路一齐撞击,决此一战。"宋江道:"全靠你等众弟兄同心戮力,来日必行。"吴用道:"两番撞击不动,不如守等他来交战。"宋江道:"等他来也不是良法,只是众弟兄当以力敌,岂有连败之理。"

当日传令,次早拔寨起军,分作十队飞抢前去。两路先截住后背压阵军兵,八路军马更不打话,呐喊摇旗,撞入混天阵去。听的里面雷声高举,四七二十八门一齐分开,变作一字长蛇之阵,便杀出来。宋江军马措手不及,急令回军,大败而走,旗枪不整,金鼓偏斜,速退回来。到得本寨,于路损折军马数多。宋江传令,教军将紧守山口寨栅,深掘濠堑,牢栽鹿角,坚闭不出,且过冬寒。

却说副枢密赵安抚累次申达文书赴京,奏请索取衣袄等件。因此朝廷特差御前八十万禁军枪棒教头,正受郑州团练使,姓王,双名文斌,此人文武双全,智勇足备,将带京师一万馀人,起差民夫车辆,押运衣袄五十万领,前赴宋先锋军前交割;就行催并军将向前交战,早奏凯歌,毋得违慢,取罪不便。王文斌领了圣旨文书,将带随行军器,拴束衣甲鞍马,催攒人夫军马,起运车仗,出东京望陈桥驿进发。监押着一二百辆车子,上插黄旗,书"御赐衣袄",迤逦前进。经过去处,自有官司供给口粮。

在路非则一日,来到边庭,参见了赵枢密,呈上中书省公文。赵安抚看了,大喜道:"将军来的正好!目今宋先锋被大辽兀颜统军把兵马摆成混天阵势,连输了数阵。头目人等,中伤者多,见今发在此间将养,令安道全医治。宋先锋扎寨在永清县地方,并不敢出战，好生纳闷。"王文斌禀道："朝廷因此就差某来催并军士前向，早要取胜。今日既然累败，王某回京师见省院官，难以回奏圣上。文斌不才，自幼颇读兵书，略晓些阵法，就到军前，略施小策，愿决一阵，与宋先锋分忧。未知枢相钧命若何？"赵枢密大喜，致酒宴赏，就军中犒劳押车人夫，就教王文斌转运衣袄解付宋江军前给散。赵安抚先使人报知宋先锋去了。有诗为证：

　　文斌天使解衣装，共仰才名世少双。

　　自逞英雄冲大阵，辽兵不日便归降。

　　且说宋江在中军帐中纳闷，闻知赵枢密使人来，转报东京差教头郑州团练使王文斌押送衣袄五十万领，就来军前催并用功。宋江差人接至寨中下马，请入帐内，把酒接风。数杯酒后，询问缘由，宋江道："宋某自蒙朝廷差遣到边，上托天子洪福齐天，得了四个大郡。今到幽州，不想被大辽兀颜统军设此混天象阵，屯兵二十万，整整齐齐，按周天星象，请启大辽国主御驾亲征。宋江连败数阵，坚守不出，无计可施，屯驻不敢轻动。今幸得将军降临，愿赐指教。"王文斌道："量这个混天阵何足为奇！王某不才，同到军前一观，别有主见。"宋江大喜，先令裴宣且将衣袄给散军将。众人穿罢，望南谢恩，口呼万岁。当日中军置酒，殷勤管待，就行赏劳三军。

　　来日，结束五军都起。王文斌取过带来的头盔衣甲，全副披挂上马，都到阵前。对阵辽兵望见宋兵出战，报入中军。金鼓齐鸣，喊声大举，六队战马哨出阵来，宋江分兵杀退。王文斌上将台亲自看一回，下云梯来说道："这个阵势也只如常，不见有甚惊人之处。"不想王文斌自己不识，且图诈人要誉，便叫前军擂鼓搦战。对阵番军也挝鼓鸣金。宋江立马大喝道："不要狐朋狗党，敢出来挑战么?"说犹未了,黑旗队里第四座门内飞出一将,那番官披头散发,黄罗抹额,衬着金箍乌油铠甲,秃袖皂袍,骑匹乌骓马,挺三尖刀,直临阵前。背后牙将不记其数。引军皂旗上书银字"大将曲利出清",跃马阵前搦战。王文斌寻思道:"我不就这里显扬本事,再于何处施逞?"便挺枪跃马出阵,与番官更不打话,骤马相交。王文斌使枪便搠,番将舞刀来迎。斗不到二十馀合,番将回身便走,王文斌见了,便骤马飞枪直赶将去。原来番将不输,特地要卖个破绽漏他来赶。番将轮起罩刀,觑着王文斌较亲,翻身背砍一刀,把王文斌连肩和胸脯砍做两段,死于马下。宋江见了,急叫收军,那辽兵撞掩过来,又折了一阵,慌慌忙忙收拾还寨。众多军将看见立马斩了王文斌,都面面厮觑,俱各骇然。

宋江回到寨中,动纸文书,申复赵枢密说:"王文斌自愿出战身死,发付带来人伴回京。"赵枢密听知此事,辗转忧闷,甚是烦恼,只得写了申呈奏本,关会省院,打发来的人伴回京去了。有诗为证:

> 赵括徒能读父书,文斌诡计又何愚。
>
> 轻生容易论兵策,无怪须臾丧厥躯。

且说宋江自在寨中纳闷,百般寻思,无计可施:"怎生破的辽兵?"寝食俱废,梦寐不安,坐卧忧煎。是夜严冬,天气甚冷,宋江闭上帐房,秉烛沉吟闷坐。时已二鼓,神思困倦,和衣隐几而卧。觉道寨中狂风忽起,冷气侵人。宋江起身,见一青衣女童向前打个稽首,宋江便问:"童子自何而来?"童子答曰:"小童奉娘娘法旨,有请将军,便烦移步。"宋江道:"娘娘见在何处?"童子指道:"离此间不远。"宋江遂随童子出的帐房。但见上下天光一色,金碧交加，香风细细，瑞霭飘飘，有如二三月间天气。行不过三二里多路，见座大林，青松茂盛，翠柏森然，紫桂亭亭，石栏隐隐，两边都是茂林修竹，垂柳夭桃，曲折阑干。转过石桥，朱红棂星门一座。仰观四面，萧墙粉壁，画栋雕梁，金钉朱户，碧瓦重檐，四边帘卷虾须，正面窗横龟背。女童引宋江从左廊下而进，到东向一个阁子前，推开朱户，教宋江里面少坐。举目望时，四面云窗寂静，霞彩满阶，天花缤纷，异香缭绕。童子进去，复又出来，传旨道："娘娘有请，星主便行。"宋江坐未暖席，即时起身。又见外面两个仙女入来，头戴芙蓉碧玉冠，身穿金缕绛绡衣，面如满月，体貌轻盈，手似春笋，与宋江施礼。宋江不敢仰视。那两个仙女道："将军何故作谦？娘娘更衣便出，请将军议论国家大事。便请同行。"宋江唯然而行。有诗为证：

> 蕊珠仙子碧霞衣，绰约姿容世亦稀。
>
> 口奉九天玄女命，夜深飞梦入灵扉。

听的殿上金钟声响，玉磬音鸣，青衣迎请宋江上殿。二仙女前进，奉引宋江自东阶而上。行至珠帘之前，宋江只听的帘内玎珰隐隐，玉珮锵锵。青衣请宋江入帘内，跪在香案之前。举目观望殿上，祥云霭霭，紫雾腾腾，正面九龙床上坐着九天玄女娘娘，头戴九龙飞凤冠，身穿七宝龙凤绛绡衣，腰系山河日月裙，足穿云霞珍珠履，手执无瑕白玉圭璋。两边侍从女仙约有三二十个。玄女娘娘与宋江曰："吾传天书与汝，不觉又早数年矣。汝能忠义坚守，未尝少息。今宋天子令汝破辽，胜负如何？"宋江俯伏在地，拜奏曰："臣自得蒙娘娘赐与天书，未尝轻慢泄漏于人。今奉天子敕命破辽，不期被兀颜统军设此混天象阵，累败数次，臣无计可施得破天阵，正在危急存亡之际。"玄女娘娘曰："汝知混天象阵法否？"宋江再拜奏道："臣乃下土愚人，不晓其法，望乞娘娘赐教。"玄女娘娘曰:"此阵之法,聚阳象也。只此攻打,永不能破。若欲要破,须取相生相克之理。且如前面皂旗军马内设水星,按上界北方五气辰星。你宋兵中可选大将七员,黄旗、黄甲、黄衣、黄马,撞破辽兵皂旗七门,续后命猛将一员,身披黄袍,直取水星,此乃土克水之义也。却以白袍军马,选将八员,打透大辽左边青旗军阵,此乃金克木之义也。却以红袍军马,选将八员,打透大辽右边白旗军阵,此乃火克金之义也。却以皂旗军马,选将八员,打透大辽后军红旗军阵,此乃水克火之义也。却命一枝青旗军马,选将九员,直取中央黄旗军阵主将,此乃木克土之义也。再选两枝军马,命一枝绣旗花袍军马,扮作罗睺,独破辽兵太阳军阵。命一枝素旗银甲军马,扮作计都,直破辽兵太阴军阵。再造二十四部雷车,按二十四气,上放火石火炮,直推入辽兵中军。令公孙胜布起风雷天罡正法,径奔入大辽国主驾前。可行此计,足取全胜。日间不可行兵,须是夜黑可进。汝当亲自领兵,掌握中军,催动人马,一鼓而可成功。吾之所言,汝当秘受,保国安民,勿生退悔。天凡有限,从此永别,他日琼楼金阙,别当重会。汝宜速还,不可久留。"特命青衣献茶。宋江吃罢,令青衣即送星主还寨。有诗为证:

> 玉女虚无忽下来,严祠特请叙高怀。

> 当时传得幽玄秘,辽阵堂堂顷刻开。

宋江再拜,恳谢娘娘,出离殿庭。青衣前引宋江下殿,从西阶而出,转过棂星红门,再登旧路。才过石桥松径,青衣用手指道:"辽兵在那里,汝当可破。"宋江回顾,青衣用手一推,猛然惊觉,就帐中做了一梦。静听军中更鼓,已打四更。

宋江便叫请军师圆梦。吴用来到中军帐内,宋江道:"军师有计破混天阵否?"吴学究道:"未有良策可施。"宋江道:"我已梦玄女娘娘传与秘诀，寻思定了，特请军师商议。可以会集诸将，分拨行事。尽此一阵，须用大将。"吴用道："愿闻良策，如何破敌？"宋江言无数句，话不一席，有分教：大辽国主拱手归降，兀颜统军死于非命。正是：动达天机施妙策，摆开星斗破迷关。毕竟宋江用甚计策，怎生打阵，且听下回分解。

第 八 十 九 回

宋公明破阵成功　宿太尉颁恩降诏

诗曰：

阵列混天排剑戟，四围八面怪云生。

分分曜宿当前现，朗朗明星直下横。

黄钺白旄风内舞，朱幡皂盖阵中行。

若非玄女亲传法，边塞焉能定太平。

话说当下宋江梦中授得九天玄女之法，不忘一句，便请军师吴用计议定了，申复赵枢密。寨中合造雷车二十四部，都用画板铁叶钉成，下装油柴，上安火炮，连更晓夜，催并完成。商议打阵，会集诸将人马，宋江传令，各各分派。便点按中央戊己土黄袍军马，战大辽水星阵内，差大将一员双枪将董平。左右撞破皂旗军七门，差副将七员：朱仝、史进、欧鹏、邓飞、燕顺、马麟、穆春。再点按西方庚辛金白袍军马，战大辽木星阵内，差大将一员豹子头林冲。左右撞破青旗军七门，差副将七员：徐宁、穆弘、黄信、孙立、杨春、陈达、杨林。再点按南方丙丁火红袍军马，战大辽金星阵内，差大将一员霹雳火秦明。左右撞破白旗军七门，差副将七员：刘唐、雷横、单廷圭、魏定国、周通、龚旺、丁得孙。再点按北方壬癸水黑袍军马，战大辽火星阵内，差大将一员双鞭呼延灼。左右撞破红旗军七门，差副将七员：杨志、索超、韩滔、彭玘、孔明、邹渊、邹润。再点按东方甲乙木青袍军马，战大辽土星主将阵内，差大将一员大刀关胜。左右撞破中军黄旗主阵人马，差副将八员：花荣、张清、李应、柴进、宣赞、郝思文、施恩、薛永。再差一枝绣旗花袍军，打大辽太阳左军阵内，差大将七员：鲁智深、武松、杨雄、石秀、焦挺、汤隆、蔡福。再差一枝素袍银甲军，打大辽太阴右军阵中，差大将七员：扈三娘、顾大嫂、孙二娘、王英、孙新、张青、蔡庆。再差打中军一枝悍勇人马，直擒大辽国主，差大将六员：卢俊义、燕青、吕方、郭盛、解珍、解宝。再遣护送雷车至中军大将五员：李逵、樊瑞、鲍旭、项充、李衮。其馀水军头领并应有人员，尽到阵前协助破阵。阵前还立五方旗帜八面，分拨人员，仍排九宫八卦阵势。宋江传令已罢，众将各各遵依。一面趱造雷车已了，装载法物，推到阵前。正是：计就惊天地，谋成破鬼神。有诗为证：

　　五行生克本天成，化化生生自不停。

　　玄女忽然传法象，兀颜机阵一时平。

　　且说兀颜统军连日见宋江不出交战，差遣压阵军马，直哨到宋江寨前。宋江连日制造完备，选定日期。是晚起身，来与辽兵相接，一字儿摆开阵势。前面尽把强弓硬弩射住阵脚，只待天色傍晚。黄昏左侧，只见朔风凛凛，彤云密布，罩合天地，未晚先黑。宋江教众军人等断芦为笛，衔于口中，嗯哨为号。当夜先分出四路兵去，只留黄袍军摆在阵前。这分出四路军马，赶杀大辽哨路番军，绕阵脚而走，杀投北去。

　　初更左侧，宋江军中连珠炮响。呼延灼打开阵门，杀入后军，直取火星。关胜随即杀入中军，直取土星。主将林冲引军杀入左军阵内，直取木星。秦明领军撞入右军阵内，直取金星。董平便调军攻打头阵，直取水星。公孙胜在阵中仗剑作法，踏罡布斗，敕起五雷。是夜南风大作，吹的树梢垂地，走石飞沙，雷公闪电。一齐点起二十四部雷车，李逵、樊瑞、鲍旭、项充、李衮，将引五百牌手，悍勇军兵，护送雷车，推入大辽军阵。一丈青扈三娘引兵便打入辽兵太阴阵中。花和尚鲁智深引兵便打入辽兵太阳阵中。玉麒麟卢俊义引领一枝军马，随着雷车，直奔中军。你我自去寻队厮杀。是夜，雷车火起，空中霹雳交加，杀气满天，走石飞沙，端的是杀得星移斗转，日月无光，鬼哭神号，人兵撩乱。

且说兀颜统军正在中军遣将，只听得四下里喊声大振，四面厮杀，急上马时，雷车已到中军。烈焰涨天，炮声震地，关胜一枝军马早到帐前。兀颜统军急取方天画戟与关胜大战，怎禁没羽箭张清取石子望空中乱打，打的四边牙将中伤者多，逃命散走。李应、柴进、宣赞、郝思文，纵马横刀，乱杀军将。兀颜统军见身畔没了羽翼，拨回马望北而走，关胜飞马紧追。正是：饶君走上焰摩天，脚下腾云须赶上。

花荣在背后见兀颜统军输了，一骑马也追将来，急拈弓搭箭，望兀颜统军射将去。那箭正中兀颜统军后心，听的铮地一声，火光迸散，正射在护心镜上。却待再射，关胜赶上，提起青龙刀当头便砍。那兀颜统军披着三重铠甲，贴里一层连环镔铁铠，中间一重海兽皮甲，外面方是锁子黄金甲。关胜那一刀砍过，只透的两层。再复一刀，兀颜统军就刀影里闪过，勒马挺方天戟来迎。两个又斗到三五合，花荣赶上，觑兀颜统军面门，又放一箭。兀颜统军急躲，那枝箭带耳根穿住凤翅金冠。兀颜统军急走，张清飞马赶上，拈起石子望头脸上便打。石子飞去，打的兀颜统军扑在马上，拖着画戟而走。关胜赶上，再复一刀，那青龙刀落处，把兀颜统军连腰截骨带头砍着，撷下马去。花荣抢到，先换了那匹好马。张清赶来，再复一枪。可怜兀颜统军一世豪杰，一柄刀，一条枪，结果了性命！堪叹辽国英雄，化作南柯一梦。有诗为证：

> 李靖六花人亦识，孔明八卦世应知。
>
> 混天只想无人敌，也有神机打破时。

却说鲁智深引着武松等六员头领，众将呐声喊，杀入辽兵太阳阵内。那耶律得重急待要走，被武松一戒刀掠断马头，倒撞下马来，揪住头发，一刀取了首级。两个孩儿逃命走了。杀散太阳阵势。鲁智深道："俺们再去中军，拿了大辽国主，便是了事也。"

且说辽兵太阴阵中，天寿公主听得四边喊起厮杀，慌忙整顿军器上马，引女兵伺候。只见一丈青舞起双刀，纵马引着顾大嫂等六员头领，杀入帐来，正与天寿公主交锋。两个斗无数合，一丈青放开双刀，抢入公主怀内，劈胸揪住，两个在马上扭做一团，绞做一块。王矮虎赶上，活捉了天寿公主。顾大嫂、孙二娘在阵里杀散女兵，孙新、张青、蔡庆在外面夹攻。可怜金枝玉叶如花女，却作归降被缚人！

且说卢俊义引兵杀到中军，解珍、解宝先把"帅"字旗砍翻，乱杀番官番将。当有护驾大臣与众多牙将紧护大辽国主銮驾，往北而走。阵内罗睺、月孛二皇侄俱被刺死于马下，计都皇侄就马上活拿了，紫气皇侄不知去向。大兵重重围住，直杀到四更方息，杀的辽兵二十馀万不留一个。

将及天明，诸将都回。宋江鸣金收军下寨，传令教生擒活捉之众，各自献功。一丈青献太阴星天寿公主，卢俊义献计都星皇侄耶律得华，朱仝献水星曲利出清，欧鹏、邓飞、马麟献斗木獬萧大观，杨林、陈达献心月狐裴直，单廷圭、魏定国献胃土雉高彪，韩滔、彭玘献柳土獐雷春、翼火蛇狄圣。诸将献首级不计其数。宋江将生擒八将，尽行解赴赵枢密中军收禁。所得马匹，就行俵拨各将骑坐。

且说大辽国主，慌速退入燕京，急传圣旨，坚闭四门，紧守城池，不出对敌。宋江知得大辽国主退回燕京，便教军马拔寨都起，直追至城下，团团围住，令人请赵枢密直至后营，监临打城。宋江传令教就燕京城外团团竖起云梯炮石，扎下寨栅，准备打城。辽国郎主心慌，会集群臣商议，都道："事在危急，莫若归降大宋，此为上计。"大辽郎主遂从众议。于是城上早竖起降旗，差人来宋营求告："年年进牛马，岁岁献珠珍，再不敢侵犯中国。"宋江引着来人，直到后营，拜见赵枢密，通说投降一节，年年进贡，岁岁来朝。赵枢密听了道："此乃国家大事。投降之事，须用取自上裁，我未敢擅便主张。你辽国有心投降，可差的当大臣，亲赴东京，朝见天子。圣旨准你辽国叛降表文，降诏赦罪，方敢退兵罢战。"来人领了这话，便入城回复郎主，奏知此事。当下国主聚集文武百官，商议此事。时有右丞相太师褚坚，出班奏曰："目今郎主兵微将寡，人马皆无，如何迎敌？在于危急之际，论臣愚意，可多把金帛贿赂，以结人心。微臣亲往宋先锋寨内，重许厚礼。一面令其住兵停战，免的攻城；一面收拾礼物，径往东京，投买省院诸官，令其于天子之前，善言启奏，别作宛转。目今中国蔡京、童贯、高俅、杨戬四个贼臣专权，童子皇帝听他四个主张。可把金帛贿赂与此四人，买其讲和，必降诏赦，收兵罢战。"郎主准奏。

次日，丞相褚坚出城来，直到宋先锋寨中。宋江接至帐上，便问："丞相来意何如？"褚坚先说了国主投降一事，然后许宋先锋金帛玩好之物。宋江听了，说与丞相褚坚道："俺连日攻城，不愁打你这个城池不破，一发斩草除根，免了萌芽再发。看见你城上竖起降旗,以此停兵罢战。两国交锋,自古国家有投降之理。准你投拜纳降,因此按兵不动,容汝赴朝廷请罪献纳。汝今以贿赂相许,觑宋江为何等之人! 再勿复言!"褚坚惶恐。宋江又道:"丞相,容汝上国朝京,取自上裁。俺等按兵不动,待汝速去快来。汝勿迟滞。"

褚坚拜谢了宋先锋,作别出寨,上马回燕京来,直至行宫,奏知国主。众大臣商议已定。次日,辽国君臣收拾玩好之物,金银宝贝,彩缯珍珠,装载上车。差丞相褚坚并同番官一十五员,前往京师。鞍马三十馀骑,修下请罪表章一道,离了燕京,到宋江寨内,参见了宋江。宋江引褚坚来见赵枢密,说知此事:"辽国今差丞相褚坚,亲往京师朝见,告罪投降。"赵枢密留住褚坚,以礼相待。自来与宋先锋商议,亦动文书,申达天子。就差柴进、萧让赍奏,就带行军公文,关会省院,一同相伴丞相褚坚,前往东京,于路无话。有诗为证:

戰罢辽兵不自由,便将降表上皇州。

谦恭已布朝宗义,蝼蚁真贻败国羞。

剩水残山秋漠漠,荒城破郭月悠悠。

金珠满载为忱质,水浒英雄志已酬。

在路不止一日,早到京师,便将十车进奉金宝礼物,车仗人马,于馆驿内安下。柴进、萧让赍捧行军公文,先去省院下了,禀说道:"即日兵马围困燕京,且夕可破。辽国郎主于城上竖起降旗,今遣丞相褚坚前来上表,请罪纳降,告赦罢兵。未敢自专,来请圣旨。"省院官说道:"你且与他馆驿内权时安歇,待俺这里从长计议。"

此时蔡京、童贯、高俅、杨戬并省院大小官僚,都是好利之徒。却说大辽丞相褚坚并众人,先寻门路,见了太师蔡京等四个

大臣,次后省院各官处,都有贿赂。各各先以门路馈送礼物诸官
已了。次日早朝,大宋天子升殿,百官朝贺,拜舞已毕。枢密使
童贯出班奏曰:"有先锋使宋江,杀退辽兵,直至燕京,围住城池
攻击,且夕可破。今有大辽国主早竖降旗,情愿投降,遣使丞相
褚坚,奉表称臣,纳降请罪,告赦讲和,求敕退兵罢战,情愿年年
进奉,不敢有违。臣等省院,不敢自专,伏乞圣鉴。"天子曰:"似
此讲和,休兵罢战,仍存本国。汝等众卿如何计议?"旁有太师蔡
京出班奏曰:"臣等众官俱各计议:自古及今,四夷未尝尽灭。臣
等愚意,可存辽国,作北方之屏障,堪为唇齿之邦。年年进纳岁
币,于国有益。合准投降请罪,休兵罢战,诏回军马,以护京师。
臣等未敢擅便,乞陛下圣鉴。"天子准奏,传圣旨令辽国来使面
君。当有殿头官传令,宣褚坚等一行来使,都到金殿之下,扬尘
拜舞,顿首山呼。侍臣呈上表章,就御案上展开。宣表学士高声
读道:

> "大辽国主臣耶律辉顿首顿首百拜上言:臣生居朔漠,
> 长在番邦。不通圣贤之大经,罔究纲常之大礼。诈文伪武,
> 左右多狼心狗行之徒;好赂贪财,前后悉鼠目獐头之辈。小
> 臣昏昧,屯众猖狂。侵犯疆封,以致天兵而讨罪;妄驱士马,
> 动劳王室以兴师。量蝼蚁安足以撼泰山,想众水必然归于
> 大海。念臣等虽守数座之荒城,应无半年之积蓄。今特遣
> 使臣褚坚,冒干天威,纳土请罪。倘蒙圣上怜悯蕞尔之微
> 生,不废祖宗之遗业,是以铭心刻骨,沥胆披肝,永为戎狄之
> 番邦,实作天朝之屏翰。老老幼幼,真获再生;子子孙孙,久
> 远感戴。进纳岁币,誓不敢违。臣等不胜战栗屏营之至!
> 诚惶诚恐,稽首顿首! 谨上表以闻。

> 宣和四年冬月　　　　日,大辽国主臣耶律辉表。"

徽宗天子御览表文已毕,阶下群臣称善。天子命取御酒以赐来使。丞相褚坚等便取金帛岁币,进在朝前。天子命宝藏库收讫,仍另纳下每年岁币牛马等物。天子回赐段匹表里,光禄寺赐宴。敕令丞相褚坚等先回:"待寡人差官,自来降诏。"褚坚等谢恩,拜辞天子出朝,且归馆驿。是日朝散,褚坚又令人再于各官门下,重打关节。蔡京力许:"令丞相自回,都在我等四人身上。"褚坚谢了太师,自回辽国去了。

却说蔡太师次日引百官入朝,启奏降诏回下辽国。天子准奏,急敕翰林学士草诏一道,就御前便差太尉宿元景,赍擎丹诏,直往辽国开读。另敕赵枢密,令宋先锋收兵罢战,班师回京;将应有被擒之人,释放还国;原夺城池,仍旧给还管领;府库器具,交割辽邦归管。天子朝退,百官皆散。次日,省院诸官,都到宿太尉府,约日送行。

再说宿太尉领了诏敕,不敢久停君命,准备轿马从人,辞了天子,别了省院诸官,就同柴进、萧让同上辽邦。出京师,望陈桥驿投边塞进发。在路行时,正值严冬之月,四野彤云密布,分扬雪坠平铺,粉塑千林,银装万里。宿太尉一行人马,冒雪撑[①]风,迤逦前进。正是:云横秦岭家何在?雪拥蓝关马不前。有诗为证:

太尉承宣不敢停,远赍恩诏到边庭。

皑皑积雪关山路,卉服雕题迓使星。

雪霁未消,渐临边塞。柴进、萧让先使哨马报知赵枢密,前去通报宋先锋。宋江见哨马飞报,便携酒礼,引众出五十里,伏道迎接。接着宿太尉,相见已毕,把了接风酒,各官俱喜。请至

---

① 撑(chéng)——抵挡,遮挡。

寨中,设筵相待,同议朝廷之事。宿太尉言说:"省院等官,蔡京、童贯、高俅、杨戬,俱各受了辽国贿赂,于天子前极力保奏此事,准其投降,休兵罢战,诏回军马,守备京师。"宋江听了,叹道:"非是宋某怨望朝廷,功勋至此,又成虚度!"宿太尉道:"先锋休忧。元景回朝,天子前必当重保。"赵枢密又道:"放着下官为证,怎肯教虚费了将军大功!"宋江禀道:"某等一百八人,竭力报国,并无异心,亦无希恩望赐之念。只得众弟兄同守劳苦,实为幸甚。若得枢相肯做主张,深感厚德。"当日饮宴,众皆欢喜,至晚席散。随即差人一面报知大辽国主,准备接诏。

次日,宋江拨十员大将,护送宿太尉进辽国颁诏,都是锦袍金甲,戎装革带。那十员上将,关胜、林冲、秦明、呼延灼、花荣、董平、李应、柴进、吕方、郭盛,引领马步军三千,护持太尉,前遮后拥,摆布入城。燕京百姓,排门香花灯烛。大辽国主亲引百官文武,具服乘马,出南门迎接诏旨,直至行宫金銮殿上。十员大将立于左右,宿太尉立于龙亭之左,国主同百官跪于殿前。殿头官喝拜。国主同文武拜罢,辽国侍郎承恩请诏,就殿上开读。诏曰:

"大宋皇帝制曰:三王立位,五帝禅宗。无君子莫治野人,无野人莫养君子。虽中华而有主,焉夷狄岂无君!兹尔辽国,不遵天命,数犯疆封,理合一鼓而灭。朕今览其情词,怜其哀切,悯汝惸孤,不忍加诛,仍存其国。诏书至日,即将军前所擒之将,尽数释放还国。原夺一应城池,仍旧给还辽国管领。所供岁币,慎勿怠忽。於戏!敬事大国,祗畏天地,此藩翰之职也。尔其钦哉!故兹诏示,想宜知悉。

宣和四年冬月　　日。"

当时辽国侍郎开读诏旨已罢,郎主与百官再拜谢恩。行君臣礼毕,抬过诏书龙案,郎主便与宿太尉相见。叙礼已毕,请入后殿,大设华筵,水陆俱备。番官进酒,戎将传杯,歌舞满筵,胡笳聒耳,燕姬美女,各奏戎乐,羯鼓塌篪,胡旋慢舞。筵宴已终,送宿太尉并众将于馆驿内安歇。是日跟去人员,都有赏劳。

次日,国主命丞相褚坚出城至寨,邀请赵枢密、宋先锋同入燕京赴宴。宋江便与军师吴用计议不行,只请的赵枢密入城,相陪宿太尉饮宴。是日,辽国郎主大张筵席,管待朝使。葡萄酒熟倾银瓮,黄羊肉美满金盘。异果堆筵,奇花散彩。筵席将终,只见国主金盘捧出玩好之物,上献宿太尉、赵枢密,直饮至更深方散。第三日,大辽国主会集文武群臣,番戎鼓乐,送太尉、枢密出城还寨。再命丞相褚坚,将牛羊、马匹、金银、彩段等项礼物,直至宋先锋军前寨内,大设广会①,犒劳三军,重赏众将。

宋江传令,教取天寿公主一干人口,放回本国。仍将夺过檀州、蓟州、霸州、幽州,依旧给还大辽管领。一面先送宿太尉还京。次后,收拾诸将军兵车仗人马,分拨人员,先发中军军马,护送赵枢密起行。宋先锋寨内,自己设宴。一面赏劳水军头目已了,着令乘驾船只,从水路先回东京,驻扎听调。

宋江再使人入城中,请出左右二丞相,前赴军中说话。当下辽国郎主,教左丞相幽西孛瑾,右丞相太师褚坚,来至宋先锋行营,至于中军相见。宋江邀请上帐,分宾而坐。宋江开话道:"俺武将兵临城下,将至壕边,奇功在迩,本不容汝投降。打破城池,尽皆剿灭,正当其理。主帅听从,容汝申达朝廷。皇上怜悯,存恻隐之心,不肯尽情追杀。如此容汝投降,纳表请罪,今获大全。吾待朝京,汝等勿以宋江等辈不能胜尔,休生反复,年年进贡,不

---

① 广会——盛大的宴会。

可有缺。吾今班师还国，汝宜谨慎自守，休得故犯。天兵再至，决无轻恕！"二丞相叩首伏罪拜谢。宋江再用好言戒谕，二丞相恳谢而去。

宋江即拨一队军兵，与女将一丈青等先行。随即唤令随军石匠，采石为碑，令萧让作文，以记其事。金大坚镌石已毕，竖立在永清县东一十五里茅山之下，至今古迹尚存。有诗为证：

伪辽归顺已知天，纳币称臣自岁年。

勒石镌铭表功绩，颉颃铜柱及燕然。

宋江却将军马分作五起进发，克日起行。只见鲁智深忽到帐前，合掌作礼，对宋江道："小弟自从打死了镇关西，逃走到代州雁门县，赵员外送洒家上五台山，投礼智真长老，落发为僧。不想醉后，两番闹了禅门，有乱清规。师父送俺来东京大相国寺，投托智清禅师，讨个执事僧做。相国寺里着洒家看守菜园。为救林冲，被高太尉要害，因此落草。得遇哥哥，随从多时，已经数载。思念本师，一向不曾参礼。洒家常想师父说，俺虽是杀人放火的性，久后却得正果真身。今日太平无事，兄弟权时告假数日，欲往五台山参礼本师，就将平昔所得金帛之资，都做布施，再求问师父前程如何。哥哥军马，只顾前行，小弟随后便赶来也。"宋江听罢愕然，默上心来，便道："你既有这个活佛罗汉在彼，何不早说，与俺等同去参礼，求问前程。"当时与众人商议，尽皆要去，惟有公孙胜道教不行。宋江再与军师计议，留下金大坚、皇甫端、萧让、乐和四个，委同副先锋卢俊义，掌管军马，陆续先行，"俺们只带一千来人，随从众弟兄，跟着鲁智深，同去参礼智真长老。"鲁智深见宋江说要去参禅，便道："愿从哥哥同往。"宋江等众，当时离了军前，收拾名香彩帛，表里金银，上五台山来。正是：暂弃金戈甲马，来游方外丛林。雨花台畔，来访道德高僧；善法堂前,要见燃灯古佛。直教一语打开名利路,片言踢透死生关。毕竟宋江与鲁智深怎地参禅,且听下回分解。

第 九 十 回

五台山宋江参禅　双林渡燕青射雁

诗曰：

　　韩文参大颠，东坡访玉泉。

　　僧来白马寺，经到赤乌年。

　　叶叶风中树，重重火里莲。

　　无尘心镜净，只此是金仙。

　　原来五台山这个智真长老，是故宋时一个当世的活佛，知得过去未来之事。数载之前，已知鲁智深是个了身达命之人，只是俗缘未尽，要还杀生之债，因此教他来尘世中走这一遭。本人宿根，还有道心，今日起这个念头，要来参禅投礼本师。宋公明亦然是素有善心，时刻点悟，因此要同鲁智深来参智真长老。当时众弟兄亦要同往，宋江难以阻当，就与军师众皆计议，只除公孙胜道教外，可委副先锋掌管军马。四哨无人，可差金大坚、皇甫端、萧让、乐和一同卢俊义管领大队军马，陆续前进。

　　宋江与众将只带一千人马，同鲁智深来到五台山下，就将人马屯扎下营，先使人上山报知。宋江等众弟兄，都脱去戎装惯带，各穿随身锦绣战袍，步行上山。转到山门外，只听寺内撞钟击鼓，众僧出来迎接，向前与宋江、鲁智深等施了礼。数内有认的鲁智深的多，又见齐齐整整百馀个头领跟着宋江，尽皆惊羡不已。堂头首座来禀宋江道："长老坐禅入定之际，不能相接，将军切勿见罪,恕责则个!"遂请宋江等先去知客寮内少坐。供茶罢,侍者出来请道:"长老禅定方回,已在方丈专候,启请将军进来。"宋江等一行百馀人,直到方丈,来参智真长老。那长老慌忙降阶而接,邀至上堂,各施礼罢。宋江看那和尚时,六旬之上,眉发尽白,骨格清奇,俨然有天台方广出山之相。众人入进方丈之中,宋江便请智真长老上座,焚香礼拜。一行众将,都已拜罢,鲁智深向前插香礼拜。智真长老道:"徒弟一去数年,杀人放火不易。"鲁智深默默无言。宋江向前道:"久闻长老清德,争耐俗缘浅薄,无路拜见尊颜。今因奉诏破辽到此,得以拜见堂头大和尚,平生万幸。智深和尚与宋江做兄弟时,虽是杀人放火,忠心不害良善,善心常在。今引宋江等众弟兄来参大师。"智真长老道:"常有高僧到此,亦曾闲论世事循环。久闻将军替天行道,忠义于心,深知众将义气为重。吾弟子智深跟着将军,岂有差错。"宋江称谢不已。有诗为证:

谋财致命凶心重,放火屠城恶行多。

忽地寻思念头起,五台山上礼弥陀。

鲁智深将出一包金银采段来,供献本师。智真长老道:"吾弟子此物,何处得来? 无义钱财,决不敢受。"智深禀道:"弟子累经功赏积聚之物,弟子无用,特地将来献纳本师,以充公用。"长老道:"众亦难消,与汝置经一藏,消灭罪恶,早登善果。"鲁智深拜谢已了。宋江亦取金银采段上献智真长老,长老坚执不受。宋江禀说:"我师不纳,可令库司办斋,供献本寺僧众。"当日就五台山寺中宿歇一宵,长老设素斋相待,不在话下。

且说次日库司办斋完备,五台寺中法堂上鸣钟击鼓,智真长老会集众僧,于法堂上讲法参禅。须臾,合寺众僧都披袈裟坐具,到于法堂中坐下。宋江、鲁智深并众头领,立于两边。引磬响处,两碗红纱灯笼,引长老上升法座。智真长老到法座上,先拈信香,祝赞道:"此一炷香,伏愿今上天子万岁万万岁,皇后齐肩,太子千秋,金枝茂盛,玉叶光辉,文武官僚同增禄位,天下太平,万民乐业!"再拈信香一炷:"愿今斋主身心安乐,寿算延长,日转千阶,名垂万载!"再拈信香一炷:"愿今国安民泰,岁稔年和,五谷丰登,三教兴隆,四方宁静,诸事祯祥,万事如意!"祝赞已罢,就法座而坐。两下众僧,打罢问讯,复皆侍立。宋江向前拈香礼拜毕,合掌近前参禅道:"某有一语,敢问吾师。"智真长老道:"有何法语要问老僧?"宋江向前道:"请问吾师:浮世光阴有限,苦海无边,人身至微,生死最大。特来请问于禅师。"智真长老便答偈曰:

> "六根束缚多年,四大牵缠已久。堪叹石火光中,翻了几个筋斗。咦! 阎浮世界诸众生,泥沙堆里频哮吼。"

长老说偈已毕,宋江礼拜侍立。众将都向前拈香礼拜,设誓道:"只愿弟兄同生同死,世世相逢!"焚香已罢,众僧皆退,就请去云堂内请斋。众人斋罢,宋江与鲁智深跟随长老来到方丈内。至晚闲话间,宋江求问长老道:"弟子与鲁智深本欲从师数日,指示愚迷,但以统领大军,不敢久恋。我师语录,实不省悟。今者拜辞还京,某等众弟兄此去前程如何,万望吾师明彰点化。"智真长老命取纸笔,写出四句偈语:

> "当风雁影翻,东阙不团圆。
> 只眼功劳足,双林福寿全。"

写毕,递与宋江道:"此是将军一生之事,可以秘藏,久而必应。"宋江看了,不晓其意,又对长老道:"弟子愚蒙,不悟法语,乞吾师明白开解,以释某心前程凶吉。"智真长老道:"此乃禅机隐语,汝宜自参,不可明说,恐泄天机。"长老说罢,唤过智深近前道:"吾弟子,此去与汝前程永别,正果将临。也与汝四句偈去,收取终身受用。"偈曰:

　　　"逢夏而擒,遇腊而执。

　　　听潮而圆,见信而寂。"

　　鲁智深拜受偈语,读了数遍,藏于身边,拜谢本师。智真长老道:"吾弟子记取其言,休忘了本来面目。"说罢,又歇了一宵。次日,宋江、鲁智深并吴用等众头领,辞别长老下山,众人便出寺来。智真长老并众僧,都送出山门外作别。

　　不说长老众僧回寺,且说宋江等众将,下到五台山下,引起军马,星火赶来。众将回到军前,卢俊义、公孙胜等接着宋江众将,都相见了。宋江便对卢俊义等说五台山众人参禅设誓一事,将出禅语与卢俊义、公孙胜看了,皆不晓其意。萧让道:"禅机法语,等闲如何省的!"众皆嗟呀不已。

　　宋江传令催趱军马起程。众将得令,催起三军人马,望东京进发。在路行了数日,五军前进到一个去处,地名双林渡。宋江在马上正行之间,仰观天上,见空中数行塞雁,不依次序,高低乱飞,都有惊鸣之意。宋江见了,心疑作怪;又听的前军喝采,使人去问缘由。飞马回报,原来是浪子燕青初学弓箭,向空中射雁,箭箭不空,却才须臾之间,射下十数只鸿雁,因此诸将惊呀不已。宋江教唤燕青飞马前来。这燕青头戴着白范阳遮尘毡笠儿,身穿着鹅黄纻丝衲袄,骑一匹五明红沙马,弯弓插箭,飞马而来,背后马上捎带死雁数只,来见宋江。下马离鞍,立在一边。宋公明问道:"恰才你射雁来?"燕青答道:"小弟初学弓箭,见空中群雁而来,无意射之,不想箭箭皆中,误射了十数只雁。"宋江道:"为

军的人,学射弓箭,是本等的事。射的亲①,是你能处。我想宾
鸿避暑寒,离了天山,衔芦渡关,趁江南地暖,求食稻粱,初春方
回。此宾鸿仁义之禽,或数十,或三五十只,递相谦让,尊者在
前,卑者在后,次序而飞,不越群伴,遇晚宿歇,亦有当更之报。
且雄失其雌,雌失其雄,至死不配,不失其意。此禽仁、义、礼、
智、信五常俱备:空中遥见死雁,尽有哀鸣之意,失伴孤雁,并无
侵犯,此为仁也;一失雌雄,死而不配,此为义也;依次而飞,不越
前后,此为礼也;预避鹰雕,衔芦过关,此为智也;秋南冬北,不越
而来,此为信也。此禽五常足备之物,岂忍害之! 天上一群鸿
雁,相呼而过,正如我等弟兄一般。你却射了那数只,比俺弟兄
中失了几个,众人心内如何? 兄弟今后不可害此礼义之禽。"燕
青默默无语,悔罪不及。宋江有感于心,在马上口占一首诗道:

> "山岭崎岖水渺茫,横空雁阵两三行。
> 忽然失却双飞伴,月冷风清也断肠。"

宋江吟诗罢,不觉自己心中凄惨,睹物伤情。当晚屯兵于双林渡
口。宋江在帐中,因复感叹燕青射雁之事,心中纳闷,叫取过纸
笔,作词一首:

> "楚天空阔,雁离群万里,恍然惊散。自顾影,欲下寒
> 塘,正草枯沙净,水平天远。写不成书,只寄的相思一
> 点。暮日空濠,晓烟古堑,诉不尽许多哀怨! 拣尽
> 芦花无处宿,叹何时玉关重见! 嘹呖忧愁呜咽,恨江渚
> 难留恋。请观他春昼归来,画梁双燕。"

宋江写毕,递与吴用、公孙胜看。词中之意,甚是有悲哀忧戚之
思。宋江心中郁郁不乐。当夜吴用等设酒备肴,饮酌尽醉方休。

---

① 亲——准。

次早天明，俱各上马，望南而行。路上行程，正值暮冬，景物凄凉。宋江于路，此心终有所感。不则一日，回到京师，屯驻军马于陈桥驿，听候圣旨。

且说先是宿太尉并赵枢密中军人马入城，宿太尉、赵枢密将宋江等功劳奏闻天子，报说宋先锋等诸将兵马班师回京，已到关外。赵枢密前来启奏天子，说宋江等诸将边庭劳苦之事。天子闻奏，大加称赞，就传圣旨，命黄门侍郎宣宋江等面君朝见，都教披挂入城。

且说宋江等众将，屯驻军马在于陈桥驿，听候宣诏入朝。黄门侍郎传旨，教宋江等众将一百八员都要本身披挂，戎装革带，顶盔挂甲，身穿锦袄，悬带金银牌面，从东华门而入，都至文德殿朝见天子。拜舞起居，山呼万岁。皇上看了宋江等众将英雄，尽是锦袍金带，惟有吴用、公孙胜、鲁智深、武松，身着本身服色。天子圣意大喜，乃曰："寡人多知卿等征进劳苦，边塞用心，中伤者多，寡人甚为忧戚。"宋江再拜奏曰："皆托圣上洪福齐天，边庭宁息。臣等众将，虽有金伤，俱各无事。今已沙塞投降，实陛下仁育之赐。"再拜称谢。天子特命省院等官计议封爵。太师蔡京、枢密童贯商议奏道："方今四边未宁，不可升迁。且加宋江为保义郎，带御器械，正受皇城使；副先锋卢俊义加为宣武郎，带御器械，行营团练使；吴用等三十四员加封为正将军；朱武等七十二员加封为偏将军；支给金银，赏赐三军人等。"天子准奏，仍敕与省院众官，加封爵禄，与宋江等支给赏赐。宋江等就于文德殿顿首谢恩。天子命光禄寺大设御宴。怎见的好宴？但见：

> 香焚宝鼎，花插金瓶。挂虾须织锦帘栊，悬翡翠销金帐幕。武英宫里，屏帏画舞鹤飞鸾；文德殿中，御座描盘龙走凤。屏开孔雀，列华筵君臣共乐；褥隐芙蓉，设御

宴文武同欢。珊瑚碟仙桃异果,玳瑁盘凤髓龙肝。鳞
鳞脍切银丝,细细茶烹玉蕊。七珍嵌箸,好似碧玉琉
璃;八宝装匙,有如红丝玛瑙。玻璃碗,满泛马乳羊羔;
琥珀杯,浅酌瑶池玉液。合殿金花翠叶,满筵锦绣绮
罗。仙音院听唱新词,教坊司吹弹歌曲。几多食味烹
金鼎,无限香醪泻玉壶。黄金殿上,君王亲赐紫霞杯;
白玉阶前,臣子承恩沾御酒。将军边塞久劳心,今日班
师朝圣主。佳人齐贺升平曲,画鼓频敲得胜回。

　　当日天子亲赐御宴已罢,钦赏宋江锦袍一领,金甲一副,名
马一匹;卢俊义等赏赐,尽于内府关支。宋江与众将谢恩已罢,
尽出宫禁,都到西华门外,上马回营。一行众将,出的城来,直至
行营安歇,听候朝廷委用。

　　次日,只见公孙胜直至行营中军帐内,与宋江等众人打了稽
首,便禀宋江道:"向日本师罗真人嘱付小道,已曾预禀仁兄,令
小道送兄长还京师毕日,便回山中学道。今日兄长功成名遂,贫
道亦难久处。就今拜别仁兄,辞了众位,即今日便归山中从师学
道,侍养老母,以终天年。"宋江见公孙胜说起前言,不敢翻悔,潜
然泪下,便对公孙胜道:"我想昔日弟兄相聚,如花方开;今日弟
兄分别,如花零落。吾虽不敢负汝前言,中心岂忍分别!"公孙胜
道:"若是小道半途撇了仁兄,便是贫道寡情薄意。今来仁兄功
成名遂,此去非贫道所趋。仁兄只得曲允。"宋江再四挽留不住,
便乃设一筵宴,令众弟兄相别。筵上举杯,众皆叹息,人人洒泪。
各以金帛相赆,公孙胜推却不受,众弟兄只顾打拴在包里。次
日,众皆相别。公孙胜穿上麻鞋,背了包裹,打个稽首,望北登程
去了。宋江连日思忆,泪如雨下,郁郁不乐。有诗为证:

　　　　数年相与建奇功,斡运玄机妙莫穷。

一旦浩然思旧隐，飘然长往入山中。

时下又值正旦节①相近，诸官准备朝贺。蔡太师恐宋江人等都来朝贺，天子见之，必当重用。随即奏闻天子，降下圣旨，使人当住，只教宋江、卢俊义两个有职人员随班朝贺，其馀出征官员，俱系白身，恐有惊御，尽皆免礼。是日正旦，天子设朝，百官朝贺。宋江、卢俊义俱各公服，都在待漏院伺候早朝，随班行礼。天子殿上簪缨玉带，文武大臣。是日驾坐紫宸殿，受百官朝罢。宋江、卢俊义随班拜罢，于两班侍下，不能上殿。仰观殿上玉簪珠履，紫绶金章，往来称觞献寿，自天明直至午牌，方始得沾谢恩御酒。百官朝散，天子驾起。宋江、卢俊义出内，卸了公服幞头，上马回营，面有愁颜赧色。吴用等接着。众将见宋江面带忧容，心闷不乐，都来贺节。百馀人拜罢，立于两边，宋江低首不语。吴用问道："兄长今日朝贺天子回来，何以愁闷？"宋江叹口气道："想我生来八字浅薄，年命蹇滞。破辽受了许多劳苦，今日连累众弟兄无功，我自职小官微，因此愁闷。"吴用答道："兄长既知造化未通，何故不乐？万事分定，不必多忧。"黑旋风李逵道："哥哥好没寻思！当初在梁山泊里，不受一个的气，却今日也要招安，明日也要招安，讨得招安了，却惹烦恼。放着兄弟们都在这里，再上梁山泊去，却不快活！"宋江大喝道："这黑禽兽又来无礼！如今做了国家臣子，都是朝廷良臣。你这厮不省得道理，反心尚兀自未除！"李逵又应道："哥哥不听我说，明朝有的气受哩！"众人都笑，且捧酒与宋江添寿。是日只饮到二更，各自散了。

次日，引十数骑马入城，到宿太尉、赵枢密并省院官各处贺节。往来城中，观看者甚众，就里有人对蔡京说知此事。次日，奏

---

① 正旦节——春节。正旦，农历正月初一。

过天子,传旨教省院出榜禁约,于各城门上张挂:"但凡一应有出征官员将军头目,许于城外下营屯扎,听候调遣;非奉上司明文呼唤,不许擅自入城。如违,定依军令拟罪施行。"差人赍榜,径来陈桥门外张挂榜文。有人看了,径来报知宋江。宋江转添愁闷;众将得知,亦皆焦躁,尽有反心,只碍宋江一个。有诗为证:

> 圣主为治本无差,胡越从来自一家。
>
> 何事憸人行谬计,不容忠义入京华。

且说水军头领特地来请军师吴用商议事务。吴用去到船中,见了李俊、张横、张顺、阮家三昆仲,俱对军师说道:"朝廷失信,奸臣弄权,闭塞贤路。俺哥哥破了大辽,止得个皇城使做,又未曾升赏我等众人。如今倒出榜文来,禁约我等不许入城。我想那伙奸臣,渐渐的待要拆散我们弟兄,各调开去。今请军师自做个主张;和哥哥商量,断然不肯。就这里杀将起来,把东京劫掠一空,再回梁山泊去,只是落草倒好。"吴用道:"宋公明兄长断然不肯,你众人枉费了力。箭头不发,努折箭杆。自古蛇无头而不行,我如何敢自主张?这话须是哥哥肯时,方才行得;他若不肯做主张,你们要反,也反不出去。"六个水军头领见吴用不敢主张,都做声不得。

吴用回至中军寨中,来与宋江闲话,计较军情,便道:"仁兄往常千自由,百自在,众多弟兄亦皆快活。今来受了招安,为国家臣子,不想倒受拘束,不能任用。弟兄们都有怨心。"宋江听罢,失惊道:"莫不谁在你行说甚来?"吴用道:"此是人之常情,更待多说?古人云:富与贵,人之所欲;贫与贱,人之所恶。观形察色,见貌知情。"宋江道:"军师,若是有弟兄们但要异心,我当死于九泉,忠心不改!"次日早起,会集诸将,商议军机,大小人等都到帐前。宋江开话道:"俺是郓城小吏出身,又犯大罪,托赖你众弟兄扶持，尊我为头，今日得为臣子。自古道：成人不自在，自在不成人。虽然朝廷出榜禁治，理合如此。汝诸将士，无故不得入城。我等山间林下，卤莽军汉极多。倘或因而惹事，必然以法治罪，却又坏了声名。如今不许我等入城去，倒是幸事。你们众人，若嫌拘束，但有异心，先当斩我首级，然后你们自去行事；不然，吾亦无颜居世，必当自刎而死，一任你们自为！"众人听了宋江之言，俱各垂泪，设誓而散。有诗为证：

　　堪羡公明志操坚，矢心忠鲠少欹偏。

　　不知当日秦长脚，可愧黄泉自刎言。

　　宋江诸将，自此之后，无事也不入城。看看上元节至，东京年例，大张灯火，庆赏元宵，诸路尽做灯火，于各衙门点放。且说宋江营内浪子燕青，自与乐和商议："如今东京点放华灯火戏，庆赏丰年，今上天子与民同乐。我两个便换些衣服，潜地入城，看了便回。"只见有人说道："你们看灯，也带挈我则个！"燕青看见，却是黑旋风李逵。李逵道："你们瞒着我，商量看灯，我已听了多时。"燕青道："和你去不打紧，只吃你性子不好，必要惹出事来。见今省院出榜，禁治我们不许入城。倘或和你入城去看灯，惹出事端，正中了他省院之计。"李逵道："我今番再不惹事便了，都依着你行。"燕青道："明日换了衣巾，都打扮做客人相似，和你入城去。"李逵大喜。

　　次日都打扮做客人，伺候燕青，同入城去。不期乐和潜与时迁先入城去了。燕青洒脱不开，只得和李逵入城看灯，不敢从陈桥门入去，大宽转却从封丘门入城。两个手厮挽着，正投桑家瓦来。来到瓦子前，听的勾拦内锣响，李逵定要入去，燕青只得和他挨在人丛里，听的上面说评话，正说《三国志》，说到关云长刮骨疗毒。当时有云长左臂中箭，箭毒入骨。医人华陀道："若要此疾毒消,可立一铜柱,上置铁环,将臂膊穿将过去,用索拴牢,割开皮肉,去骨三分,除却箭毒,却用油线缝拢,外用敷药贴了,内用长托之剂,不过半月,可以平复如初,因此极难治疗。"关公大笑道:"大丈夫死生不惧,何况只手?不用铜柱铁环,只此便割何妨!"随即叫取棋盘,与客弈棋,伸起左臂,命华陀刮骨取毒,面不改色,对客谈笑自若。正说到这里,李逵在人丛中高叫道:"这个正是好男子!"众人失惊,都看李逵。燕青慌忙拦道:"李大哥,你怎地好村!勾栏瓦舍,如何使的大惊小怪这等叫!"李逵道:"说到这里,不由人不喝采。"燕青拖了李逵便走。两个离了桑家瓦,转过串道①,只见一个汉子飞砖掷瓦,去打一户人家。那人家道:"清平世界,荡荡乾坤,散了二次,不肯还钱,颠倒打我屋里。"黑旋风听了,路见不平,便要去劝。燕青务死抱住。李逵睁着双眼,要和他厮打的意思。那汉子便道:"俺自和他有帐讨钱,干你甚事?即日要跟张招讨下江南出征去,你休惹我。到那里去也是死,要打便和你厮打,死在这里,也得一口好棺材。"李逵道:"却是甚么下江南?不曾听的点军调将。"燕青且劝开了斗,两个厮挽着,转出串道,离了小巷,见一个小小茶肆,两个入去里面,寻副座头,坐了吃茶。对席有个老者,便请会茶②,闲口论闲话。燕青道:"请问丈丈:却才巷口一个军汉厮打,他说道要跟张招讨下江南,早晚要去征进。请问端的那里去出征?"那老人道:"客人原来不知。如今江南草寇方腊反了,占了八州二十五县,从睦州起,直至润州,自号为一国,早晚来打扬州。因此朝廷已差下张招讨、刘都督去剿捕。"

---

①　串道——连接两街之间的小路(小胡同)。
②　会茶——一起喝茶。

　　燕青、李逵听了这话，慌忙还了茶钱，离了小巷，径奔出城，回到营中，来见军师吴学究，报知此事。吴用见说，心中大喜，来对宋先锋说知江南方腊造反，朝廷已遣张招讨领兵。宋江听了道："我等军马诸将，闲居在此，甚是不宜。不若使人去告知宿太尉，令其于天子前保奏，我等情愿起兵，前去征进。"当时会集诸将商议，尽皆欢喜。有诗为证：

　　　　屏迹行营思不胜，相携城内看花灯。

　　　　偶从茶肆传消息，虎噬狼吞事又兴。

　　次日，宋江换了些衣服，带领燕青，自来说此一事。径入城中，直至太尉府前下马。正值太尉在府，令人传报，太尉闻知，即忙教请进。宋江来到堂上，再拜起居。宿太尉道："将军何事更衣而来？"宋江禀道："近因省院出榜，但凡出征官军，非奉呼唤，不敢擅自入城。今日小将私步至此，上告恩相。听的江南方腊造反，占据州郡，擅改年号，侵至润州，早晚渡江，来打扬州。宋江等人马久闲，在此屯扎不宜。某等情愿部领兵马，前去征剿，尽忠报国，望恩相于天子前题奏则个！"宿太尉听了，大喜道："将军之言，正合吾意。此乃为国为民之盛事，下官当以一力保奏，有何不可！将军请回，来早宿某具本奏闻天子，必当重用。"宋江辞了太尉，自回营寨，与众弟兄说知。

　　却说宿太尉次日早朝入内，见天子在披香殿与百官文武计事，正说江南方腊作耗，占据八州二十五县，改年建号，如此作反，自霸称尊，目今早晚兵犯扬州。天子乃曰："已命张招讨、刘光世征进，未见次第。"宿太尉越班奏曰："想此草寇，既成大患，陛下已遣张总兵、刘都督，再差破辽得胜宋先锋，这两支军马为前部，可去剿除，必干大功。"天子闻奏大喜："卿之所言，正合朕意。"急令使臣宣省院官听圣旨。当下张招讨，从、耿二参谋，亦行保奏,要调宋江这一干人马为前部先锋。省院官到殿,领了圣旨,随即宣取宋先锋、卢先锋,直到披香殿下,朝见天子。拜舞已毕,天子降敕封宋江为平南都总管,征讨方腊正先锋;封卢俊义为兵马副总管,平南副先锋。各赐金带一条,锦袍一领,金甲一副,名马一骑,彩段二十五表里。其馀正偏将佐,各赐段匹银两,待有功次,照名升赏,加受官爵。三军头目,给赐银两,都就于内府关支,定限目下出师起行。宋江、卢俊义领了圣旨,就辞了天子。皇上乃曰:"卿等数内,有个能镌玉石印信金大坚,又有个能识良马皇甫端,留此二人,驾前听用。"宋江、卢俊义承旨再拜,仰观天颜,谢恩出内,上马回营。

宋江、卢俊义两个在马上欢喜,并马而行。出的城来,只见街市上一个汉子,手里拿着一件东西,两条巧棒,中穿小索,以手牵动,那物便响。宋江见了,却不识的,使军士唤那汉子问道:"此是何物?"那汉子答道:"此是胡敲也。用手牵动,自然有声。"宋江乃作诗一首:

"一声低了一声高,嘹亮声音透碧霄。

空有许多雄气力,无人提处谩徒劳。"

宋江在马上与卢俊义笑道:"这胡敲正比着我和你,空有冲天的本事,无人提挈,何能振响。"叫左右取些碎银,赏了调胡敲的自去。两个并马闲话。宋江馀意不尽,在马上再作诗一首:

"玲珑心地最虚鸣,此是良工巧制成。

若是无人提挈处,到头终久没声名。"

卢俊义道:"兄长何故发此言?据我等胸中学识,虽不在古今名将之下,如无本事,枉自有人提挈,亦作何用?"宋江道:"贤弟差矣!我等若非宿太尉一力保奏,如何能勾天子重用,声名冠世?为人不可忘本!"卢俊义自觉失言,不敢回话。

　　两个回到营寨,升帐而坐,当时会集诸将,尽数收拾鞍马衣甲,准备起身征讨方腊。次日于内府关到赏赐段匹银两,分俵诸将,给散三军头目,便就起送金大坚、皇甫端去御前听用。宋江一面调拨战船先行,着令水军头领自去整顿篙橹风帆,撑驾望大江进发;传令与马军头领,整顿弓箭枪刀,衣袍铠甲。水陆并进,船骑同行,收拾起程。只见蔡太师差府干到营,索要圣手书生萧让。次日,王都尉自来问宋江求要铁叫子乐和,闻此人善能歌唱,要他府里使令。宋江只得依允,随即又起送了二人去讫。宋江自此去了五个弟兄,心中好生郁郁不乐。当与卢俊义计议定了,号令诸军,准备出师。

　　却说这江南方腊起义已久,即渐而成,不想弄到许大事业。此人原是歙州山中樵夫,因去溪边净手,水中照见自己头戴平天冠,身穿衮龙袍,以此向人道他有天子福分,因而造反。就清溪县内帮源洞中,起造宝殿、内苑、宫阙,睦州、歙州亦各有行宫;仍设文武职,台省院官,也内相外将,一应大臣。睦州即今时建德,宋改为严州;歙州即今时婺源,宋改为徽州。这方腊直从这里占到润州,今镇江是也。共该八州二十五县。那八州? 歙州、睦州、杭州、苏州、常州、湖州、宣州、润州。那二十五县都是这八州管下,此时嘉兴、松江、崇德、海宁,皆是县治。方腊自为国主,仍设三省六部台院等官,非同小可,不比啸聚山林之辈。原来方腊上应天书,推背图① 上道:“自是十千加一点,冬尽始称尊。纵横过浙水,显迹在吴兴。”那十千,乃万也;头加一点,乃方字也。

----

　　① 推背图——一本声称能预测未来的书。相传是唐代李淳风和袁天罡所作。共有图六十幅,每幅图下都有谶语和颂诗,预言后世兴亡变乱。文词若明若暗、模棱两可,易于附会。最后一幅图的颂诗说:“万万千千说不尽,不如推背去归休。”所以称为“推背图”。

冬尽,乃腊也;称尊者,乃南面为君也。正应"方腊"二字。占据江南八郡,又比辽国差多少来去。

再说宋江选日出师,相辞了省院诸官。当有宿太尉、赵枢密亲来送行,赏劳三军。水军头领已把战船从泗水入淮河,望淮安军坝,俱到扬州取齐。宋江、卢俊义谢了宿太尉、赵枢密,别了上路,将军马分作五起,取旱路投扬州来。于路无话,前军已到淮安县屯扎。当有本州官员,置筵设席,等接宋先锋到来,请进城中管待,诉说:"方腊贼兵浩大,不可轻敌。前面便是扬子大江,九千三百馀里,奔流入海,此是江南第一个险隘去处。隔江却是润州,如今是方腊手下枢密吕师囊并十二个统制官守把住江岸。若不得润州为家,难以抵敌。"宋江听了,便请军师吴用计较良策,即目前面大江拦截,作何可渡?破辽国时,都是旱路,水军头领不曾建的功劳。今次要渡江南,须用水军船只向前。吴用道:"扬子江中,有金、焦二山,靠着润州城郭。可叫几个弟兄前去探路,打听隔江消息,用何船只可以渡江。"宋江传令,教唤水军头领前来听令:"你众弟兄,谁人与我先去探路,打听隔江消息?用何良策可以进兵?"只见帐下转过四员战将,尽皆愿往。

不是这几个人来探路,有分教:横尸似北固山高,流血染扬子江赤。润州城内,直须鬼哭神嚎;金山寺中,从使天翻地覆。直教大军飞渡乌龙岭,战舰平吞白雁滩。毕竟宋江军马怎地去收方腊,且听下回分解。

此一回内,京师留下四员将佐:

　　金大坚　　皇甫端　　萧　让　　乐　和

辞别归山一员将佐:

　　公孙胜

第 九 十 一 回

张顺夜伏金山寺　宋江智取润州城

诗曰：

> 万里长江似建瓴，东归大海若雷鸣。
> 浮天雪浪人皆惧，动地烟波鬼亦惊。
> 竭力只因清国难，勤王端拟耀天兵。
> 潜踪敛迹金山下，斩将搴旗在此行。

话说这九千三百里扬子大江，远接三江，却是汉阳江、浔阳江、扬子江。从四川直至大海，中间通着多少去处，以此呼为万里长江。地分吴、楚，江心内有两座山：一座唤做金山，一座唤做焦山。金山上有一座寺，绕山起盖，谓之寺裹山；焦山上一座寺，藏在山凹里，不见形势，谓之山裹寺。这两座山，生在江中，正占着楚尾吴头，一边是淮东扬州，一边是浙西润州，今时镇江是也。

且说润州城郭，却是方腊手下东厅枢密使吕师囊守把江岸。此人原是歙州富户，因献钱粮与方腊，官封为东厅枢密使。幼年曾读兵书战策，惯使一条丈八蛇矛，武艺出众。部下管领着十二个统制官，名号"江南十二神"，协同守把润州江岸。那十二神是：

擎天神福州沈刚　　游奕神歙州潘文得
遁甲神睦州应明　　六丁神明州徐统
霹雳神越州张近仁　巨灵神杭州沈泽

太白神湖州赵毅　　　太岁神宣州高可立

吊客神常州范畴　　　黄幡神润州卓万里

豹尾神江州和潼　　　丧门神苏州沈抃

话说枢密使吕师囊，统领着五万南兵，据住江岸。甘露亭下，摆列着战船三千馀只，江北岸却是瓜洲渡口，净荡荡地无甚险阻。

此时先锋使宋江，奉着诏敕，征剿方腊，兵马战船，五军诸将，水陆并进，船骑同行，已到淮安了，约至扬州取齐。当日宋先锋在帐中，与军师吴用等计议："此去大江不远，江南岸便是贼兵守把。谁人与我先去探路一遭，打听隔江消息，可以进兵？"帐下转过四员战将，皆云愿往。那四个？一个是小旋风柴进，一个是浪里白跳张顺，一个是拚命三郎石秀，一个是活阎罗阮小七。宋江道："你四人分作两路：张顺和柴进，阮小七和石秀，可直到金、焦二山上宿歇，打听润州贼巢虚实，前来扬州回话。"四人辞了宋江，各带了两个伴当，扮做客人，取路先投扬州来。此时于路百姓，听得大军来征剿方腊，都挈家搬在村里躲避了。四个人在扬州城里分别，各办了些干粮。石秀自和阮小七带了两个伴当，投焦山去了。

却说柴进和张顺也带了两个伴当，将干粮捎在身边，各带把锋芒快尖刀，提了朴刀，四个奔瓜洲来。此时正是初春天气，日暖花香，到得扬子江边，凭高一望，淘淘雪浪，滚滚烟波，是好江景也！有诗为证：

万里烟波万里天，红霞遥映海东边。

打鱼舟子浑无事，醉拥青簑自在眠。

这柴进二人，望见北固山下，一带都是青白二色旌旗，岸边一字儿摆着许多船只,江北岸上,一根木头也无。柴进道:"瓜洲路上,虽有屋宇,并无人住,江上又无渡船,怎生得知隔江消息?"张顺道:"须得一间屋儿歇下,看兄弟赴水过去对江金山脚下,打听虚实。"柴进道:"也说得是。"当下四个人奔到江边,见一带数间草房,尽皆关闭,推门不开。张顺转过侧首,掇开一堵壁子,钻将入去,见个白头婆婆,从灶边走起来。张顺道:"婆婆,你家为甚不开门?"那婆婆答道:"实不瞒客人说,如今听得朝廷起大军来与方腊厮杀,我这里正是风门水口。有些人家都搬了别处去躲,只留下老身在这里看屋。"张顺道:"你家男子汉那里去了?"婆婆道:"村里去望老小去了。"张顺道:"我有四个人,要渡江过去,那里有船觅一只?"婆婆道:"船却那里去讨? 近日吕师囊听得大军来和他厮杀,都把船只拘管过润州去了。"张顺道:"我四人自有粮食,只借你家宿歇两日,与你些银子作房钱,并不搅扰你。"婆婆道:"歇却不妨,只是没床席。"张顺道:"我们自有措置。"婆婆道:"客人,只怕早晚有大军来!"张顺道:"我们自有回避。"于是开门,放柴进和伴当入来,都倚了朴刀,放了行李,取些干粮烧饼出来吃了。张顺再来江边,望那江景时,见金山寺正在江心里。但见:

> 江吞鳌背,山耸龙鳞。烂银盘涌出青螺,软翠帷远拖素练。遥观金殿,受八面之天风;远望钟楼,倚千层之石壁。梵塔高侵沧海日,讲堂低映碧波云。无边阁,看万里征帆;飞步亭,纳一天爽气。郭璞墓中龙吐浪,金山寺里鬼移灯。

张顺在江边看了一回,心中思忖道:"润州吕枢密,必然时常到这山上。我且今夜去走一遭,必知消息。"回来和柴进商量道:"如今来到这里,一只小船也没,怎知隔江之事。我今夜把衣服打拴了两个大银,顶在头上,直赴过金山寺去,把些贿赂与那和尚,讨个虚实,回报先锋哥哥。你只在此间等候。"柴进道:"早干了事便回。"

是夜星月交辉,风恬浪静,水天一色。黄昏时分,张顺脱膊了,匾扎起一腰白绢水裈儿,把这头巾衣服裹了两个大银,拴缚在头上,腰间带一把尖刀,从瓜洲下水,直赴开江心中来。那水淹不过他胸脯,在水中如走旱路。看看赴到金山脚下,见石峰边缆着一只小船。张顺扒到船边,除下头上衣包,解了湿衣,抹拭了身上,穿上衣服,坐在船中,听得润州更鼓正打三更。张顺伏在船内望时,只见上溜头一只小船摇将过来。张顺看了道:"这只船来得跷蹊,必有奸细。"便要放船开去。不想那只船一条大索锁了,又无橹篙。张顺只得又脱了衣服,拔出尖刀,再跳下江里,只赴到那船边。船上两个人摇着橹,只望北岸,不提防南边,只顾摇。张顺却从水底下一钻,钻到船边,扳住船舫,把尖刀一削,两个摇橹的撒了橹,倒撞下江里去了。张顺早跳在船上。那船舱里钻出两个人来,张顺手起一刀,砍得一个下水去,那个吓得倒入舱里去。张顺喝道:"你是甚人?那里来的船只?实说,我便饶你!"那人道:"好汉听禀:小人是此间扬州城外定浦村陈将士家干人,使小人过润州投拜吕枢密那里献粮,准了,使个虞候和小人同回,索要白粮米五万石,船三百只,作进奉之礼。"张顺道:"那个虞候姓甚名谁?见在那里?"干人道:"虞候姓叶名贵,却才好汉砍下江里去的便是。"张顺道:"你却姓甚?甚么名字?几时过去投拜?船里有甚物件?"干人道:"小人姓吴名成,今年正月初七日渡江。吕枢密直叫小人去苏州,见了御弟三大王方貌,关了号色旌旗三百面,并主人陈将士官诰,封做扬州府尹,正授中明大夫名爵,更有号衣一千领,及吕枢密札付一道。"

张顺又问道:"你的主人家有多少人马?"吴成道:"人有数千,马有百十馀匹。嫡亲有两个孩儿,好生了得,长子陈益,次子陈泰。"张顺都问了备细来情去意,一刀也把吴成剁下水里去了。船尾上装了梢,一径摇到瓜洲。

柴进听橹声响,急忙出来看时,见张顺摇只船来。柴进便问来由。张顺把前事一一说了,柴进大喜,去船舱里取出一包袱文书,并三百面红绢号旗,杂色号衣一千领,做两担打叠了。张顺道:"我却去取了衣裳来。"把船再摇到金山脚下,取了衣裳、巾帻、银子,再摇到瓜洲岸边,天色方晓,重雾罩地。张顺把船砍漏,推开江里去沉了。来到屋下,把二三两银子与了婆婆,两个伴当挑了担子,径回扬州来。此时宋先锋军马,俱屯扎在扬州城外。本州官员置宴设席,迎接宋先锋入城,馆驿内安下。连日筵宴,供给军士。

却说柴进、张顺伺候席散,在馆驿内见了宋江,备说:"陈将士陈观交结方腊,早晚诱引贼兵渡江,来打扬州。天幸江心里遇见,教主公成这件功劳。"宋江听了大喜,便请军师吴用商议如何定计,用甚良策。吴用道:"既有这个机会,觑润州城易如反掌。先拿了陈观,大事便定。只除如此如此。"宋江道:"正合吾意。"即时唤浪子燕青扮做叶虞候,教解珍、解宝扮做南军。问了定浦村路头,解珍、解宝挑着担子,燕青都领了备细言语,三个出扬州城来,取路投定浦村。离城四十馀里,早问到陈将士庄前。见其家门首二三十庄客,都整整齐齐,一般打扮。但见:

> 攒竹笠子,上铺着一把黑缨;细线衲袄,腰系着八尺红绢。牛膀鞋,登山似箭;獐皮袜,护脚如绵。人人都带雁翎刀,个个尽提鸦嘴槊。

当下燕青改作浙人乡谈,与庄客唱喏道:"将士宅上有么?"

庄客道："客人那里来？"燕青道："从润州来。渡江错走了路，半日盘旋，问得到此。"庄客见说，便引入客房里去，教歇了担子，带燕青到后厅来见陈将士。燕青便下拜道："叶贵就此参见！"拜罢，陈将士问道："足下何处来？"燕青打浙音道："回避闲人，方敢对相公说。"陈将士道："这几个都是我心腹人，但说不妨。"燕青道："小人姓叶名贵，是吕枢密帐前虞候。正月初七日，接得吴成密书，枢密甚喜，特差叶贵送吴成到苏州，见御弟三大王，备说相公之意。三大王使人启奏，降下官诰，就封相公为扬州府尹。两位直阁舍人，待吕枢密相见了时，再定官爵。今欲使令吴成回程，谁想感冒风寒病症，不能动止。枢密怕误了大事，特差叶贵送到相公官诰，并枢密文书，关防牌面，号旗三百面，号衣一千领。克日定时，要相公粮食船只，前赴润州江岸交割。"便取官诰文书递与。陈将士看了大喜，忙摆香案，望南谢恩已了，便唤陈益、陈泰出来相见。燕青叫解珍、解宝取出号衣号旗，入后厅交付。陈将士便邀燕青请坐。燕青道："小人是个走卒，相公处如何敢坐？"陈将士道："足下是那壁恩相差来的人，又与小官赍诰敕，怎敢轻慢！权坐无妨。"燕青再三谦让了，远远地坐下。陈将士叫取酒来，把盏劝燕青。燕青推却道："小人天戒①不饮酒。"待他把过三两巡酒，两个儿子都来与父亲庆贺递酒。燕青把眼使叫解珍、解宝行事。解宝身边取出不按君臣②的药头，张人眼慢，放在酒壶里。燕青便起身说道："叶贵虽然不曾将酒过江，借相公酒果，权为上贺之意。"便斟一大锺酒，上劝陈将士满饮此杯。随

---

① 天戒——天生戒绝某种嗜好。

② 不按君臣——君、臣指中药的主药、辅药。中药以君臣配伍为原则。不按君臣，就是违反药理，违反药理的药，易于中毒，此指毒药。

即便劝陈益、陈泰,两个各饮了一杯。当面有几个心腹庄客,都被燕青劝了一杯。燕青那嘴一努,解珍出来外面,寻了火种,身边取出号旗号炮,就庄前放起。左右两边,已有头领等候,只听号炮响,前来策应。燕青在堂里,见一个个都倒了,身边掣出短刀,和解宝一齐动手,早都割下头来。庄门外哄动十个好汉,从前面打将入来。那十员将佐?花和尚鲁智深,行者武松,九纹龙史进,病关索杨雄,黑旋风李逵,八臂那吒项充,飞天大圣李衮,丧门神鲍旭,锦豹子杨林,病大虫薛永。门前众庄客那里迎敌得住。里面燕青、解珍、解宝早提出陈将士父子首级来。庄门外又早一彪人马官军到来,为首六员将佐。那六员?美髯公朱仝,急先锋索超,没羽箭张清,混世魔王樊瑞,打虎将李忠,小霸王周通。当下六员首将,引一千军马,围住庄院,把陈将士一家老幼,尽皆杀了。拿住庄客,引去浦里看时,傍庄傍港,泊着三四百只船,却满满装载粮米在内。众将得了数目,飞报主将宋江。

宋江听得杀了陈将士,便与吴用计议进兵。收拾行李,辞了总督张招讨,部领大队人马,亲到陈将士庄上,分拨前队将校,上船行计①,一面使人催攒战船过去。吴用道:"选三百只快船,船上各插着方腊降来的旗号。着一千军汉,各穿了号衣,其馀三四千人,衣服不等。三百只船内,埋伏二万馀人。更差穆弘扮做陈益,李俊扮做陈泰,各坐一只大船,其馀船分拨将佐。"

第一拨船上,穆弘、李俊管领。穆弘身边,拨与十个偏将簇拥着。那十个?

项充	李衮	鲍旭	薛永	杨林
杜迁	宋万	邹渊	邹润	石勇

---

① 行计——计议。

李俊身边,也拨与十个偏将簇拥着。那十个?

童威	童猛	孔明	孔亮	郑天寿
李立	李云	施恩	白胜	陶宗旺

第二拨船上,差张横、张顺管领。张横船上拨与四个偏将簇拥着。那四个?

曹正	杜兴	龚旺	丁得孙

张顺船上拨与四个偏将簇拥着。那四个?

孟康	侯健	汤隆	焦挺

第三拨船上便差十员正将管领,也分作两船进发。那十个?

史进	雷横	杨雄	刘唐	蔡庆
张清	李逵	解珍	解宝	柴进

这三百船上,分派大小正偏将佐共计四十二员渡江。次后宋江等,却把战船装载马匹,游龙飞鲸等船一千只,打着宋朝先锋使宋江旗号,大小马步将佐,一发载船渡江。两个水军头领,一个是阮小二,一个是阮小五,总行催督。

且不说宋江中军渡江,却说润州北固山上,哨见对港三百来只战船一齐出浦,船上却插着护送衣粮先锋红旗号,南军连忙报入行省里来。吕枢密聚集十二个统制官,都全副披挂,弓弩上弦,刀剑出鞘,带领精兵,自来江边观看。见前面一百只船,先傍岸拢来。船上望着两个为头的,前后簇拥着的,都披着金锁子号衣,一个个都是那彪形大汉。吕枢密下马,坐在银交椅上,十二个统制官两行把住江岸。穆弘、李俊见吕枢密在江岸上坐地,起身声喏。左右虞候喝令住船,一百只船一字儿抛定了锚。背后那二百只船,乘着顺风,都到了;分开在两下拢来,一百只在左,一百只在右,做三下均匀摆定了。客帐司下船来问道:"船从那里来?"穆弘答道:"小人姓陈名益,兄弟陈泰。父亲陈观特遣某等弟兄,献纳白米五万石,船三百只,精兵五千,来谢枢密恩相保奏之恩。"客帐司道:"前日枢密相公使叶虞候去来,见在何处?"穆弘道:"虞候和吴成各染伤寒时疫,见在庄上养病,不能前来。今将关防文书,在此呈上。"客帐司接了文书,上江岸来禀复吕枢密道:"扬州定浦村陈府尹男陈益、陈泰,纳粮献兵,呈上原赍去关防文书在此。"吕枢密看,果是原领公文,传钧旨,教唤二人上岸。客帐司唤陈益、陈泰上来参见。

穆弘、李俊上得岸来,随后二十个偏将,都跟上去。排军喝道:"卿相在此,闲杂人不得近前!"二十个偏将都立住了。穆弘、李俊躬身叉手,远远侍立。客帐司半晌方才引二人过去参拜了,跪在面前。吕枢密道:"你父亲陈观,如何不自来?"穆弘禀道:"父亲听知是梁山泊宋江等领兵到来,诚恐贼人下乡搅扰,在家支吾,未敢擅离。"吕枢密道:"你两个那个是兄?"穆弘道:"陈益是兄。"吕枢密道:"你弟兄两个,曾习武艺么?"穆弘道:"托赖恩相福荫,颇曾训练。"吕枢密道:"你将来白粮,怎地装载?"穆弘道:"大船装粮三百石,小船装粮一百石。"吕枢密道:"你两个来到,恐有他意!"穆弘道:"小人父子,一片孝顺之心,怎敢怀半点外意?"吕枢密道:"虽然是你好心,吾观你船上军汉,模样非常,不由人不疑。你两个只在这里,吾差四个统制官,引一百军人下船搜看,但有分外之物,决不轻恕。"穆弘道:"小人此来,指望恩相重用,何必见疑!"吕师囊正欲点四个统制下船搜看,只见探马报道:"有圣旨到南门外了,请枢相便上马迎接。"吕枢密急上了马,便分付道:"且与我把住江岸,这两个陈益、陈泰随将我来。"穆弘把眼看李俊一觉。等吕枢密先行去了,穆弘、李俊随后招呼二十个偏将,便入城门。守门将校喝道:"枢密相公只叫这两个为头的入来,其馀人伴,休放进去!"穆弘、李俊过去了,二十个偏将都被当住在城边。

且说吕枢密到南门外,接着天使,便问道:"缘何来得如此要急?"那天使是方腊面前引进使冯喜,悄悄地对吕师囊道:"近日司天太监浦文英奏道:'夜观天象,有无数罡星入吴地分野,中间杂有一半无光,就里为祸不小。'天子特降圣旨,教枢密紧守江岸。但有北边来的人,须要仔细盘诘,磨问实情;如是形影奇异者,随即诛杀,勿得停留。"吕枢密听了大惊:"却才这一班人,我十分疑忌,如今却得这话。且请到城中开读。"冯喜同吕枢密都到行省,开读圣旨已了,只见飞马又报:"苏州又有使命,赍擎御弟三大王令旨到来。言说:'你前日扬州陈将士投降一节,未可准信,诚恐有诈。近奉圣旨,近来司天监内,照见罡星入于吴地分野。可以牢守江岸,我早晚自差人到来监督。'"吕枢密道:"大王亦为此事挂心,下官已奉圣旨。"随即令人牢守江面,来的船上人,一个也休放上岸。一面设宴管待两个使命。有诗为证:

> 奸党三陈已被伤,假乘服色进军粮。
>
> 因观形貌生猜忌,揭地掀天起战场。

却说那三百只船上人,见半日没些动静。左边一百只船上张横、张顺,带八个偏将,提军器上岸;右边一百只船上十员正将,都拿了枪刀,钻上岸来。守江面南军,拦当不住。黑旋风李逵和解珍、解宝,便抢入城。守门官军急出拦截,李逵轮起双斧,一砍一剁,早杀翻两个把门军官。城边发起喊来,解珍、解宝各挺钢叉入城,都一时发作,那里关得城门迭?李逵横身在门底下,寻人砍杀,先在城边二十个偏将,各夺了军器,就杀起来。吕枢密急使人传令来,教牢守江面时,城门边已自杀入城了。十二个统制官听得城边发喊,各提动军马时,史进、柴进早招起三百只船内军兵,脱了南军的号衣,为首先上岸,船舱里埋伏军兵,一齐都杀上岸来。为首统制官沈刚、潘文得两路军马来保城门时，沈刚被史进一刀剁下马去，潘文得被张横刺斜里一枪搠倒。众军混杀，那十个统制官都望城门里退入去，保守家眷。穆弘、李俊在城中听得消息，就酒店里夺得火种，便放起火来。吕枢密急上马时，早得三个统制官到来救应。城里降天也似火起，瓜洲望见，先发一彪军马过来接应。城里四门，混战良久，城上早竖起宋先锋旗号。四面八方，混杀人马，难以尽说，下来便见。

且说江北岸早有一百五十只战船傍岸，一齐牵上战马，为首十员战将登岸，却是全副披挂。那十员大将？关胜、呼延灼、花荣、秦明、郝思文、宣赞、单廷圭、韩滔、彭玘、魏定国。正偏战将一十员，部领二千军马，冲杀入城。此时吕枢密方才大败，引着中伤人马，径奔丹徒县去了。大军夺得润州，且教救灭了火，分拨把住四门，却来江边迎接宋先锋船，正见江面上游龙飞鲸船只，乘着顺风，都到南岸。大小将佐迎接宋先锋入城，预先出榜，安抚百姓，点本部将佐，都到中军请功。史进献沈刚首级，张横献潘文得首级，刘唐献沈泽首级，孔明、孔亮生擒卓万里，项充、李衮生擒和潼，郝思文箭射死徐统。得了润州，杀了四个统制官，生擒两个统制官，杀死牙将官兵，不计其数。

宋江点本部将佐，折了三个偏将，都是乱军中被箭射死，马踏身亡。那三个？一个是云里金刚宋万，一个是没面目焦挺，一个是九尾龟陶宗旺。宋江见折了三将，心中烦恼，怏怏不乐。吴用劝道："生死人之分定。虽折了三个兄弟，且喜得了江南第一个险隘州郡，何故烦恼，有伤玉体？要与国家干功，且请理论大事。"宋江道："我等一百八人，天文所载，上应星曜。当初梁山泊发愿，五台山设誓，但愿同生同死。回京之后，谁想道先去了公孙胜，御前留了金大坚、皇甫端，蔡太师又用了萧让，王都尉又要了乐和。今日方渡江，又折了我三个弟兄。想起宋万这人，虽然不曾立得奇功，当初梁山泊开创之时，多亏此人，今日作泉下之客！"宋江传令，叫军士就宋万死处，搭起祭仪，列了银钱，排下乌猪白羊，宋江亲自祭祀奠酒。就押生擒到伪统制卓万里、和潼，就那里斩首沥血，享祭三位英魂。宋江回府治里，支给功赏，一面写了申状，使人报捷，亲请张招讨，不在话下。沿街杀的死尸，尽教收拾出城烧化。收拾三个偏将尸骸，葬于润州东门外。

且说吕枢密折了大半人马，引着六个统制官，退守丹徒县，那里敢再进兵。申将告急文书，去苏州报与三大王方貌求救。闻有探马报来，苏州差元帅邢政领军到了。吕枢密接见邢元帅，问慰了。来到县治，备说陈将士诈降缘由，以致透漏宋江军马渡江："今得元帅到此，可同恢复润州。"邢政道："三大王为知罡星犯吴地，特差下官领军到来，巡守江面，不想枢密失利。下官与你报仇，枢密当以助战。"次日，邢政引军来恢夺润州。

却说宋江在润州衙内，与吴用商议，差童威、童猛引百馀人去焦山寻取石秀、阮小七，一面调兵出城，来取丹徒县。点五千军马，为首差十员正将。那十人？关胜、林冲、秦明、呼延灼、董平、花荣、徐宁、朱仝、索超、杨志。当下十员正将，部领精兵五千，离了润州，望丹徒县来。关胜等正行之次，路上正迎着邢政军马。两军相对，各把弓箭射住阵脚，排成阵势。花腔鞭鼓擂，杂彩绣旗摇。南军阵上，邢政挺枪出马，六个统制官分在两下。宋军阵中，关胜见了，纵马舞青龙偃月刀，来战邢政。两员将荡起一天杀气，两匹马骤遍地征尘。斗到十四五合，一将翻身落马。正是：只云会使英雄勇，怎敌将军一智谋。全凭捉将拿人手，来夺江南第一州。毕竟二将厮杀输了的是谁，且听下回分解。

此一回内，折了三员将佐：

　　宋　万　　焦　挺　　陶宗旺

第九十二回

卢俊义分兵宣州道　宋公明大战毗陵郡

诗曰：

> 罡星杀曜奔江东，举足妖氛一扫空。
> 鞭指毗陵如拉朽，旗飘宁国似摧蓬。
> 一心直欲尊中国，众力那堪揖下风。
> 今日功名青史上，万年千载播英雄。

　　话说元帅邢政和关胜交马，战不到十四五合，被关胜手起一刀，砍于马下。可怜南国英雄，化作南柯一梦。呼延灼见砍了邢政，大驱人马，卷杀将去。六个统制官望南而走。吕枢密见本部军兵大败亏输，弃了丹徒县，领了伤残军马，望常州县而走。宋兵十员大将，夺了县治，报捷与宋先锋知道，部领大队军兵，前进丹徒县驻扎。赏劳三军，飞报张招讨移兵镇守润州。次日，中军从、耿二参谋，赍送赏赐到丹徒县。宋江祗受，给赐众将。

　　宋江请卢俊义计议调兵征进，宋江道："目今宣、湖二州，亦是贼寇方腊占据，我今与你分兵拨将，作两路征剿，写下两个阄子，对天拈取，若拈得所征地方，便引兵去。"当下宋江阄得常、苏二处，卢俊义阄得宣、湖二处。宋江便叫铁面孔目裴宣把众将均分。除杨志患病不能征进，寄留丹徒外，其馀将校拨开两路。宋先锋分领将佐攻打常、苏二处，正偏将共计四十二人，正将一十三员，偏将二十九员：

正将先锋使呼保义宋江　　军师智多星吴用

扑天雕李应　　　　　大刀关胜　　　　　小李广花荣

霹雳火秦明　　　　　金枪手徐宁　　　　美髯公朱仝

花和尚鲁智深　　　　行者武松　　　　　九纹龙史进

黑旋风李逵　　　　　神行太保戴宗

偏将镇三山黄信　　　病尉迟孙立　　　　井木犴郝思文

丑郡马宣赞　　　　　百胜将韩滔　　　　天目将彭玘

混世魔王樊瑞　　　　铁笛仙马麟　　　　锦毛虎燕顺

八臂那吒项充　　　　飞天大圣李衮　　　丧门神鲍旭

矮脚虎王英　　　　　一丈青扈三娘　　　锦豹子杨林

金眼彪施恩　　　　　鬼脸儿杜兴　　　　毛头星孔明

独火星孔亮　　　　　轰天雷凌振　　　　铁臂膊蔡福

一枝花蔡庆　　　　　金毛犬段景住　　　通臂猿侯健

神算子蒋敬　　　　　神医安道全　　　　险道神郁保四

铁扇子宋清　　　　　铁面孔目裴宣

大小正偏将佐四十二员，随行精兵三万人马，宋先锋总领。副先锋卢俊义亦分将佐攻打宣、湖二处，正偏将佐共四十七员，正将一十四员，偏将三十三员。朱武偏将之首，受军师之职。

正将副先锋玉麒麟卢俊义　　军师神机朱武

小旋风柴进　　　　　豹子头林冲　　　　双枪将董平

双鞭呼延灼　　　　　急先锋索超　　　　没遮拦穆弘

病关索杨雄　　　　　插翅虎雷横　　　　两头蛇解珍

双尾蝎解宝　　　　　没羽箭张清　　　　赤发鬼刘唐

浪子燕青

偏将圣水将单廷圭　　神火将魏定国　　　小温侯吕方

赛仁贵郭盛　　　　　摩云金翅欧鹏　　　火眼狻猊邓飞

打虎将李忠	小霸王周通	跳涧虎陈达
白花蛇杨春	病大虫薛永	摸着天杜迁
小遮拦穆春	出林龙邹渊	独角龙邹润
催命判官李立	青眼虎李云	石将军石勇
旱地忽律朱贵	笑面虎朱富	小尉迟孙新
母大虫顾大嫂	菜园子张青	母夜叉孙二娘
白面郎君郑天寿	金钱豹子汤隆	操刀鬼曹正
白日鼠白胜	花项虎龚旺	中箭虎丁得孙
霍闪婆王定六	鼓上蚤时迁	

大小正偏将佐四十七员，随征精兵三万人马，卢俊义管领。看官
牢记话头，卢先锋攻打宣、湖二州，共是四十七人；宋公明攻打
常、苏二处，共是四十二人。计有水军头领，自是一伙。为因童
威、童猛差去焦山寻见了石秀、阮小七，回报道：“石秀、阮小七来
到江边，杀了一家老小，夺得一只快船，前到焦山寺内，寺主知道
是梁山泊好汉，留在寺中宿食。后知张顺干了功劳，打听得焦山
下船，取茆港，好去征伐江阴、太仓沿海。使人申将文书来，索请
水军头领，并要战具船只。”宋江即差李俊等八员，拨与水军五
千，跟随石秀、阮小七等，共取水路，计正偏将一十员。那十员？
正将七员，偏将三员：

拼命三郎石秀	混江龙李俊	船火儿张横
浪里白跳张顺	立地太岁阮小二	短命二郎阮小五
活阎罗阮小七	出洞蛟童威	翻江蜃童猛
玉幡竿孟康		

大小正偏将佐一十员，水军精兵五千，战船一百只。看官听说，
宋江自丹徒分兵，共是九十九人，已自不满百数。大战船都拨与
水军头领攻打江阴、太仓，小战船却俱入丹徒，都在里港，随军攻

打常州。

　　话说吕师囊引着六个统制官，退保常州毗陵郡。这常州原有守城统制官钱振鹏，手下两员副将：一个是晋陵县上濠人氏，姓金名节；一个是钱振鹏心腹之人许定。钱振鹏原是清溪县都头出身，协助方腊，累得城池，升做常州制置使。听得吕枢密失利，折了润州，一路退回常州，随即引金节、许定，开门迎接，请入州治，管待已了，商议退战之策。钱振鹏道："枢相放心。钱某不才，上托天子洪福，下赖枢相虎威，愿施犬马之劳，直杀的宋江那厮们大败过江，恢复润州，复为吾地，使宋江正眼儿不敢再觑江南，振鹏之愿也！"吕枢密抚慰道："若得制置如此用心，何虑大国不安矣。杀退敌军之后，克复得润州以为家邦，吕某当极力保奏，高迁重爵。"当日筵宴，不在话下。

　　且说宋先锋领起分定人马，攻打常、苏二州，拨马军长驱大进，望毗陵郡来。为头正将一员关胜，部领十员将佐。那十人？秦明、徐宁、黄信、孙立、郝思文、宣赞、韩滔、彭玘、马麟、燕顺。正偏将佐共计十一员，引马军三千，直取常州城下，摇旗擂鼓搦战。吕枢密看了道："谁敢去退敌军？"钱振鹏备了战马道："钱某当以效力向前。"吕枢密随即拨六个统制官相助。六个是谁？应明、张近仁、赵毅、沈抃、高可立、范畴。七员将带领五千人马，开了城门，放下吊桥。钱振鹏使口泼风刀，骑一匹卷毛赤兔马，当先出城。

　　关胜见了，把军马暂退一步，让钱振鹏列成阵势排开，六个统制官分在两下。对阵关胜当先立马横刀，厉声高叫："反贼听着！汝等助一匹夫谋反，损害生灵，天神共怒。今日天兵临境，尚不知死，敢来与吾拒敌！我等不把你这贼徒诛尽杀绝，誓不回兵!"钱振鹏听了大怒,骂道:"量你等一伙,是梁山泊草寇,不知天时,却不思图王霸业,倒去降无道昏君,要来和俺大国相并。我今直杀的你片甲不回才罢!"关胜大怒,舞起青龙偃月刀,直冲将来。钱振鹏使动泼风刀,迎杀将去。两员将厮杀,正是敌手,堪描堪画。但见:

> 寒光闪灼,杀气弥漫。两匹马腾踏咆哮,二员将遮拦驾隔。泼风刀起,似半空飞下流星;青龙刀轮,如平地奔驰闪电。马蹄撩乱,銮铃响处阵云飞;兵器相交,杀气横时神鬼惧。好似武侯擒孟获,恰如关羽破蚩尤。

这关胜和钱振鹏斗了三十合之上,钱振鹏渐渐力怯,抵当不住。南军门旗下,两个统制官看见钱振鹏力怯,挺两条枪,一齐出马,前去夹攻关胜,上首赵毅,下首范畴。宋军门旗下,恼犯了两员偏将,一个舞动丧门剑,一个使起虎眼鞭,抢出马来,乃是镇三山黄信,病尉迟孙立。六员将,三对儿在阵前厮杀。吕枢密急使许定、金节出城助战。两将得令,各持兵器,都上马直到阵前,见赵毅战黄信,范畴战孙立,却也都是对手。斗到间深里,赵毅、范畴渐折便宜。许定、金节各使一口大刀出阵,宋军阵中韩滔、彭玘二将,双出来迎。金节战住韩滔,许定战住彭玘,四将又斗。五队儿在阵前厮杀。

原来金节素有归降大宋之心,故意要本队阵乱,略斗数合,拨回马望本阵先走。韩滔乘势追将去。南军阵上,高可立看见金节被韩滔追赶得紧,急取雕弓,搭上硬箭,满满地拽开,飕的一箭,把韩滔面颊上射着,倒撞下马来。这里秦明急把马一拍,轮起狼牙棍前来救时,早被那里张近仁抢出来,咽喉上复一枪,结果了性命。彭玘和韩滔是一正一副的弟兄,见他身死,急要报仇,撇了许定,直奔阵上,去寻高可立。许定赶来,却得秦明占住厮杀。高可立看见彭玘赶来,挺枪便迎。不提防张近仁从肋窝里撞将出来,把彭玘一枪搠下马去。关胜见损了二将,心中忿怒,恨不得杀进常州,使转神威,把钱振鹏一刀也剁于马下。待要抢他那骑赤兔卷毛马,不提防自己坐下赤兔马一脚前失,倒把关胜掀下马来。南阵上高可立、张近仁两骑马便来抢关胜,却得徐宁引宣赞、郝思文三将齐出,救得关胜回归本阵。吕枢密大驱人马,卷杀出城。关胜众将失利,望北退走。南兵追赶二十馀里。

此日关胜折了些人马,引军回见宋江,诉说折了韩滔、彭玘。宋江大哭道:"谁想渡江已来,损折我五个兄弟。莫非皇天有怒,不容宋江收捕方腊,以致损兵折将?"吴用劝道:"主帅差矣! 输赢胜败,兵家常事。人之生死,乃是分定,不足为怪。此是两个将军禄绝之日,以致如此。请先锋免忧,且理大事。"有诗为证:

> 胜败兵家不可期,安危端有命为之。
>
> 出师未捷身先死,落日江流不尽悲!

且说帐前转过李逵,便说道:"着几个认得杀俺兄弟的人,引我去杀那厮贼徒,替我两个哥哥报仇!"宋江传令,教来日打起一面白旗:"我亲自引众将直至城边,与贼交锋,决个胜负。"次日,宋公明领起大队人马,水陆并进,船骑相迎,拔寨都起。黑旋风李逵,引着鲍旭、项充、李衮,带领五百悍勇步军,先来出哨,直到常州城下。吕枢密见折了钱振鹏,心下甚忧,连发了三道飞报文书,去苏州三大王方貌处求救,一面写表申奏朝廷。又听得报道:"城下有五百步军打城,认旗上写道,为头的是黑旋风李逵。"吕枢密道:"这厮是梁山泊第一个凶徒,惯杀人的好汉。谁敢与我先去拿他?"帐前转过两个得胜获功的统制官高可立、张近仁。吕枢密道:"你两个若拿得这个贼人,我当一力保奏,加官重赏。"

张、高二统制各绰了枪上马,带领一千马步兵出城迎敌。黑旋风李逵见了,便把五百步军一字儿摆开,手搦两把板斧,立在阵前。丧门神鲍旭仗着一口大阔板刀,随于侧首。项充、李衮两个,各人手挽着蛮牌,右手拿着铁标。四个人各披前后掩心铁甲,列于阵前。高、张二统制正是得胜狸猫强似虎,及时鸦鹊便欺雕,统着一千军马,靠城排开。

宋军内有几个探子,却认得高可立、张近仁两个是杀韩滔、彭玘的,便指与黑旋风道:"这两个领军的,便是杀俺韩、彭二将军的。"李逵那里听了这说,也不打话,拿起两把板斧,直抢过对阵去。鲍旭见李逵杀过对阵,急呼项充、李衮舞起蛮牌,便去策应。四个齐心滚将过对阵。高可立、张近仁吃了一惊,措手不及,急待回马,那两个蛮牌早滚到马颔下。高可立、张近仁在马上把枪望下搠时,项充、李衮把牌迎住。李逵斧起,早砍翻高可立马脚,高可立撺下马来。项充叫道"留下活的"时,李逵是个好杀人的汉子,那里忍耐得住,早一斧砍下头来。鲍旭从马上揪下张近仁,一刀也割了头。四个在阵里乱杀南军,黑旋风把高可立头缚在腰里,轮起两把板斧,不问天地,横身在里面砍杀。杀得一千马步军退入城去,也杀了三四百人。直赶到吊桥边,李逵和鲍旭两个便要杀入城去,项充、李衮死当回来。城上擂木炮石,早打下来。四个回到阵前,五百军兵依原一字摆开,那里敢轻动。本是也要来混战,怕黑旋风不分皂白,见的便砍,因此不敢近前。

两个提着高、张二统制的头,却待接去,宋先锋军马已到,李逵、鲍旭各献首级。众将认的是高可立、张近仁的头,都吃了一惊道:"如何获得仇人首级?"两个说:"杀了许多人众,本待要捉活的来,一时手痒,忍耐不住,就便杀了。"宋江道:"既有仇人首级,可于白旗下,望空祭祀韩、彭二将。"宋江又哭了一场,放倒白旗,赏了李逵、鲍旭、项充、李衮四人,便进兵到常州城下。有诗为证:

> 苟图富贵虎吞虎,为取功名人杀人。
>
> 清世不生邹孟子,就中玄妙许谁论?

且说吕枢密在城中心慌,便与金节、许定并四个统制官商议退宋江之策。诸将见李逵等杀了这一阵,众人都胆颤心寒,不敢出战。问了数声,如箭穿雁嘴,钩搭鱼腮,默默无言,无人敢应。吕枢密心内纳闷,教人上城看时,宋江军马三面围住常州,尽在城下擂鼓摇旗,呐喊搦战。吕枢密叫众将且各上城守护。众将退去,吕枢密自在后堂寻思,无计可施,唤集亲随左右心腹人商量,自欲弃城逃走,不在话下。

且说守将金节,回到自己家中,与其妻秦玉兰说道:"如今宋先锋围住城池,三面攻击。我等城中粮食缺少,不经久困。倘或打破城池,我等那时皆为刀下之鬼。"秦玉兰答道:"你素有忠孝之心,归降之意,更兼原是宋朝旧官,朝廷不曾有甚负汝,不若去邪归正,擒捉吕师囊,献与宋先锋,便有进身之计。"金节道:"他手下见有四个统制官,各有军马。许定这厮,又与我不睦,与吕师囊又是心腹之人。我恐单丝不成线,孤掌岂能鸣,恐事未谐,反惹其祸。"其妻道:"你只密密地寅夜修一封书缄,拴在箭上,射出城去,和宋先锋达知,里应外合取城。你来日出战,诈败佯输,引诱入城,便是你的功劳。"金节道:"贤妻此言极当,依汝行之。"史官诗曰:

> 金节知天欲受降,玉兰力赞更贤良。
>
> 宋家文武皆如此,安得河山社稷亡。

次日,宋江领兵攻城得紧,吕枢密聚众商议。金节答道:"常

州城池高广,只宜守,不可敌。众将且坚守,等待苏州救兵来到,
方可会合出战。"吕枢密道:"此言极是。"分拨众将:应明、赵毅守
把东门,沈抃、范畴守把北门,金节守把西门,许定守把南门。调
拨已定,各自领兵坚守。当晚金节写了私书,拴在箭上,待夜深
人静,在城上望着西门外探路军人射将下去。那军校拾得箭矢,
慌忙报入寨里来。守西寨正将花和尚鲁智深同行者武松两个见
了,随即使偏将杜兴赍了,飞报东北门大寨里来。宋江、吴用点
着明烛,在帐里议事。杜兴呈上金节的私书,宋江看了大喜,便
传令叫三寨中知会。

　　次日,三寨内头领,三面攻城。吕枢密在敌楼上,正观见宋
江阵里轰天雷凌振,扎起炮架,却放了一个风火炮,直飞起去,正
打在敌楼角上,骨碌碌一声响,平塌了半边。吕枢密急走,救得
性命下城来,催督四门守将,出城退战。擂了三通战鼓,大开城
门,放下吊桥,北门沈抃、范畴引军出战。宋军中大刀关胜,坐下
钱振鹏的卷毛赤兔马,出于阵前,与范畴交战。两个正待相持,
西门金节又引出一彪军来搦战,宋江阵上病尉迟孙立出马。两
个交战,斗不到三合,金节诈败,拨转马头便走。孙立当先,燕
顺、马麟为次,鲁智深、武松、孔明、孔亮、施恩、杜兴,一发进兵。
金节便退入城,孙立已赶入城门边,占住西门。城中闹起,知道
大宋军马已从西门进城了。那时百姓都被方腊残害不过,怨气
冲天,听得宋军入城,尽出来助战,城上早竖起宋先锋旗号。范
畴、沈抃见了城中事变,急要奔入城去保全老小时,左边冲出王
矮虎、一丈青,早把范畴捉了。右边冲出宣赞、郝思文两个,一齐
向前,把沈抃一枪刺下马去,众军活捉了。宋江、吴用大驱人马
入城,四下里搜捉南兵,尽行诛杀。吕枢密引了许定,自投南门
而走,死命夺路。众军追赶不上,自回常州听令,论功升赏。赵

毅躲在百姓人家，被百姓捉来献出。应明乱军中杀死，获得首级。宋江来到州治，便出榜安抚，百姓扶老携幼，诣州拜谢。宋江抚慰百姓，复为良民。众将各来请功。

金节赴州治拜见宋江，宋江亲自下阶迎接金节，上厅请坐。金节至阶下参拜，顿首谢了，复为宋朝良臣，此皆其妻赞成之功。有诗为证：

> 贞静幽闲女丈夫，心存宗社有深图。
>
> 名同魏国韩希孟，千古清风振八区。

宋江教把范畴、沈抃、赵毅三个，陷车盛了，写道申状，就叫金节亲自解赴润州张招讨中军帐前。金节领了公文，监押三将，前赴润州交割。比及去时，宋江已自先叫神行太保戴宗，赍飞报文书，保举金节到中军了。张招讨见宋江申复金节如此忠义，后金节到润州，张招讨使人接入城中，见了金节，大喜，赏赐金节金银段匹，鞍马酒礼。有副都督刘光世，就留了金节，升做行军都统，留于军前听用。后来金节跟随刘光世，破大金兀术四太子，多立功劳，直做到亲军指挥使，至中山阵亡。这是金节的结果。有诗为证：

> 金节归降世罕俦，也知天命有歌讴。
>
> 封侯享爵心无愧，忠荩今从史笔收。

当日张招讨、刘都督赏了金节，把三个贼人碎尸万段，枭首示众，随即使人来常州犒劳宋先锋军马。

且说宋江在常州屯驻军马，使戴宗去宣州、湖州卢先锋处，飞报调兵消息。一面又有探马报来说："吕枢密逃回在无锡县，又会合苏州救军，正欲前来迎敌。"宋江闻知，便调马军、步军正偏将佐十员头领，拨与军兵一万，望南迎敌。那十员将佐？关胜、秦明、朱仝、李应、鲁智深、武松、李逵、鲍旭、项充、李衮。当下关胜等领起前部军兵人马，与同众将，辞了宋先锋，离城去了。

　　且说戴宗探听宣、湖二州进兵的消息，与同柴进回见宋江，报说："副先锋卢俊义得了宣州，特使柴大官人到来报捷。"宋江甚喜。柴进到州治，参拜已了，宋江把了接风酒，同入后堂坐下，动问卢先锋破宣州备细缘由。柴进将出申达文书，与宋江看了，备说打宣州一事："方腊部下镇守宣州经略使家余庆，手下统制官六员，都是歙州、睦州人氏。那六人？李韶、韩明、杜敬臣、鲁安、潘濬、程胜祖。宣州经略家余庆，当日分调六个统制，做三路出城对阵，俺这卢先锋，也分三路军兵迎敌。中间是呼延灼和李韶交战，董平共韩明相持。战到十合，韩明被董平两枪刺死，中路军马大败。左军是林冲和杜敬臣交战，索超与鲁安相持。林冲蛇矛刺死杜敬臣，索超斧劈死鲁安。右军是张清和潘濬交战，穆弘共程胜祖相持。张清一石子打下潘濬，打虎将李忠赶出去杀了，程胜祖弃马逃回。此日连胜四将，贼兵退入城去，卢先锋急驱众将夺城。赶到门边，不提防贼兵城上飞下一片磨扇来，打死俺一个偏将。城上箭如雨点一般射下来，那箭矢都有毒药，射中俺两个偏将，比及到寨，俱各身死。卢先锋因见折了三将，连夜攻城。守东门贼将不紧，因此得了宣州。乱军中杀死了李韶；家余庆领了些败残军兵，望湖州去了；程胜祖自阵上不知去向。磨扇打死了白面郎君郑天寿，两个中药箭的是操刀鬼曹正、霍闪婆王定六。"宋江听得又折了三个兄弟，大哭一声，默然倒地。只见面皮黄，唇口紫，指甲青，眼无光。未知五脏如何，先见四肢不举。正是：花开又被风吹落，月皎那堪云雾遮。毕竟宋江昏晕倒了性命如何，且听下回分解。

　　此一回内，折了五员将佐：

　　韩　滔　彭　玘　郑天寿　曹　正　王定六
患病寄留丹徒县一员将佐：
　　杨　志

第 九 十 三 回

混江龙太湖小结义　宋公明苏州大会垓^①

诗曰：

不识存亡妄逞能，吉凶祸福并肩行。

只知武士裁离乱，未许将军见太平。

自课赤心无诳屈，岂知天道不昭明。

韩彭功业人难辨，狡兔身亡猎犬烹。

话说当下众将救起宋江，半晌方才苏醒，对吴用等说道："我们今番必然收伏不得方腊了。自从渡江以来，如此不利，连连损折了我八个弟兄！"吴用劝道："主帅休说此言，以懈军心。当初破大辽之时，大小完全回京，皆是天数。今番折了兄弟们，此是各人寿数。眼见得渡江以来，连得了三个大郡，润州、常州、宣州，此乃皆是天子洪福齐天，主将之虎威，如何不利？先锋何故自丧志气？"宋江道："军师言之极当。虽然天数将尽，我想一百八人上应列宿，又合天文所载。兄弟们过如手足之亲。今日听了这般凶信，不由我不伤心。"吴用再劝道："主将请休烦恼，勿伤贵体。且请理会调兵接应，攻打无锡县。"宋江道："留下柴大官人与我做伴。别写军帖，使戴院长与我送去，回复卢先锋，着令进兵攻打湖州，早至杭州聚会。"吴用教裴宣写了军帖回复，使戴

---

① 会垓——会战。汉刘邦曾围困项羽于垓下，后来就称会战为会垓。

1194

宗往宣州去了，不在话下。

却说吕师囊引着许定，逃回至无锡县，正迎着苏州三大王发来救应军兵，为头是六军指挥使卫忠，带十数个牙将，引兵一万，来救常州，合兵一处，守住无锡县。吕枢密诉说金节献城一事，卫忠道："枢密宽心，小将必然再要恢复常州。"只见探马报道："宋军至近，早作准备。"卫忠便引兵上马，出北门外迎敌，早见宋江军马势大，为头是黑旋风李逵，引着鲍旭、项充、李衮，当先直杀过来。卫忠力怯难加，军马不曾摆成行列，大败而走。急退入无锡县时，四个早随马后入县治，吕枢密便奔南门而走。关胜引着兵马已夺了无锡县，四下里放起火来。卫忠、许定亦望南门走了，都回苏州去了。关胜等得了县治，便差人飞报宋先锋。宋江与众头领都到无锡县，便出榜安抚了本处百姓，复为良民。引大队军马，都屯驻在本县，却使人申请张、刘二总兵镇守常州。

且说吕枢密会同卫忠、许定三个，引了败残军马，奔苏州城来告三大王方貌求救，诉说宋军势大，迎敌不住，兵马席卷而来，以致失陷城池。三大王大怒，喝令武士推转吕枢密斩讫报来。卫忠等告说："宋江部下军将，皆是惯战兵马，多有勇烈好汉了得的人，更兼步卒都是梁山泊小喽啰，多曾惯斗，因此难敌。"方貌道："权且寄下你项上一刀，与你五千军马，首先出哨。我自分拨大将，随后便来策应。"吕师囊拜谢了，全身披挂，手执丈八蛇矛，上马引军，首先出城。

却说三大王方貌聚集手下八员战将，名为八骠骑，一个个都是身长力壮，武艺精熟的人。那八员？

飞龙大将军刘赟　　飞虎大将军张威

飞熊大将军徐方　　飞豹大将军郭世广

飞天大将军邬福　　飞云大将军苟正

飞山大将军甄诚　　飞水大将军昌盛

当下三大王方貌,亲自披挂,手持方天画戟,上马出阵,监督中军人马,前来交战。马前摆列着那八员大将,背后整整齐齐有三十二个副将,引五万南兵人马,出阊阖门来,迎敌宋军。前部吕师囊引着卫忠、许定,已过寒山寺了,望无锡县而来。宋江已使人探知,尽引许多正偏将佐,把军马调出无锡县,前进十里馀路。两军相遇,旗鼓相望,各列成阵势。吕师囊忿那口气,跃坐下马,横手中矛,亲自出阵,要与宋江交战。有诗为证:

头带茜红巾,身披锦战袍。

内穿黄金甲,外系彩绒绦。

马振铜铃响,身腾杀气高。

乾坤无敌手,当阵逞英豪。

宋江在门旗下见了,回头问道:"谁人敢拿此贼?"说犹未了,金枪手徐宁挺起手中金枪,骤坐下马,出到阵前,便和吕枢密交战。二将交锋,左右助喊,约战了二十馀合,吕师囊露出破绽来,被徐宁肋下刺着一枪,搠下马去,两军一齐呐喊。黑旋风李逵手挥双斧,丧门神鲍旭挺仗飞刀,项充、李衮各舞枪牌,杀过对阵来,南兵大乱。

宋江驱兵赶杀,正迎着方貌大队人马,两边各把弓箭射住阵脚,各列成阵势。南军阵上,一字摆开八将。方貌在中军听得说杀了吕枢密,心中大怒,便横戟出马来,大骂宋江道:"量你等只是梁山泊一伙打家劫舍的草贼,宋朝合败,封你为先锋,领兵侵入吴地,我今直把你诛尽杀绝,方才罢兵!"宋江在马上指道:"你这厮只是睦州一伙村夫,量你有甚福禄,妄要图王霸业! 不如及早投降,免汝一死。天兵到此,尚自巧言抗拒。我若不把你杀尽,誓不回军!"方貌喝道:"且休与你论口。我手下有八员猛将

在此,你敢拨八个出来厮杀么?"有诗为证:

> 兵知虚实方为得,将识存亡始是贤。
>
> 方貌两端俱不省,冥驱八将向军前。

宋江笑道:"若是我两个并你一个,也不算好汉。你使八个出来,我使八员首将和你比试本事,便见输赢。但是杀下马的,各自抬回本阵,不许暗箭伤人,亦不许抢掳尸首。如若不见输赢,不得混战,明日再约厮杀。"方貌听了,便叫八将出来,各执兵器,骤马向前。宋江道:"诸将相让马军出战。"说言未绝,八将齐出。那八人?关胜、花荣、徐宁、秦明、朱仝、黄信、孙立、郝思文。宋江阵内,门旗开处,左右两边,分出八员首将,齐齐骤马,直临阵上。两军中花腔鼓擂,杂彩旗摇,各家放了一个号炮,两军助着喊声,十六骑马齐出,各自寻着敌手,捉对儿厮杀。那十六员将佐,如何见得寻着敌手,配合交锋?关胜战刘赟,秦明战张威,花荣战徐方,徐宁战邬福,朱仝战苟正,黄信战郭世广,孙立战甄诚,郝思文战昌盛。两阵上主帅立了信约,十六员大将交锋厮杀,真乃是堪描堪画。但见:

> 征尘迷铁甲,杀气罩银盔。绣旗风摆团花,骏马烟笼金鞚。英雄关胜,舞青龙刀直奔刘赟;猛健徐宁,挺金枪勇冲邬福。节级朱仝逢苟正,铁鞭孙立遇甄诚。秦明使棍战张威,郭世广正当黄信。徐方举槊斗花荣,架隔难收;昌盛横刀敌思文,遮拦不住。

这一十六员猛将,各人都是英雄,用心相敌。斗到三十合之上,数中一将,翻身落马。赢得的是谁?美髯公朱仝,一枪把苟正刺下马来。两阵上各自鸣金收军,七对将军分开,两下各回本阵。

三大王方貌见折了一员大将,寻思不利,引兵退回苏州城内。宋江当日催趱军马,直近寒山寺下寨,升赏朱仝。裴宣写了军状,申复张招讨,不在话下。

且说三大王方貌退兵入城,坚守不出,分调诸将,守把各门,深栽鹿角,城上列着踏弩硬弓,擂木炮石,窝铺内熔煎金汁,女墙边堆垛灰瓶,准备牢守城池。

次日,宋江见南兵不出,引了花荣、徐宁、黄信、孙立,带领三十馀骑马军,前来看城。见苏州城郭,一周遭都是水港环绕,墙垣坚固,想道:"急不能勾打得城破。"回到寨中,和吴用计议攻城之策。有人报道:"水军头领正将李俊,从江阴来见主将。"宋江教请入帐中。见了李俊,宋江便问沿海消息。李俊答道:"自从拨领水军,一同石秀等,杀至江阴、太仓沿海等处,守将严勇、副将李玉,部领水军船只,出战交锋。严勇在船上被阮小二一枪搠下水去,李玉已被乱箭射死,因此得了江阴、太仓。即目石秀、张横、张顺去取嘉定,三阮去取常熟,小弟特来报捷。"宋江见说大喜,赏赐了李俊,着令自往常州,去见张、刘二招讨,投下申状。

且说这李俊径投常州来,见了张招讨、刘都督,备说收复了江阴、太仓海岛去处,杀了贼将严勇、李玉。张招讨给与了赏赐,令回宋先锋处听调。李俊回到寒山寺寨中,来见宋先锋。宋江因见苏州城外,水面空阔,必用水军船只厮杀,因此就留下李俊,教整点船只,准备行事。李俊说道:"容俊去看水面阔狭,如何用兵,却作道理。"宋江道:"是。"李俊去了两日,回来说道:"此城正南上相近太湖,兄弟欲得备舟一只,投宜兴小港,私入太湖里去,出吴江,探听南边消息,然后可以进兵,四面夹攻,方可得破。"宋江道:"贤弟此言极当,正合吾意。只是没有副手与你同去。"随即便拨李大官人带同孔明、孔亮、施恩、杜兴四个,去江阴、太仓、昆山、常熟、嘉定等处协助水军,收复沿海县治,便可替回童威、童猛来帮助李俊行事。李应领了军帖，辞别宋江，引四员偏将投江阴去了。不过两日，童威、童猛回来，参见宋先锋。宋江抚慰了，就叫随从李俊，乘驾小船，前去探听南边消息。

且说李俊带了童威、童猛，驾起一叶扁舟，两个水手摇橹，五个人径奔宜兴小港里去，盘旋直入太湖中来。看那太湖时，果然水天空阔，万顷一碧。但见：

> 天连远水，水接遥天。高低水影无尘，上下天光一色。双双野鹭飞来，点破碧琉璃；两两轻鸥惊起，冲开青翡翠。春光淡荡，溶溶波皱鱼鳞；夏雨滂沱，滚滚浪翻银屋。秋蟾皎洁，金蛇游走波澜；冬雪纷飞，玉洞弥漫天地。混沌凿开元气窟，冯夷独占水晶宫。仙子时时飞宝剑，圣僧夜夜伏骊龙。

又有诗为证：

> 溶溶漾漾白鸥飞，绿净春深好染衣。
> 南去北来人自老，夕阳常送钓船归。

当下李俊和童威、童猛并两个水手，驾着一叶小船，径奔太湖，渐近吴江，远远望见一派鱼船，约有四五十只。李俊道："我等只做买鱼，去那里打听一遭。"五个人一径摇到那打鱼船边。李俊问道："渔翁，有大鲤鱼么？"渔人道："你们要大鲤鱼，随我家里去卖与你。"李俊摇着船，跟那几只鱼船去。没多时，渐渐到一个处所。看时，团团一遭，都是驼腰柳树，篱落中有二十馀家。那渔人先把船来缆了，随即引李俊、童威、童猛三人上岸，到一个庄院里。一脚入得庄门，那人呕了一声，两边攒出七八条大汉，都拿着挠钩，把李俊三人一齐搭住，径捉入庄里去，不问事情，便把三人都绑在桩木上。

李俊把眼看时，只见草厅上坐着四个好汉。为头那个赤须黄发,穿着领青绸衲袄;第二个瘦长短髯,穿着一领黑绿盘领木绵衫;第三个黑面长须,第四个骨脸阔腮、扇圈胡须,两个都一般穿着领青衲袄子。头上各带黑毡笠儿,身边都倚着军器。为头那个喝问李俊道:"你等这厮们,都是那里人氏?来我这湖泊里做甚么?"李俊应道:"俺是扬州人,来这里做客,特来买鱼。"那第四个骨脸的道:"哥哥休问他,眼见得是细作了。只顾与我取他心肝来吃酒。"李俊听得这话,寻思道:"我在浔阳江上做了许多年私商,梁山泊内又妆了几年的好汉,却不想今日结果性命在这里!罢,罢,罢!"叹了口气,看着童威、童猛道:"今日是我连累了兄弟两个,做鬼也只是一处去!"童威、童猛道:"哥哥休说这话!我们便死也勾了。只是死在这里,埋没了兄长大名!"三面厮觑着,腆起胸脯受死。

那四个好汉却看了他们三个,说了一回,互相厮觑道:"这个为头的人,必不是以下之人。"那为头的好汉又问道:"你三个正是何等样人?可通个姓名,教我们知道。"李俊又应道:"你们要杀便杀,我等姓名,至死也不说与你,枉惹的好汉们耻笑!"那为头的见说了这话,想这三人必是好汉,便跳起来,把刀都割断了绳索,放起这三个人来。四个渔人,都扶他至屋内请坐。为头那个纳头便拜,说道:"我等做了一世强人,不曾见你这般好义气人物。好汉,三位老兄正是何处人氏?愿闻大名姓字。"李俊道:"眼见得你四位大哥,必是个好汉了,便说与你,随你们拿我三个那里去。我三个是梁山泊宋公明手下副将:混江龙李俊的便是;这两个兄弟,一个是出洞蛟童威,一个是翻江蜃童猛。今来受了朝廷招安,新破大辽,班师回京,又奉敕命,来收方腊。你若是方腊手下人员,便解我三人去请赏,休想我们挣扎!"那四个听罢,纳头便拜,齐齐跪道:"有眼不识泰山,却才甚是冒渎,休怪!休怪！俺四个弟兄，非是方腊手下贼兵，原旧都在绿林丛中讨衣吃饭。今来寻得这个去处，地名唤做榆柳庄，四下里都是深港，非船莫能进。俺四个只着打鱼的做眼，太湖里面寻些衣食。近来一冬，都学得些水势，因此无人敢来侵傍。俺们也久闻你梁山泊宋公明招集天下好汉，并兄长大名，亦闻有个浪里白跳张顺，不想今日得遇哥哥。"李俊道："张顺是我弟兄，亦做同班水军头领，见在江阴地面，收捕贼人。改日同他来，却和你们相会。愿求你等四位大名。"为头那一个道："小弟们因在绿林丛中走，都有异名，哥哥勿笑！小弟是赤须龙费保，一个是卷毛虎倪云，一个是太湖蛟卜青，一个是瘦脸熊狄成。"李俊听说了四个姓名，大喜道："列位从此不必相疑。你岂不闻唐朝国子博士李涉，夜泊被盗，赠之以诗。今录与公辈一看。诗曰：

　　'暮雨萧萧江上村，绿林豪客偶知闻。

　　相逢不用频猜忌，游宦而今半是君。'

俺哥哥宋公明，见做收方腊正先锋，即目要取苏州，不得次第，特差我三个来探路。今既得遇你四位好汉，可随我去见俺先锋，都保你们做官，待收了方腊，朝廷升用。"费保道："容复：若是我四个要做官时，方腊手下，也得个统制做了多时，所以不愿为官，只求快活。若是哥哥要我四人帮助时，水里水里去，火里火里去；若说保我做官时，其实不要。"李俊道："既是恁地，我等只就这里结义为兄弟如何？"四个好汉见说大喜，便叫宰了一口猪，一腔羊，置酒设席，结拜李俊为兄。李俊叫童威、童猛都结义了。

　　七个人在榆柳庄上商议，说宋公明要取苏州一事。"方貌又不肯出战，城池四面是水，无路可攻，舟船港狭难以进，只似此怎得城子破？"费保道："哥哥且宽心住两日。杭州不时间有方腊手下人来苏州公干，可以乘势智取城郭。小弟使几个打鱼的去缉听,若还有人来时,便定计策。"李俊道:"此言极妙!"费保便唤几个渔人,先行去了,自同李俊每日在庄上饮酒。在那里住了两三日,只见打鱼的回来报道:"平望镇上,有十数只递运船只,船尾上都插着黄旗,旗上写着'承造王府衣甲',眼见的是杭州解来的。每只船上,只有五七人。"李俊道:"既有这个机会,万望兄弟们助力。"费保道:"只今便往。"李俊道:"但若是那船上走了一个,其计不谐了。"费保道:"哥哥放心,都在兄弟身上。"随即聚集六七十只打鱼小船。七筹好汉,各坐一只,其馀都是渔人,各藏了暗器,尽从小港透入大江,四散接将去。

当夜星月满天,那十只官船都湾在江东龙王庙前。费保船先到,嗯起一声号哨,六七十只鱼船一齐拢来,各自帮住大船。那官船里人急钻出来,早被挠钩搭住,三个五个,做一串儿缚了。及至跳得下水的,都被挠钩搭上船来。尽把小船带住官船,都移入太湖深处。直到榆柳庄时,已是四更天气。闲杂之人,都缚做一串,把大石头坠定,抛在太湖里淹死。捉得两个为头的来问时,原来是守把杭州方腊大太子南安王方天定手下库官,特奉令旨,押送新造完铁甲三千副,解赴苏州三大王方貌处交割。李俊问了姓名,要了一应关防文书,也把两个库官杀了。李俊道:"须是我亲自去和哥哥商议,方可行此一件事。"费保道:"我着人把船渡哥哥,从小港里稍到军前,觉近便。"就叫两个渔人,摇一只快船送出去。李俊分付童威、童猛并费保等:"且教把衣甲船只,悄悄藏在庄后港内,休得吃人知觉了。"费保道:"无事。"自来打并船只。

却说李俊和两个渔人,驾起一叶快船,径取小港,稍到军前寒山寺上岸。来至寨中,见了宋先锋,备说前事。吴用听了,大喜道:"若是如此,苏州唾手可得。便请主将传令,就差李逵、鲍旭、项充、李衮带领冲阵牌手二百人,跟随李俊回太湖庄上,与费保等四位好汉,如此行计。约在第二日进发。"李俊领了军令,带同一行人,直到太湖边来。三个先过湖去,却把船只接取李逵等一干人,都到榆柳庄上。李俊引着李逵、鲍旭、项充、李衮四个,和费保等相见了。费保看见李逵这般相貌,都皆骇然。邀取二百馀人,在庄上置备酒食相待。到第三日,众人商议定了,费保扮做解衣甲正库官,倪云扮做副使,都穿了南官的号衣,将带了一应关防文书。众渔人都装做官船上梢公水手,却藏黑旋风等二百馀人将校在船舱里。卜青、狄成押着后船,都带了放火的器械。

却欲要行动,只见渔人又来报道:"湖面上有一只船,在那里摇来摇去。"李俊道:"又来作怪!"急急自去看时,船头上立着两个人,看来却是神行太保戴宗和轰天雷凌振。李俊唿了一声号哨,那只船飞也似奔来庄上。到得岸边,上岸来,都相见了。李俊问:"二位何来?甚事见报?"戴宗道:"哥哥急使李逵来了,正忘却一件大事,特地差我与凌振赍一百号炮在船里,湖面上寻赶不上,这里又不敢拢来傍岸,教兄弟明早卯时进城,到得里面,便放这一百个火炮为号。"李俊道:"最好!"便就船里搬过炮笼炮架来,都藏埋衣甲船内。费保等闻知是戴宗,又置酒设席管待。凌振带来十个炮手,都埋伏摆在第三只船内。有诗为证:

> 攻城无计正忧心,忽有渔郎送好音。
> 杀却库官施妙术,苏州城郭等闲侵。

当夜四更,离庄望苏州来。五更已后,到得城下。守门军士在城上望见是南国旗号,慌忙报知。管门大将却是飞豹大将军郭世广,亲自上城来,问了小校备细,接取关防文书,吊上城来看了。郭世广使人赍至三大王府里,辨看了来文,又差人来监视,却才教放入城门。郭世广直在水门边坐地,再叫人下船看时,满满地堆着铁甲号衣,因此一只只都放入城去。放过十只船了,便关水门。三大王差来的监视官员,引着五百军在岸上跟定,便着湾住了船。李逵、鲍旭、项充、李衮从船舱里钻出来,监视官见了四个人形容粗丑,急待问是甚人时,项充、李衮早舞起团牌,飞出一把刀来,把监视官剁下马去。那五百军欲待上船,被李逵揸起双斧,早跳在岸上,一连砍翻十数个,那五百军人都走了。船里众好汉并牌手二百馀人,一齐上岸,便放起火来。凌振就岸边撒开炮架,搬出号炮,连放了十数个。那炮震得城楼也动,四下里打将入去。

三大王方貌正在府中计议,听的火炮接连响,惊的魂不附体。各门守将听得城中炮响不绝,各引兵奔城中来。各门飞报:"南军都被冷箭射死,宋军已上城了。"苏州城内鼎沸起来,正不知多少宋军入城。黑旋风李逵和鲍旭引着两个牌手,在城里横冲直撞,追杀南兵。李俊、戴宗引着费保四人,护持凌振,只顾放炮。宋江已调三路军将取城。宋兵人马杀入城来,南军漫散,各自逃生。

且说三大王方貌急急披挂上马,引了五七百铁甲军,夺路待要杀出南门,不想正撞见黑旋风李逵这一伙,杀得铁甲军东西乱窜,四散奔走。小巷里又撞出鲁智深,轮起铁禅杖打将来。方貌抵当不住,独自跃马再回府来。乌鹊桥下转出武松,赶上一刀,掠断了马脚,方貌倒攧将下来,被武松再复一刀砍了,提首级径来中军,参见先锋请功。此时宋江已进城中王府坐下,令诸将各自去城里搜杀南军,尽皆提获。单只走了刘赟一个,领了些败残军兵,投秀州去了。有诗为证:

> 神器从来不可干,僭王称号讵能安?

武松立马诛方貌，留与奸臣做样看。

宋江到王府坐下，便传下号令，休教杀害良民百姓，一面教救灭了四下里火。便出安民文榜，晓谕军民。次后聚集诸将，到府请功。已知武松杀了方貌，朱仝生擒徐方，史进生擒了甄诚，孙立鞭打死张威，李俊枪刺死昌盛，樊瑞杀死邬福；宣赞和郭世广鏖战，你我相伤，都死于饮马桥下。其馀都擒得牙将，解来请功。宋江见折了丑郡马宣赞，伤悼不已，便使人安排花棺彩椁，迎去虎丘山下殡葬。把方貌首级并徐方、甄诚，解赴常州张招讨军前施行。张招讨就将徐方、甄诚碎剐于市，方貌首级，解赴京师；回将许多赏赐，来苏州给散众将。张招讨移文申状，请刘光世镇守苏州，却令宋先锋沿便进兵，收捕贼寇。只见探马报道："刘都督、耿参谋来守苏州。"当日众将都跟着宋先锋迎接刘光世等官入城，王府安下，参贺已了。宋江众将自来州治议事，使人去探沿海水军头领消息如何。却早报说，沿海诸处县治，听得苏州已破，群贼各自逃散，海僻县道尽皆平静了。宋江大喜，申达文书到中军报捷，请张招讨晓谕旧官复职，另拨中军统制，前去各处守御安民，退回水军头领正偏将佐，来苏州调用。

数日之间，统制等官各自分投去了。水军头领都回苏州，诉说三阮打常熟，折了施恩，又去攻取昆山，折了孔亮。石秀、李应等尽皆回了，施恩、孔亮不识水性，一时落水，俱被淹死。宋江见又折了二将，心中大忧，嗟叹不已。

费保等四人来辞宋先锋，要回去。宋江坚意相留，不肯，重赏了四人，再令李俊送费保等回榆柳庄去。李俊当时又和童威、童猛送费保四人到榆柳庄上，费保等又治酒设席相款。饮酒中间，费保起身与李俊把盏，说出几句言语来。有分教：李俊名闻海外,声播寰中。去作化外① 国王,不犯中原之境。正是:了身达命蟾离壳,立业成名鱼化龙。毕竟费保与李俊说出甚言语来,且听下回分解。

此一回内,折了三员将佐:

宣 赞 施 恩 孔 亮

---

① 化外——政令教化达不到的地方。这里指外国。

第九十四回

宁海军宋江吊孝　涌金门张顺归神

诗曰：

家本浔阳江上住，翻腾波浪几春秋。

江南地面收功绩，水浒天罡占一筹。

宁海郡中遥吊孝，太湖江上返渔舟。

涌金门外归神处，今日香烟不断头。

话说当下费保对李俊说道："小弟虽是个愚卤匹夫，曾闻聪明人道：世事有成必有败，为人有兴必有衰。哥哥在梁山泊勋业，到今已经数十馀载，更兼百战百胜，去破大辽时，不曾损折了一个弟兄。今番收方腊，眼见挫动锐气，天数不久。为何小弟不愿为官为将？有日太平之后，一个个必然来侵害你性命。自古道：太平本是将军定，不许将军见太平。此言极妙。今我四人既已结义了，哥哥三人何不趁此气数未尽之时，寻个了身达命之处，对付些钱财，打了一只大船，聚集几人水手，江海内寻个净办处安身，以终天年，岂不美哉！"李俊听罢，倒地便拜，说道："仁兄，重蒙教导，指引愚迷，十分全美。只是方腊未曾剿得，宋公明恩义难抛，行此一步未得。今日便随贤弟去了，全不见平生相聚的义气。若是众位肯姑待李俊，容待收伏方腊之后，李俊引两个兄弟径来相投，万望带挈。是必贤弟们先准备下这条门路。若负今日之言，天实厌之，非为男子也。"那四个道："我等准备下船只,专望哥哥到来,切不可负约!"李俊、费保结义饮酒,都约定了,誓不负盟。

次日,李俊辞别了费保四人,自和童威、童猛回来参见宋先锋,俱说费保等四人不愿为官,只愿打鱼快活。宋江又嗟叹了一回,传令整点水陆军兵起程。吴江县已无贼寇,直取平望镇,长驱人马进发,前望秀州而来。本州守将段恺闻知苏州三大王方貌已死,只思量收拾走路。使人探知大军离城不远,遥望水陆路上旌旗蔽日,船马相连,吓得魂消胆丧。前队大将关胜、秦明已到城下,便分调水军船只,围住西门。段恺在城上叫道:"不须攻击,准备纳降。"随即开放城门。段恺香花灯烛,牵羊担酒迎接宋先锋入城,直到州治歇下。段恺为首参见了。宋江抚慰段恺,复为良臣,便出榜安民。段恺称说:"恺等原是睦州良民,累被方腊残害,不得已投顺部下。今得天兵到此,安敢不降。"若段恺者,可谓知宋朝天命之有在矣。有诗为证:

堂堂兵阵六师张,段恺开城便纳降。

从此清溪如破竹,梁山功业更无双。

宋江备问:"杭州宁海军城池,是甚人守据?有多少人马良将?"段恺禀道:"杭州城郭阔远,人烟稠密,东北旱路,南面大江,西面是湖,乃是方腊大太子南安王方天定守把。部下有七万馀军马,二十四员战将,四个元帅,共是二十八员。为首两个最了得:一个是歙州僧人,名号宝光如来,俗姓邓,法名元觉,使一条禅杖,乃是浑铁打就的,可重五十馀斤,人皆称为国师;又一个,乃是福州人氏,姓石名宝,惯使一个流星锤,百发百中,又能常使一口宝刀,名为劈风刀,可以裁铜截铁,遮莫三层铠甲,如劈风一般过去。外有二十六员,都是遴选之将,亦皆悍勇。主公切不可轻敌。"宋江听罢,赏了段恺,便教去张招讨军前说知备细。后来段恺就跟了张招讨行军,守把苏州,却委副都督刘光世来秀州守御。宋先锋却移兵在槜李亭下寨。

　　当与诸将筵宴赏军,商议调兵攻取杭州之策。只见小旋风柴进起身道:"柴某自蒙兄长高唐州救命已来,一向累蒙仁兄顾爱,坐享荣华,奈缘命薄功微,不曾报得恩义。今愿深入方腊贼巢,去做细作,成得一阵功勋,报效朝廷,也与兄长有光。未知尊意肯容否?"宋江大喜道:"若得大官人肯去,直入贼巢,知得里面溪山曲折,可以进兵,生擒贼首方腊,解上京师,方表微功,同享富贵。只恐贤弟路程劳苦去不得。"柴进道:"情愿舍死一往,有何不可! 只是得燕青为伴同行最好。此人晓得诸路乡谈,更兼见机而作。"宋江道:"贤弟之言,无不依允。只是燕青拨在卢先锋部下,便可行文取来。"正商议未了,闻人报道:"卢先锋特使燕青到来报捷。"宋江见报大喜,说道:"贤弟此行必成大功矣! 恰限燕青到来,也是吉兆。"柴进也喜。

　　燕青到寨中,上帐拜罢宋江,吃了酒食。问道:"贤弟水路来,旱路来?"燕青答道:"乘船到此。"宋江又问道:"戴宗回时说道,进兵攻取湖州之事如何?"燕青禀道:"自离宣州,卢先锋分兵两处:先锋自引一半军马攻打湖州,杀死伪留守弓温并手下副将五员,收伏了湖州,杀散了贼兵,安抚了百姓,一面行文申复张招讨,拨统制守御。特令燕青来报捷主将。所分这一半人马,叫林冲引领,前去收取独松关,都到杭州聚会。小弟来时,听得说独松关路上,每日厮杀,取不得关。先锋又同朱武去了,嘱付委呼延将军统领军兵,守住湖州,待中军招讨调拨得统制到来,护境安民,才一面进兵攻取德清县,到杭州会合。"宋江又问道:"湖州守御取德清,并调去独松关厮杀,两处分的人将,你且说与我姓

名,共是几人去,并几人跟呼延灼来?"燕青道:"有单在此:

分去独松关厮杀取关,见有正偏将佐二十三员:

先锋卢俊义	朱 武	林 冲	董 平	张 清
解 珍	解 宝	吕 方	郭 盛	欧 鹏
邓 飞	李 忠	周 通	邹 渊	邹 润
孙 新	顾大嫂	李 立	白 胜	汤 隆
朱 贵	朱 富	时 迁		

见在湖州守御,即目进兵德清县,见有正偏将佐一十九员:

呼延灼	索 超	穆 弘	雷 横	杨 雄
刘 唐	单廷圭	魏定国	陈 达	杨 春
薛 永	杜 迁	穆 春	李 云	石 勇
龚 旺	丁得孙	张 青	孙二娘	

这两处将佐通计四十二员。小弟来时,那里商议定了目下进兵。"宋江道:"既然如此,两路进兵攻取最好。却才柴大官人要和你去方腊贼巢里面去做细作,你敢去么?"燕青道:"主帅差遣,安敢不从。小弟愿往,陪侍柴大官人只顾投那里去。"柴进甚喜,便道:"我扮做个白衣秀才,你扮做个仆者。一主一仆,背着琴剑书箱上路去,无人疑忌。直去海边寻船,使过越州,却取小路去诸暨县,就那里穿过山路,取睦州不远了。"宋江道:"越州一境,还是我中原,不属方腊。我押公文,教那里官司放行。"择日,柴进、燕青辞了宋先锋,收拾琴剑书箱,自投海边寻船过去做细作,不在话下。有诗为证:

> 柴进为人志颇奇,伪为儒士入清溪。
>
> 展开说地谈天口,谁识其中是祸梯。

且说军师吴用再与宋江道:"杭州南半边有钱塘大江,通达海岛。若得几个人驾小船从海边去,进赭山门,到南门外江边,放起号炮,竖立号旗,城中必慌。你水军中头领谁人去走一遭?"说犹未了,张横、三阮道:"我们都去。"宋江道:"杭州西路又靠着湖泊,亦要水军用度,你等不可都去。"吴用道:"只可叫张横同阮小七驾船,将引侯健、段景住去。"当时拨了四个人,引着三十馀个水手,将带了十数个火炮号旗,自来海边寻船,望钱塘江里进发。

看官听说,这回话都是散沙一般。先人书会①留传,一个个都要说到,只是难做一时说,慢慢敷演关目,下来便见。看官只牢记关目头行,便知衷曲奥妙。

再说宋江分调兵将已了,回到秀州,计议进兵攻取杭州,忽听得东京有使命赍捧御酒赏赐到州。宋江引大小将校,迎接入城,谢恩已罢,作御酒公宴管待天使。饮酒中间,天使又将出太医院奏准,为上皇乍感小疾,索取神医安道全回京,驾前委用,降下圣旨,就令来取。宋江不敢阻当。次日,管待天使已了,就行起送安道全赴京。宋江等送出十里长亭饯行,安道全自同天使回京。有诗赞曰:

> 安子青囊艺最精,山东行散有声名。
>
> 人夸脉得仓公妙,自负丹如蓟子成。
>
> 刮骨立看金镞出,解肌时有刃痕平。
>
> 梁山结义坚如石,此别难忘手足情。

再说宋江把颁降到赏赐,分俵众将,择日祭旗起军,辞别刘光世、耿参谋,上马进兵,水陆并行,船骑同发。路至崇德县,守将闻知,奔走回杭州去了。

---

① 书会——宋元时说书人、戏曲脚本作者和艺人组成的同业性团体。

且说方腊大太子方天定聚集诸将，在行宫议事。今时龙翔宫基址，乃是旧日行宫。当日诸将商议迎敌宋兵之策，共是二十八员。四个元帅。那四员？

宝光如来国师邓元觉　　　南离大将军元帅石宝
镇国大将军厉天闰　　　　护国大将军司行方

这四个皆称元帅，封赠大将军名号，是方腊加封。又有二十四人，皆封将军。那二十四员？

厉天祐	吴　值	赵　毅	黄　爱	晁　中
汤逢士	王　勣	薛斗南	冷　恭	张　俭
元　兴	姚　义	温克让	茅　迪	王　仁
崔　彧	廉　明	徐　白	张道原	凤　仪
张　韬	苏　泾	米　泉	贝应夔	

这二十四个，皆封为将军。共是二十八员大将，都在方天定行宫聚集计议。方天定令旨说道："即目宋江为先锋，水陆并进，过江南来，平折了与他三个大郡。止有杭州是南国之屏障，若有亏失，睦州焉能保守？前者司天太监浦文英，奏是罡星侵入吴地，就里为祸不小，正是这伙人了。今来犯吾境界，汝等诸官各受重爵，务必赤心报国，休得怠慢，以负朝廷任用。"众将启奏方天定道："主上宽心！放着许多精兵猛将，未曾与宋江对敌。目今虽是折陷了数处州郡，皆是不得其人，以致如此。今闻宋江、卢俊义分兵三路，来取杭州。殿下与国师谨守宁海军城郭，作万年基业；臣等众将，各各分调迎敌。"太子方天定大喜，传下令旨，也分三路军马前去策应，只留国师邓元觉同保城池。分去那三员元帅，乃是：

护国元帅司行方，引四员首将，救应德清州：

薛斗南　黄　爱　徐　白　米　泉

镇国元帅厉天闰,引四员首将,救应独松关:

厉天祐　张俭　张韬　姚义

南离元帅石宝,引八员首将,总率出郭迎敌大队人马:

温克让　赵毅　冷恭　王仁　张道原
吴值　廉明　凤仪

三员大将,分调三路,各引军三万。分拨人马已定,各赐金帛催促起身。元帅司行方引了一枝军马,救应德清州,望奉口镇进发;元帅厉天闰引了一枝军马,救应独松关,望余杭州进发。

且不说两路策应军马去了。却说这宋先锋大队军兵,迤逦前进,来至临平山,望见山顶一面红旗,在那里磨动。宋江当下差正将二员,花荣、秦明,先来哨路,随即催趱战船车过长安坝来。花荣、秦明两个,带领了一千军马,转过山嘴,早迎着南兵。石宝军马手下两员首将,当先望见花荣、秦明,一齐出马。一个是王仁,一个是凤仪,各挺一条长枪,便奔将来。宋军中花荣、秦明,便把军马摆开出战。有诗为证:

团花袍染猩猩血,凤翅盔明艳艳金。

手挽雕弓骑骏马,堂堂威武似凶神。

秦明手舞狼牙大棍,直取凤仪;花荣挺枪,来战王仁。四马相交,斗过十合,不分胜败。秦明、花荣观见南军后有接应,都喝一声:"少歇!"各回马还阵。花荣道:"且休恋战,快去报哥哥来,别作商议。"后军随即飞报去中军。宋江引朱仝、徐宁、黄信、孙立四将,直到阵前。南军王仁、凤仪再出马交锋,大骂:"败将敢再出来交战!"秦明大怒,舞起狼牙棍,纵马而出,和凤仪再战。王仁却搦花荣出战。只见徐宁一骑马,便挺枪杀去。花荣与徐宁是一副一正:金枪手,银枪手。花荣随即也纵马便出,在徐宁背后拈弓取箭在手,不等徐宁、王仁交手,觑得较亲,只一箭,把王仁射下马去,南军尽皆失色。凤仪见王仁被箭射下马来,吃了一惊,措手不及,被秦明当头一棍打着,擸下马去。南军漫散奔走,宋军冲杀过去。石宝抵当不住,退回皋亭山来,直近东新桥下寨。当日天晚,策立不定,南兵且退入城去。

次日,宋先锋军马已过了皋亭山,直抵东新桥下寨,传令教分调本部军兵,作三路夹攻杭州。那三路军兵将佐?

一路分拨步军头领正偏将,从汤镇路去取东门,是:

　　　朱　仝　　史　进　　鲁智深　　武　松　　王　英
　　扈三娘

一路分拨水军头领正偏将,从北新桥取古塘,截西路,打靠湖城门:

　　　李　俊　　张　顺　　阮小二　　阮小五　　孟　康

中路马步水三军,分作三队进发,取北关门、艮山门。前队正偏将是:

　　　关　胜　　花　荣　　秦　明　　徐　宁　　郝思文
　　凌　振

第二队总兵主将宋先锋,军师吴用,部领人马。正偏将是:

　　　戴　宗　　李　逵　　石　秀　　黄　信　　孙　立
　　　樊　瑞　　鲍　旭　　项　充　　李　衮　　马　麟
　　　裴　宣　　蒋　敬　　燕　顺　　宋　清　　蔡　福
　　　蔡　庆　　郁保四

第三队水路陆路助战策应。正偏将是:

　　　李　应　　孔　明　　杜　兴　　杨　林　　童　威
　　　童　猛

当日宋江分拨大小三军已定,各自进发。

有话即长,无话即短。且说中路大队军兵,前队关胜,直哨到东新桥,不见一个南军。关胜心疑,退回桥外,使人回复宋先锋。宋江听了,使戴宗传令,分付道:"且未可轻进。每日轮两个头领出哨。"头一日是花荣、秦明,第二日徐宁、郝思文,一连哨了数日,又不见出战。此日又该徐宁、郝思文,两个带了数十骑马,直哨到北关门来,见城门大开着。两个来到吊桥边看时,城上一声擂鼓响,城里早撞出一彪马军来。徐宁、郝思文急回马时,城西偏路喊声又起,一百馀骑马军冲在前面。徐宁并力死战,杀出马军队里,回头不见了郝思文;再回来看时,见数员将校,把郝思文活捉了入城去。徐宁急待回身,项上早中了一箭,带着箭飞马走时,六将背后赶来;路上正逢着关胜,救得回来,血晕倒了。六员南将,已被关胜杀退,自回城里去了。慌忙报与宋先锋知道。宋江急来看徐宁时,七窍内流血。宋江垂泪,便唤随军医士治疗,拔去箭矢,用金枪药敷贴。宋江且教扶下战船内将息,自来看视。当夜三四次发昏,方知中了药箭。宋江仰天叹道:"神医安道全已被取回京师,此间又无良医可救,必损吾股肱也!"伤感不已。吴用来请宋江回寨,主议军情大事,勿以兄弟之情,误了国家重事。宋江使人送徐宁到秀州去养病。不想箭中药毒,调治半月之上,金疮不痊身死。这是后话。

且说宋江又差人去军中打听郝思文消息。次日,只见小军来报道:"杭州北关门城上,把竹竿挑起郝思文头来示众。"方知道被方天定碎剐了。宋江见报,好生伤感。后半月,徐宁已死,申文来报。宋江因折了二将,按兵不动,且守住大路。

却说李俊等引兵到北新桥守路,分军直到古塘深山去处探路,听得飞报道:折了郝思文,徐宁中箭而死。李俊与张顺商议道:"寻思我等这条路道,第一要紧是去独松关,湖州、德清二处冲要路口,抑且贼兵都在这里出没。我们若当住他咽喉道路,被他两面来夹攻,我等兵少,难以迎敌。不若一发杀入西山深处,却好屯扎。西湖水面好做我们战场,山西后面通接忠溪,却又好做退步。"便使小校报知先锋,请取军令。次后引兵直过桃源岭西山深处,正在今时灵隐寺屯驻;山北面西溪山口,亦扎小寨,在今时古塘深处;前军却来唐家瓦出哨。当日张顺对李俊说道:"南兵都已收入杭州城里去了,我们在此屯兵,今经半月之久,不见出战,只在山里,几时能勾获功。小弟今欲从湖里氽水过去,从水门中暗入城去,放火为号,哥哥便可进兵,取他水门。就报与主将先锋,教三路一齐打城。"李俊道:"此计虽好,只恐兄弟独力难成。"张顺道:"便把这命报答先锋哥哥许多年好情分,也不多了。"李俊道:"兄弟且慢去,待我先报与哥哥整点人马策应。"张顺道:"我这里一面行事,哥哥一面使人去报。比及兄弟到得城里,先锋哥哥已自知了。"

当晚,张顺身边藏了一把蓼叶尖刀,饱吃了一顿酒食,来到西湖岸边,看见那三面青山,一湖绿水,远望城郭,四座禁门,临着湖岸。那四座门?钱塘门、涌金门、清波门、钱湖门。看官听说,那时西湖不比南渡以后,安排得十分的富贵。盖为金、宋二国讲和,罢战休兵,天下太平,皇帝建都之地,如何不富盛?西湖上排着数十处游赏去处。那时三面青山,景物非常,画船酒馆,水阁凉亭,其实好看。苏东坡有诗道:

> 湖光潋滟晴偏好,山色空濛雨亦奇。
>
> 欲把西湖比西子,淡妆浓抹也相宜。

又诗曰:

> 山外青山楼外楼,西湖歌舞几时休。
>
> 暖风熏得游人醉,只把杭州作汴州。

这西湖景致,自东坡称赞之后,亦有书会吟诗和韵,不能尽记。

又有一篇言语,单道着西湖好景,曲名《水调歌词》:

> 三吴都会地,千古羡无穷。凿开混沌,何年涌出水晶宫。春路如描桃杏发,秋赏金菊芙蓉,夏宴鲜藕池中。柳影六桥明月,花香十里熏风。　也宜晴,也宜雨,也宜风,冬景淡妆浓。王孙公子,亭台阁内,管弦中。北岭寒梅破玉,南屏九里苍松。四面青山叠翠,侵汉二高峰。疑是蓬莱景,分开第一重。

这篇词章,说不尽西湖佳景,以致后人吟咏颇多。再有一篇词语,亦道着西湖好处,词名《临江仙》:

> 自古钱塘风景,西湖歌舞欢筵。游人终日玩花船,箫鼓夕阳不断。昭庆坛圣僧古迹,放生池千叶红莲。苏公堤红桃绿柳,林逋宅竹馆梅轩。雷峰塔上景萧然,清净慈门亭苑。　三天竺晓霞低映,二高峰浓抹云烟。太子湾一泓秋水,佛国山翠蔼连绵。九里松青萝共翠,雨飞来龙井山边。西陵桥上水连天。六桥金线柳,缆住采莲船。断桥回首不堪观,一辈先人不见。

这西湖,故宋时果然景致无比,说不尽。张顺来到西陵桥上,看了半晌。时当春暖,西湖水色拖蓝,四面山光叠翠。张顺看了道:"我身生在浔阳江上,大风巨浪,经了万千,何曾见这一湖好水!便死在这里,也做个快活鬼!"说罢,脱下布衫,放在桥下,头上挽着个穿心红的腊儿,下面着腰生绢水裙,系一条搭膊,挂一口尖刀,赤着脚,钻下湖里去,却从水底下摸将过湖来。此时已是初更天气,月色微明。张顺摸近涌金门边,探起头来,在水面上听时,城上更鼓却打一更四点,城外静悄悄地没一个人。城上女墙边,有四五个人在那里探望。张顺再伏在水里去了。又等半回,再探起头来看时,女墙边不见了一个人。张顺摸到水口边看时,一带都是铁窗棂隔着。摸里面时,都是水帘护定,帘子上有绳索,索上缚着一串铜铃。张顺见窗棂牢固,不能勾入城,舒只手入去扯那水帘时,牵得索子上铃响,城上人早发起喊来。张顺从水底下再钻入湖里伏了。听得城上人马下来看那水帘时,又不见有人,都在城上说道:"铃子响得跷蹊,莫不是个大鱼顺水游来,撞动了水帘?"众军汉看了一回,并不见一物,又各自去睡了。

张顺再听时,城上已打三更。打了好一回更点,想必军人各自去东倒西歪睡熟了。张顺再钻向城边去,料是水里入不得城,扒上岸来看时,那城上不见一个人在上面,便欲要扒上城去,且又寻思道:"倘或城上有人,却不干折了性命。我且试探一试探。"摸些土块,掷撒上城去。有不曾睡的军士叫将起来,再下来看水门时,又没动静;再上城来敌楼上看湖面上时,又没一只船只。原来西湖上船只,已奉方天定令旨,都收入清波门外和净慈港内,别门俱不许泊船。众人道:"却是作怪!"口里说道:"定是个鬼。我们各自睡去,休要睬他。"口里虽说,却不去睡,尽伏在女墙边。张顺又听了一个更次,不见些动静,却钻到城边来。听上面更鼓不响,张顺不敢便上去,又把些土石抛掷上城去,又没动静。张顺寻思道:"已是四更,将及天亮,不上城去,更待几时!"却才扒到半城,只听得上面一声梆子响,众军一齐起。张顺从半城上跳下水池里去,待要趁水沦时,城上踏弩硬弓、苦竹枪、鹅卵石,一齐都射打下来。可怜张顺英雄,就涌金门内水池中身死。才人① 有诗说道:

> 浔阳江上英雄汉,水浒城中义烈人。

---

① 才人——宋元时对杂剧、话本作者和说书艺人的称呼。

天数尽时无可救,涌金门外已归神。

当下张顺被苦竹枪并乱箭射死于水池内。话分两头,却说宋江日间已接了李俊飞报,说张顺汆水入城,放火为号,便转报与东门军士去了。当夜宋江在帐中和吴用议事到四更,觉道神思困倦,退了左右,在帐中伏几而卧。猛然一阵冷风,宋江起身看时,只见灯烛无光,寒气逼人。定睛看时,见一个似人非人,似鬼非鬼,立于冷气之中。看那人时,浑身血污着,低低道:"小弟跟随哥哥许多年,恩爱至厚。今以杀身报答,死于涌金门下枪箭之中。今特来辞别哥哥。"宋江道:"这个不是张顺兄弟!"回过脸来,这边又见三四个都是鲜血满身,看不仔细。宋江大哭一声,蓦然觉来,乃是南柯一梦。

帐外左右听得哭声,入来看时,宋江道:"怪哉!"叫请军师圆梦。吴用道:"兄长却才困倦暂时,有何异梦?"宋江道:"适间冷气过处,分明见张顺一身血污,立在此间,告道:'小弟跟着哥哥许多年,蒙恩至厚。今以杀身报答,死于涌金门下枪箭之中,特来辞别。'转过脸来,这面又立着三四个带血的人,看不分晓,就哭觉来。"吴用道:"早间李俊报说,张顺要过湖里去,越城放火为号。莫不只是兄长记心,却得这恶梦?"宋江道:"只想张顺是个精灵的人,必然死于无辜。"吴用道:"西湖到城边,必是险隘,想端的送了性命,张顺魂来,与兄长托梦。"宋江道:"若如此时,这三四个又是甚人?"和吴学究议论不定,坐而待旦,绝不见城中动静,心中越疑。

看看午后,只见李俊使人飞报将来,说:"张顺去涌金门越城,被箭射死于水中。见今湖西城上,把竹竿挑起头来,挂着号令。"宋江见报了,又哭的昏倒。吴用等众将亦皆伤感。原来张顺为人甚好,深得弟兄情分。宋江道:"我丧了父母,也不如此伤恼！不由我连心透骨苦痛！"吴用及众将劝道："哥哥以国家大事为念，休为弟兄之情，自伤贵体。"宋江道："我必须亲自到湖边与他吊孝。"吴用谏道："兄长不可亲临险地。若贼兵知得，必来攻击。"宋江道："我自有计较。"随即点李逵、鲍旭、项充、李衮四个，引五百步军去探路。宋江随后带了石秀、戴宗、樊瑞、马麟，引五百军士，暗暗地从西山小路里去李俊寨里。李俊等得知，接至半路；接着，请到灵隐寺中方丈内歇下。宋江又哭了一场，便请本寺僧人，就寺里诵经追荐张顺。

次日天晚，宋江叫小军去湖边扬一首白幡，上写道："亡弟正将张顺之魂。"插于水边西陵桥上，排下许多祭物。却分付李逵道："如此如此……"埋伏在北山路口，樊瑞、马麟、石秀左右埋伏，戴宗随在身边。只等天色相近一更时分，宋江挂了白袍，金盔上盖着一层孝绢，同戴宗并五七个僧人，却从小行山转到西陵桥上。军校已都列下黑猪白羊金银祭物，点起灯烛荧煌，焚起香来。宋江在当中证盟，朝着涌金门下哭奠，戴宗立在侧边。先是僧人摇铃诵咒，摄召呼名，祝赞张顺魂魄，降坠神幡。次后戴宗宣读祭文，宋江亲自把酒浇奠，仰天望东而哭。正哭之间，只听得桥下两边，一声喊起，南北两山，一齐鼓响，两彪军马来拿宋江。正是：方施恩念行仁义，翻作勤王小战场。正是：直诛南国数员将，搅动西湖万丈波。毕竟宋江、戴宗怎地迎敌，且听下回分解。

此一回内，折了三员将佐：

郝思文　　徐　宁　　张　顺

京师取回一员将佐：

安道全

第九十五回

张顺魂捉方天定　宋江智取宁海军

诗曰：

　　黄钺南征自渡江，风飞雷厉过钱塘。

　　回观伍相江涛险，前望严陵道路长。

　　击楫宋江真祖逖，运筹吴用赛张良。

　　出师得胜收功绩，万载题名姓字香。

　　话说浙江钱塘西湖这个去处，果然天生佳丽，水秀山明，正是帝王建都之所，名实相孚，繁华第一。自古道：江浙昔时都会，钱塘自古繁华。休言城内风光，且说西湖景物：

　　有一万顷碧澄澄掩映琉璃，列三千面青娜娜参差翡翠。春风湖上，艳桃秾李如描；夏日池中，绿盖红莲似画。秋云涵茹，看南园嫩菊堆金；冬雪纷飞，观北岭寒梅破玉。九里松青烟细细，六桥水碧响泠泠。晓霞连映三天竺，暮云深锁二高峰。风生在猿呼洞口，雨飞来龙井山头。三贤堂畔，一条鳌背侵天；四圣观前，百丈祥云缭绕。苏公堤，东坡古迹；孤山路，和靖旧居。访友客投灵隐去，簪花人逐净慈来。平昔只闻三岛远，岂知湖上胜蓬莱。

　　有古词名《浣溪沙》为证：

　　湖上朱桥响画轮，溶溶春水浸春云。碧琉璃滑净无

尘。　　　当路游丝迎醉客,隔花黄鸟唤行人。日斜归
去奈何春。

　　这篇词章言语,单道着杭州西湖景致。自从钱王① 开创已
来,便自整齐。旧宋以前,唤做清河镇,钱王手里改为杭州宁海
军。高宗车驾南渡之后,唤做花花临安府。钱王之时,只有十座
城门,后南渡建都,又添了三座城门。目今方腊占据时,东有菜
市门、荐桥门,南有候潮门、嘉会门,西有钱湖门、清波门、涌金
门、钱塘门,北有北关门、艮山门,城子方圆八十里。果然杭州城
郭非常,风景胜绝。有诗为证:

　　　　赤岸银涛卷雪寒,龙窝潮势白漫漫。

　　　　妙高峰上频翘首,罨画楼台特地看。

　　却才说不了宋江和戴宗正在西陵桥上祭奠张顺,不期方天
定已知,着令差下十员首将,分作两路来拿宋江,杀出城来。南
山五将是吴值、赵毅、晁中、元兴、苏泾;北山路也差五员首将,是
温克让、崔彧、廉明、茅迪、汤逢士。南兵两路,共十员首将,各引
三千人马,半夜前后开门,两头军兵一齐杀出来。宋江正和戴宗
奠酒化纸,只听得桥下喊声大举。左有樊瑞、马麟,右有石秀,各
引五千人埋伏,听得前路火起,一齐也举起火来,两路分开,赶杀
南北两山军马。南兵见有准备,急回旧路。两边宋兵追赶。温
克让引着四将急回过河去时,不提防保叔塔山背后撞出阮小二、
阮小五、孟康,引五千军杀出来,正截断了归路,活捉了茅迪,乱
枪戳死汤逢士。南山吴值,也引着四将,迎着宋兵追赶,急退回
来,不提防定香桥正撞着李逵、鲍旭、项充、李衮,引五百步队军
杀出来。那两个牌手,直抢入怀里来,手舞蛮牌,飞刀出鞘,早剁

───────────

　　① 钱王——指钱镠,五代时吴越国王,建都杭州,为十国之一。

倒元兴。鲍旭刀砍死苏泾，李逵斧劈死赵毅。军兵大半杀下湖里去了，都被淹死。投到城里救军出来时，宋江军马已都入山里去了，都到灵隐寺取齐，各自请功受赏。两路夺得好马五百馀匹。宋江分付留下石秀、樊瑞、马麟，相帮李俊等同管西湖山寨，准备攻城。宋江只带了戴宗、李逵等回皋亭山寨中，吴用等接入中军帐坐下。宋江对军师说道："我如此行计，已得他四将之首，活捉了茅迪，将来解赴张招讨军前，斩首施行。"

宋江在寨中，惟不知独松关、德清二处消息，便差戴宗去探，急来回报。戴宗去了数日，回来寨中，参见先锋，说知："卢先锋已过独松关了，早晚便到此间。"宋江听了，忧喜相半，又问："兵将如何？"戴宗答道："我都知那里厮杀的备细，更有公文在此。先锋请休烦恼。"宋江道："莫非又损了我几个弟兄？你休隐避，可与我实说情由。"戴宗道："卢先锋自从去取独松关，那关两边都是高山，只中间一条路，山上盖着关所。关边有一株大树，可高数十馀丈，望得诸处皆见，下面尽是丛丛杂杂松树。关上守把三员贼将，为首的唤做吴升，第二个是蒋印，第三个是卫亨。初时连日下关和林冲厮杀，被林冲蛇矛戳伤蒋印。吴升不敢下关，只在关上守护。次后厉天闰又引四将到关救应，乃是厉天祐、张俭、张韬、姚义四将。次日下关来厮杀，贼兵内厉天祐首先出马和吕方相持，约斗五六十合，被吕方一戟刺死厉天祐。贼兵上关去了，并不下来。连日在关下等了数日。卢先锋为见山岭险峻，却差欧鹏、邓飞、李忠、周通四个上山探路。不提防厉天闰要替兄弟复仇，引贼兵冲下关来，首先一刀斩了周通，李忠带伤走了。若是救应得迟时，都是休的了。救得三将回寨。次日，双枪将董平焦躁，要去复仇，勒马在关下大骂贼将。不提防关上一火炮打下来,炮风正伤了董平左臂,回到寨里,就使枪不得,把夹板绑了臂膊。次日,定要去报仇,卢先锋当住了,不曾去。过了一夜,臂膊料好,不教卢先锋知道,自和张清商议了,两个不骑马,先行上关来。关上走下厉天闰、张韬来交战。董平要捉厉天闰,步行使枪。厉天闰也使长枪来迎,与董平斗了十合。董平心里只要厮杀,争奈左手使枪不应,只得退步。厉天闰赶下关来,张清便挺枪去搠厉天闰。厉天闰却闪去松树背后,张清手中那条枪却搠在松树上,急要拔时,搠牢了拽不脱,被厉天闰还一枪来,腹上正着,戳倒在地。董平见搠倒张清,急使双枪去战时,不提防张韬却在背后拦腰一刀,把董平剁做两段。卢先锋知得,急去救应,兵已上关去了,下面又无计可施。得了孙新、顾大嫂夫妻二人,扮做逃难百姓,去到深山里寻得一条小路,引着李立、汤隆、时迁、白胜四个,从小路过到关上,半夜里却摸上关,放起火来。贼将见关上火起,知有宋兵已透过关,一齐弃了关隘便走。卢先锋上关点兵将时,孙新、顾大嫂活捉得原守关将吴升,李立、汤隆活捉得原守关将蒋印,时迁、白胜活捉得原守关将卫亨。将此三人都解付张招讨军前去了。收拾得董平、张清、周通三人尸骸,葬于关上。卢先锋追过关四五十里,赶上贼兵,与厉天闰交战。约斗了三十馀合,被卢先锋杀死厉天闰。止存张俭、张韬、姚义引着败残军马,勉强迎敌,得便退回,只在早晚便到。主帅不信,可看公文。"宋江看了文书,心中添闷,眼泪如泉。吴用道:"既是卢先锋得胜了,可调军将去夹攻,南兵必败,就行接应湖州呼延灼那路军马。"宋江应道:"言之极当。"便调李逵、鲍旭、项充、李衮引三千步军,从山路接将去。黑旋风引了军兵,欢天喜地去了。有诗为证:

> 张顺英魂显至诚,宋江临祭更伤情。

伏兵已戮诸奸贼，席卷长驱在此行。

　　且说宋江军马攻打东门，正将朱仝等，原拨五千马步军兵，从汤镇路上村中，奔到菜市门外，攻取东门。那时东路沿江都是人家，村居道店赛过城中，茫茫荡荡，田园地段。当时来到城边，把军马排开。鲁智深首先出阵，步行搦战，提着铁禅杖，直来到城下大骂："蛮撮鸟们出来！和你厮杀！"那城上见是个和尚挑战，慌忙报入太子宫中来。当有宝光国师邓元觉，听的是个和尚勒战，便起身奏太子道："小僧闻梁山泊有这个和尚，名为鲁智深，惯使一条铁禅杖。请殿下去东门城上，看小僧和他步斗几合。"方天定见说大喜，传令旨，遂引八员猛将，同元帅石宝，都来菜市门城上看国师迎敌。

　　当下方天定和石宝在敌楼上坐定，八员战将簇拥在两边。看宝光国师战时，那宝光和尚怎生结束？但见：

　　　　穿一领烈火猩红直裰，系一条虎筋打就圆绦，挂一串七宝璎珞数珠，着一双九环鹿皮僧鞋，衬里是香线金兽掩心，双手使铮光浑铁禅杖。

　　当时开城门，放吊桥，那宝光国师邓元觉，引五百刀手步军，飞奔出来。鲁智深见了道："原来南军也有这秃厮出来！洒家教那厮吃俺一百禅杖。"也不打话，轮起禅杖便奔将来。宝光国师也使禅杖来迎。两个一齐都使禅杖相并。但见：

　　　　袅袅垂杨影里，茸茸芳草郊原。两条银蟒飞腾，一对玉龙戏跃。鲁智深忿怒，全无清净之心；邓元觉生嗔，岂有慈悲之念。这个何曾尊佛道，只于月黑杀人；那个不会看经文，惟要风高放火。这个向灵山会上，恼如来懒坐莲台；那个去善法堂前，勒揭谛使回金杵。一个尽世不修梁武忏，一个平生那识祖师禅。

这鲁智深和宝光国师斗过五十馀合，不分胜败。方天定在敌楼上看了，与石宝道："只说梁山泊有个花和尚鲁智深，不想原来如此了得，名不虚传。斗了这许多时，不曾折半点儿便宜与宝光和尚。"石宝答道："小将也看得呆了，不曾见这一对敌手！"有诗为证：

不会参禅不诵经，杀人场上久驰名。

龙华会上三千佛，镇日何曾念一声。

正说之间，只听的飞马又报道："北关门下又有军到城下。"石宝慌忙起身去了。

且说城下宋军中，行者武松见鲁智深战宝光不下，恐有疏失，心中鳖躁，便舞起双戒刀，飞出阵来，直取宝光。宝光见他两个并一个，拖了禅杖，望城里便走。武松奋勇直赶杀去。忽地城门里突出一员猛将，乃是方天定手下贝应夔，便挺枪跃马，接住武松厮杀。两个正在吊桥上撞着，被武松闪个过，撇了手中戒刀，抢住他枪杆，只一拽，连人和军器拖下马来，嗝察一刀，把贝应夔剁下头来。鲁智深随后接应了回来。方天定急叫拽起吊桥，收兵入城。这里朱仝也叫引军退十里下寨，使人去报捷宋先锋知会。

当日宋江引军到北关门搦战，石宝带了流星锤上马，手里横着劈风刀，开了城门，出来迎敌。宋兵阵上大刀关胜，出马与石宝交战。两个斗到二十馀合，石宝拨回马便走。关胜急勒住马，也回本阵。宋江问道："缘何不去追赶？"关胜道："石宝刀法不在关胜之下，虽然回马，必定有计。"吴用道："段恺曾说此人惯使流星锤，回马诈输，漏人深入重地。"宋江道："若去追赶，定遭毒手，且收军回寨。"一面差人去赏赐武松。

　　却说李逵等引着步军去接应卢先锋，来到山路里，正撞张俭败军，并力冲杀入去，乱军中杀死姚义。有张俭、张韬二人，再奔回关上那条路去，正逢着卢先锋，大杀一阵，便望深山小路而走。背后追赶得紧急，只得弃了战马，奔走山下逃命。不期竹筱中钻出两个人来，各拿一把钢叉，张俭、张韬措手不及，被两个拿叉戳翻，直捉下山来。原来戳翻张俭、张韬的是解珍、解宝。卢先锋见拿二人到来，大喜，与李逵等合兵一处，会同众将，回到皋亭山大寨中来，参见宋先锋等。都相见了，诉说折了董平、张清、周通一事，彼各伤感。诸将尽来参拜了宋江，合兵一处下寨。

　　次日，教把张俭解赴苏州张招讨军前枭首示众；将张韬就寨前割腹剜心，遥空祭献董平、张清、周通了当。宋先锋与吴用计议道："启请卢先锋领本部人马，去接应德清县路上呼延灼等这支军，同到此间，计会取城。"卢俊义得令，便点本部兵马起程，取路望奉口镇进发。三军路上到得奉口，正迎着司行方败残军兵回来。卢俊义接着，大杀一阵，司行方坠水而死，其馀各自逃散去了。呼延灼参见卢先锋，合兵一处，回来皋亭山总寨，参见宋先锋等。诸将会合计议。宋江见两路军马都到了杭州，那宣州、湖州、独松关等处，皆是张招讨、从参谋自调统制，前去各处护境安民，不在话下。

　　宋江看呼延灼部内，不见了雷横、龚旺二人。呼延灼诉说："雷横在德清县南门外和司行方交锋，斗到二十合，被司行方砍下马去。龚旺因和黄爱交战，赶过溪来，和人连马，陷倒在溪里，被南军下水乱枪戳死。米泉却是索超一斧劈死。黄爱、徐白，众将向前活捉在此。司行方赶逐在水里淹死。薛斗南乱军中逃难，不知去向。"宋江听得又折了雷横、龚旺两个兄弟，泪如雨下，对众将道："前日张顺与我托梦时，见右边立着三四个血污衣襟之人,在我面前见形,正是董平、张清、周通、雷横、龚旺这伙阴魂了。我若得了杭州宁海军时,重重地请僧人设斋做好事,追荐超度众兄弟。"将黄爱、徐白解赴张招讨军前斩首,不在话下。

当日宋江叫杀牛宰马,宴劳三军。次日,与吴用计议定了,分拨正偏将佐,攻打杭州。

副先锋卢俊义带领正偏将一十二员,攻打候潮门:

林 冲	呼延灼	刘 唐	解 珍	解 宝
单廷圭	魏定国	陈 达	杨 春	杜 迁
李 云	石 勇			

花荣等正偏将一十四员,攻打艮山门:

花 荣	秦 明	朱 武	黄 信	孙 立
李 忠	邹 渊	邹 润	李 立	白 胜
汤 隆	穆 春	朱 贵	朱 富	

穆弘等正偏将十一员,去西山寨内,帮助李俊等攻打靠湖门:

李 俊	阮小二	阮小五	孟 康	石 秀
樊 瑞	马 麟	穆 弘	杨 雄	薛 永
丁得孙				

孙新等正偏将八员,去东门寨帮助朱仝攻打菜市、荐桥等门:

朱 仝	史 进	鲁智深	武 松	孙 新
顾大嫂	孙二娘	张 青		

东门寨内,取回偏将八员,兼同李应等,管领各寨探事,各处策应:

李 应	孔 明	杨 林	杜 兴	童 猛
童 威	王 英	扈三娘		

　　正先锋使宋江,带领正偏将二十一员,攻打北关门大路:

吴用	关胜	索超	戴宗	李逵
吕方	郭盛	欧鹏	邓飞	燕顺
凌振	鲍旭	项充	李衮	宋清
裴宣	蒋敬	蔡福	蔡庆	时迁

郁保四

　　当下宋江调拨将佐,取四面城门。宋江等部领大队人马,直近北关门城下勒战。城上鼓响锣鸣,大开城门,放下吊桥,石宝首先出马来战。宋军阵上,急先锋索超,平生性急,挥起大斧,也不打话,飞奔出来,便斗石宝。两马相交,二将猛战,未及十合,石宝卖个破绽,回马便走。索超追赶,关胜急叫休去时,索超脸上着一锤,打下马去。邓飞急去救时,石宝马到,邓飞措手不及,又被石宝一刀砍做两段。城中宝光国师引了数员猛将,冲杀出来,宋兵大败,望北而走。却得花荣、秦明等刺斜里杀将来,冲退南军,救得宋江回寨。石宝得胜欢喜,回城中去了。

　　宋江等回到皋亭山大寨歇下,升帐而坐,又见折了索超、邓飞二将,心中好生纳闷。吴用谏道:"城中有此猛将,只宜智取,不可对敌。"宋江道:"似此损兵折将,用何计可取?"吴用道:"先锋计会各门了当,再引军攻打北关门,城里兵马必然出来迎敌。我却佯输诈败,诱引贼兵远离城郭,放炮为号,各门一齐打城。但得一门军马进城,便放起火来应号。贼兵必然各不相顾,可获大功。"宋江便唤戴宗传令知会。次日,令关胜引些少马军去北关门城下勒战。城上鼓响,石宝引军出城,和关胜交马。战不过十合,关胜急退。石宝军兵赶来,凌振便放起炮来。号炮起时,各门都发起喊来,一齐攻城。

　　且说副先锋卢俊义,引着林冲等,调兵攻打候潮门。军马来到城下,见城门不关,下着吊桥。刘唐要夺头功,一骑马,一把刀,直抢入城去。城上看见刘唐飞马奔来,一斧砍断绳索,坠下闸板。可怜悍勇刘唐,连马和人,同死于门下。原来杭州城子,乃钱王建都,制立三重门关:外一重闸板,中间两扇铁叶大门,里面又是一层排栅门。刘唐抢到城门下,上面早放下闸板来,两边又有埋伏军兵,刘唐如何不死!林冲、呼延灼见折了刘唐,领兵回营,报复卢俊义。各门都入不去,只得且退,使人飞报宋先锋大寨知道。宋江听得又折了刘唐,被候潮门闸死,痛哭道:"屈死了这个兄弟!自郓城县结义,跟着晁天王上梁山泊,受了许多年辛苦,不曾快乐。大小百十场,出战交锋,出百死得一生,未尝折了锐气。谁想今日却死于此处!"因作诗一首哭之:

"百战英雄士,生平志未降。

忠心扶社稷,义气助家邦。

此日枭鸣纛,何时马渡江!

不堪哀痛意,清泪逐流淙。"

且说军师吴用道:"此非良法。这计不成,倒送了一个兄弟。且教各门退军,别作道理。"宋江心焦,急欲要报仇雪恨,嗟叹不已。部下黑旋风便道:"哥哥放心,我明日和鲍旭、项充、李衮四个人,好歹要拿石宝那厮。"宋江道:"那人英雄了得,你如何近傍得他!"李逵道:"我不信!我明日不捉得他,不来见哥哥面。"宋江道:"你只小心在意,休觑得等闲!"黑旋风李逵回到自己帐房里,筛下大碗酒,大盘肉,请鲍旭、项充、李衮来吃酒,说道:"我四个从来做一路厮杀。今日我在先锋哥哥面前砍了大嘴,明日要捉石宝那厮,你三个不要心懒。"鲍旭道:"哥哥今日也教马军向前,明日也教马军向前,今晚我等约定了,来日务要齐心向前,捉石宝那厮,我们四个都争口气。"次日早晨,李逵等四人吃得醉饱了,都拿军器出寨,请先锋哥哥看厮杀。宋江见四个都半醉,便道:"你四个兄弟休把性命作戏!"李逵道:"哥哥休小觑我们!"宋江道:"只愿你们应得口便好。"

宋江上马,带同关胜、欧鹏、吕方、郭盛四个马军将佐,来到北关门下,擂鼓摇旗搦战。李逵火杂杂地搦着双斧,立在马前;鲍旭挺着板刀,睁着怪眼,只待厮杀;项充、李衮各挽一面团牌,插着飞刀二十四把,挺铁枪伏在两侧。只见城上鼓响锣鸣,石宝骑着一匹瓜黄马,拿着劈风刀,引两员首将出城来迎敌。有诗为证:

> 惯阵李逵心似火,项充李衮挽团牌。
>
> 三人当阵如雄虎,专待仇家石宝来。

上首吴值,下首廉明,三员将却才出得城来,李逵是个不怕天地的人,大吼了一声,四个直奔到石宝马头前来。石宝便把劈风刀去迎时,早来到怀里,李逵一斧斫断马脚。石宝便跳下来,望马军群里躲了。鲍旭早把廉明一刀砍下马来。两个牌手早飞出刀来,空中似玉鱼乱跃,银叶交加。宋江把马军冲到城边时,城上擂木炮石乱打下来。宋江怕有疏失,急令退军,不想鲍旭早钻入城门里去了。宋江只叫得苦。石宝却伏在城门里面,看见鲍旭抢将入来,刺斜里只一刀,早把鲍旭砍做两段。项充、李衮急护得李逵回来。宋江军马退还本寨。又见折了鲍旭,宋江越添愁闷。李逵也哭了,回寨里来。吴用道:"此计亦非良策。虽是斩得他一将,却折了李逵的副手。"

正是众人烦恼间,只见解珍、解宝到寨来报事。宋江问其备细时,解珍禀道:"小弟和解宝直哨到南门外二十馀里,地名范村,见江边泊着一连有数十只船。下去问时,原来是富阳县里袁评事解粮船。小弟欲要把他杀了,本人哭道:'我等皆是大宋良

民,累被方腊不时科敛,但有不从者,全家杀害。我等今得天兵
到来剪除,只指望再见太平之日,谁想又遭横亡!'小弟见他说的
情切,不忍杀他。又问他道:'你缘何却来此处?'他说:'为近奉
方天定令旨,行下各县,要刷洗① 村坊,着科敛白粮五万石。老
汉为头,敛得五千石,先解来交纳。今到此间,为大军围城厮杀,
不敢前去,屯泊在此。'小弟得了备细,特来报知主将。"有诗为
证:

　　　解宝趋营忽报言,粮舟数十泊河边。

　　　凭谁说与方天定,此是成功破敌年。

　　吴用大喜道:"此乃天赐其便。这些粮船上定要立功。"便请
先锋传令:"就是你两个弟兄为头,带将炮手凌振,并杜迁、李云、
石勇、邹渊、邹润、李立、白胜、穆春、汤隆;王英、扈三娘,孙新、顾
大嫂、张青、孙二娘三对夫妻,扮做梢公梢婆,都不要言语,混杂
在梢后,一搅进得城去,便放连珠炮为号。我这里自调兵来策
应。"解珍、解宝唤袁评事上岸来,传下宋先锋言语道:"你等既宋
国良民,可依此行计。事成之后,必有重赏。"此时不由袁评事不
从。许多将校已都下船,却把船上梢公人等,都只留在船上杂
用。却把梢公衣服脱来,与王英、孙新、张青穿了,装扮做梢公;
扈三娘、顾大嫂、孙二娘三个女将,扮做梢婆;小校人等都做摇船
水手。军器众将都埋藏在船舱里,把那船一齐都放到江岸边。

　　此时各门围哨的宋军,也都不远。袁评事上岸,解珍、解宝
和那数个梢公跟着,直到城下叫门。城上得知,问了备细来情,
报入太子宫中。方天定便差吴值开城门,直来江边,点了船只,
回到城中,奏知方天定。方天定差下六员将,引一万军出城,拦

---

　　① 刷洗——搜刮。

住东北角上，着袁评事搬运粮米，入城交纳。此时众将人等都杂
在梢公水手人内，混同搬粮运米入城。三个女将也随入城里去
了。五千粮食，须臾之间，都搬运已了。六员首将，却统引军入
城中。宋兵分投而来，复围住城郭，离城三二里，列着阵势。当
夜二更时分，凌振取出九箱子母等炮，直去吴山顶上放将起来。
众将各取火把，到处点着。城中不一时鼎沸起来，正不知多少宋
军在城里。方天定在宫中听了大惊，急急披挂上马时，各门城上
军士已都逃命去了。宋兵大振，各自争功夺城。有诗为证：

　　　　粮米五千才运罢，三员女将入城来。

　　　　车箱火炮连天起，眼见杭州起祸灾。

　　且说城西山内李俊等得了将令，引军杀到净慈港，夺得船
只，便从湖里使将过来，涌金门上岸。众将分投去抢各处水门。
李俊、石秀首先登城，就夜城中混战。止存南门不围，亡命败军，
都从那门下奔走。却说方天定上得马，四下里寻不着一员将校，
只有几个步军跟着，出南门奔走，忙忙似丧家之狗，急急如漏网
之鱼。走得到五云山下，只见江里走起一个人来，口里衔着一把
刀，赤条条跳上岸来。方天定在马上见来得凶，便打马要走。可
奈那匹马作怪，百般打也不动，却似有人笼住嚼环的一般。那汉
抢到马前，把方天定扯下马来，一刀便割了头，却骑了方天定的
马，一手提了头，一手执刀，奔回杭州城来。林冲、呼延灼领兵赶
到六和塔时，恰好正迎着那汉。二将认的是船火儿张横，吃了一
惊。呼延灼便叫："贤弟那里来？"张横也不应，一骑马直跑入城
里去。

　　此时宋先锋军马大队，已都入城了，就在方天定宫中为帅
府。众将校都守住行宫，望见张横一骑马跑将来，众人皆吃一
惊。张横直到宋江面前，滚鞍下马，把头和刀撇在地下，纳头拜

了两拜,便哭起来。宋江慌忙抱住张横道:"兄弟,你从那里来?阮小七又在何处?"张横道:"我不是张横。"宋江道:"你不是张横,却是谁?"张横道:"小弟是张顺。因在涌金门外被枪箭攒死,一点幽魂,不离水里飘荡。感得西湖震泽龙君,收做金华太保,留于水府龙宫为神。今日哥哥打破了城池,兄弟一魂缠住方天定,半夜里随出城去。见哥哥张横在大江里来,借哥哥身壳,飞奔上岸,跟到五云山脚下,杀了这贼,一径奔来见哥哥。"说了,蓦然倒地。宋江亲自扶起。张横睁开眼,看了宋江并众将,刀剑如林,军士丛满。张横道:"我莫不在黄泉见哥哥么?"宋江哭道:"却才你与兄弟张顺傅体,杀了方天定这贼。你不曾死,我等都是阳人,你可精神着。"张横道:"恁地说时,我的兄弟已死了?"宋江道:"张顺因要从西湖水底下去拆水门,入城放火。不想至涌金门外越城,被人知觉,枪箭攒死在彼。"张横听了,大哭一声:"兄弟!"蓦然倒了。众人看张横时,四肢不举,两眼朦胧,七魄悠悠,三魂杳杳。正是:未随五道将军去,定是无常二鬼催。毕竟张横闷倒性命如何,且听下回分解。

此一回内,折了九员将佐:

| 董 平 | 张 清 | 周 通 | 雷 横 | 龚 旺 |
| 索 超 | 邓 飞 | 刘 唐 | 鲍 旭 | |

第 九 十 六 回

卢俊义分兵歙州道　宋公明大战乌龙岭

诗曰：

　　七里滩头鼓角声，乌龙岭下战尘生。

　　白旄黄钺横山路，虎旅狼兵遍歙城。

　　天助宋江扶社稷，故教邵俊显威灵。

　　将军指日成功后，定使闾阎贺太平。

　　话说当下张横听得道没了他兄弟张顺，烦恼得昏晕了半晌，却救得苏醒。宋江道："且扶在帐房里调治，却再问他海上事务。"宋江令裴宣、蒋敬写录众将功劳，辰巳时分，都在营前聚集。李俊、石秀生擒吴值，三员女将生擒张道原，林冲蛇矛戳死冷恭，解珍、解宝杀了崔彧。只走了石宝、邓元觉、王勣、晁中、温克让五人。宋江便出榜安抚百姓，赏劳三军，把吴值、张道原解赴张招讨军前，斩首施行。献粮袁评事，申文保举作富阳县令，张招讨处，关领空头官诰，不在话下。

　　众将都到城中歇下。左右报道："阮小七从江里上岸，入城来了。"宋江唤到帐前问时，说道："小弟和张横、侯健、段景住带领水手，海边觅得船只，行至海盐等处，指望便使入钱塘江来。不期风水不顺，打出大洋里去了。急使得回来，又被风打破了船，众人都落在水里。侯健、段景住不识水性，落下去淹死海中。众多水手各自逃生，四散去了。小弟赴水到海口，进得赭山门，被潮直漾到半墦山。赴水回来,却见张横哥哥在五云山江里。本待要上岸来,又不知他在那地里。昨夜望见城中火起,又听得连珠炮响,想必是哥哥在杭州城厮杀,以此从江里上岸来。不知张横曾到岸也不曾?"宋江说张横之事与阮小七知道,令和他自己两个哥哥相见了,依前管领水军头领船只。宋江传令,先调水军头领去江里收拾江船,伺候征进睦州。想起张顺如此通灵显圣,去涌金门外,靠西湖边建立庙宇,题名金华太保,宋江亲去祭赛。后来收伏方腊,有功于朝,宋江回京奏知此事,特奉圣旨,敕封为金华将军,庙食杭州。有诗为证:

生前勇悍无人敌,死后英灵助壮图。

香火绵延森庙宇,至今血食在西湖。

再说宋江在行宫内,因思渡江以来,损折许多将佐,心中十分悲怆。却去净慈寺修设水陆道场七昼夜,判施斛食,济拔沉冥,超度众将,各设灵位享祭。做了好事已毕,将方天定宫中一应禁物,尽皆毁坏,所有金银宝贝罗段等项,分赏诸将军校。杭州城百姓俱宁,设宴庆贺。当与军师从长计议,调兵收复睦州。

此时已是四月尽间。忽闻报道:"副都督刘光世并东京天使,都到杭州。"宋江当下引众将出北关门迎接入城,就行宫开读圣旨:"敕先锋使宋江等:收剿方腊,累建大功。敕赐皇封御酒三十五瓶,锦衣三十五领,赏赐正将。其馀偏将,照名支给赏赐段匹。"原来朝廷只知公孙胜不曾渡江收剿方腊,却不知折了许多人马。宋江见了三十五员锦衣御酒,蓦然伤心,泪不能止。天使问时,宋江把折了众将的话,对天使说知。天使道:"如此折将,朝廷怎知!下官回京,必当奏闻皇上。"即时设宴管待天使,刘光世主席,其馀大小将佐,各依次序而坐。御赐酒宴,各各沾恩已罢。已亡正偏将佐,留下锦衣御酒赏赐,次日设位,遥空享祭。

宋江将一瓶御酒，一领锦衣，去张顺庙里呼名享祭，锦衣就穿泥神身上。其馀的，都只遥空焚化锦衣。天使住了几日，送回京师。

不觉迅速光阴，早过了十数日。张招讨差人赍文书来，催趱先锋进兵。宋江与吴用请卢俊义商议："此去睦州，沿江直抵贼巢。此去歙州，却从昱岭关小路而去。今从此处分兵征剿，不知贤弟兵取何处？"卢俊义道："主兵遣将，听从哥哥严令，安敢选择。"宋江道："虽然如此，试看天命。"作两队分定人数，写成两处阄子，焚香祈祷，各阄一处。宋江拈阄得睦州，卢俊义拈阄得歙州。宋江道："方腊贼巢，正在清溪县帮源洞中。贤弟取了歙州，可屯住军马，申文飞报知会，约日同攻清溪贼洞。"卢俊义便请宋公明约量分调将佐军校：

先锋使宋江，带领正偏将佐三十六员，攻取睦州并乌龙岭：

军师吴用	关　胜	花　荣	秦　明	李　应
戴　宗	朱　仝	李　逵	鲁智深	武　松
解　珍	解　宝	吕　方	郭　盛	樊　瑞
马　麟	燕　顺	宋　清	项　充	李　衮
王　英	扈三娘	凌　振	杜　兴	蔡　福
蔡　庆	裴　宣	蒋　敬	郁保四	

水军头领正偏将佐七员，部领船只，随军征进睦州：

李　俊	阮小二	阮小五	阮小七	童　威
童　猛	孟　康			

副先锋卢俊义管领正偏将佐二十八员，收取歙州并昱岭关：

军师朱武	林　冲	呼延灼	史　进	杨　雄
石　秀	单廷圭	魏定国	孙　立	黄　信
欧　鹏	杜　迁	陈　达	杨　春	李　忠

薛 永	邹 渊	邹 润	李 立	李 云
汤 隆	石 勇	时 迁	丁得孙	孙 新
顾大嫂	张 青	孙二娘		

当下卢先锋部领正偏将校共计二十九员,随行军兵三万人马,择日辞了刘都督,别了宋江,引兵望杭州取山路,经过临安县进发,登程去了。

却说宋江等整顿船只军马,分拨正偏将校,选日祭旗出师,水陆并进,船骑相迎。此时杭州城内瘟疫盛行,已病倒六员将佐,是张横、穆弘、孔明、朱贵、杨林、白胜,患体未痊,不能征进;就拨穆春、朱富看视病人,共是八员,寄留于杭州。其馀众将,尽随宋江攻取睦州,共计三十七员,取路沿江望富阳县进发。

且不说两路军马起程,再说柴进同燕青,自秀州槜李亭别了宋先锋,行至海盐县前,到海边趁船,使过越州,迤逦来到诸暨县,渡过渔浦,前到睦州界上。把关隘将校拦住,柴进告道:"某乃是中原一秀士,能知天文地理,善会阴阳,识得六甲风云,辨别三光气色,九流三教,无所不通。遥望江南有天子气数而来,何故闭塞贤路?"把关将校听得柴进言语不俗,便问姓名。柴进道:"某乃姓柯名引,一主一仆,投上国而来,别无他故。"守将见说,留住柴进,差人径来睦州,报知右丞相祖士远、参政沈寿、金书桓逸、元帅谭高,四个跟前禀了。便使人接取柴进,至睦州相见,各叙寒温。柴进一段话,耸动那四个,更兼柴进一表非俗,那里坦然不疑。右丞相祖士远大喜,便叫金书桓逸,引柴进去清溪大内朝觐。原来睦州、歙州,方腊都有行宫,大殿内却有五府六部总制。在清溪县帮源洞中,亦自有去处。

且说柴进、燕青跟随桓逸来到清溪帝都,先来参见左丞相娄敏中。柴进高谈阔论，一片言语，娄敏中大喜，就留柴进在相府管待。看了柴进、燕青出言不俗，知书通礼，先自有八分欢喜。这娄敏中原是清溪县教学的先生，虽有些文章，苦不甚高，被柴进这一段话，说得他大喜。

　　过了一夜，次日早朝，等候方腊王子升殿。内列着侍御嫔妃采女，外列九卿四相文武两班，殿前武士金瓜，长随侍从。当有左丞相娄敏中出班启奏："中原是孔夫子之乡。今有一贤士，姓柯名引，文武兼资，智勇足备，善识天文地理，能辨六甲风云，贯通天地气色，三教九流，诸子百家，无不通达，望天子气象而来。见在朝门外，伺候我主传宣。"方腊道："既有贤士到来，便令白衣朝见。"阁门大使传宣，引柴进到于殿下。拜舞起居，山呼万岁已毕，宣入帝前。方腊看见柴进一表非俗，有龙子龙孙气象，先有八分喜色。方腊问道："贤士所言望天子气色而来，在于何处？"柴进奏道："臣柯引贱居中原天子之乡，父母双亡，只身学业，传先贤之秘诀，授祖师之玄文。近日夜观乾象，见帝星明朗，正照东吴。因此不辞千里之劳，望气而来。特至江南，又见一缕五色天子之气，起自睦州。今得瞻天子圣颜，抱龙凤之姿，挺天日之表，正应此气，臣不胜幸甚之至！"言讫再拜。有诗为证：

　　　　五色龙光照碧天，葱葱佳气蔼祥烟。

　　　　定知有客乘黄屋，特地相寻到御前。

　　方腊道："寡人虽有东南地土之分，近被宋江等侵夺城池，将近吾地，如之奈何？"柴进奏道："臣闻古人有言：得之易，失之易；得之难，失之难。今陛下东南之境，开基以来，席卷长驱，得了许多州郡。今虽被宋江侵了数处，不久气运复归于圣上。陛下非止江南之境，他日中原社稷，亦属于陛下所统，以享唐虞无穷之乐，虽炎汉、盛唐，亦不可及也。"方腊见此等言语，心中大喜，敕赐锦墩命坐,管待御宴,加封为中书侍郎。自此柴进每日得近方腊,无非用些阿谀美言谄佞,以取其事。未经半月之间,方腊及内外官僚,无一人不喜柴进。

次后,方腊见柴进署事公平,尽心喜爱,却令左丞相娄敏中做媒,把金芝公主招赘柴进为驸马,封官主爵都尉。燕青改名云壁,人都称为云奉尉。柴进自从与公主成亲之后,出入宫殿,都知内苑备细。方腊但有军情重事,便宣柴进至内宫计议。柴进时常奏说:"陛下气色真正,只被罡星冲犯,尚有半年不安。直待并得宋江手下无了一员战将,罡星退度,陛下复兴基业,席卷长驱,直占中原之地。"方腊道:"寡人手下爱将数员,尽被宋江杀死,似此奈何?"柴进又奏道:"臣夜观天象,陛下气数,将星虽多数十位,不为正气,未久必亡。却有二十八宿星象,正来辅助陛下,复兴基业。宋江伙内亦有十数员来降,此也是数中星宿,尽是陛下开疆展土之臣也。"方腊听了大喜。有诗为证:

柴进英雄世少双,神谋用处便归降。

高官厚禄妻公主,一念原来为宋江。

且不说柴进做了驸马,却说宋江部领大队人马军兵,水陆并进,船骑同行,离了杭州,望富阳县进发。时有宝光国师邓元觉,并元帅石宝、王勣、晁中、温克让五个,引了败残军马,守住富阳县关隘,却使人来睦州求救。右丞相祖士远,当差两员亲军指挥使,引一万军马前来策应。正指挥白钦,副指挥景德,两个都有万夫不当之勇,来到富阳县,和宝光国师等合兵一处,占住山头。宋江等大队军马已到七里湾,水军引着马军,一发前进。石宝见了,上马带流星锤,拿劈风刀,离了富阳县山头,来迎宋江。关胜正欲出马,吕方叫道:"兄长少停,看吕方和这厮斗几合。"宋江在门旗影里看时，吕方一骑马一枝戟，直取石宝，那石宝使劈风刀相迎。两个斗到五十合，吕方力怯。郭盛见了，便持戟纵马前来夹攻。那石宝一口刀战两枝戟，没半分漏泄。正斗到至处，南边宝光国师急鸣锣收军。原来见大江里战船乘着顺风，都上滩来，却来傍岸，怕他两处夹攻，因此鸣锣收军。吕方、郭盛缠住厮杀，那里肯放。石宝又斗了三五合，宋兵阵上朱仝，一骑马一条枪，又去夹攻。石宝战不过三将，分开兵器便走。宋江鞭梢一指，直杀过富阳山岭。石宝军马于路屯扎不住，直到桐庐县界内。宋江连夜进兵，过白蜂岭下寨。当夜差遣解珍、解宝、燕顺、王矮虎、一丈青取东路，李逵、项充、李衮、樊瑞、马麟取西路，各带一千步军，去桐庐县劫寨；江里却教李俊、三阮、二童、孟康七人取水路进兵。

且说解珍等引着军兵杀到桐庐县时，已是三更天气。宝光国师正和石宝计议军务，猛听的一声炮响，众人上马不迭，急看时，三路火起。诸将跟着石宝，只顾逃命，那里敢来迎敌。三路军马，横冲直撞杀将来。温克让上得马迟，便望小路而走，正撞着王矮虎、一丈青。他夫妻二人一发上，把温克让横拖倒拽，活捉去了。李逵和项充、李衮、樊瑞、马麟，只顾在县里杀人放火。宋江见报，催趱军兵拔寨都起，直到桐庐县屯驻军马。王矮虎、一丈青献温克让请功。赏赐二人。宋江教把温克让解赴杭州张招讨前斩首，不在话下。

次日，宋江调兵，水陆并进，直到乌龙岭下，过岭便是睦州。此时，宝光国师引着众将，都上岭去把关隘，屯驻军马。那乌龙关隘正靠长江，山峻水急，上立关防，下排战舰。宋江军马近岭下屯驻，扎了寨栅。步军中差李逵、项充、李衮引五百牌手出哨探路。到得乌龙岭下，上面擂木炮石打将下来，不能前进，无计可施,回报宋先锋。宋江又差阮小二、孟康、童威、童猛四个,先棹一半战船上滩。当下阮小二带了两个副将,引一千水军,分作一百只船上,摇船擂鼓,唱着山歌,渐近乌龙岭边来。原来乌龙岭下那面靠山,却是方腊的水寨。那寨里也屯着五百只战船,船上有五千来水军。为头四个水军总管,名号浙江四龙。那四龙是:

玉爪龙都总管成贵　　锦鳞龙副总管翟源

冲波龙左副管乔正　　戏珠龙右副管谢福

这四个总管,却是方腊加封的绰号。这四人原是钱塘江里梢公,投奔方腊,却受三品职事。当日阮小二等乘驾船只,从急流下水,摇上滩去。南军水寨里,四个总管已自知了,准备下五十连火排。原来这火排只是大松杉木穿成,排上都堆草把,草把内暗藏着硫黄焰硝引火之物,把竹索编住,排在滩头。这里阮小二和孟康、童威、童猛四个,只顾摇上滩去。那四个水军总管在上面看见了,各打一面干红号旗,驾四只快船,顺水下来。四个都一般打扮。但见:

万字头巾发半笼,白罗衫绣系腰红。

手执长枪悬雪刃,钱塘江上四条龙。

那四只快船顺水摇将下来,渐近,阮小二看见,喝令水手放箭。那四只快船便回,阮小二便叫乘势赶上滩去。四只快船傍滩住了,四个总管却跳上岸,许多水手们也都走了。阮小二望见滩上水寨里船广,不敢上去,只在下水头望。只见乌龙岭上把旗一招,金鼓齐鸣,火排一齐点着,望下滩顺风冲将下来。背后大船,一齐喊起,都是长枪挠钩,尽随火排下来,只顾乱杀敌军。童威、童猛见势大难近,便把船傍岸,弃了船只,爬过山边,步行上山,寻路回寨。阮小二和孟康,兀自在船上迎敌,火排连烧将来。

阮小二急下水时,后船赶上,一挠钩搭住。阮小二心慌,怕吃他拿去受辱,扯出腰刀自刎而亡。孟康见不是头,急要下水时,火排上火炮齐发,一炮正打中孟康头盔,透顶打做肉泥。四个水军总管,却上火船,杀将下来。李俊和阮小五、阮小七都在后船,见前船失利,沿江岸杀来,只得急忙转船,便随顺水,只放下桐庐岸来。

再说乌龙岭上宝光国师并元帅石宝,见水军总管得胜,乘势引军杀下岭来。水深不能相赶,路远不能相追,宋兵复退在桐庐驻扎,南兵也收军上乌龙岭去了。有诗为证:

> 计拙谋疏事不成,宝光兵术更难名。
>
> 火船火炮连天起,杀得孤军太不情。

宋江在桐庐扎驻寨栅,又见折了阮小二、孟康,在帐中烦恼,寝食俱废,梦寐不安,吴用与众将苦劝不得。阮小五、阮小七挂孝已了,自来谏劝宋江道:“我哥哥今日为国家大事折了性命,也强似死在梁山泊埋没了名目。先锋主兵,不须烦恼,且请理国家大事,我弟兄两个自去复仇。”宋江听了,稍稍回颜。次日,仍复整点军马,再要进兵。吴用谏道:“兄长未可急性,且再寻思计策,渡岭未迟。”只见解珍、解宝便道:“我弟兄两个原是猎户出身,巴山度岭得惯。我两个装做此间猎户,扒上山去,放起一把火来,教那贼兵大惊,必然弃了关去。”吴用道:“此计虽好,只恐这山险峻,难以进步,倘或失脚,性命难保。”解珍、解宝便道:“我弟兄两个,自登州越狱上梁山泊,托哥哥福荫,做了许多年好汉,又受了国家诰命,穿了锦袄子,今日为朝廷,便粉骨碎身,报答仁兄,也不为多。”宋江道:“贤弟休说这凶话!只愿早早干了大功回京,朝廷不肯亏负我们。你只顾尽心竭力,与国家出力。”解珍、解宝便去拴束,穿了虎皮套袄,腰里各跨一口快刀,提了钢叉。两个来辞了宋江,便取小路,望乌龙岭上来。

此时才有一更天气。路上撞着两个伏路小军,二人结果了两个,到得岭下时,已有二更。听得岭上寨内,更鼓分明,两个不敢从大路走,攀藤揽葛,一步步爬上岭来。是夜月光星朗,如同白日。两个三停爬了二停之上,望见岭上灯光闪闪。两个伏在岭凹边听时,上面更鼓已打四更。解珍暗暗地叫兄弟道:"夜又短,天色无多时了,我两个上去罢。"两个又攀援上去。正爬到岩壁崎岖之处,悬崖险峻之中,两个只顾爬上去,手脚都不闲,却把搭膊拴住钢叉,拖在背后,刮得竹藤乱响,山岭上早吃人看见了。解珍正爬在山凹处,只听得上面叫声:"着!"一挠钩正搭住解珍头髻。解珍急去腰里拔得刀出来时,上面已把他提得脚悬了。解珍心慌,连忙一刀砍断挠钩,却从空里坠下来。可怜解珍做了半世好汉,从这百十丈高崖上倒撞下来,死于非命。下面都是狼牙乱石,粉碎了身躯。解宝见哥哥撷将下去,急退步下岭时,上头早滚下大小石块,并短弩弓箭,从竹藤里射来。可怜解宝为了一世猎户,做一块儿射死在乌龙岭边竹藤丛里。两个身死。

天明,岭上差人下来,将解珍、解宝尸首,就风化在岭上。探子体得备细,报与宋先锋知道,解珍、解宝已死在乌龙岭。有诗为证:

千尺悬崖峻渺茫,古藤高树乱苍苍。

夜深欲作幽探计,两将谁知顷刻亡。

宋江听得又折了解珍、解宝,哭得几番昏晕,便唤关胜、花荣点兵取乌龙岭关隘,与四个兄弟报仇。吴用谏道:"仁兄不可性急,已死者皆是天命。若要取关,不可造次,须用神机妙策,智取其关,方可调兵遣将。"宋江怒道:"谁想把我弟兄们手足三停损了一停! 不忍那贼们把我兄弟风化在岭上,今夜必须提兵,先去夺尸首回来,具棺椁埋葬!"吴用阻道:"贼兵将尸风化,诚恐有计,兄长未可造次!"宋江那里肯听军师谏劝,随即点起三千精兵,带领关胜、花荣、吕方、郭盛四将,连夜进兵。到乌龙岭时,已是二更时分,小校报道:"前面风化起两个人在那里,敢是解珍、解宝的尸首?"宋江纵马亲自来看时,见两株树上,把竹竿挑起两个尸首。树上削去了一片皮,写两行大字在上,月黑不见分晓。宋江令讨放炮火种吹起灯来看时,上面写道:"宋江早晚也号令在此处"。宋江看了大怒,却传令人上树去取尸首。只见四下里火把齐起,金鼓乱鸣,团团军马围住。当前岭上,早乱箭射来。江里船内水军,都纷纷上岸来。宋江见了,叫声苦,不知高低。急退军时,石宝当先截住去路;转过侧首,又是邓元觉杀将下来。可怜宋江平生义气,高如不老之天;今日遭殃,死无葬身之地。直使规模有似马陵道,光景浑如落凤坡。毕竟宋江军马怎地脱身,且听下回分解。

　　此一回内,折了六员将佐:

　　　侯　健　　段景住　　阮小二　　孟　康　　解　珍
　　　解　宝

患病寄留杭州并看视,共八员将佐:

　　　张　横　　穆　弘　　孔　明　　朱　贵　　杨　林
　　　白　胜　　穆　春　　朱　富

第九十七回

睦州城箭射邓元觉　乌龙岭神助宋公明

诗曰：

> 海上髡囚号宝光，解将左道恣猖狂。
>
> 从来邪法难归正，到底浮基易灭亡。
>
> 吴用良谋真妙算，花荣神箭世无双。
>
> 兴亡多少英雄事，看到清溪实感伤。

话说宋江因要救取解珍、解宝的尸，到于乌龙岭下，正中了石宝计策。四下里伏兵齐起，前有石宝军马，后有邓元觉截住回路。石宝厉声高叫："宋江不下马受降，更待何时！"关胜大怒，拍马轮刀战石宝。两将交锋未定，后面喊声又起。脑背后却是四个水军总管，一齐登岸，会同王勣、晁中从岭上杀将下来。花荣急出当住后队，便和王勣交战。斗无数合，花荣便走，王勣、晁中乘势赶来，被花荣手起，急放连珠二箭，射中二将，翻身落马。众军呐声喊，不敢向前，退后便走。四个水军总管见一连射死王勣、晁中，不敢向前，因此花荣抵敌得住。刺斜里又撞出两阵军来，一队是指挥白钦，一队是指挥景德。这里宋江阵中，二将齐出，吕方便迎住白钦交战，郭盛便与景德相持。四下里分头厮杀，敌对死战。宋江正慌促间，只听得南军后面喊杀连天，众军奔走。原来却是李逵引两个牌手项充、李衮，一千步军，从石宝马军后面杀来。邓元觉引军却待来救应时，背后撞过鲁智深、武松,两口戒刀横剁直砍,浑铁禅杖一冲一截,两个引一千步军,直杀入来。随后又是秦明、李应、朱全、燕顺、马麟、樊瑞、一丈青、王矮虎,各带马军、步军,舍死撞杀入来。四面宋兵杀散石宝、邓元觉军马,救得宋江等回桐庐县去。石宝也自收兵上岭去了。宋江在寨中称谢众将:"若非我兄弟相救,宋江已与解珍、解宝同为泉下之鬼!"吴用道:"为是兄长此去,不合愚意,惟恐有失,便遣众将相接。"宋江称谢不已。

且说乌龙岭上,石宝、邓元觉两个元帅在寨中商议道:"即目宋江兵马退在桐庐县驻扎,倘或被他私越小路,度过岭后,睦州咫尺危矣。不若国师亲往清溪大内,面见天子,奏请添调军马,守护这条岭隘,可保长久。"邓元觉道:"元帅之言极当,小僧便往。"邓元觉随即上马,先来到睦州,见了右丞相祖士远,说:"宋江兵强人猛,势不可当,军马席卷而来,诚恐有失。小僧特来奏请添兵遣将,保守关隘。"祖士远听了,便同邓元觉上马离了睦州,一同到清溪县帮源洞中,先见了左丞相娄敏中,说过了奏请添调军马。

次日早朝,王子方腊升殿,左右二丞相,一同邓元觉朝见。拜舞已毕,邓元觉向前起居万岁,便奏道:"臣僧元觉,领着圣旨,与太子同守杭州。不想宋江军马兵强将勇,席卷而来,势难迎敌,致被袁评事引诱入城,以致失陷杭州。太子贪战,出奔而亡。今来元觉与元帅石宝,退守乌龙岭关隘,近日连斩宋江四将,声势颇振。即目宋江已进兵到桐庐驻扎,诚恐早晚贼人私越小路,透过关来,岭隘难保。请陛下早选良将,添调精锐军马,同保乌龙岭关隘,以图退贼,克复城池。臣僧元觉,特来启请。"方腊道:"各处军兵已都调尽。近日又为歙州昱岭上关隘甚紧,又分去了数万军兵。止有御林军马,寡人要护御大内,如何四散调得开去?"邓元觉又奏道:"陛下不发救兵,臣僧无奈。若是宋兵度岭之后,睦州焉能保守!"左丞相娄敏中出班奏曰:"这乌龙岭关隘,亦是要紧去处。臣知御林军兵总有三万,可分一万跟国师去保守关隘。乞我王圣鉴。"方腊不听娄敏中之言,坚执不肯调拨御林军马去救乌龙岭。有诗为证:

> 伪朝事体溃如痈,要请廷兵去折冲。
>
> 自古江山归圣主,髡囚犹自妄争锋。

当日朝罢,众人出内。娄丞相与众官商议,只教祖丞相睦州分一员将,拨五千军,与国师去保乌龙岭。因此邓元觉同祖士远回睦州来,选了五千精锐军马,首将一员夏侯成,同到乌龙岭寨内,与石宝说知此事。石宝道:"既是朝廷不拨御林军马来退宋兵,我等且守住关隘,不可出战。着四个水军总管,牢守滩头江岸边,但有船来,便去杀退,不可进兵。"

且不说宝光国师同石宝、白钦、景德、夏侯成五个守住乌龙岭关隘,却说宋江自折了将佐,只在桐庐县驻扎,按兵不动,一住二十馀日,不出交战。忽有探马报道:"朝廷又差童枢密赍赏赐,已到杭州。听知分兵两路,童枢密转差大将王禀分赍赏赐,投昱岭关卢先锋军前去了。童枢密即目便到,亲赍赏赐。"宋江见报,便与吴用众将都离县二十里迎接。来到县治里,开读圣旨,便将赏赐分给众将。宋江等参拜童枢密,随即设宴管待。童枢密问道:"征进之间,多听得损折将佐。"宋江垂泪禀道:"往年跟随赵枢相北征大辽,兵将全胜,端的不曾折了一个将校。自从奉敕来征方腊,未离京师,首先去了公孙胜,驾前又留下了数人。进兵渡得江来,但到一处,必损折数人。近又有八九个将佐,病倒在杭州,存亡未保。前面乌龙岭厮杀二次,又折了几将。盖因山险水急,难以对阵,急切不能打透关隘。正在忧惶之际,幸得恩相到此。"童枢密道:"今上天子多知先锋建立大功,后闻损折将佐,特差下官,引大将王禀、赵谭,前来助阵。已使王禀赍赏往卢先锋处,分俵给散众将去了。"随唤赵谭与宋江等相见,俱于桐庐县驻扎。饮宴管待已了。

次日,童枢密整点军马,欲要去打乌龙岭关隘。吴用谏道:"恩相未可轻动。且差燕顺、马麟去溪僻小径去处,寻觅当村土居百姓,问其向道,别求小路,度得关那边去,两面夹攻,彼此不能相顾,此关唾手可得。"宋江道:"此言极妙!"随即差遣马麟、燕顺引数十个军健,去村落中寻访百姓问路。去了一日,至晚,引将一个老儿来见宋江。宋江问道:"这老者是甚人?"马麟道:"这老的是本处土居人户,都知这里路径溪山。"宋江道:"老者,你可指引我一条路径过乌龙岭去,我自重重赏你。"老儿告道:"老汉祖居是此间百姓,累被方腊残害,无处逃躲。幸得天兵到此,万民有福,再见太平。老汉指引一条小路过乌龙岭去,便是东管,取^① 睦州不远。便到北门,却转过西门,便是乌龙岭。"宋江听了大喜,随即叫取银物赏了引路老儿,留在寨中,又着人与酒饭管待。次日,宋江请启童枢密守把桐庐县:"宋江自引军马,亲来睦州城下,两面夹攻,可取乌龙岭关隘。"童贯便教宋先锋分兵拨将。宋江亲自带领正偏将一十二员,取小路进发。童枢密部领兵马,大路而进。宋江所带那十二员是:花荣、秦明、鲁智深、武松、戴宗、李逵、樊瑞、王英、扈三娘、项充、李衮、凌振。有诗为证:

> 山岭崎岖绕睦州,损兵折将重堪忧。
>
> 若非故老为向导,焉得奇功顷刻收。

---

① 取——隔取,指距离、间隔。

话说当下宋江亲自带领正偏将一十二员,随行马步军兵一万人数,跟着引路老儿便行。马摘銮铃,军士衔枚疾走,至小半岭,已有一伙军兵拦路。宋江便叫李逵、项充、李衮冲杀入去,约有三五百守路贼兵,都被李逵等杀尽。四更前后,已到东管。本处守把将伍应星,听得宋兵已透过东管,思量部下止有三千人马,如何迎敌得,当时一哄都走了,径回睦州报与祖丞相等官知道:"今被宋江军兵私越小路,已透过乌龙岭这边,尽到东管来了。"祖士远听了大惊,急聚众将商议。宋江已令炮手凌振,放起连珠炮。乌龙岭上寨中石宝等听得大惊,急使指挥白钦引军探时,见宋江旗号,遍天遍地,摆满山林。急退回岭上寨中,报与石宝等官。石宝便道:"既然朝廷不发救兵,我等只坚守关隘,不要去救。"邓元觉便道:"元帅差矣! 如今若不调兵救应睦州,也自由可。倘或内苑有失,我等亦不能保。你不去时,我自去救应睦州。"石宝苦劝不住,邓元觉点了五千人马,绰了禅杖,带领夏侯成下岭去了。

且说宋江引兵到了东管,且不去打睦州,先来取乌龙岭关隘,却好正撞着邓元觉。军马渐近,两军相迎,邓元觉当先出马挑战。花荣看见,便向宋江耳边低低道:"此人则除如此如此可获。"宋江点头道:"是。"就嘱付了秦明,两将都会意了。秦明首先出马,便和邓元觉交战。斗到五六合,秦明回马便走,众军各自东西四散。邓元觉看见秦明输了,倒撇了秦明,径奔来捉宋江。原来花荣已准备了,护持着宋江,只待邓元觉来得较近,花荣满满地攀着弓,觑得亲切,照面门上飕地一箭,弓开满月,箭发流星,正中邓元觉面门,坠下马去,被众军杀死。一齐卷杀拢来,南兵大败,夏侯成抵敌不住,便奔睦州去了。宋兵直杀到乌龙岭边,岭上擂木炮石打将下来,不能上去。宋兵却杀转来,先打睦州。

　　且说祖丞相见首将夏侯成逃来,报说:"宋兵已度过东管,杀了邓国师,即日来打睦州。"祖士远听了,便差人同夏侯成去清溪大内,请娄丞相入朝启奏:"见今宋兵已从小路透过到东管,前来攻打睦州甚急。乞我王早发军兵救应,迟延必至失陷。"方腊听了大惊,急宣殿前太尉郑彪,点与一万五千御林军马,星夜去救睦州。郑彪奏道:"臣领圣旨,乞请天师同行策应,可敌宋江。"方腊准奏,便宣灵应天师包道乙。当时宣诏天师,直至殿下面君。包道乙打了稽首,方腊传旨道:"今被宋江兵马,看看侵犯寡人地面,累次陷了城池兵将。即目宋兵见今俱到睦州,可望天师阐扬道法,护国救民,以保江山社稷。"包天师奏道:"主上宽心。贫道不才,凭胸中之学识,仗陛下之洪福,一扫宋江兵马,死无葬身之地。"方腊大喜,赐坐设宴管待。包道乙饮筵罢,辞帝出朝。

　　包天师便和郑彪、夏侯成商议起军。原来这包道乙祖是金华山中人,幼年出家学左道①之法。向后跟了方腊,谋叛造反,以邪作正,但遇交锋,必使妖法害人。有一口宝剑,号为玄天混元剑,能飞百步取人,协助方腊行不仁之事,因此尊为灵应天师。那郑彪原是婺州兰溪县都头出身,自幼使得枪棒惯熟,遭际方腊,做到殿帅太尉。酷爱道法,礼拜包道乙为师,学得他许多法术在身。但遇厮杀之处,必有云气相随,因此人呼为郑魔君。这夏侯成亦是婺州山中人,原是猎户出身,惯使钢叉,自来随着祖丞相管领睦州。当日三个在殿帅府中商议起军,门吏报道:"有司天太监浦文英来见天师。"问其来故,浦文英说道:"闻知天师

---

　　① 左道——邪门歪道。左道之法,就是妖法。

与太尉、将军三位，提兵去和宋兵战。文英夜观乾象，南方将星皆是无光，宋江等将星尚有一半明朗者。天师此行虽好，只恐不利。何不回奏主上，商量投拜为上，且解一国之厄。"包天师听了大怒，掣出玄天混元剑，把这浦文英一剑挥为两段，急动文书申奏朝廷去讫，不在话下。有诗为证：

> 文英占玩极精详，进谏之言亦善良。
>
> 妖道不知天命在，怒将雄剑斩身亡。

当下便遣郑彪为先锋，调前部军马，出城前进。包天师为中军，夏侯成做合后，军马进发，来救睦州。

且说宋江兵将攻打睦州，未见次第，忽闻探马报来，清溪救军到了。宋江听罢，便差王矮虎、一丈青两个出哨迎敌。夫妻二人，带领三千马军，投清溪路上来。正迎着郑彪，首先出马，便与王矮虎交战。两个更不打话，排开阵势，交马便斗。才到八九合，只见郑彪口里念念有词，喝声道："疾！"就头盔顶上流出一道黑气来。黑气之中，立着一个金甲天神，手持降魔宝杵，从半空里打将下来。王矮虎看见，吃了一惊，手忙脚乱，失了枪法，被郑魔君一枪戳下马去。一丈青看见戳了他丈夫落马，急舞双刀去救时，郑彪便来交战。略斗一合，郑彪回马便走。一丈青要报丈夫之仇，急赶将来。郑魔君歇住铁枪，舒手去身边锦袋内摸出一块镀金铜砖，扭回身，看着一丈青面门上只一砖，打落下马而死。可怜能战佳人，到此一场春梦！有诗哀挽为证：

> 花朵容颜妙更新，捐躯报国竟亡身。
>
> 老夫借得春秋笔，女辈忠良传此人。

> 戈戟森严十里周，单枪独马雪夫仇。
>
> 噫嗟食禄忘君者，展卷闻风岂不羞。

那郑魔君招转军马，却赶宋兵。宋兵大败，回见宋江，诉说王矮虎、一丈青都被郑魔君戳打伤死，带去军兵，折其大半。宋江听得又折了王矮虎、一丈青，心中大怒，急点起军马，引了李逵、项充、李衮，带了五千人马前去迎敌。早见郑魔君兵马已到。宋江怒气填胸，遽尔当先出马，大喝郑彪道："逆贼怎敢杀吾二将！"郑彪便提枪出马，要战宋江。李逵见了大怒，拿起两把板斧，便飞奔出去，项充、李衮急舞蛮牌遮护，三个直冲杀入郑彪怀里去。那郑魔君回马便走，三个直赶入南兵阵里去。宋江恐折了李逵，急招起五千人马，一齐掩杀，南兵四散奔走。宋江且叫鸣金收兵。两个牌手当得李逵回来，只见四下里乌云罩合，黑气漫天，不分南北东西，白昼如夜。宋江军马，前无去路。但见：

> 阴云四合，黑雾漫天。下一阵风雨滂沱，起数声怒雷猛烈。山川震动，高低浑似天崩；溪涧颠狂，左右却如地陷。悲悲鬼哭，衮衮神号。定睛不见半分形，满耳惟闻千树响。

宋江军兵当被郑魔君使妖法，黑暗了天地，迷踪失路。众将军兵，难寻路径，撞到一个去处，黑漫漫不见一物。本部军兵，自乱起来。宋江仰天叹曰："莫非吾当死于此地矣！"从巳时直至未牌，方才云起气清，黑雾消散，看见一周遭都是金甲大汉，团团围住。宋江兵马，伏地受死。宋江见了，下马受降，只称："乞赐早死！"伏于地下，耳边只听得风雨之声，却不见人。手下众军将士，都掩面受死，只等刀来砍杀。须臾风雨过处，宋江却见刀不砍来。有一人来搀宋江，口称："请起！"宋江抬头仰脸看时，只见面前一个秀才来扶。看那人时，怎生打扮？但见：

> 头裹乌纱软角唐巾，身穿白罗圆领凉衫，腰系乌犀金鞓束带，足穿四缝干皂朝靴。面如傅粉，唇若涂朱。堂堂

七尺之躯,楚楚三旬之上。若非上界灵官,定是九天进士。

宋江见了失惊,起身叙礼,便问:"秀才高姓大名?"那秀才答道:"小生姓邵名俊,土居于此。今特来报知义士,方十三气数将尽,只在旬日可破。小生多曾与义士出力,今虽受困,救兵已至,义士知否?"宋江再问道:"先生,方十三气数何时可获?"邵秀才把手一推,宋江忽然惊觉,乃是南柯一梦。醒来看时,面前一周遭大汉,却原来都是松树。宋江大叫,军将起来,寻路出去。此时云收雾敛,天朗气清,只听得松树外面发喊将来。宋江便领起军兵从里面杀出去时,早望见鲁智深、武松一路杀来,正与郑彪交手。那包天师在马上,见武松使两口戒刀,步行直取郑彪。包道乙便向鞘中掣出那口玄天混元剑来,从空飞下;正砍中武松左臂,血晕倒了。却得鲁智深一条禅杖,忿力打入去,救得武松时,已自左臂砍得伶仃将断,却夺得他那口混元剑。武松醒来,看见左臂已折,伶仃将断,一发自把戒刀割断了。宋江先叫军校扶送回寨将息。鲁智深却杀入后阵去,正遇着夏侯成交战。两个斗了数合,夏侯成败走。鲁智深一条禅杖直打入去,南军四散。夏侯成便望山林中奔走,鲁智深不舍,赶入深山里去了。

且说郑魔君那厮,又引兵赶将来。宋军阵内李逵、项充、李衮三个见了,便舞起蛮牌、飞刀、标枪、板斧,一齐冲杀入去。那郑魔君迎敌不过,越岭渡溪而走。三个不识路径,要在宋江面前逞能,死命赶过溪去,紧追郑彪。溪西岸边抢出三千军来,截断宋兵。项充急回时,早被岸边两将拦住,便叫李逵、李衮时,已过溪赶郑彪去了。不想前面溪涧又深,李衮先一跤跌翻在溪里,被南军乱箭射死。项充急钻下岸来,又被绳索绊翻,却待要挣扎,众军乱上,剁做肉泥。可怜李衮、项充,到此英雄怎使! 只有李逶独自一个,赶入深山里去了。溪边军马,随后袭将去。未经半里,背后喊声振起,却是花荣、秦明、樊瑞三将引军来救,杀散南军,赶入深山,救得李逵回来,只不见了鲁智深。众将回来参见宋江,诉说追赶郑魔君过溪厮杀,折了项充、李衮,止救了李逵回来。宋江听罢,痛哭不止。整点军兵,折其一停。又不见了鲁智深,武松已折了左臂。

宋江正哭之间,探马报道:"军师吴用和关胜、李应、朱仝、燕顺、马麟,提一万军兵从水路到来。"宋江迎见吴用等,便问来情。吴用答道:"童枢密自有随行军马,并大将王禀、赵谭,都督刘光世又领军马,已到乌龙岭下。只留下吕方、郭盛、裴宣、蒋敬、蔡福、蔡庆、杜兴、郁保四,并水军头领李俊、阮小五、阮小七、童威、童猛等一十三人,其馀都跟吴用到此策应。"宋江诉说折了将佐:"武松已成废人,鲁智深又不知去向,不由我不伤感!"吴用劝道:"兄长且宜开怀,即目正是擒捉方腊之时,只以国家大事为重,不可念弟兄之情,忧损贵体。"宋江指着许多松树,说梦中之事,与军师知道。吴用道:"既然有此灵验之梦,莫非此处坊隅庙宇,有灵显之神,故来护佑兄长?"宋江乃言:"军师所见极当,就与足下进山寻访。"吴用当与宋江信步行入山林。未及半箭之地,松树林中早见一所庙宇,金书牌额,上写:"乌龙神庙"。宋江、吴用入庙,上殿看时,吃了一惊。殿上塑的龙君圣像,正和梦中见者无异。宋江再拜恳谢道:"多蒙龙君神圣救护之恩,未能报谢。望乞灵神助威,若平复了方腊,敬当一力申奏朝廷,重建庙宇,加封圣号。"宋江、吴用拜罢下阶,看那石碑时,神乃唐朝一进士,姓邵名俊,应举不第,坠江而死,天帝怜其忠直,赐作龙神。本处人民祈风得风,祈雨得雨,以此建立庙宇,四时享祭。宋江看了,随即叫取乌猪白羊,祭祀已毕。出庙来再看备细,见周遭松树显化,

可谓异事。直至如今,严州北门外有乌龙大王庙,亦名万松林,
古迹尚存。有诗为证:

> 万松林里乌龙主,梦显阴灵助宋江。

> 为报将军莫惆怅,方家不日便投降。

且说宋江谢了龙君庇祐之恩,出庙上马,回到中军寨内,便
与吴用商议敌军之法,打睦州之策。坐至半夜,宋江觉道神思困
倦,伏几而卧。只闻一人报曰:"有邵秀才相访。"宋江急忙起身,
出帐迎接时,只见邵龙君长揖宋江道:"昨日若非小生救护,松树
已被包道乙作起邪法,松树化人,擒获足下矣。适间深感祭奠之
礼,特来致谢。就行报知,睦州来日可破,方十三旬日可擒。"宋
江正待邀请入帐再问间,忽被风声一搅,撒然觉来,又是一梦。

宋江急请军师圆梦,说知其事。吴用道:"既是龙君如此显
灵,来日便可进兵攻打睦州。"宋江道:"言之极当!"至天明,传下
军令,点起大队人马,攻取睦州。便差燕顺、马麟守住乌龙岭这
条大路,却令关胜、花荣、秦明、朱仝四员正将,当先进兵,来取睦
州,便望北门攻打。却令凌振施放九厢子母等火炮,直打入城
去。那火炮飞将起去,震的天崩地动,岳撼山摇。城中军马,惊
得魂消魄丧,不杀自乱。

且说包天师、郑魔君后军,已被鲁智深杀散追赶,夏侯成不
知下落。那时已将军马退入城中屯驻,却和右丞相祖士远、参政
沈寿、金书桓逸、元帅谭高、守将伍应星等商议:"宋兵已至,何以
解救?"祖士远道:"自古兵临城下,将至濠边,若不死战,何以解
之?打破城池,必被擒获。事在危厄,尽须向前。"当下郑魔君引
着谭高、伍应星并牙将十数员,领精兵一万,开放城门,与宋江对
敌。宋江教把军马略退半箭之地,让他军马出城摆列。那包天
师拿着把交椅,坐在城头上,祖丞相、沈参政并桓金书,皆坐在敌

楼上看。郑魔君便挺枪跃马出阵。宋江阵上大刀关胜,出马舞刀,来战郑彪。二将交马,斗不数合,那郑彪如何敌得关胜,只办得架隔遮拦,左右躲闪。这包道乙正在城头上看了,便作妖法,口中念念有词,喝声道:"疾!"念着那助咒法,吹口气去,郑魔君头上,滚出一道黑气。黑气中间,显出一尊金甲神人,手提降魔宝杵,望空打将下来。南军队里,荡起昏邓邓黑云来。宋江见了,便唤混世魔王樊瑞来看,急令作法,并自念天书上回风破暗的密咒秘诀。只见关胜头盔上,早卷起一道白云,白云之中,也显出一尊神将。怎生模样?但见:

青脸獠牙红发,金盔碧眼英雄。

手把铁锤钢凿,坐下稳跨乌龙。

这尊天神,骑一条乌龙,手执铁锤,去战郑魔君头上那尊金甲神人。下面两军呐喊,二将交锋。战无数合,只见上面那骑乌龙的天将,战退了金甲神人;下面关胜,一刀砍了郑魔君于马下。包道乙见宋军中风起雷响,急待起身时,被凌振放起一个轰天炮,一个火弹子正打中包天师,头和身躯,击得粉碎。南兵大败,乘势杀入睦州。朱仝把元帅谭高一枪戳在马下,李应飞刀杀死守将伍应星。睦州城下,见一火炮打中了包天师身躯,南军都滚下城去了。宋江军马已杀入城,众将一发向前,生擒了祖丞相、沈参政、桓金书。其馀牙将,不问姓名,俱被宋兵杀死。宋江等入城,先把火烧了方腊行宫,所有金帛,就赏与了三军众将。便出榜文,安抚了百姓。尚兀自点军未了,探马飞报将来:"西门乌龙岭上,马麟被白钦一标枪标下去,石宝赶上复了一刀,把马麟剁做两段。燕顺见了,便向前来战时,又被石宝那厮一流星锤打死。石宝得胜,即目引军乘势杀来。"宋江听得又折了燕顺、马麟,扼腕痛哭不尽。急差关胜、花荣、秦明、朱仝四员正将,迎敌石宝、白钦,就要取乌龙岭关隘。

不是这四员将来乌龙岭厮杀,有分教:清溪县里,削平哨聚贼兵;帮源洞中,活捉草头天子。直教宋江等名标青史千年在,功播清时万古传。直使昱岭关前施勇猛,清溪洞里显功名。毕竟宋江等怎地用功迎敌,且听下回分解。

此一回内,折了六员将佐:

王 英　　扈三娘　　项 充　　李 衮　　马 麟
燕 顺

第九十八回

卢俊义大战昱岭关　宋公明智取清溪洞

诗曰：

　　手握貔貅号令新，睦州谈笑定妖尘。

　　全师大胜势无敌，背水调兵真有神。

　　殄灭渠魁如拉朽，解令伪国便称臣。

　　班班青史分明看，忠义公明志已伸。

　　话说当下关胜等四将，飞马引军杀到乌龙岭上，正接着石宝军马。关胜在马上大喝：“贼将安敢杀吾弟兄！”石宝见是关胜，无心恋战，便退上岭去。指挥白钦却来战关胜，两马相交，军器并举。两个斗不到十合，乌龙岭上，急又鸣锣收军。关胜不赶，岭上军兵，自乱起来。原来石宝只顾在岭东厮杀，却不提防岭西已被童枢密大驱人马，杀上岭来。宋军中大将王禀，便和南兵指挥景德厮杀。两个斗了十合之上，王禀将景德斩于马下。自此吕方、郭盛首先奔上山来夺岭，未及到岭边，山头上早飞下一块大石头，将郭盛和人连马打死在岭边。这面岭东，关胜望见岭上大乱，情知岭西有宋兵上岭了，急招众将，一齐都杀上去。两面夹攻，岭上混战。吕方却好迎着白钦，两个交手厮杀。斗不到三合，白钦一枪搠来，吕方闪个过，白钦那条枪从吕方肋下戳个空，吕方这枝戟却被白钦拨个倒横。两将在马上各施展不得，都弃了手中军器，在马上你我厮相揪住。原来正遇着山岭险峻处，那马如何立得脚牢,二将使得力猛,不想连人和马都滚下岭去,这两将做一处撕死在那岭下。这边关胜等众将步行,都杀上岭来。两面尽是宋兵,已杀到岭上。石宝看见两边全无去路,恐吃捉了受辱,便用劈风刀自刎而死。宋江众将夺了乌龙岭关隘,关胜急令人报知宋先锋。

睦州上溜头,又有军马杀来,上下夹攻。江里水寨中四个水军总管见乌龙岭已失,睦州俱陷,都弃了船只,逃过对江,被隔岸百姓生擒得成贵、谢福,解送献入睦州。走了翟源、乔正,不知去向。宋兵大队回到睦州,宋江得知,出城迎接童枢密、刘都督入城。屯驻安营已了,出榜招抚军民复业。南兵投降者,勿知其数。宋江尽将仓廒粮米给散于民,各归本业,复为良民。将水军总管成贵、谢福割腹取心,致祭兄弟阮小二、孟康,并在乌龙岭亡过一应将佐,前后死魂,俱皆受享。再叫李俊等水军将佐,管领了许多船只,把获到贼首伪官,解送张招讨军前去了。宋江又见折了吕方、郭盛,惆怅不已;按兵不动,等候卢先锋兵马,同取清溪。有诗为证:

> 古睦封疆悉已平,行宫滚滚火烟生。
>
> 几多贼将俱诛戮,准拟清溪大进兵。

且不说宋江在睦州屯驻,却说副先锋卢俊义,自从杭州分兵之后,统领三万人马,本部下正偏将佐二十八员,引兵取山路望杭州进发,经过临安镇钱王故都,道近昱岭关前。守关把隘却是方腊手下一员大将,绰号小养由基庞万春,乃是江南方腊国中第一个会射弓箭的。带领着两员副将,一个唤做雷炯,一个唤做计稷。这两个副将都蹬的七八百斤劲弩,各会使一枝蒺藜骨朵。手下有五千人马。三个守把住昱岭关隘,听知宋兵分拨副先锋卢俊义引军到来，已都准备下了敌对器械，只待来军相近。

　　且说卢先锋军马将次近昱岭关前，当日先差史进、石秀、陈达、杨春、李忠、薛永六员将校，带领三千步军，前去出哨。当下史进等六将都骑战马，其馀都是步军，迤逦哨到关下，并不曾撞见一个军马。史进在马上心疑，和众将商议。说言未了，早已来到关前看时，见关上竖着一面彩绣白旗，旗下立着那小养由基庞万春。看了史进等大笑，骂道："你这伙草贼，只好在梁山泊里住，揎勒宋朝招安诰命，如何敢来我这国土里装好汉！你也曾闻俺小养由基的名字么？我听得你这厮伙里有个甚么小李广花荣，着他出来，和我比箭。先教你看我神箭！"说言未了，飕的一箭，正中史进，擸下马去。五将一齐急急向前救得，上马便回。又见山顶上一声锣响，左右两边松树林里，一齐放箭，五员将顾不得史进，各自逃命而走。转得过山嘴，对面两边山坡上，一边是雷炯，一边是计稷，那弩箭如雨一般射将来，纵是有十分英雄，也躲不得这般的箭矢。可怜水浒六员将佐，都作南柯一梦。史进、石秀等六人，不曾透得一个出来，做一堆儿都被射死在关下。

　　三千步卒，止剩得百馀个小军逃得回来，见卢先锋说知此事。卢俊义听了大惊，如痴似醉，呆了半晌。神机军师朱武便谏道："今先锋如此烦恼，有误大事，可以别商量一个计策，去夺关斩将，报此仇恨。"卢俊义道："宋公明兄长特分许多将校与我，今番不曾赢得一阵，首先倒折了六将，更兼三千军卒，止有得百馀人回来。似此怎生到歙州相见！"朱武答道："古人有云：天时不如地利，地利不如人和。我等皆是中原山东、河北人氏，不曾惯演水战，因此失了地利。须获得本处乡民指引路径，方才知得他此间山路曲折。"卢先锋道："军师言之极当。差谁去缉探路径好？"朱武道："论我愚意，可差鼓上蚤时迁。他是个飞檐走壁的

人,好去山中寻路。"卢俊义随即教唤时迁。领了言语,捎带了干粮,跨口腰刀,离寨去了。有诗为证:

> 六位统军俱射死,三千步卒尽销亡。

> 欲施妙计劖强寇,先使时迁去探详。

且说时迁便望山深去处,只顾走寻路。去了半日,天色已晚,来到一个去处,远远地望见一点灯光明朗。时迁道:"灯光处必有人家。"趁黑地里摸到灯明之处看时,却是个小小庵堂,里面透出灯光来。时迁来到庵前,便钻入去看时,见里面一个老和尚,在那里坐地诵经。时迁便乃敲他房门,那老和尚唤一个小行者来开门。时迁进到里面,便拜老和尚。那老僧便道:"客官休拜。见今万马千军厮杀之地,你如何走得到这里?"时迁应道:"实不敢瞒师父说,小人是梁山泊宋江部下一个偏将时迁的便是。今来奉圣旨剿收方腊,谁想夜来被昱岭关上守把贼将,乱箭射死了我六员首将,无计度关,特差时迁前来寻路,探听有何小路过关。今从深山旷野寻到此间,万望师父指迷,有所小径,私越过关,当以厚报。"那老僧道:"此间百姓,俱被方腊残害,无一个不怨恨他,老僧亦靠此间当村百姓施主斋粮养口。如今村里人民都逃散了,老僧没有去处,只得在此守死。今日幸得天兵到此,万民有福。将军来收此贼,与民除害,老僧只是不敢多口,恐防贼人知得。今既是天兵处差来的头目,便多口也不妨。我这里却无路过得关去,直到西山岭边,却有一条小路可过关上,只怕近日也被贼人筑断了,过去不得。"时迁道:"师父,既然有这条小路通得关上,只不知可到得贼寨里么?"老和尚道:"这条私路一径直到得庞万春寨背后,下岭去便是过关的路了。只恐贼人已把大石块筑断了,难得过去。"时迁道:"不妨。既有路径,不怕他筑断了,我自有措置。既然如此,有了路头,小人回去报知主

将,却来酬谢。"老和尚道:"将军见外人时,休说贫僧多口。"时迁
道:"小人是个精细的人,不敢说出老师父来。"有诗为证:

　　破庵深院草萧萧,老衲幽栖更寂寥。

　　指引时迁知向导,剪除方腊若刍荛。

　　当日辞了老和尚,径回到寨中,参见卢先锋,说知此事。卢
俊义听了大喜,便请军师计议取关之策。朱武道:"若是有此路
径,十分好了,觑此昱岭关,唾手而得。再差一个人和时迁同去,
干此大事。"时迁道:"军师要干甚大事?"朱武道:"最要紧的是放
火放炮。须用你等身边将带火炮、火刀、火石,直要去他寨背后
放起号炮火来,便是你干大事了。"时迁道:"既然只是要放火、放
炮,别无他事,不须再用别人同去,只小弟自往。便是再差一个
同去,也跟我走不得飞檐走壁的路,倒误了时候。假如我去那里
行事,你这里如何到得关边?"朱武道:"这却容易。他那贼人的
埋伏,也只好使一遍。我如今不管他埋伏不埋伏,但是于路遇着
琳琅树木稠密去处,便放火烧将去,任他埋伏不妨。"时迁道:"军
师高见极明。"当下收拾了火刀、火石并引火煤筒,脊梁上用包袱
背着火炮,来辞卢先锋便行。卢俊义叫时迁赏银二十两,并米一
石,送与老和尚,就着一个军校挑去。

　　当日午后,时迁引了这个军校挑米,再寻旧路,来到庵里,见
了老和尚,说道:"主将先锋多方拜复,些小薄礼相送。"便把银两
米粮都与了和尚。老僧收受,时迁分付小军自回寨去,却再来告
复老和尚:"望烦指引路径,可着行者引小人去。"那老和尚道:
"将军少待,夜深可去,日间恐关上知觉。"当备晚饭待时迁。至
夜,却令行者引路:"送将军到于那边,便教行者即回,休教人知
觉了。"当时小行者领着时迁,离了草庵,便望深山径里寻路。穿
林透岭,揽葛攀藤,行过数里山径野坡。月色微明,天气昏澄。

到一处山岭险峻,石壁嵯峨,远远地望见开了个小路口,岭岩上尽把大石堆叠砌断了,高高筑成墙壁,如何过得去。小行者道:"将军,关已望见,石叠墙壁那边便是。过得那石壁,亦有大路。"时迁道:"小行者,你自回去,我已知路途了。"小行者自回。

时迁却把飞檐走壁、跳篱骗马的本事出来,这些石壁,拈指扒过去了。望东去时,只见林木之中,半天价都红满了,却是卢先锋和朱武等拔寨都起,一路上放火烧着,望关上来。先使三五百军人,于路上打并尸首,沿山巴岭放火开路,使其埋伏军兵,无处藏躲。昱岭关上小养由基庞万春,闻知宋兵放火烧林开路,庞万春道:"这是他进兵之法,使吾伏兵不能施展。我等只牢守此关,任汝何能得过!"望见宋兵渐近关下,带了雷炯、计稷,都来关前守护。

却说时迁一步步摸到关上,扒在一株大树顶头,伏在枝叶稠密处,看那庞万春、雷炯、计稷都将弓箭踏弩,伏在关前伺候。看见宋兵时,一派价把火烧将来。中间林冲、呼延灼,立马在关下大骂:"贼将安敢抗拒天兵!"南军庞万春等却待要放箭射时,不提防时迁已在关上。那时迁悄悄地溜下树来,转到关后,见两堆柴草。时迁便摸在里面,取出火刀、火石,发出火种,把火炮阁在柴堆上,先把些硫黄、焰硝去烧那边草堆,又来点着这边柴堆。却才方点着火炮,拿那火种带了,直扒上关屋脊上去。点着那两边柴草堆里一齐火起,火炮震天价响。关上众将不杀自乱,发起喊来,众军都只顾走,那里有心来迎敌。庞万春和两个副将急来关后救火时,时迁就在屋脊上又放起炮来。那火炮震得关屋也动,吓得这南兵都弃了刀枪弓箭,衣袍铠甲,尽望关后奔走。时迁在屋上大叫道:"已有一万宋兵先过关了,汝等急早投降,免汝一死!"庞万春听了,惊得魂不附体,只管跌脚。雷炯、计稷惊得麻木了，动掸不得。林冲、呼延灼首先上山，早赶到关顶。众将都要争先，一齐赶过关去三十馀里，追着南兵。孙立生擒得雷炯，魏定国活拿了计稷，单单只走了庞万春。手下军兵擒捉了大半。宋兵已到关上屯驻人马。

卢先锋得了昱岭关，厚赏了时迁，将雷炯、计稷就关上割腹取心，享祭史进、石秀等六人，收拾尸骸，葬于关上。其馀尸首，尽行烧化。次日，与同诸将披挂上马。一面行文申复张招讨，飞报得了昱岭关；一面引军前进，迤逦追赶过关，直至歙州城边下寨。

原来歙州守御，乃是皇叔大王方垕，是方腊的亲叔叔，与同两员大将，官封文职，共守歙州。一个是尚书王寅，一个是侍郎高玉。统领十数员战将，屯军二万之众，守住歙州城郭。原来王尚书是本州山里石匠出身，惯使一条钢枪，坐下有一骑好马，名唤转山飞。那匹战马登山渡水，如行平地。那高侍郎也是本州士人故家子孙，会使一条鞭枪。因这两个颇通文墨，方腊加封做文职官爵，管领兵权之事。当有小养由基庞万春败回到歙州，直至行宫，面奏皇叔，告道："被土居人民透漏，诱引宋兵私越小路过关，因此众军漫散，难以抵敌。"皇叔方垕听了大怒，喝骂庞万春道："这昱岭关是歙州第一处要紧的墙壁，今被宋兵已度关隘，早晚便到歙州，怎与他迎敌？"王尚书奏道："主上且息雷霆之怒。自古道：非干征战罪，天赐不全功。今殿下权免庞将军本罪，取了军令必胜文状，着他引军，首先出战迎敌，杀退宋兵。如或不胜，二罪俱并。"方垕然其言，拨与军五千，跟庞万春出城迎敌，得胜回奏。有诗为证：

> 雷厉风飞兵似虎，翻江腾地马如龙。
> 宋江已得重关隘，僭窃何烦待战攻。

　　且说卢俊义度过昱岭关之后，催兵直赶到歙州城下，当日与诸将上下攻打歙州。城门开处，庞万春引军出来交战。两军各列成阵势，庞万春出到阵前勒战。宋军队里欧鹏出马，使根铁枪，便和庞万春交战。两个斗不过五合，庞万春败走，欧鹏要显头功，纵马赶去。庞万春扭过身躯，背射一箭。宋将欧鹏手段高强，绰箭在手。原来欧鹏却不提防庞万春能放连珠箭。欧鹏绰了一箭，只顾放心去赶。弓弦响处，庞万春又射第二只箭来，欧鹏早着，坠下马去。城上王尚书、高侍郎见射中了欧鹏落马，庞万春得胜，引领城中军马，一发赶杀出来。宋军大败，退回三十里下寨，扎驻军马安营。整点兵将时，乱军中又折了菜园子张青。孙二娘见丈夫死了，着令手下军人寻得尸首烧化，痛哭了一场。卢先锋看了，心中纳闷，思量不是良法，便和朱武计议道："今日进兵，又折了二将，似此如之奈何？"朱武道："输赢胜败，兵家常事；死活交锋，人之分定。今日贼兵见我等退回军马，自逞其能，众贼计议，今晚乘势必来劫寨。我等可把军马众将，分调开去，四下埋伏，中军缚几只羊在彼，如此如此整顿。"叫呼延灼引一支军在左边埋伏，林冲引一支军在右边埋伏，单廷圭、魏定国引一支军在背后埋伏，其馀偏将，各于四散小路里埋伏。夜间贼兵来时，只看中军火起为号，四下里各自捉人。卢先锋都发放已了，各各自去守备。

　　且说南国王尚书、高侍郎两个，颇有些谋略，便与庞万春等商议，上启皇叔方垕道："今日宋兵败回，退去三十馀里屯驻。营寨空虚，军马必然疲倦。何不乘势去劫寨栅，必获全胜。"方垕道："你众官从长计议，可行便行。"高侍郎道："我便和庞将军引兵去劫寨，尚书与殿下紧守城池。"当夜二将披挂上马，引领军兵前进。马摘銮铃，军士衔枚疾走，前到宋军寨栅。看见营门不关,南兵不敢擅进。初时听得更点分明,向后更鼓便打得乱了。高侍郎勒住马道:"不可进去。"庞万春道:"相公缘何不进兵?"高侍郎答道:"听他营里更点不明,必然有计。"庞万春道:"相公误矣。今日兵败胆寒,必然困倦,睡里打更,有甚分晓,因此不明。相公何必见疑,只顾杀去。"高侍郎道:"也见得是。"当下催军劫寨,大刀阔斧杀将进去。二将入得寨门,直到中军,并不见一个军将,却是柳树上缚着数只羊,羊蹄上拴着鼓槌打鼓,因此更点不明。两将劫着空寨,心中自慌,急叫:"中计!"回身便走,中军内却早火起。只见山头上炮响,又放起火来,四下里伏兵乱起,齐杀将拢来。两将冲开寨门奔走,正迎着呼延灼,大喝:"贼将快下马受降,免汝一死!"高侍郎心慌,只要脱身,无心恋战,被呼延灼赶进去,手起双鞭齐下,脑袋骨打碎了半个天灵。庞万春死命撞透重围,得脱性命,正走之间,不提防汤隆伏在路边,被他一钩镰枪拖倒马脚,活捉了解来。众将已都在山路里赶杀南兵。至天明,都赴寨里来,卢先锋已先到中军坐下,随即赏赐,不在话下。有诗为证:

> 贼寇乘虚夜劫营,岂知埋伏有强兵。
>
> 中军炮响神威振,混杀南军满歙城。

卢先锋下令点本部将佐时,丁得孙在山路草中被毒蛇咬了脚,毒气入腹而死。将庞万春割腹剜心,祭献欧鹏并史进等,把首级解赴张招讨军前去了。次日,卢先锋与同诸将再进兵到歙州城下,见城门不关,城上并无旌旗,城楼上亦无军士。单廷圭、魏定国两个要夺头功,引军便杀入城去。后面中军卢先锋赶到时,只叫得苦,那二将已到城门里了。原来王尚书见折了劫寨人马,只诈做弃城而走,城门里却掘下陷坑。二将是一勇之夫,却不提防,首先入去,不想连马和人都陷在坑里。那陷坑两边却埋伏着长枪手弓箭军士，一齐向前戳杀，两将死于坑中。可怜圣水并神火，今日呜呼丧土坑！卢先锋又见折了二将，心中忿怒，急令差遣前部军兵，各人兜土块入城，一面填寨陷坑，一面鏖战厮杀，杀倒南兵人马，俱填于坑中。当下卢先锋当前，跃马杀入城中，正迎着皇叔方垕。交马只一合，卢俊义又忿心头之火，展平生之威，只一朴刀，剁方垕于马下。城中军马，开城西门冲突而走。宋兵众将各各并力向前，剿捕南兵。

却说王尚书正走之间，撞着李云截住厮杀。王尚书便挺枪向前，李云却是步斗。那王尚书枪起马到，早把李云踏倒。石勇见冲翻了李云，便冲突向前，步走急来救时，王尚书把条枪神出鬼没，石勇如何抵当得住。王尚书战了数合，得便处把石勇一枪结果了性命，当下身死。城里却早赶出孙立、黄信、邹渊、邹润四将，截住王尚书厮杀。那王寅奋勇力敌四将，并无惧怯。不想又撞出林冲赶到，这个又是个会厮杀的，那王寅便有三头六臂，也敌不过五将，众人齐上，乱戳杀王寅。可怜南国尚书将，今日方知志莫伸。当下五将取了首级，飞马献与卢先锋。卢俊义已在歙州城内行宫歇下，平复了百姓，出榜安民，将军马屯驻在城里；一面差人赍文报捷张招讨，驰书转达宋先锋，知会进兵。

却说宋江等兵将在睦州屯驻，等候军齐，同攻贼洞。收得卢俊义书，报平复了歙州，军将已到城中屯驻，专候进兵，同取贼巢。又见折了史进、石秀、陈达、杨春、李忠、薛永、欧鹏、张青、丁得孙、单廷圭、魏定国、李云、石勇一十三人许多将佐，烦恼不已，痛哭哀伤。军师吴用劝道："生死人皆分定，主将何必自伤玉体，且请理料国家大事。"宋江道："虽然如此，不由人不伤感。我想当初石碣天文所载一百八人，谁知到此渐渐凋零，损吾手足。"吴用劝了宋江烦恼："可以回书与卢先锋，交约日期，起兵攻取清溪县。”

　　且不说宋江回书与卢俊义，约日进兵，却说方腊在清溪帮源洞中大内设朝，与文武百官计议宋江用兵之事。只听见西州败残军马回来报说：“歙州已陷，皇叔、尚书、侍郎俱已阵亡了。今宋兵作两路而来，攻取清溪。”方腊见报大惊，当下聚集两班大臣商议。方腊道：“汝等众卿各受官爵，同占州郡城池，共享富贵。岂期今被宋江军马席卷而来，州城俱陷，止有清溪大内。今闻宋兵两路而来，如何迎敌？”当有左丞相娄敏中出班启奏道：“今次宋兵人马已近神州内苑，宫廷亦难保守。奈缘兵微将寡，陛下若不御驾亲征，诚恐兵将不肯尽心向前。”方腊道：“卿言极当。”随即传下圣旨：“命三省六部、御史台官、枢密院、都督府护驾，二营金吾、龙虎，大小官僚，都跟随寡人御驾亲征，决此一战。”娄丞相又奏：“差何将帅可做前部先锋？”方腊道：“着殿前金吾上将军、内外诸军都招讨皇侄方杰为正先锋，马步亲军都太尉、骠骑上将军杜微为副先锋，部领帮源洞大内护驾御林军一万五千、战将三十馀员前进。逢山开路，遇水叠桥，招军征进。”原来这方杰是方腊的亲侄儿，乃是歙州皇叔方垕长孙。闻知宋兵卢先锋杀了他公公，正要来报仇，他愿为前部先锋。这方杰平生习学，惯使一条方天画戟，有万夫不当之勇。那杜微原是歙州山中铁匠，会打军器，亦是方腊心腹之人，会使六口飞刀，只是步斗。方腊另行圣旨一道，差御林护驾都教师贺从龙，拨与御林军一万，总督兵马，去敌歙州卢俊义军马。有诗为证：

　　　　八郡山川已败倾，便驰黄屋特亲征。
　　　　宋江兵势无人敌，国破身亡是此行。
　　不说方腊分调人马，两处迎敌，先说宋江大队军马起程，水陆并进,离了睦州,望清溪县而来。水军头领李俊等,引领水军船只,撑驾从溪滩里上去。且说吴用与宋江在马上同行,并马商议道:"此行去取清溪帮源,诚恐贼首方腊知觉,逃窜深山旷野,难以得获。若要生擒方腊,解赴京师,面见天子,必须里应外合,认得本人,可以擒获。亦要知方腊去向下落,不致被其走失。"宋江道:"若要如此,须用诈降,将计就计,方可得里应外合。前者柴进与燕青去做细作,至今不见些消耗。今次着谁去好?须是会诈投降的。"吴用道:"若论愚意,只除非叫水军头领李俊等,就将船内粮米去诈献投降,教他那里不疑。方腊那厮是山僻小人,见了许多粮米船只,如何不收留了!"宋江道:"军师高见极明。"便唤戴宗随即传令,从水路里直至李俊处说知:"如此如此,教你等众将行计。"李俊等领了计策,戴宗自回中军。

李俊却叫阮小五、阮小七扮做梢公,童威、童猛扮做随行水手,乘驾六十只粮船,船上都插着新换的献粮旗号,却从大溪里使将上去。将近清溪县,只见上水头早有南国战船迎将来,敌军一齐放箭。李俊在船上叫道:"休要放箭,我有话说。俺等都是投拜的人,特将粮米献纳大国,接济军士,万望收录。"对船上头目看见李俊等船上并无军器,因此就不放箭。使人过船来,问了备细,看了船内粮米,便去报知娄丞相,禀说李俊献粮投降。娄敏中听了,叫唤投拜人上岸来。李俊登岸见娄丞相,拜罢,娄敏中问道:"你是宋江手下甚人?有何职役?今番为甚来献粮投拜?"李俊答道:"小人姓李名俊,原是浔阳江上好汉,就江州劫法场救了宋江性命。他如今受了朝廷招安,得做了先锋,便忘了我等前恩,累次窘辱小人。见今宋江虽然占得大国州郡,手下弟兄渐次折得没了,他犹自不知进退,威逼小人等水军向前。因此受辱不过,特将他粮米船只,径自私来献纳,投拜大国。"娄丞相见李俊说了这一席话,就便准信,便引李俊来大内朝见方腊,具说献粮投拜一事。李俊见方腊,再拜起居,奏说前事。方腊坦然不疑,加封李俊为水军都总管之职,阮小五、阮小七、童威、童猛皆封水寨副总管,且教只在清溪管领水寨守船:"待寡人退了宋江军马,还朝之时,别有赏赐。"李俊拜谢了出内,自去搬运粮米上岸,进仓交收,不在话下。有诗为证:

> 神谋妙算擒方腊,先遣行人假献粮。

> 指日宋军平大内,清溪花鸟亦凄凉。

再说宋江与吴用分调军马,差关胜、花荣、秦明、朱仝四员正将为前队,引军直进清溪县界,正迎着南国皇侄方杰,两下军兵各列阵势。南军阵上,方杰横戟在马,杜微步行在后。那杜微浑身挂甲,背藏飞刀五把,手中仗口七星宝剑,跟在后面。两将出到阵前,宋江阵上,秦明首先出马,手舞狼牙大棍,直取方杰。方杰亦不打话,两将便斗。那方杰年纪后生,精神一撮①,那枝戟使得精熟,和秦明连斗了三十馀合,不分胜败。方杰见秦明手段高强,也放出自己平生学识,不容半点空闲。两个正斗到分际,秦明也把出本事来,不放方杰些空处。却不提防杜微那厮在马后见方杰战秦明不下,从马后闪将出来,掣起飞刀,望秦明脸上早飞将来。秦明急躲飞刀时,却被方杰一方天戟笁下马去,死于非命。可怜霹雳火,也作横亡人。方杰一戟戳死了秦明,却不敢追过对阵。宋兵小将急把挠钩搭得尸首过来。宋江见说折了秦明,尽皆失色,一面叫备棺椁盛贮,一面再调军将出战。

且说这方杰得胜夸能,却在阵前高叫:"宋兵再有好汉,快出来厮杀!"宋江在中军听得报来,急出到阵前,看见对阵方杰背

---

① 撮(cuō)——聚合。这里是集中、振作的意思。

后,便是方腊御驾,直来到军前摆开。但见:

> 金瓜密布,铁斧齐排。方天画戟成行,龙凤绣旗作队。
> 旗旄旌节,一攒攒绿舞红飞;玉镫雕鞍,一簇簇珠围翠
> 绕。飞龙伞散青云紫雾,飞虎旗盘瑞霭祥烟。左侍下
> 一带文官,右侍下满排武将。虽是诈称天子位,也须直
> 列宰臣班。苟非啸聚山林,且自图王霸业。

南国阵中,只见九曲黄罗伞下,玉辔逍遥马上,坐着那个草头王
子方腊。怎生打扮?但见:

> 头戴一顶冲天转角明金幞头,身穿一领日月云肩九龙
> 绣袍,腰系一条金镶宝嵌玲珑玉带,足穿一对双金显缝
> 云根朝靴。

那方腊骑着一匹银鬃白马,出到阵前,亲自监战。看见宋江
亲在马上,便遣方杰出战,要拿宋江。这边宋兵等众将亦准备迎
敌,要擒方腊。南军方杰正要出阵,只听得飞马报道:"御林都教
师贺从龙总督军马去救歙州,被宋兵卢先锋活捉过阵去了。军
马俱已漫散,宋兵已杀到山后。"方腊听了大惊,急传圣旨,便教
收军,且保大内。当下方杰且委杜微押住阵脚,却待方腊御驾先
行,方杰、杜微随后而退。方腊御驾回至清溪州界,只听得大内
城中喊起连天,火光遍满,兵马交加,却是李俊、阮小五、阮小七、
童威、童猛在清溪城里放起火来。方腊见了,大驱御林军马,来
救城中,入城混战。宋江军马见南兵退去,随后追杀。赶到清
溪,见城中火起,知有李俊等在彼行事,急令众将招起军马,分头
杀将入去。此时卢先锋军马也过山了,两下接应,却好凑着。四
面宋兵,夹攻清溪大内。宋江等诸将,四面八方杀将入去,各各
自去搜捉南军,打破了清溪城郭。方腊却得方杰引军保驾防护,
送投帮源洞中去了。

宋江等大队军马,都入清溪县来。众将杀入方腊宫中,收拾违禁器仗,金银宝物,搜检内里库藏,就殿上放起火来,把方腊内外宫殿尽皆烧毁,府库钱粮,搜索一空。宋江会合卢俊义军马,屯驻在清溪县内,聚集众将,都来请功受赏。整点两处将佐时,长汉郁保四、女将孙二娘,都被杜微飞刀伤死;邹渊、杜迁,马军中踏杀;李立、汤隆、蔡福,各带重伤,医治不痊身死;阮小五先在清溪县已被娄丞相杀了。众将擒捉得南国伪官九十二员,请功赏赐已了,只不见娄丞相、杜微下落。一面且出榜文,安抚了百姓,把那活捉伪官解赴张招讨军前,斩首示众。后有百姓报说:"娄丞相因杀了阮小五,见大兵打破清溪县,自缢松林而死。"杜微那厮躲在他原养的娼妓王娇娇家,被他社老献将出来。宋江赏了社老,却令人先取了娄丞相首级,叫蔡庆将杜微剖腹剜心,滴血享祭秦明、阮小五、郁保四、孙二娘,并打清溪亡过众将。宋江亲自拈香祭赛已了,次日,与同卢俊义起军,直抵帮源洞口围住。

且说方腊只得方杰保驾,走到帮源洞口大内,屯驻人马,坚守洞口,不出迎敌。宋江、卢俊义把军马周回围住了帮源洞,却无计可入。却说方腊在帮源洞如坐针毡,亦无计可施。两军困住,已经数日。方腊正忧闷间,忽见殿下锦衣绣袄一大臣,俯伏在地,金阶殿下启奏:"我王,臣虽不才,深蒙主上圣恩宽大,无可补报。凭夙昔所学之兵法,仗平日所韫之武功,六韬三略曾闻,七纵七擒曾习。愿借主上一支军马,立退宋兵,中兴国祚。未知圣意若何,伏候我王诏旨。"方腊见了大喜,便传敕令尽点山洞内府兵马,教此将引军出洞,去与宋江相持。未知胜败如何,先见威风出众。

不是方腊国中又出这个人来引兵,有分教:金阶殿下人头滚,玉砌朝门热血喷。直使扫清巢穴擒方腊,竖立功勋显宋江。
毕竟方腊国中出来引兵的是甚人,且听下回分解。

此一回内,折了二十四员将佐:

吕 方	郭 盛	史 进	石 秀	陈 达
杨 春	李 忠	薛 永	欧 鹏	张 青
丁得孙	单廷圭	魏定国	李 云	石 勇
秦 明	郁保四	孙二娘	邹 渊	杜 迁
李 立	汤 隆	蔡 福	阮小五	

第九十九回

鲁智深浙江坐化　宋公明衣锦还乡

诗曰:

　　铁石禅机已点开,钱塘江上早心灰。

　　六和寺内月明夜,三竺山中归去来。

　　衲子心空圆寂去,将军功遂锦衣回。

　　两人俱是男儿汉,不忝英雄济世才。

　　话说当下方腊殿前启奏愿领兵出洞征战的,正是东床驸马主爵都尉柯引。方腊见奏,不胜之喜:"是今日天幸,得驸马冒矢石之威,出战草寇,愿逞奇才,复兴社稷。"柯驸马当下同领南兵,带了云壁奉尉,披挂上马出师。方腊将自己金甲锦袍,赐与驸马,又选一骑好马,叫他出战。那驸马怎生结束?

　　　　头戴凤翅金盔,身披连环铁甲,上穿团龙锦袍,腰系狮
　　　　蛮束带,足穿抹绿皂靴,胯悬雕弓铁箭。使一条穿心透
　　　　骨点钢枪,骑一匹能征惯战青骢马。

　　那柯驸马与同皇侄方杰,引领洞中护御军兵一万人马,驾前上将二十馀员,出到帮源洞口,列成阵势。

　　却说宋江军马困在洞口,已教将佐分调守护。宋江在阵中,因见手下弟兄三停内折了二停,方腊又未曾拿得,南兵又不出战,眉头不展,面带忧容。只听得前军报来说:"洞中有军马出来交战。"宋江、卢俊义见报,急令诸将上马,引军出战。摆开阵势,

看南军阵里当先是柯驸马出战,宋江军中谁不认得是柴进。宋江便令花荣出马迎敌。花荣得令,便横枪跃马,出到阵前,高声喝问:"你那厮是甚人,敢助反贼与吾天兵敌对?我若拿住你时,碎尸万段,骨肉为泥。好好下马受降,免汝一命!"柯驸马答道:"吾乃山东柯引,谁不闻我大名!量你这厮们是梁山泊一伙强徒草寇,何足道哉!偏俺不如你们手段!我直把你们杀尽,克复城池,是吾之愿。"宋江与卢俊义在马上听了,寻思:"柴进说的话,语言中必无背逆之心。他把'柴'字改作'柯'字,'柴'即是'柯'也;'进'字改作'引'字,'引'即是'进'也。"吴用道:"我想柴大官人未曾落草时,尚且专藏犯罪做私商之人,今日安肯忘本?"卢俊义道:"且看花荣与他迎敌。"

当下花荣挺枪跃马,来战柯引。两马相交,二般军器并举,两将斗到间深里,绞做一团,扭做一块。柴进低低道:"兄长可且诈败,来日议事。"花荣听了,略战三合,拨回马便走。柯引喝道:"败将,吾不赶你。别有了得的,叫他出来和俺交战。"花荣跑马回阵,对宋江、卢俊义说知就里。吴用道:"再叫关胜出战交锋。"当时关胜舞起青龙偃月刀,飞马出战,大喝道:"山东小将,敢与吾敌!"那柯驸马挺枪便来迎敌。两个交锋,全无惧怯。二将斗不到五合,关胜也诈败佯输,走回本阵。柯驸马不赶,只在阵前大喝:"宋兵敢有强将出来与吾对敌?"宋江再叫朱仝出阵,与柴进交锋,往来厮杀,只瞒众军。两个斗不过五七合,朱仝诈败而走。柴进赶来,虚搠一枪,朱仝弃马跑归本阵。南军先抢得这匹好马。柯驸马招动南军,掩杀过来。宋江急令诸将,引军退去十里下寨。柯驸马引军追赶了一程,收兵退回洞中。

已自有人先去报知方腊,说道:"柯驸马如此英雄,战退宋兵,连胜三将。宋江等又折一阵,杀退十里。"方腊大喜,叫排下御宴,等待驸马卸了戎装披挂,请入后宫赐坐,亲捧金杯,满劝柯驸马道:"不想驸马有此文武双全!寡人只道贤婿只是文才秀士,若早知有此等英雄豪杰,不致折许多州郡。烦望驸马大展奇才,立诛贼将,重兴基业,与寡人共享太平无穷之富贵,同乐悠久,兴复家邦!"柯引奏道:"主上放心。为臣子当以尽心报效,同兴国祚。明日谨请圣上登山看柯引厮杀,立斩宋江等辈。"方腊见奏,心中大喜。当夜宴至更深,各还宫中去了。次早,方腊设朝,叫洞中敲牛宰马,令三军都饱食已了,各自披挂上马,出到帮源洞口,摇旗发喊,擂鼓搦战。方腊却领引近侍内臣,登帮源洞山顶,看柯驸马厮杀。有诗为证:

　　驸马提兵战六师,佯输诈败信为之。

　　勾连方腊亲临阵,一鼓功成计更奇。

　　且说宋江当日传令,分付诸将:"今日厮杀,非比他时,正在要紧之际。汝等军将,各各用心擒获贼首方腊,休得杀害。你众军士只看南军阵上柴进回马引领,就便杀入洞中,并力追捉方腊,不可违误!"三军诸将得令,各自磨拳擦掌,掣剑拔枪,都要掳掠洞中金帛,尽要活捉方腊,建功请赏。当时宋江诸将,都到洞前,把军马摆开,列成阵势。只见南兵阵上,柯驸马立在门旗之下,正待要出战,只见皇侄方杰,立马横戟道:"都尉且押手停骑,看方某先斩宋兵一将,然后都尉出马,用兵对敌。"宋兵望见燕青跟在柴进后头,众将皆喜道:"今日计必成矣。"各人自行准备。

　　且说皇侄方杰争先纵马搦战,宋江阵上关胜出马,舞起青龙刀,来与方杰对敌。两将交马,一往一来,一翻一复,战不过十数合,宋江又遣花荣出阵,共战方杰。方杰见两将来夹攻,全无惧怯,力敌二将。又战数合,虽然难见输赢,也只办得遮拦躲避。宋江队里,再差李应、朱仝,骤马出阵,并力追杀。方杰见四将来夹攻,方才拨回马头,望本阵中便走。柯驸马却在门旗下截住,把手一招,宋将关胜、花荣、朱仝、李应四将赶过来。柯驸马便挺起手中铁枪奔来,直取方杰。方杰见头势不好,急下马逃命时,措手不及,早被柴进一枪戳着。背后云奉尉燕青赶上一刀,杀了方杰。南军众将,惊得呆了,各自逃生。柯驸马大叫:"我非柯引,吾乃柴进,宋先锋部下正将小旋风的便是。随行云奉尉,即是浪子燕青。今者已知得洞中内外备细,若有人活捉得方腊的,高官任做,细马拣骑。三军投降者,俱免血刃有生;抗拒者,斩首全家。"回身引领四将,招起大军,杀入洞中。方腊领着内侍近臣,在帮源山顶上看见杀了方杰,三军溃乱,情知事急,一脚踢翻了金交椅,便望深山中奔走。宋江领起大队军马,分开五路,杀入洞来,争捉方腊。不想已被方腊逃去,止拿得侍从人员。燕青抢入洞中,叫了数个心腹伴当,去那库里掳了两担金珠细软出来,就内宫禁苑放起火来。柴进杀入东宫时,那金芝公主自缢身死。柴进见了,就连宫苑烧化,以下细人①,放其各自逃生。众军将都入正宫,杀尽嫔妃彩女、亲军侍御、皇亲国戚,都掳掠了方腊内宫金帛。宋江大纵军将入宫,搜寻方腊。

却说阮小七杀入内苑深宫里面,搜出一箱,却是方腊伪造的平天冠、衮龙袍、碧玉带、白玉圭、无忧履。阮小七看见上面都是珍珠异宝,龙凤锦文,心里想道:"这是方腊穿的,我便着一着也不打紧。"便把衮龙袍穿了,系上碧玉带,着了无忧履,戴起平天冠,却把白玉圭插放怀里,跳上马,手执鞭,跑出宫前。三军众将只道是方腊,一齐闹动,抢将拢来看时,却是阮小七,众皆大笑。这阮小七也只把做好嬉,骑着马东走西走,看那众将多军抢掳。

---

① 细人——年轻的侍女。

正在那里闹动，早有童枢密带来的大将王禀、赵谭入洞助战，听得三军闹嚷，只说拿得方腊，径来争功。却见是阮小七穿了御衣服，戴着平天冠，在那里嬉笑。王禀、赵谭骂道："你这厮莫非要学方腊，做这等样子！"阮小七大怒，指着王禀、赵谭道："你这两个直得甚鸟！若不是俺哥哥宋公明时，你这两个驴马头，早被方腊已都砍下了。今日我等众将弟兄成了功劳，你们颠倒来欺负！朝廷不知备细，只道是两员大将来协助成功。"王禀、赵谭大怒，便要和阮小七火并。当时阮小七夺了小校枪，便奔上来戳王禀。呼延灼看见，急飞马来隔开。已自有军校报知宋江，飞马到来。见阮小七穿着御衣服，宋江、吴用喝下马来，剥下违禁衣服，丢去一边。宋江陪话解劝。王禀、赵谭二人虽被宋江并众将劝和了，只是记恨于心。

当日帮源洞中，杀的尸横遍野，流血成渠。按《宋鉴》所载，斩杀方腊蛮兵二万余级。当下宋江传令，教四下举火，监临烧毁宫殿，龙楼凤阁，内苑深宫，珠轩翠屋，尽皆焚化。但见：

> 黑烟罩地，红焰遮天。金钉朱户灰飞，碧瓦雕檐影倒。三十六宫煨烬火，七十二苑作飞灰。金殿平空，不见嵯峨气象；玉阶迸裂，全无锦绣花纹。金水河不见丹墀御道，午门前已无臣宰官僚。龙楼移上九重天，凤阁尽归南极院。

当时宋江等众将，监看烧毁了帮源洞中宫殿器皿屋宇楼阁，引军都来洞口屯驻，下了寨栅。计点生擒人数，只有贼首方腊未曾获得，传下将令，教军将沿山搜捉。告示乡民，但有人拿得方腊者，奏闻朝廷，高官任做；知而首者，随即给赏。

却说方腊从帮源洞山顶落路而走，忙忙似丧家之狗，急急如漏网之鱼，便望深山旷野，透岭穿林，脱了赭黄袍，丢去金花幞

头,脱下朝靴,穿上草履麻鞋,爬山奔走,要逃性命。连夜退过五
座山头,走到一处山凹边,见一个草庵,嵌在山凹里。方腊肚中
饥饿,却待正要去茅庵内寻讨些饭吃,只见松树背后,转出一个
胖大和尚来,一禅杖打翻,便取条绳索绑了。那和尚不是别人,
是花和尚鲁智深。拿了方腊,带到草庵中,取了些饭吃,正解出
山来,却好迎着搜山的军健,一同帮住擒捉方腊,来见宋先锋。
宋江见拿得方腊,大喜,便问道:"吾师,你却如何正等得这贼首
着?"鲁智深道:"洒家自从在乌龙岭上万松林里厮杀,追赶夏侯
成入深山里去,被洒家杀了。贪战贼兵,直赶入乱山深处,迷踪
失径,逶迤随路寻去。正到旷野琳琅山内,忽遇一个老僧,引领
洒家到此处茅庵中,嘱付道:'柴米菜蔬都有,只在此间等候。但
见个长大汉从松林深处来,你便捉住。'夜来望见山前火起,小僧
看了一夜,又不知此间山径路数是何处。今早正见这贼爬过山
来,因此俺一禅杖打翻,就捉来绑了。不想正是方腊。"宋江又问
道:"那一个老僧今在何处?"鲁智深道:"那个老僧自引小僧到茅
庵里,分付了柴米出来,竟不知投何处去了。"宋江道:"那和尚眼
见得是圣僧罗汉,如此显灵。今吾师成此大功,回京奏闻朝廷,
可以还俗为官,在京师图个荫子封妻,光耀祖宗,报答父母劬劳
之恩。"鲁智深答道:"洒家心已成灰,不愿为官,只图寻个净去
处,安身立命足矣。"宋江道:"吾师既不肯还俗,便到京师去住持
一个名山大刹,为一僧首,也光显宗风,亦报答得父母。"智深听
了,摇首叫道:"都不要,要多也无用。只得个囫囵尸首,便是强
了。"宋江听罢,默上心来,各不喜欢。点本部下将佐,俱已数足。
教将方腊陷车盛了,解上东京,面见天子。催起三军,带领诸将,
离了帮源洞清溪县,都回睦州。

　　却说张招讨会集都督刘光世,童枢密,从、耿二参谋,都在睦

州聚齐，合兵一处，屯驻军马。见说宋江获了大功，拿住方腊，解来睦州，众官都来庆贺。宋江等诸将参拜已了张招讨、童枢密等众官，张招讨道："已知将军边塞劳苦，损折弟兄。今已全功，实为万幸。"宋江再拜泣涕道："当初小将等一百八人破大辽，还京都不曾损了一个。谁想首先去了公孙胜，京师已留下数人。克复扬州，渡大江，怎知十停去七。今日宋江虽存，有何面目再见山东父老，故乡亲戚！"张招讨道："先锋休如此说。自古道：贫富贵贱，宿生所载；寿夭命长，人生分定。常言道：有福人送无福人。何以损折将佐为羞为耻！今日功成名显，朝廷知道，必当重用，封官赐爵，光显门闾，衣锦还乡，谁不称羡！闲事不须挂意，只顾收拾回军朝觐。"宋江拜谢了总兵等官，自来号令诸将。张招讨已传下军令，教把生擒到贼徒伪官等众，除留方腊另行解赴东京，其馀从贼，都就睦州市曹斩首施行。所有未收去处，衢、婺等县贼役赃官，得知方腊已被擒获，一半逃散，一半都来睦县自行投首，拜参张招讨并众官。尽皆准首，复为良民。就行出榜，去各处招抚，以安百姓。其馀随从贼徒，不伤人者，亦准其自首投降，复为乡民，拨还产业田园。克复州县已了，各调守御官军，护境安民，不在话下。有诗为证：

　　　　柴进勾连用计深，帮源军马乱骎骎。

　　　　奇功更有花和尚，一杖生擒僭号人。

所有这新克复睦州、歙州，清溪、帮源二处城郭镇市，民安物阜，乡村溪岛山林，俱各民安复业。

　　再说张招讨众官都在睦州设太平宴，庆贺众将官僚，赏劳三军将校，传令教先锋头目收拾朝京。军令传下，各各准备行装，陆续登程。

　　且说先锋使宋江，思念亡过众将，洒然泪下。不想患病在杭州张横、穆弘等六人,朱富、穆春看视,共是八人在彼,后亦各患病身死,止留得杨林、穆春到来,随军征进。想起诸将劳苦,今日太平,当以超度,便就睦州宫观净处扬起长幡,修设超度九幽拔罪好事,做三百六十分罗天大醮,追荐前亡后化列位偏正将佐已了。次日,椎牛宰马,致备牲醴,与同军师吴用等众将,俱到乌龙神庙里,焚帛享祭乌龙大王,谢祈龙君护祐之恩。回至寨中,所有部下正偏将佐阵亡之人,收得尸骸者,俱令各自安葬已了。宋江与卢俊义收拾军马将校人员,随张招讨回杭州,听候圣旨,班师回京。众多将佐功劳,俱各造册,上了文簿,进呈御前。先写表章申奏天子。三军齐备,陆续起程。宋江看了部下正偏将佐,止剩得三十六员回军。那三十六人是:

呼保义宋江	玉麒麟卢俊义	智多星吴用
大刀关胜	豹子头林冲	双鞭呼延灼
小李广花荣	小旋风柴进	扑天雕李应
美髯公朱仝	花和尚鲁智深	行者武松
神行太保戴宗	黑旋风李逵	病关索杨雄
混江龙李俊	活阎罗阮小七	浪子燕青
神机军师朱武	镇三山黄信	病尉迟孙立
混世魔王樊瑞	轰天雷凌振	铁面孔目裴宣
神算子蒋敬	鬼脸儿杜兴	铁扇子宋清
独角龙邹润	一枝花蔡庆	锦豹子杨林
小遮拦穆春	出洞蛟童威	翻江蜃童猛
鼓上蚤时迁	小尉迟孙新	母大虫顾大嫂

当下宋江因为征剿方腊,自渡江已过,损折了许多将佐,止剩得正偏将三十六员回京。催促起人马,俱要到杭州取齐,与张招讨约会,听命朝觐。宋江与同诸将引兵马离了睦州,前望杭州

进发。诗曰：

　　宋江三十六，回来十八双。

　　内中有四个，谈笑又还乡。

正是：收军锣响千山震，得胜旗开十里红。马上将敲金镫响，三军齐唱凯歌回。宋先锋军马，于路无话，已回到杭州。因张招讨军马在城，宋先锋且屯兵在六和塔驻扎，诸将都在六和寺安歇。先锋使宋江、卢俊义，早晚入城听令。

　　且说鲁智深自与武松在寺中一处歇马听候，看见城外江山秀丽，景物非常，心中欢喜。是夜月白风清，水天同碧。二人正在僧房里睡至半夜，忽听得江上潮声雷响。鲁智深是关西汉子，不曾省得浙江潮信，只道是战鼓响，贼人生发，跳将起来，摸了禅杖，大喝着便抢出来。众僧吃了一惊，都来问道："师父何为如此，赶出何处去？"鲁智深道："洒家听得战鼓响，待要出去厮杀。"众僧都笑将起来，道："师父错听了，不是战鼓响，乃是钱塘江潮信响。"鲁智深见说，吃了一惊，问道："师父，怎地唤做潮信响？"寺内众僧推开窗，指着那潮头叫鲁智深看，说道："这潮信日夜两番来，并不违时刻。今朝是八月十五日，合当三更子时潮来。因不失信，为之潮信。"鲁智深看了，从此心中忽然大悟，拍掌笑道："俺师父智真长老，曾嘱付与洒家四句偈言，道是'逢夏而擒'，俺在万松林里厮杀，活捉了个夏侯成；'遇腊而执'，俺生擒方腊；今日正应了'听潮而圆，见信而寂'，俺想既逢潮信，合当圆寂。众和尚，俺家问你，如何唤做圆寂？"寺内众僧答道："你是出家人，还不省得？佛门中圆寂便是死。"鲁智深笑道："既然死乃唤做圆寂，洒家今已必当圆寂。烦与俺烧桶汤来，洒家沐浴。"寺内众僧，都只道他说耍，又见他这般性格，不敢不依他，只得唤道人烧汤来与鲁智深洗浴。换了一身御赐的僧衣,便叫部下军校:"去报宋公明先锋哥哥,来看洒家。"又问寺内众僧处,讨纸笔写下一篇颂子,去法堂上捉把禅椅,当中坐了。焚起一炉好香,放了那张纸在禅床上,自叠起两只脚,左脚搭在右脚,自然天性腾空。比及宋公明见报,急引众头领来看时,鲁智深已自坐在禅椅上不动了。看其颂曰:

> "平生不修善果,只爱杀人放火。忽地顿开金枷,这里扯断玉锁。咦!钱塘江上潮信来,今日方知我是我。"

宋江与卢俊义看了偈语,嗟叹不已。众多头领都来看视鲁智深,焚香拜礼。城内张招讨并童枢密等众官,亦来拈香拜礼。宋江教把鲁智深衣钵并朝廷赏赐,出来俵散众僧,做了三昼夜功果,合个朱红龛子盛了,直去请径山住持大惠禅师,来与鲁智深下火。五山十刹禅师,都来诵经忏悔。迎出龛子,去六和塔后烧化那鲁智深。那径山大惠禅师手执火把,直来龛子前,指着鲁智深,道几句法语,是:

> "鲁智深,鲁智深,起身自绿林。两只放火眼,一片杀人心。忽地随潮归去,果然无处跟寻。咄!解使满空飞白玉,能令大地作黄金。"

大惠禅师下了火已了,众僧诵经忏悔,焚化龛子,在六和塔山后,收取骨殖,葬入塔院。所有鲁智深随身多馀衣钵金银并各官布施,尽都纳入六和寺里,常住公用。

当下宋江看视武松,虽然不死,已成废人。武松对宋江说道:"小弟今已残疾,不愿赴京朝觐,尽将身边金银赏赐,都纳此六和寺中陪堂公用,已作清闲道人,十分好了。哥哥造册,休写小弟进京。"宋江见说:"任从你心。"武松自此只在六和寺中出家,后至八十善终,这是后话。

　　再说先锋宋江每日去城中听令,待张招讨中军人马前进,已将军兵入城屯扎。半月之间,朝廷天使到来,奉圣旨:令先锋宋江等班师回京。张招讨,童枢密,都督刘光世,从、耿二参谋,大将王禀、赵谭,中军人马,陆续先回京师去了。宋江等随即收拾军马回京。比及起程,不想林冲染患风病瘫了,杨雄发背疮而死,时迁又感搅肠沙而死。宋江见了,感伤不已。丹徒县又申将文书来,报说杨志已死,葬于本县山园。林冲风瘫,又不能痊,就留在六和寺中,教武松看视,后半载而亡。

　　再说宋江与同诸将,离了杭州,望京师进发。只见浪子燕青私自来劝主人卢俊义道:"小乙自幼随侍主人,蒙恩感德,一言难尽。今既大事已毕,欲同主人纳还原受官诰,私去隐迹埋名,寻个僻净去处,以终天年。未知主人意下若何?"卢俊义道:"自从梁山泊归顺宋朝已来,北破辽兵,南征方腊,勤劳不易,边塞苦楚,弟兄殒折,幸存我一家二人性命。正要衣锦还乡,图个封妻荫子,你如何却寻这等没结果?"燕青笑道:"主人差矣。小乙此去,正有结果。只恐主人此去,定无结果。"若燕青,可谓知进退存亡之机矣。有诗为证:

　　　　略地攻城志已酬,陈辞欲伴赤松游。

　　　　时人苦把功名恋,只怕功名不到头。

　　卢俊义道:"燕青,我不曾存半点异心,朝廷如何负我?"燕青道:"主人岂不闻韩信立下十大功劳,只落得未央宫前斩首;彭越醢为肉酱,英布弓弦药酒。主公,你可寻思,祸到临头难走。"卢俊义道:"我闻韩信三齐擅自称王,教陈豨造反;彭越杀身亡家,大梁不朝高祖;英布九江受任,要谋汉帝江山。以此汉高帝诈游云梦,令吕后斩之。我虽不曾受这般重爵,亦不曾有此等罪过。"燕青道:"既然主公不听小乙之言,只怕悔之晚矣。小乙本待去辞宋先锋，他是个义重的人，必不肯放。只此辞别主公。"卢俊义道："你辞我，待要那里去？"燕青道："也只在主公前后。"卢俊义笑道："原来也只恁地。看你到那里！"燕青纳头拜了八拜，当夜收拾了一担金珠宝贝挑着，径不知投何处去了。

次日早晨，军人收得字纸一张，来报复宋先锋。宋江看那一张字纸时，上面写道是：

> "辱弟燕青百拜恳告先锋主将麾下：自蒙收录，多感厚
> 恩。效死干功，补报难尽。今自思命薄身微，不堪国家任
> 用，情愿退居山野，为一闲人。本待拜辞，恐主将义气深重，
> 不肯轻放，连夜潜去。今留口号四句拜辞，望乞主帅恕罪。
>
> 情愿自将官诰纳，不求富贵不求荣。
>
> 身边自有君王赦，淡饭黄齑过此生。"

宋江看了燕青的书并四句口号，心中郁悒不乐。当时尽收拾损折将佐的官诰牌面，送回京师，缴纳还官。

宋兵人马，迤逦前进。比及行至苏州城外，只见混江龙李俊诈中风疾，倒在床上，手下军人来报宋先锋。宋江见报，亲自领医人来看治李俊。李俊道："哥哥休误了回军的程限，朝廷见责，亦恐张招讨先回日久。哥哥怜悯李俊时，可留下童威、童猛看视兄弟，待病体痊可，随后赶来朝觐。哥哥军马，请自赴京。"宋江见说，心虽不然，倒不疑虑，只得引军前进。又被张招讨行文催趱，宋江只得留下李俊、童威、童猛三人，自同诸将上马赴京去了。

且说李俊三人竟来寻见费保四个，不负前约。七人都在榆柳庄上商议定了，尽将家私打造船只，从太仓港乘驾出海，自投化外国去了。后来为暹罗国之主。童威、费保等都做了化外官职，自取其乐，另霸海滨。这是李俊的后话。

　　再说宋江等诸将一行军马,在路无话。复过常州、润州相战去处,宋江无不伤感。军马渡江,十存二三,过扬州,进淮安,望京师不远了。宋江传令,叫众将各各准备朝觐。三军人马,九月二十后回到东京。张招讨中军人马,先进城去。宋江等军马,只就城外屯住,扎营于旧时陈桥驿,听候圣旨。宋江叫裴宣写录见在朝京大小正偏将佐数目,共计二十七员。正将一十二员:宋江、卢俊义、吴用、关胜、呼延灼、花荣、柴进、李应、朱仝、戴宗、李逵、阮小七。偏将一十五员:朱武、黄信、孙立、樊瑞、凌振、裴宣、蒋敬、杜兴、宋清、邹润、蔡庆、杨林、穆春、孙新、顾大嫂。是日,宋江将大小诸将见在者,殁于王事者,录其名数,写成谢恩表章,仍令正偏将佐,俱各准备幞头公服,伺候朝见天子。三日之后,上皇设朝,近臣奏闻。天子教宣宋江等面君朝见。正是:

　　　　鸡鸣紫陌曙光寒,莺啭皇州春色阑。

　　　　金阙晓钟开万户,玉阶仙仗拥千官。

　　　　花迎剑珮星初落,柳拂旌旗露未干。

　　　　宣召边庭征战士,九重深处见天颜。

　　当下早朝,道君天子升座,命侍御引进宋江等,各具公服,入内朝见。此日东方渐明,宋江、卢俊义等二十七员将佐承旨,即忙上马入城。东京百姓看了时,此是第三番朝见。想这宋江等初受招安时,却奉圣旨,都穿御赐的红绿锦袄子,悬挂金银牌面,入城朝见。破大辽之后回京师时,天子宣命,都是披袍挂甲,戎装入城朝见。今番太平回朝,天子特命文扮,却是幞头公服,入城朝觐。东京百姓看了只剩得这几个回来,众皆嗟叹不已。

　　宋江等二十七人,来到正阳门下,齐齐下马入朝。侍御史引至丹墀玉阶之下,宋江、卢俊义为首,上前八拜,退后八拜,进中八拜,三八二十四拜,扬尘舞蹈,山呼万岁,君臣礼足。徽宗天子看见宋江等只剩得这些人员,心中嗟念。上皇命都宣上殿。宋江、卢俊义引领众将,都上金阶,齐跪在珠帘之下。上皇命赐众将平身,左右近臣,早把珠帘卷起。天子乃曰:"朕知卿等众将,收剿江南,多负劳苦。卿之弟兄,损折大半,朕闻不胜伤悼。"宋江垂泪不起,仍自再拜奏曰:"以臣卤钝薄才,肝脑涂地,亦不能报国家大恩。昔日念臣共聚义兵一百八人,登五台发愿,谁想今日十损其八!谨录人数,未敢擅便具奏。伏望天慈,俯赐圣鉴。"上皇曰:"卿等部下殁于王事者,朕命各坟加封,不没其功。"宋江再拜,进上表文一通。表曰:

"平南都总管正先锋使臣宋江等谨上表:伏念臣江等,愚拙庸才,孤陋俗吏,往犯无涯之罪,幸蒙莫大之恩,高天厚地岂能酬,粉骨碎身何足报。股肱竭力,离水泊以除邪;兄弟同心,登五台而发愿。全忠秉义,护国保民。幽州城鏖战辽兵,清溪洞力擒方腊。虽则微功上达,奈缘良将下沉。臣江日夕怀忧,旦暮悲怆。伏望天恩,俯赐圣鉴,使已殁者皆蒙恩泽,见在生者得庇洪休。臣江乞归田野,愿作农民。实陛下仁育之赐,遂微臣退休之心。诚惶诚恐,稽首顿首。臣江等不胜战悚之至!谨录存殁人数,随表上进以闻。

阵亡正偏将佐五十九员:

正将一十四员:

秦明	徐宁	董平	张清	刘唐
史进	索超	张顺	雷横	石秀
解珍	解宝	阮小二	阮小五	

偏将四十五员:

宋万	焦挺	陶宗旺	韩滔	彭玘
曹正	宣赞	孔亮	郑天寿	施恩

邓　飞	周　通	龚　旺	鲍　旭	段景住
侯　健	孟　康	王　英	项　充	李　衮
单廷圭	吕　方	燕　顺	马　麟	郭　盛
欧　鹏	郁保四	陈　达	杨　春	李　忠
薛　永	李　云	丁得孙	石　勇	杜　迁
邹　渊	李　立	汤　隆	王定六	蔡　福
张　青	郝思文	扈三娘	魏定国	孙二娘

于路病故正偏将佐一十员：

正将五员：

林　冲	杨　志	张　横	穆　弘	杨　雄

偏将五员：

孔　明	朱　贵	朱　富	白　胜	时　迁

杭州六和寺坐化正将一员：

　　鲁智深

折臂不愿恩赐，六和寺出家正将一员：

　　武　松

旧在京，回还蓟州出家正将一员：

　　公孙胜

不愿恩赐，于路辞去正偏将四员：

正将二员：

　　燕　青　　李　俊

偏将二员：

　　童　威　　童　猛

旧留在京师，并取回医士，见在京偏将五员：

安道全	皇甫端	金大坚	萧　让	乐　和

见在朝觐正偏将佐二十七员：

正将一十二员：

宋 江	卢俊义	吴 用	关 胜	花 荣
柴 进	李 应	呼延灼	朱 仝	戴 宗
李 逵	阮小七			

偏将一十五员：

朱 武	黄 信	孙 立	樊 瑞	凌 振
裴 宣	蒋 敬	杜 兴	宋 清	邹 润
蔡 庆	杨 林	穆 春	孙 新	顾大嫂

宣和五年九月　　　　日，先锋使臣宋江，副先锋臣卢俊义等谨上表。"

上皇览表，嗟叹不已，乃曰："卿等一百八人，上应星曜。今止有二十七人见存，又辞去了四个，真乃十去其八矣！"随降圣旨，将这已殁于王事者，正将偏将，各授名爵。正将封为忠武郎，偏将封为义节郎。如有子孙者，就令赴京，照名承袭官爵；如无子孙者，敕赐立庙，所在享祭。惟有张顺显灵有功，敕封金华将军。僧人鲁智深擒获方腊有功，善终坐化于大刹，加封义烈昭暨禅师。武松对敌有功，伤残折臂，见于六和寺出家，封赠清忠祖师，赐钱十万贯，以终天年。已故女将二人，扈三娘加封花阳郡夫人，孙二娘加封旌德郡君。见在朝觐，除先锋使另封外，正将十员，各授武节将军，诸州统制；偏将十五员，各授武奕郎，诸路都统领。管军管民，省院听调。女将一员顾大嫂，封授东源县君。

先锋使宋江，加授武德大夫、楚州安抚使、兼兵马都总管。

副先锋卢俊义，加授武功大夫、庐州安抚使、兼兵马副总管。

军师吴用，授武胜军承宣使。

关胜授大名府正兵马总管。

呼延灼授御营兵马指挥使。

花荣授应天府兵马都统制。

柴进授横海军沧州都统制。

李应授中山府郓州都统制。

朱仝授保定府都统制。

戴宗授兖州府都统制。

李逵授镇江润州都统制。

阮小七授盖天军都统制。

上皇敕命各各正偏将佐，封官授职，谢恩听命，给付赏赐。偏将一十五员，各赐金银三百两，采段五表里。正将一十员，各赐金银五百两，采段八表里。先锋使宋江、卢俊义，各赐金银一千两，锦段十表里，御花袍一套，名马一匹。宋江等谢恩毕，又奏睦州乌龙大王，二次显灵，护国保民，救护军将，以全德胜。上皇准奏，圣敕加封忠靖灵德普祐孚惠龙王。御笔改睦州为严州，歙州为徽州，因是方腊造反之地，各带反文字体。清溪县改为淳安县，帮源洞凿开为山岛。敕委本州官库内支钱起建乌龙大王庙，御赐牌额，至今古迹尚存。江南但是方腊残破去处，被害人民，普免差徭三年。

当日宋江等各各谢恩已了，天子命设太平筵宴，庆贺功臣。文武百官，九卿四相，同登御宴。但见：

屏开孔雀，褥绣芙蓉。黄金殿上开筵，白玉阶前设宴。朱红台上，摆列着百味珍馐；龙凤桌围，设放着金银器皿。玻璃碗内，供献上熊掌驼蹄；琥珀杯中，满斟下瑶池玉液。珊瑚碟四时异果，玛瑙盘凤髓龙肝。教坊司搬演新文杂剧,承应院摆列舞女歌姬。光禄寺进呈御酒,帝王开颜;鸿胪寺报名赏宴,臣宰欢忭。大官署宰马敲牛,供筵赐饭;珍馐署推装果品,美味时新。往来进酒,无非是紫衣陪臣;上下传杯,尽都是锦衣内侍。太平设宴,显皇上不负功臣;得胜回朝,是武将赤心报国。画鼓振敲欢宴美,教坊齐贺太平歌。

上皇设宴,庆贺太平,御筵已毕,众将谢恩。宋江又奏:"臣部下自梁山泊受招安,军卒亡过大半。尚有愿还家者,乞陛下圣恩优恤。"天子准奏,降敕:如愿为军者,赐钱一百贯,绢十匹,于龙猛、虎威二营收操,月支俸粮养赡;如不愿者,赐钱二百贯,绢十匹,各令回乡,为民当差。宋江又奏:"臣生居郓城县,获罪以来,自不敢还乡。乞圣上宽恩给假,回乡拜扫,省视亲族,却还楚州之任。未敢擅便,乞请圣旨。"上皇闻奏大喜,再赐钱十万贯,作还乡之资。当日饮宴席终,谢恩已罢,辞驾出朝。次日,中书省作太平筵宴,管待众将。第三日,枢密院又设宴庆贺太平。其张招讨,刘都督,童枢密,从、耿二参谋,王、赵二大将,朝廷自升重爵,不在此本话内。太乙院题本,奏请圣旨,将方腊于东京市曹上凌迟处死,剐了三日示众。有诗为证:

> 宋江重赏升官日,方腊当刑受剐时。
>
> 善恶到头终有报,只争来早与来迟。

再说宋江奏请了圣旨,给假回乡省亲。当部下军将,愿为军者,报名送发龙猛、虎威二营收操,关给赏赐,马军守备;愿为民者,关请银两,各各还乡,为民当差。部下偏将,亦各请受恩赐,听除管军管民,护境为官,关领诰命,各人赴任,与国安民。

宋江分派已了,与众暂别,自引兄弟宋清,带领随行军健一二百人，挑担御物行李衣装赏赐，离了东京，望山东进发。宋江、宋清在马上衣锦还乡，回归故里，离了京师，于路无话。自来到山东郓城县宋家村，乡中故旧，父老亲戚，都来迎接。宋江回到庄上，不期宋太公已死，灵柩尚存。宋江、宋清痛哭伤感，不胜哀戚。家眷庄客，都来拜见宋江。庄院田产家私什物，宋太公存日，整置得齐备，亦如旧时。宋江在庄上修设好事，请僧命道，修建功果，荐拔亡过父母宗亲。州县官僚，探望不绝。择日选时，亲扶太公灵柩，高原安葬。是日，本州官员，亲邻父老，宾朋眷属，尽来送葬已了，不在话下。

宋江思念玄女娘娘，愿心未酬，将钱五万贯，命工匠人等，重建九天玄女娘娘庙宇，两廊山门，妆饰圣像，彩画两庑，俱已完备。不觉在乡日久，诚恐上皇见责，选日除了孝服，又做了几日道场。次后设一大会，请当村乡尊父老，饮宴酌杯，以叙间别之情。次日，亲戚亦皆置筵庆贺，以会故旧之心。不在话下。宋江将庄院交割与次弟，宋清虽受官爵，只在乡中务农，奉祀宗亲香火。将多余钱帛，散惠下民。把闲话都打叠起。有诗为证：

衣锦还乡实可夸，承恩又复入京华。

戴宗指点迷途破，身退名全遍海涯。

再说宋江在乡中住了数月，辞别乡老故旧，再回东京来，与众弟兄相见。众人亦各自搬取老小家眷，回京住的，有往任所去的；亦有夫主兄弟殁于王事的，朝廷已自颁降恩赐金帛，令归乡里，优恤其家。宋江自到东京，每日给散三军。诸将已亡过者，家眷老小，发遣回乡，都已完足。朝前听命，辞别省院诸官，收拾赴任。

只见神行太保戴宗，来相探宋江，坐间说出一席话来，有分教：宋公明生为郓城县英雄，死作蓼儿洼土地。只教名标史记几千年,事载丹书百万载。正是:凛凛清风生庙宇,堂堂遗像在凌烟。毕竟戴宗对宋江说出甚话来,且听下回分解。

第 一 百 回

宋公明神聚蓼儿洼　徽宗帝梦游梁山泊

《满庭芳》：

　　　　罡星起河北，豪杰四方扬。五台山发愿，扫清辽国转名
　　　　香。奉诏南收方腊，催促渡长江。一自润州破敌，席卷
　　　　过钱塘。　　　抵清溪，登昱岭，涉高冈。蜂巢剿灭，班
　　　　师衣锦尽还乡。堪恨当朝谗佞，不识男儿定乱，诳主降
　　　　遗殃。可怜一场梦，令人泪两行。

　　话说宋江衣锦还乡，拜扫回京。自离郓城县，还至东京，与
众弟兄相会，令其各人收拾行装，前往任所。当有神行太保戴宗
来探宋江，二人坐间闲话。只见戴宗起身道：“小弟已蒙圣恩，除
受兖州都统制。今情愿纳下官诰，要去泰安州岳庙里，陪堂求
闲，过了此生，实为万幸。”宋江道：“贤弟何故行此念头？”戴宗
道：“兄弟夜梦崔府君勾唤，因此发了这片善心。”宋江道：“贤弟
生身既为神行太保，他日必作岳府灵聪。”自此相别之后，戴宗纳
还了官诰，去到泰安州岳庙里，陪堂出家，在彼每日殷勤奉祀圣
帝香火，虔诚无忽。后数月，一夕无恙，请众道伴相辞作别，大笑
而终。后来在岳庙里累次显灵，州人庙祝，随塑戴宗神像于庙
里，胎骨是他真身。

　　又有阮小七受了诰命，辞别宋江，已往盖天军做都统制职
事。未及数月，被大将王禀、赵谭怀挟帮源洞辱骂旧恨，累累于

童枢密前诉说阮小七的过失:"曾穿着方腊的赭黄袍,龙衣玉带,虽是一时戏耍,终久怀心造意。"待要杀他。"亦且盖天军地僻人蛮,必致造反。"童贯把此事达知蔡京,奏过天子,请降了圣旨,行移公文到彼处,追夺阮小七本身的官诰,复为庶民。阮小七见了,心中也自欢喜,带了老母回还梁山泊石碣村,依旧打鱼为生,奉养老母,以终天年。后自寿至六十而亡。

且说小旋风柴进在京师,见戴宗纳还官诰求闲去了,又见说朝廷追夺了阮小七官诰,不合戴了方腊的平天冠,龙衣玉带,意在学他造反,罚为庶民,寻思:"我亦曾在方腊处做驸马,倘或日后奸臣们知得,于天子前谗佞,见责起来,追了诰命,岂不受辱?不如闻早自省,免受玷辱。"推称风疾病患,不时举发,难以任用,不堪为官,情愿纳还官诰,求闲为农。辞别众官,再回沧州横海郡为民,自在过活。忽然一日,无疾而终。

李应授中山府都统制,赴任半年,闻知柴进求闲去了,自思也推称风瘫,不能为官。申达省院,缴纳官诰,复还故乡独龙冈村中过活。后与杜兴一处作富豪,俱得善终。

关胜在北京大名府总管兵马,甚得军心,众皆钦伏。一日操练军马回来,因大醉失脚,落马得病身亡。

呼延灼受御营指挥使,每日随驾操备。后领大军破大金兀术四太子,出军杀至淮西阵亡。只有朱仝在保定府管军有功,后随刘光世破了大金,直做到太平军节度使。

花荣带同妻小妹子,前赴应天府到任。吴用自来单身,只带了随行安童①,去武胜军到任。李逵亦是独自带了两个仆从,自来润州到任。话说为何只说这三个到任,别的都说了绝后结果?

---

① 安童——童仆。

为这七员正将，都不厮见着，先说了结果。后这五员正将，宋江、卢俊义、吴用、花荣、李逵还有厮会处，以此未说绝了，结果下来便见。有诗为证：

> 百八英雄聚义间，东征西讨日无闲。
> 甫能待得功成后，死别生离意莫还。

　　再说宋江、卢俊义在京师，都分派了诸将赏赐，各各令其赴任去讫。殁于王事者，正将家眷人口，关给与恩赏钱帛金银，仍各送回故乡，听从其便。再有见在朝京偏将一十五员，除兄弟宋清还乡为农外，杜兴已自跟随李应还乡去了；黄信仍任青州；孙立带同兄弟孙新、顾大嫂并妻小，自依旧登州任用；邹润不愿为官，回登云山去了；蔡庆跟随关胜，仍回北京为民；裴宣自与杨林商议了，自回饮马川，受职求闲去了；蒋敬思念故乡，愿回潭州为民；朱武自来投授樊瑞道法，两个做了全真先生，云游江湖，去投公孙胜出家，以终天年；穆春自回揭阳镇乡中，后为良民；凌振炮手非凡，仍授火药局御营任用。旧在京师偏将五员，安道全钦取回京，就于太医院做了金紫医官；皇甫端原受御马监大使；金大坚已在内府御宝监为官；萧让在蔡太师府中受职，作门馆先生；乐和在驸马王都尉府中，尽老清闲，终身快乐。不在话下。

　　且说宋江自与卢俊义分别之后，各自前去赴任。卢俊义亦无家眷，带了数个随行伴当，自望庐州去了。宋江谢恩辞朝，别了省院诸官，带同几个家人仆从，前往楚州赴任。自此相别，都各分散去了，亦不在话下。

　　且说宋朝原来自太宗传太祖帝位之时，说了誓愿，以致朝代奸佞不清。至今徽宗天子，至圣至明，不期致被奸臣当道，谗佞专权，屈害忠良，深可悯念。当此之时，却是蔡京、童贯、高俅、杨戬四个贼臣,变乱天下,坏国坏家坏民。当有殿帅府太尉高俅、杨戬,因见天子重礼厚赐宋江等这伙将校,心内好生不然。两个自来商议道:"这宋江、卢俊义皆是我等仇人,今日倒吃他做了有功大臣,受朝廷这等钦恩赏赐,却教他上马管军,下马管民。我等省院官僚,如何不惹人耻笑!自古道:恨小非君子,无毒不丈夫。"杨戬道:"我有一计,先对付了卢俊义,便是绝了宋江一只臂膊。这人十分英勇,若先对付了宋江,他若得知,必变了事,倒惹出一场不好。"高俅道:"愿闻你的妙计如何。"杨戬道:"排出几个庐州军汉,来省院首告卢安抚招军买马,积草屯粮,意在造反,便与他申呈去太师府启奏,和这蔡太师都瞒了。等太师奏过天子,请旨定夺,却令人赚他来京师。待上皇赐御食与他,于内下了些水银,却坠了那人腰肾,做用不得,便成不得大事。再差天使,却赐御酒与宋江吃,酒里也与他下了慢药,只消半月之间,一定没救。"高俅道:"此计大妙。"有诗为证:

> 自古权奸害善良,不容忠义立家邦。
>
> 皇天若肯明昭报,男作俳优女作倡。

两个贼臣计议定了,着心腹人出来寻觅两个庐州土人,写与他状子,叫他去枢密院,首告卢安抚在庐州即日招军买马,积草屯粮,意欲造反;使人常往楚州,结连安抚宋江,通情起义。枢密院却是童贯,亦与宋江等有仇,当即收了原告状子,径呈来太师府启奏。蔡京见了申文,便会官计议。此时高俅、杨戬俱各在彼,四个奸臣定了计策,引领原告人入内启奏天子。上皇曰:"朕想宋江、卢俊义,破大辽,收方腊,掌握十万兵权,尚且不生歹心,今已去邪归正,焉肯背反?寡人不曾亏负他,如何敢叛逆朝廷?其中有诈,未审虚的,难以准信。"当有高俅、杨戬在傍奏道:"圣上道理虽是忠爱,人心难忖,想必是卢俊义嫌官卑职小,不满其心，复怀反意，不幸被人知觉。"上皇曰："可唤来寡人亲问，自取实招。"蔡京、童贯又奏道："卢俊义是一猛兽，未保其心。倘若惊动了他，必致走透，深为未便，今后难以收捕。只可赚来京师，陛下亲赐御膳御酒，将圣言抚谕之，窥其虚实动静。若无，不必究问，亦显陛下不负功臣之念。"上皇准奏，随即降下圣旨，差一使命径往庐州宣取卢俊义还朝，有委用的事。天使奉命来到庐州，大小官员出郭迎接，直至州衙，开读已罢。

话休絮繁。卢俊义听了圣旨宣取回朝，便同使命离了庐州，一齐上了铺马来京。于路无话，早至东京皇城司前歇了。次日早，到东华门外伺候早朝。时有太师蔡京，枢密院童贯，太尉高俅、杨戬，引卢俊义于偏殿朝见上皇。拜舞已罢，天子道："寡人欲见卿一面。"又问："庐州可容身否？"卢俊义再拜奏道："托赖圣上洪福齐天，彼处军民亦皆安泰。"上皇又问了些闲话。俄延至午，尚膳厨官奏道："进呈御膳在此，未敢擅便，乞取圣旨。"此时高俅、杨戬，已把水银暗地着放在里面，供呈在御案上。天子当面将膳赐与卢俊义，卢俊义拜受而食。上皇抚谕道："卿去庐州，务要尽心安养军士，勿生非意。"卢俊义顿首谢恩，出朝回还庐州，全然不知四个贼臣设计相害。高俅、杨戬相谓曰："此后大事定矣。"有诗为证：

　　　奸贼阴谋害善良，共为谗语惑徽皇。

　　　潜将鸩毒安中膳，俊义何辜一命亡。

再说卢俊义星夜便回庐州来，觉道腰肾疼痛，动举不得，不能乘马，坐船回来。行至泗州淮河，天数将尽，自然生出事来。其夜因醉，要立在船头上消遣，不想水银坠下腰胯并骨髓里去，册立不牢，亦且酒后失脚，落于淮河深处而死。可怜河北玉麒麟，屈作水中冤抑鬼！从人打捞起尸首，具棺椁殡于泗州高原深处。本州官员动文书申复省院，不在话下。

且说蔡京、童贯、高俅、杨戬四个贼臣，计较定了，将赍泗州申达文书，早朝奏闻天子说："泗州申复：卢安抚行至淮河，坠水而死。臣等省院，不敢不奏。今卢俊义已死，只恐宋江心内设疑，别生他事。乞陛下圣鉴，可差天使，赍御酒往楚州赏赐，以安其心。"上皇沉吟良久，欲道不准，未知其心意；欲准理，诚恐害人。上皇无奈，终被奸臣谗佞所惑，片口张舌，花言巧语，缓里取事，无不纳受，遂将御酒二樽，差天使一人，赍往楚州，限目下便行。眼见得这使臣亦是高俅、杨戬二贼手下心腹之辈。天数只注宋公明合当命尽，不期被这奸臣们将御酒内放了慢药在里面，却教天使赍擎了，径往楚州来。

且说宋公明自从到楚州为安抚，兼管总领兵马。到任之后，惜军爱民，百姓敬之如父母，军校仰之若神明，讼庭肃然，六事俱备，人心既服，军民钦敬。宋江赴任之后，时常出郭游玩。原来楚州南门外有个去处，地名唤做蓼儿洼。其山四面都是水港，中有高山一座。其山秀丽，松柏森然，甚有风水，和梁山泊无异。虽然是个小去处，其内山峰环绕，龙虎踞盘，曲折峰峦，坡阶台砌，四围港汊，前后湖荡，俨然似水浒寨一般。宋江看了，心中甚喜，自己想道："我若死于此处，堪为阴宅。"但若身闲，常去游玩，乐情消遣。

话休絮烦。自此宋江到任以来，将及半载，时是宣和六年首夏初旬，忽听得朝廷降赐御酒到来，与众出郭迎接。入到公廨，开读圣旨已罢，天使捧过御酒，教宋安抚饮毕。宋江亦将御酒回劝天使，天使推称自来不会饮酒。御酒宴罢，天使回京，宋江备礼馈送天使，天使不受而去。

宋江自饮御酒之后，觉道肚腹疼痛，心中疑虑，想被下药在酒里。却自急令从人打听那来使时,于路馆驿却又饮酒。宋江已知中了奸计,必是贼臣们下了药酒,乃叹曰:"我自幼学儒,长而通吏,不幸失身于罪人,并不曾行半点异心之事。今日天子信听谗佞,赐我药酒,得罪何辜!我死不争,只有李逵见在润州都统制,他若闻知朝廷行此奸弊,必然再去哨聚山林,把我等一世清名忠义之事坏了。只除是如此行方可。"有诗为证:

> 奸邪误国太无情,火烈擎天白玉茎。
>
> 他日三边如有警,更凭何将统雄兵。

连夜使人往润州唤取李逵星夜到楚州,别有商议。

　　且说黑旋风李逵自到润州为都统制,只是心中闷倦,与众终日饮酒,只爱贪杯。听得楚州宋安抚差人到来有请,李逵道:"哥哥取我,必有话说。"便同干人下了船,直到楚州,径入州治拜见。宋江道:"兄弟,自从分散之后,日夜只是想念众人。吴用军师,武胜军又远。花知寨在应天府,又不知消耗。只有兄弟在润州镇江较近,特请你来商量一件大事。"李逵道:"哥哥,甚么大事?"宋江道:"你且饮酒。"宋江请进后厅,见成杯盘,随即管待李逵,吃了半晌酒食。将至半酣,宋江便道:"贤弟不知,我听得朝廷差人赍药酒来赐与我吃。如死,却是怎的好?"李逵大叫一声:"哥哥,反了罢!"宋江道:"兄弟,军马尽都没了,兄弟们又各分散,如何反得成?"李逵道:"我镇江有三千军马,哥哥这里楚州军马,尽点起来,并这百姓都尽数起去,并气力招军买马,杀将去。只是再上梁山泊倒快活,强似在这奸臣们手下受气!"宋江道:"兄弟且慢着,再有计较。"不想昨日那接风酒内,已下了慢药。当夜,李逵饮酒了。

　　次日,具舟相送。李逵道:"哥哥,几时起义兵?我那里也起军来接应。"宋江道:"兄弟,你休怪我!前日朝廷差天使赐药酒与我服了,死在旦夕。我为人一世,只主张忠义二字,不肯半点欺心。今日朝廷赐死无辜,宁可朝廷负我,我忠心不负朝廷。我死之后,恐怕你造反,坏了我梁山泊替天行道忠义之名,因此请将你来,相见一面。昨日酒中已与了你慢药服了,回至润州必死。你死之后,可来此处楚州南门外,有个蓼儿洼,风景尽与梁山泊无异,和你阴魂相聚。我死之后,尸首定葬于此处,我已看定了也!"言讫,堕泪如雨。李逵见说,亦垂泪道:"罢,罢,罢!生时伏侍哥哥,死了也只是哥哥部下一个小鬼。"言讫泪下,便觉道身体有些沉重。当时洒泪,拜别了宋江下船。回到润州,果然药发身死。有诗为证:

> 宋江饮毒已知情,恐坏忠良水浒名。
>
> 便约李逵同一死,蓼儿洼内起佳城。

李逵临死之时,付嘱从人:"我死了,可千万将我灵柩去楚州南门外蓼儿洼,和哥哥一处埋葬。"嘱罢而死。从人置备棺椁盛贮,不负其言,扶柩而往。

原来楚州南门外蓼儿洼,果然风景异常,四面俱是水,中有此山。宋江自到任以来,便看在眼里,常时游玩乐情。虽然窄狭,山峰秀丽,与梁山泊无异。常言:"我死当葬于此处。"不期果应其言。宋江自与李逵别后,心中伤感,思念吴用、花荣,不得会面。是夜药发,临危嘱付从人亲随之辈:"可依我言,将我灵柩,殡葬此间南门外蓼儿洼高原深处,必报你众人之德。乞依我嘱。"言讫而逝。有诗为证:

> 受命为臣赐锦袍,南征北伐有功劳。
>
> 可怜忠义难容世,鸩酒奸谗竟莫逃。

宋江从人置备棺椁,依礼殡葬楚州。官吏听从其言,不负遗嘱,当与亲随人从,本州吏胥老幼,扶宋公明灵柩,葬于蓼儿洼。

数日之后，李逵灵柩亦从润州到来，从人不违其言，扶柩葬于宋江墓侧，不在话下。有诗为证：

　　　始为放火图财贼，终作投降受命人。

　　　千古英雄两坯土，暮云衰草倍伤神。

　　且说宋清在家患病，闻知家人回来报说，哥哥宋江已故在楚州，病在郓城，不能前来津送。后又闻说葬于本州南门外蓼儿洼，只令得家人到来祭祀，看视坟茔。修筑完备，回复宋清，不在话下。

　　却说武胜军承宣使军师吴用，自到任之后，常常心中不乐，每每思念宋公明相爱之心。忽一日，心情恍惚，寝寐不安。至夜，梦见宋江、李逵二人，扯住衣服说道："军师，我等以忠义为主，替天行道，于心不曾负了天子。今朝廷赐饮药酒，我死无辜。身亡之后，见已葬于楚州南门外蓼儿洼深处。军师若想旧日之交情，可到坟茔，亲来看视一遭。"吴用要问备细，撒然觉来，乃是南柯一梦。吴用泪如雨下，坐而待旦。得了此梦，寝食不安。

　　次日，便收拾行李，径往楚州来。不带从人，独自奔来。于路无话，前至楚州。到时，果然宋江已死，只闻彼处人民，无不嗟叹。吴用安排祭仪，直至南门外蓼儿洼，寻到坟茔，哭祭宋公明、李逵，就于墓前，以手掴其坟冢，哭道："仁兄英灵不昧，乞为昭鉴！吴用是一村中学究，始随晁盖，后遇仁兄，救护一命，坐享荣华，到今数十馀载，皆赖兄长之德。今日既为国家而死，托梦显灵与我，兄弟无以报答，愿得将此良梦，与仁兄同会于九泉之下。"言罢痛哭。正欲自缢，只见花荣从船上飞奔到于墓前，见了吴用，各吃一惊。吴学究便问道："贤弟在应天府为官，缘何得知宋兄长已丧？"花荣道："兄弟自从分散到任之后，无日身心得安，常想念众兄之情。因夜得一异梦，梦见宋公明哥哥和李逵，前来扯住小弟,诉说:'朝廷赐饮药酒鸩死,见葬于楚州南门外蓼儿洼高原之上。兄弟如不弃旧,可到坟前看望一遭。'因此小弟掷了家间,不避驱驰,星夜到此。"吴用道:"我得异梦,亦是如此,与贤弟无异,因此而来看探坟所。今得贤弟知而到来在此,最好。吴某心中想念宋公明恩义难报,交情难舍,正欲就此处自缢一死,魂魄与仁兄同聚一处,以表忠义之心。"花荣道:"军师既有此心,小弟便当随之,亦与仁兄同尽忠义。"似此真乃死生契合者也。有诗为证:

> 红蓼洼中客梦长,花荣吴用苦悲伤。
>
> 一腔义烈原相契,封树高悬两命亡。

吴用道:"我指望贤弟看见我死之后,葬我于此。你如何也行此义?"花荣道:"小弟寻思宋兄长仁义难舍,恩念难忘。我等在梁山泊时,已是大罪之人,幸然不死,累累相战,亦为好汉。感得天子赦罪招安,北讨南征,建立功勋,今已姓扬名显,天下皆闻。朝廷既已生疑,必然来寻风流罪过。倘若被他奸谋所施,误受刑戮,那时悔之无及。如今随仁兄同死于黄泉,也留得个清名于世,尸必归坟矣。"吴用道:"贤弟,你听我说。我已单身,又无家眷,死却何妨。你今见有幼子娇妻,使其何依?"花荣道:"此事不妨,自有囊箧,足以餬口。妻室之家,亦自有人料理。"两个大哭一场,双双悬于树上,自缢而死。船上从人,久等不见本官出来,都到坟前看时,只见吴用、花荣自缢身死。慌忙报与本州官僚,置备棺椁,葬于蓼儿洼宋江墓侧,宛然东西四丘。楚州百姓感念宋江仁德,忠义两全,建立祠堂,四时享祭,里人祈祷,无不感应。

且不说宋江在蓼儿洼累累显灵,所求立应,却说道君皇帝在东京内院,自从赐御酒与宋江之后,圣意累累设疑,又不知宋江消息,常只挂念于怀。每日被高俅、杨戬议论奢华受用所惑,只要闭塞贤路,谋害忠良。忽然一日,上皇在内宫闲玩,猛然思想起李师师,就从地道中,和两个小黄门径来到他后园中,拽动铃索。李师师慌忙迎接圣驾,到于卧房内坐定,上皇便叫前后关闭了门户。李师师盛妆向前,起居已罢。天子道:"寡人近感微疾,见今神医安道全看治,有数十日不曾来与爱卿相会,思慕之甚。今一见卿,朕怀不胜悦乐。"有诗为证:

> 不见芳卿十日余,朕心眷恋又踟蹰。
>
> 今宵得遂风流兴,美满恩情锦不如。

李师师奏道:"深蒙陛下眷爱之心,贱人愧感莫尽。"房内铺设酒肴,与上皇饮酌取乐。才饮过数杯,只见上皇神思困倦,点的灯烛荧煌,忽然就房里起一阵冷风。上皇见个穿黄衫的立在面前。上皇惊起,问道:"你是甚人,直来到这里?"那穿黄衫的人奏道:"臣乃是梁山泊宋江部下神行太保戴宗。"上皇道:"你缘何到此?"戴宗奏曰:"臣兄宋江,只在左右,启请陛下车驾同行。"上皇曰:"轻屈寡人车驾何往?"戴宗道:"自有清秀好去处,请陛下游玩。"上皇听罢此语,便起身随戴宗出得后院来,见马车足备。戴宗请上皇乘马而行,但见如云似雾,耳闻风雨之声,到一个去处。则见:

> 漫漫烟水,隐隐云山。不观日月光明,只见水天一色。红瑟瑟满目蓼花,绿依依一洲芦叶。双双鸂鶒,游戏在沙渚矶头;对对鸳鸯,睡宿在败荷汀畔。林峦霜叶,纷纷万片火龙鳞;堤岸露花,簇簇千双金兽眼。淡月疏星长夜景,凉风冷露九秋天。

当下上皇在马上观之不足,问戴宗道:"此是何处,屈寡人到

此?"戴宗指着山上关路道:"请陛下行去,到彼便知。"上皇纵马
登山,行过三重关道,至第三座关前,见有百馀人俯伏在地,尽是
披袍挂铠,戎装革带,金盔金甲之将。上皇大惊,连问道:"卿等
皆是何人?"只见为头一个,凤翅金盔,锦袍金甲,向前奏道:"臣
乃梁山泊宋江是也。"上皇曰:"寡人已教卿在楚州为安抚使,却
缘何在此?"宋江奏道:"臣等谨请陛下到忠义堂上,容臣细诉衷
曲枉死之冤。"上皇到忠义堂前下马,上堂坐定。看堂下时,烟雾
中拜伏着许多人,上皇犹豫不定。只见为首的宋江,上阶跪膝,
向前垂泪启奏。上皇道:"卿何故泪下?"宋江奏道:"臣等虽曾抗
拒天兵,素秉忠义,并无分毫异心。自从奉陛下敕命招安之后,
北退辽兵,东擒方腊,弟兄手足,十损其八。臣蒙陛下命守楚州,
到任已来,与军民水米无交,天地共知臣心。陛下赐以药酒,与
臣服吃,臣死无憾。但恐李逵怀恨,辄起异心,臣特令人去润州,
唤李逵到来,亲与药酒鸩死。吴用、花荣亦为忠义而来,在臣冢
上,俱皆自缢而亡。臣等四人,同葬于楚州南门外蓼儿洼。里人
怜悯,建立祠堂于墓前。今臣等与众已亡者,阴魂不散,俱聚于
此,伸告陛下,诉平生衷曲,始终无异。乞陛下圣鉴。"上皇听了,
大惊曰:"寡人亲差天使,亲赐黄封御酒,不知是何人换了药酒赐
卿?"宋江奏道:"陛下可问来使,便知奸弊所出也。"上皇看见三
关寨栅雄壮,惨然问曰:"此是何所,卿等聚会于此?"宋江奏曰:
"此是臣等旧日聚义梁山泊也。"上皇又曰:"卿等已死,当往受生
于阳世,何故相聚于此?"宋江奏道:"天帝哀怜臣等忠义,蒙玉帝
符牒敕命,封为梁山泊都土地。因到乡中为神,众将已会于此。
有屈难伸,特令戴宗屈万乘之主,亲临水泊,恳告平日之衷曲。"
上皇曰:"卿等何不诣九重深苑,显告寡人?"宋江奏道:"臣乃幽
阴魂魄,怎得到凤阙龙楼。今者陛下出离宫禁,屈邀至此。"上皇

曰:"寡人久坐,可以观玩否?"宋江等再拜谢恩。上皇下堂,回首观看堂上牌额,大书"忠义堂"三字。上皇点头下阶。忽见宋江背后转过李逵,手搦双斧,厉声高叫道:"皇帝,皇帝! 你怎地听信四个贼臣挑拨,屈坏了我们性命? 今日既见,正好报仇!"黑旋风说罢,轮起双斧,径奔上皇。天子吃这一惊,撒然觉来,乃是南柯一梦。浑身冷汗,闪开双眼,见灯烛荧煌,李师师犹然未寝。有诗为证:

> 偶入青楼访爱卿,梦经水浒见豪英。
>
> 无穷冤抑当阶诉,身后何人报不平。

上皇问曰:"寡人恰才何处去来?"李师师奏道:"陛下适间伏枕而卧。"上皇却把梦中神异之事,对李师师一一说知。李师师又奏曰:"凡人正直者,必然为神也。莫非宋江端的已死,是他故显神灵托梦与陛下?"上皇曰:"寡人来日,必当举问此事。若是如果真实,必须与他建立庙宇,敕封烈侯。"李师师奏曰:"若圣上如此加封,显陛下不负功臣之德。"上皇当夜嗟叹不已。

次日早朝,传圣旨会群臣于偏殿。当有蔡京、童贯、高俅、杨戬朝罢,虑恐圣上问宋江之事,已出宫去了。只有宿太尉等近上大臣,在彼侍侧。上皇便问宿元景曰:"卿知楚州安抚宋江消息否?"宿太尉奏道:"臣虽一向不知宋安抚消息,臣昨夜得一异梦,甚是奇怪。"上皇曰:"卿得异梦,可奏与寡人知道。"宿太尉奏曰:"臣梦见宋江亲到私宅,戎装惯带,顶盔挂甲,见臣诉说陛下以药酒见赐而亡。楚人怜其忠义,葬于本州南门外蓼儿洼内,建立祠堂,四时享祭。"上皇听罢,摇着头道:"此诚异事! 与朕梦一般。"又分付宿元景道:"卿可使心腹之人,往楚州体察此事有无,急来回报。"宿太尉是日领了圣旨,自出宫禁,归到私宅,便差心腹之人,前去楚州打听宋江消息,不在话下。

次日,上皇驾坐文德殿,见高俅、杨戬在侧,圣旨问道:"汝等省院近日知楚州宋江消息否?"二人不敢启奏,各言不知。上皇展转心疑,龙体不乐。

且说宿太尉干人,已到楚州打探回来,备说宋江蒙御赐饮药酒而死。已丧之后,楚人感其忠义,今葬于楚州蓼儿洼高原之上。更有吴用、花荣、李逵三人,一处埋葬。百姓哀怜,盖造祠堂于墓前,春秋祭赛,虔诚奉事,士庶祈祷,极有灵验。宿太尉听了,慌忙引领干人入内,备将此事面奏天子。上皇见说,不胜伤感。次日早朝,天子大怒,当百官前,责骂高俅、杨戬:"败国奸臣,坏寡人天下!"二人俯伏在地,叩头谢罪。蔡京、童贯亦向前奏道:"人之生死,皆由注定。省院未有来文,不敢妄奏,其实不知。昨夜楚州才有申文到院,目今臣等正欲启奏圣上,正待取问此事。"上皇终被四贼曲为掩饰,不加其罪,当即喝退高俅、杨戬,便教追要原赍御酒使臣。不期天使自离楚州回还,已死于路。

宿太尉次日见上皇于偏殿驾坐,再以宋江忠义为神,显灵士庶之事,奏闻天子。上皇准宣宋江亲弟宋清,承袭宋江名爵。不期宋清已感风疾在身,不能为官,上表辞谢,只愿郓城为农。上皇怜其孝道,赐钱十万贯,田三千亩,以赡其家,待有子嗣,朝廷录用。后来宋清生一子宋安平,应过科举,官至秘书学士,这是后话。

再说上皇具宿太尉所奏,亲书圣旨,敕封宋江为忠烈义济灵应侯,仍敕赐钱,于梁山泊起盖庙宇,大建祠堂,妆塑宋江等殁于王事诸多将佐神像。敕赐殿宇牌额,御笔亲书"靖忠之庙"。济州奉敕,于梁山泊起造庙宇。但见:

> 金钉朱户,玉柱银门,画栋雕梁,朱檐碧瓦。绿栏干低
> 应轩窗,绣帘幕高悬宝槛。五间大殿,中悬敕额金书;

两庑长廊,采画出朝入相。绿槐影里,棂星门高接青云;翠柳阴中,靖忠庙直侵霄汉。黄金殿上,塑宋公明等三十六员天罡正将;两廊之内,列朱武为头七十二座地煞将军。门前侍从狰狞,部下神兵勇猛。纸炉巧匠砌楼台,四季焚烧楮帛;桅竿高竖挂长幡,二社乡人祭赛。庶民恭敬正神祇,祀典朝参忠烈帝。万年香火享无穷,千载功勋标史记。

又有绝句一首,诗曰:

天罡尽已归天界,地煞还应入地中。

千古为神皆庙食,万年青史播英雄。

后来宋公明累累显灵,百姓四时享祭不绝。梁山泊内,祈风得风,祷雨得雨。又在楚州蓼儿洼,亦显灵验。彼处人民,重建大殿,添设两廊,奏请赐额。妆塑神像三十六员于正殿,两廊仍塑七十二将,侍从人众。楚人行此诚心,远近祈祷,无有不应。护国保民,受万万年香火。年年享祭,岁岁朝参。万民顶礼保安宁,士庶恭祈而赐福。至今古迹尚存。太史有唐律二首哀挽,诗曰:

莫把行藏怨老天,韩彭当日亦堪怜。

一心征腊摧锋日,百战擒辽破敌年。

煞曜罡星今已矣,谗臣贼相尚依然。

早知鸩毒埋黄壤,学取鸱夷泛钓船。

生当庙食死封侯,男子平生志已酬。

铁马夜嘶山月暗,玄猿秋啸暮云稠。

不须出处求真迹,却喜忠良作话头。

千古蓼洼埋玉地,落花啼鸟总关愁。

附 录 一

容与堂刻本书前四篇评论文字

批评《水浒传》述语

　　和尚自入龙湖以来，口不停诵，手不停批者三十年，而《水浒传》、《西厢曲》尤其所不释手者也。盖和尚一肚皮不合时宜，而独《水浒传》足以发抒其愤懑，故评之为尤详。

　　据和尚所评《水浒传》，玩世之词十七，持世之语十三；然玩世处亦俱持世心肠也，但以戏言出之耳。高明者自能得之语言文字之外。

　　《水浒传》讹字极多，和尚谓不必改正，原以通俗与经史不同故耳。故一切如"代"为"带"、"的"为"得"之类，俱照原本，不改一字。

　　和尚评语中亦有数字不可解，意和尚必自有见，故一如原本云。

　　和尚又有《清风史》一部，此则和尚手自删削而成文者也，与原本《水浒传》绝不同矣。所谓太史公之豆腐帐，非乎！

　　和尚读《水浒传》，第一当意黑旋风李逵，谓为梁山泊第一尊活佛，特为手订《寿张县令黑旋风集》。此则令人绝倒者也，不让

《世说》诸书矣！艺林中亦似少此一段公案不得。

小沙弥怀林谨述

梁山泊一百单八人优劣

李逵者，梁山泊第一尊活佛也，为善为恶，彼俱无意。宋江用之，便知有宋江而已，无成心也，无执念也；借使道君皇帝能用之，我知其不为蔡京、高俅、童贯、杨戬矣。其次如石秀之为杨雄，鲁达之为林冲，武松之为施恩，俱是也。

若夫宋江者，逢人便拜，见人便哭，自称曰"小吏小吏"，或招曰"罪人罪人"，的是假道学、真强盗也；然能以此收拾人心，亦非无用人也。当时若使之为相，虽不敢曰休休一个臣，亦必能以人事君，有可观者矣。至于吴用，一味权谋，全身奸诈，佛性到此，澌灭殆尽。倘能置之帷幄之中，似亦可与陈平诸人对垒。屈指梁山，有如此者。若其馀诸人，不过梁山泊中一班强盗而已矣，何足言哉！何足言哉！

或曰：其中尽有事穷势迫，为宋公明勾引入伙，如秦明、呼延灼等辈，岂可概以强盗目之？

予谓：不能杀身成仁、舍生取义，便是强盗耳。独卢俊义、李应，在诸人中稍可原耳，亦终不如祝氏三雄、曾氏五虎之为得死所也，亦终不如祝氏三雄、曾氏五虎之为得死所也！

《水浒传》一百回文字优劣

世上先有《水浒传》一部，然后施耐庵、罗贯中借笔墨拈出，若夫姓某名某，不过劈空捏造以实其事耳。如世上先有淫妇人，然后以杨雄之妻、武松之嫂实之;世上先有马泊六,然后以王婆实之;世上先有家奴与主母通奸,然后以卢俊义之贾氏、李固实之。若管营,若差拨,若董超,若薛霸,若富安,若陆谦,情状逼真,笑语欲活,非世上先有是事,即令文人面壁九年,呕血十石,亦何能至此哉,亦何能至此哉! 此《水浒传》之所以与天地相终始也与!

其中照应谨密,曲尽苦心,亦觉琐碎,反为可厌。至于披挂战斗,阵法兵机,都剩技耳,传神处不在此也。更可恶者,是九天玄女、石碣天文两节,难道天地故生强盗,而又遣鬼神以相之耶?决不然矣。读者毋为说梦痴人前其可。

又论《水浒传》文字

《水浒传》虽小说家也,实泛滥百家,贯串三教。鲁智深临化数语,已揭内典之精微;罗真人、清道人、戴院长,又极道家之变幻;独其有心贬抑儒家,只以一王伦当之,局量偏浅,智识卑陋,强盗也做不成,可发一笑。至于战法阵图,人情土俗,百工技艺,无所不有,真搜罗殆尽,一无遗漏者也。

更可喜者,如以一丈青配合王矮虎,王定六追随郁保四,一长一短,一肥一瘦,天地悬绝,真堪绝倒。文思之巧,乃至是哉!恐读者草草看过,又为拈出,以作艺林一段佳话。如李大哥举动爽利,言语痛快,又多不经人道之语,极其形容,不可思议。既有寿张令公之集,兹不具举。

附 录 二

《忠义水浒传》叙

　　太史公曰:"《说难》、《孤愤》,贤圣发愤之所作也。"由此观之,古之圣贤,不愤则不作矣。不愤而作,譬如不寒而颤,不病而呻吟也,虽作何观乎!《水浒传》者,发愤之所作也。盖自宋室不竞,冠履倒施,大贤处下,不肖处上;驯致夷狄处上,中原处下,一时君相,犹然处堂燕雀,纳币称臣,甘心屈膝于犬羊已矣。施、罗二公,身在元,心在宋,虽生元日,实愤宋事。是故愤二帝之北狩,则称大破辽以泄其愤;愤南渡之苟安,则称灭方腊以泄其愤。敢问泄愤者谁乎?则前日啸聚水浒之强人也,欲不谓之忠义不可也。是故施、罗二公传水浒而复以忠义名其传焉。夫忠义何以归于水浒也?其故可知也。夫水浒之众,何以一一皆忠义也?所以致之者可知也。今夫小德役大德,小贤役大贤,理也。若以小贤役人,而以大贤役于人,其肯甘心服役而不耻乎?是犹以小力缚人,而使大力缚于人,其肯束手就缚而不辞乎?其势必至驱天下大力大贤而尽纳之水浒矣。则谓水浒之众,皆大力大贤有忠有义之人可也,然未有忠义如宋公明者也。今观一百单八人者,同功同过,同死同生,其忠义之心,犹之乎宋公明也。独宋公明者,身居水浒之中,心在朝廷之上,一意招安,专图报国,卒至于犯大难,成大功,服毒自缢,同死而不辞,则忠义之烈也! 真足以服一百单八人者之心,故能结义梁山为一百单八人之主。最后南征方腊,一百单八人者阵亡已过半矣。又智深坐化于六和,燕青涕泣而辞主,二童就计于混江。宋公明非不知也,以为见几明哲,不过小丈夫自完之计,决非忠于君、义于友者所忍屑矣。是之谓宋公明也,是以谓之忠义也。传其可无作欤?传其可不读欤?故有国者不可以不读,一读此传,则忠义不在水浒,而皆在于君侧矣;贤宰相不可以不读,一读此传,则忠义不在水浒而皆在于朝廷矣;兵部掌军国之枢,督府专阃外之寄,是又不可以不读也,苟一日而读此传,则忠义不在水浒,而皆为干城心腹之选矣。否则,不在朝廷,不在君侧,不在干城心腹,乌乎在?在水浒。此传之所为发愤矣。若夫好事者资其谭柄,用兵者藉其谋划,要以各见所长,乌睹所谓忠义者哉!

　　　　　　　　　　　　温陵卓吾李贽撰
　　　　　　　　　庚戌仲夏日虎林孙朴书于三生石畔